POVO EM LÁGRIMAS, POVO EM ARMAS

Povo em lágrimas, povo em armas

título original: *Peuples en larmes, peuples en armes*
Georges Didi-Huberman

ISBN 978-65-86941-18-0

Embora adote a maioria dos usos editoriais do âmbito brasileiro, a n-1 edições não segue necessariamente as convenções das instituições normativas, pois considera a edição um trabalho de criação que deve interagir com a pluralidade de linguagens e a especificidade de cada obra publicada.

COORDENAÇÃO EDITORIAL Peter Pál Pelbart e Ricardo Muniz Fernandes
DIREÇÃO DE ARTE Ricardo Muniz Fernandes
TRADUÇÃO© Hortencia Lencastre

ASSISTÊNCIA EDITORIAL Inês Mendonça e Paulo Henrique Pompermaier
PREPARAÇÃO Graziela Marcolin
REVISÃO Renier Silva
CAPA E PROJETO GRÁFICO Érico Peretta

AMBASSADE DE FRANCE AU BRÉSIL
Liberté
Égalité
Fraternité

Este livro, publicado no âmbito do Programa de Apoio à Publicação 2018 Carlos Drummond de Andrade da Embaixada da França no Brasil, contou com o apoio do Ministério da Europa e das Relações Exteriores | *Cet ouvrage, publié dans le cadre du Programme d'Aide à la Publication 2018 Carlos Drummond de Andrade de l'Ambassade de France au Brésil, bénéficie du soutien du Ministère de l'Europe et des Affaires Etrangères*

1ª edição | Abril, 2021
n-1edicoes.org

POVO EM LÁGRIMAS, POVO EM ARMAS

GEORGES DIDI-HUBERMAN

tradução **Hortencia Lencastre**

n-1 edições

Lista de imagens

Essa morte foi um luto. Como tudo aquilo que é amargo, o luto pode virar revolta. [...] Aquele que não chora não vê.

VICTOR HUGO, *Les Misérables*

Instrumento que tem seu próprio movimento, meio que inventa seus fins, o olho é *aquilo que* foi afetado por um certo impacto do mundo e o restitui ao visível através dos gestos da mão.

MAURICE MERLEAU-PONTY, *L'Œil et l'esprit*

A emoção não diz *eu.* [...] É como estar fora de si. A emoção não é da ordem do eu, mas sim do acontecimento. É muito difícil apreender um acontecimento, mas não creio que essa apreensão implique a primeira pessoa. Teria sido melhor recorrer à terceira pessoa, como quando Maurice Blanchot diz que há mais intensidade na frase "ele [ou ela] sofre" do que em "eu sofro".

GILLES DELEUZE, "La peinture enflamme l'écriture" (1981), in *Deux régimes de fous*

COMO SE ORGANIZA A EMOÇÃO

Infância das lágrimas, impoder e privilégio

Uma criança chora. Sua boca está projetada para a frente, excessivamente aberta. Também diríamos que seus olhos — por contraste — estão excessivamente fechados, contraindo as sobrancelhas e as pálpebras. A imagem é fixa (*fig. 1*). Entretanto, esse rosto e esse corpo inteiro aparecem como um espasmo, como um vaivém de diástole e sístole: alternadamente, muito aberto (pela boca), exprimindo alguma coisa que vem de dentro, exalada ruidosamente, e recolhida (pelos olhos) como uma recusa enérgica do mundo exterior, provavelmente percebido como um mundo hostil ou ameaçador. Não vemos distintamente as lágrimas nessa fotografia do século XIX, encomendada a Oscar Gustave Rejlander por Charles Darwin para o seu livro *A expressão das emoções no homem e nos animais*.[1]

Vejo, porém, que seria preciso acrescentar ao tormento das próprias lágrimas um tormento suplementar, diretamente ligado à encenação fotográfica, algo que contribuísse para redobrar a opressão, o sentimento de hostilidade, logo, as lágrimas da criança: seria necessário tolher esse corpinho que chora, e foi isso que me emocionou, primeiramente, nessa imagem, que me fez

1. C. Darwin, *L'Expression des émotions chez l'homme et les animaux* (1872), trad. S. Pozzi e R. Benoit. Paris: Reinwald, 1877, pr. I.

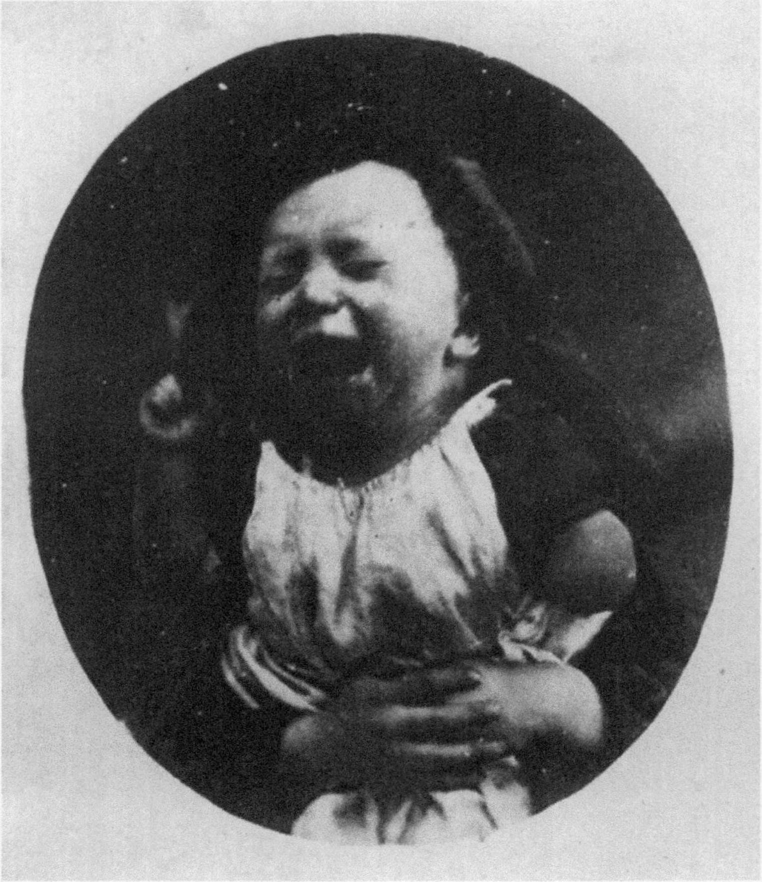

Figura 1. Oscar Gustave Rejlander, *Criança em lágrimas*, fotografia para a obra de Charles Darwin *A expressão das emoções nos homens e nos animais*, 1872, prancha I (detalhe).

lembrar, guardadas as devidas proporções, das fotografias contemporâneas das pobres loucas em crise, confinadas, sob o olho da máquina fotográfica do hospício, em uma "pausa" ou "pose" forçadas pela camisa de força. Olhando para o medalhão fotográfico situado logo abaixo, na prancha do livro de Darwin (*fig.* 2), creio compreender que o fotógrafo incitou uma outra criança, o irmão mais velho, por exemplo, a *conter* esse corpo em lágrimas para que ele não saísse do enquadramento. Para fazer com que ele figurasse, corretamente, entre as páginas de um livro científico. Corpinho tolhido, corpinho que chorava e queria, ao mesmo tempo, expressar seu *pathos* — jogando-o na nossa frente — e gritar sua experiência interior e sua *recusa ao enquadramento*, à representação.

Com sua série de fotografias de crianças chorando — classificadas, ao que parece, de acordo com a idade crescente: a última imagem mostra um garotinho que *ainda* choraminga como um bebê, mas que *já* coloca a mão na fronte como um filósofo melancólico —, Charles Darwin queria fornecer um quadro introdutório à sua grande teoria fisiológica e comparativa da expressão das emoções. As crianças nascem chorando: esse é o ato inaugural, a expansão dos pulmões, que assinala sua entrada no mundo exterior, onde elas vão respirar até o último soluço, ou talvez até o último suspiro. As crianças crescem chorando: e Darwin quer discutir essa peculiaridade da evolução fisiológica, que faz com que as lágrimas surjam com algum atraso no espasmo do choro, no desenvolvimento do recém-nascido.[2] Depois de se colocar na história clássica da fisiognomonia e da fisiologia das emoções,[3] Darwin retomará com precisão as análises experimentais feitas

2. Ibid.

3. Ibid. Na introdução, p. 1-13, são citados os nomes de Joahan Kasper Lavater (*L'Art de connaître les hommes par la physionomie* [1782-1803], trad. M. Moreau. Paris: Depélafol, 1820), C. Bell (*The Anatomy and Philosophy of Expression as Connected with the Fine Arts*. Londres: John Murray, 1806), H. Spencer (*Principes de psychologie* [1855], trad. T. Ribot ; A. Espinas. Paris: Bailière, 1875), Duchenne de Boulogne (*Mécanisme de la physionomie*

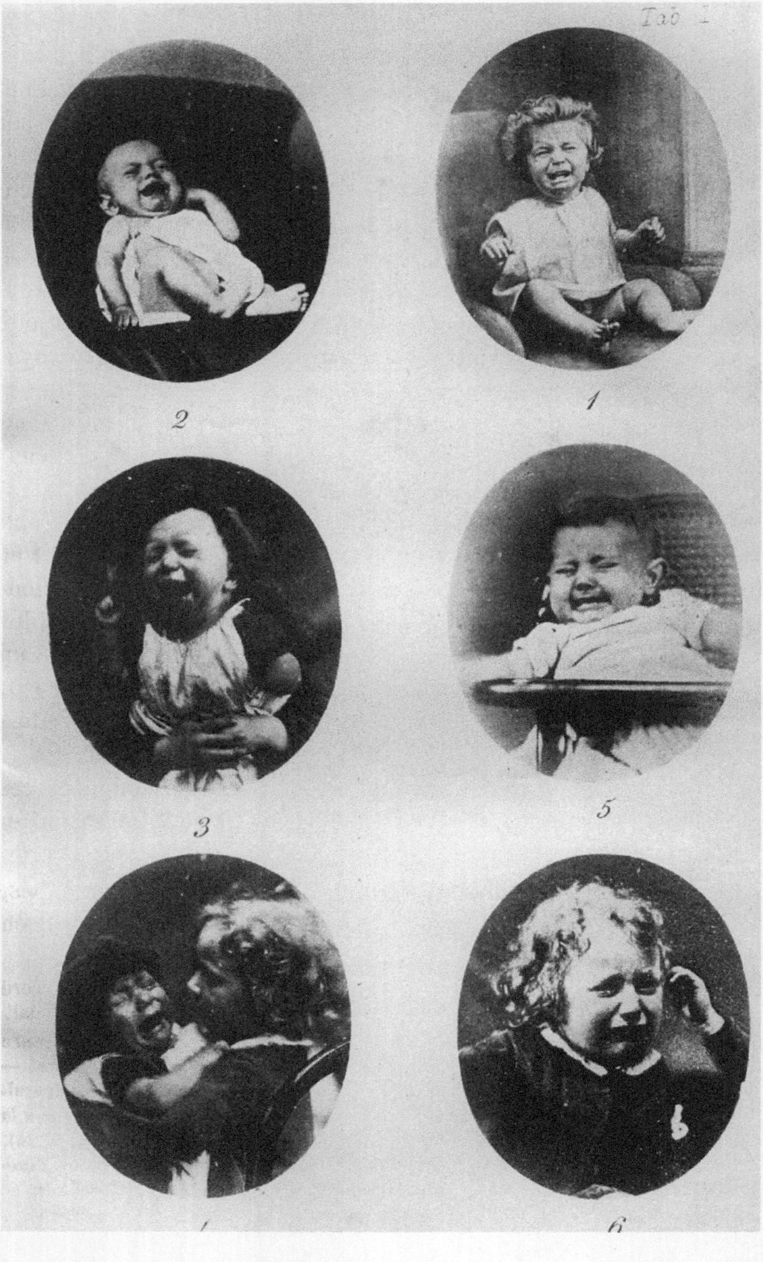

Figura 2. Charles Darwin, *A expressão das emoções nos homens e nos animais*, 1872, prancha 1.

por Duchenne de Boulogne sobre os "músculos do chorar e do choramingar", em que entram em ação vários músculos do rosto: os zigomáticos, o corrugador, os orbiculares ou perioculares, os piramidais, o sulco nasolabial etc.[4]

Chorar: expressar, através de músculos e secreções, através de gestos e lágrimas, uma emoção ou um *pathos*. É a reação espontânea a um sofrimento vindo do interior ou do exterior. É um gesto humano primitivo. Não foi por acaso que Darwin quis relacionar diretamente seu capítulo sobre as lágrimas com aquele que trata das "emoções e sensações dolorosas" nos macacos: de modo que a imagem da criança que chora vem pouco depois, na sua iconografia, da imagem de um "chipanzé desapontado e mal-humorado".[5] E o autor insiste, desde o início da sua obra, nesses grandes *sujeitos que têm emoções* que são os *seres primitivos*, em geral: os animais; as "raças humanas que têm poucas relações com os europeus" ("sabemos que os selvagens derramam lágrimas abundantes por razões extremamente fúteis"); os velhos (sujeitos privilegiados das experiências conduzidas por Duchenne de Boulogne); os loucos (que "se abandonam sem nenhum controle, ou quase, a todas as suas emoções"); as mulheres (pensemos nas histéricas do Salpêtrière);[6] e, é claro, as crianças ("observei as crianças, porque elas exprimem várias emoções [...] com uma energia extraordinária", como já havia notado Charles Bell).[7] A idade da razão e a da alta cultura não terão como tarefa, a partir de então, reprimir essa tendência primitiva ao abandono emotivo? "O

humaine ou analyse électro-physiologique de l'expression des passions. Paris: Renouard, 1862), e P. Gratiolet (*De la physionomie et des mouvements d'expression*. Paris: Hetzel, 1865).

4. Ibid., p. 159–164 (cf. Duchenne de Boulogne, *Mécanisme de la physionomie humaine*, op.cit. p. 81–93 e fig. 46–53).

5. Ibid., p. 152.

6. Hospital público de Paris onde trabalhou o neurologista Jean-Martin Charcot (1825–1893), conhecido por seus trabalhos com hipnose e histeria, que atraíram alunos como Sigmund Freud, em 1885. [N.T.]

7. Ibid. p. 13–18 e 166–167.

inglês só chora sob a pressão da dor moral mais lancinante",[8] é o que concluirá o naturalista (inglês), com a autossuficiência daquele que sabe o que quer dizer *evolução*, inclusive no domínio da psicologia das emoções.

É fácil compreender que esse ponto de vista — que talvez deva mais aos desenvolvimentos psicológicos de Herbert Spencer do que à intuição darwiniana de base — merece ser alvo de críticas. Antes mesmo de contestar suas conclusões, temos que nos perguntar sobre a evidência fenomenológica do pranto, no seu nível mais simples, talvez: aquele em que o ser em lágrimas *se apresenta* para nós, *se expõe* a outrem, no próprio gesto de deixar transparecer sua dor. Comecemos confiando na criança que chora, ou mesmo na criança que sobrevive em nós, quando nos acontece de cair em prantos. Certamente, é possível chorar apenas para nós, até mesmo por nós, na lamentação egoísta da consciência infeliz. Também pode acontecer de derramarmos lágrimas de crocodilo, lágrimas-álibis, lágrimas estratégicas ou retóricas. Mas quando a dor é soberana, quando ela extravasa os limites da nossa simples pessoa, é diante dos olhos do outro que deixamos, independente da nossa vontade, que explodam — que se imponham, através de nossos olhos, nossas lágrimas — nossa emoção. Então, o *pathos se expõe* diretamente sobre nosso rosto para ser visto por outrem. Devemos, imediatamente, assumir todo esse tumulto de alterações oriundas daí e que, literalmente, nos levam à *desfiguração*: a voz é interrompida pelos soluços, a fala fica entrecortada, o pensamento se ofusca ou desmorona, os músculos faciais — nossa aparência, os traços, portanto, do nosso rosto — se contorcem dolorosamente, o olhar se afoga nas lágrimas. Tudo fica confuso na própria intensidade do espasmo.

Chorar diante do outro e, pior ainda, diante dos outros de uma comunidade, seria, então, antes de mais nada, *expor seu impoder* e

8. Ibid. p. 166–167.

Figura 3. Philip Blenkinsop, *Hmong* (*Laos, a Guerra secreta*), 2002. Fotografia.

seu abandono, humilhar-se. Mostrar-se, revelar-se, até não mais poder falar, nem ver, nem agir. Ser menos do que um rosto, enfim, menos que uma pessoa: um pobre esgar da desolação. Como uma pausa — pausa sobre a imagem ou imagem em *looping* — no ritmo entrecortado do soluço, do ricto, do corpo baqueado. Tudo isso num estado em que parecemos não ter forças e que nada mais podemos fazer a não ser nos lamentar, sem fim, sem sair do lugar: estado de impoder, de impotência, de impossibilidade. A língua francesa tem um dito significativo para exprimir esse impoder e essa impossibilidade, reunidos na mais absoluta *pobreza*: "Só lhe restam os olhos para chorar".

Essa é, com muita frequência, a pobreza de povos inteiros: não apenas porque estão materialmente necessitados, famintos ou aterrorizados, não apenas porque são politicamente sub-representados, mas também porque, sempre sofrendo humilhações, alienação, opressão, correndo o risco de ser extintos, eles se expõem, primeiramente, chorando por sua sina coletiva, expondo apenas seu impoder (*fig.* 3). Aparentemente, eles apenas expõem publicamente suas dores, antes de qualquer palavra, de qualquer protesto e de qualquer ação. Eles gritam — ou, pior que isso, param de gritar, exaustos de toda proferição — no deserto de uma indiferença generalizada ou de uma atenção mal-entendida, malsã. Quando, do outro lado, um espectador abastado olha isso numa fotografia, num documentário, na televisão, ou entre as páginas de publicidade de uma revista, ele sentirá, eventualmente, um mal-estar, até mesmo — quando sua própria impotência o torna culpado, e quando sua culpa o torna agressivo — um sentimento de rejeição, um ressentimento com as pessoas que ele identifica como aquelas que conseguiram colocar, mais uma vez, toda essa impotência diante dele. Rapidamente, conseguimos detestar aqueles que, de longe, pedem ajuda e pelos quais *bem sabemos* que *nada podemos*. Não gostamos de ver os outros chorar quando não conseguimos sequer imaginar o que poderia ser feito para socorrê-los, ajudá-los. "Aos pobres só restam os olhos para chorar."

É exatamente isso que deveríamos saber repensar. Mas não nos contentemos em trocar a indiferença por sua disposição simétrica, ou seja, a pura e simples identificação "humanitária".[9] Não choremos por aqueles que choram, isso não serve para nada nem para ninguém. É melhor explorarmos os campos das

9. Cf. L. Boltanski, *La souffrance à distance: morale humanitaire, médias et politique*. Paris: Métailié, 1993 (nova edição: Paris: Gallimard, 2007).

possibilidades, isto é, as chances de transformação ou de emancipação eventualmente ligadas a todas essas *figuras em lágrimas*. Como elas poderão reencontrar seu rosto e, com ele, sua capacidade de falar, de ver, de querer e de agir? Voltemos ao princípio da questão, filosoficamente. Lembremo-nos da grande travessia histórica para a qual nos convidava Blumenberg, no seu belo livro *Naufrágio com espectador*.[10] Mas reforcemos logo nosso objetivo: vou extrair dessa longa tradição filosófica — independentemente dos textos citados por Blumenberg — três ou quatro palavras simples, que bem poderiam nos guiar nessa exploração. A primeira palavra, *Vorrecht*, quer dizer "privilégio" e é citada por Hegel. É encontrada em um parágrafo da *Ciência da lógica* dedicado ao "Bem considerado como lei moral da nossa razão prática" e ao longo de uma passagem na qual se fala justamente do "mal", o qual, *ao contrário*, submerge nossas vidas com seus sofrimentos, suas dores e seus choros:

> Algo só é sabido — e mesmo sentido — como *limite*, falta, porque estamos, ao mesmo tempo, *para além* dele. As coisas vivas têm o privilégio da dor (*die lebendigen Dinge haben das Vorrecht des Schmerzes*), em relação àquelas que não têm vida; até mesmo para essas, uma determinação *singular* torna-se a sensação de alguma coisa *negativa*, porque, estando vivas, elas têm em si a *universalidade* da vitalidade, que ultrapassa o singular, porque, no seu próprio negativo, elas ainda conservam e sentem essa *contradição* como *existente*. E só possuem essa contradição porque esses dois elementos estão no sujeito um: a universalidade de seu sentimento vital (*die Allgemeinheit seines Lebensgefühls*) e a singularidade negativa em relação a este (*die gegen dasselbe negative Einzelheit*). Dessa maneira, a designação de alguma coisa como algo acabado ou limitado contém a prova da *presença efetiva* do infinito, do não-limitado.[11]

10. H. Blumenberg, *Naufrage avec spectateur: paradigme d'une métaphore de l'existence* (1979). trad. L. Cassagnau. Paris: L'Arche, 1994.

11. G. W. F. Hegel, *Encyclopédie des sciences philosophiques, I: La science de la logique* (1827–1830), trad. B. Bourgeois. Paris: Vrin, 1970, p. 321.

Em que sentido, então, o impoder do pranto e do sofrimento seria esse "privilégio" atribuído aos humanos? No sentido de que podemos viver e pensar as coisas dialeticamente, responde Hegel, na maneira de reconhecer — e, ele insiste, de sentir — a falta como um momento do desejo, ou o limite como um momento do caminho. Choramos por aquilo que nos falta ou que interrompe nossa estrada; mas a própria estrada, com o movimento que ela pressupõe para ser percorrida, não nos é tirada por toda a eternidade. Salvo na morte, é claro. Mas, enquanto vivemos, nosso desejo pode sobreviver à falta que aparece, ao limite que se ergue. Hegel nos diz, resumidamente, aquilo que dirá Freud um século depois: ou seja, que se os objetos dos nossos prazeres e dos nossos desejos podem — e é o que quase sempre acontece — nos ser suprimidos, permanecer frágeis, razoáveis, o desejo, por sua vez, permanece indestrutível: o que Hegel chama, bem pomposamente, de "universalidade da vitalidade". Esse seria, então, nosso imenso — e até mesmo nosso "infinito, não-limitado" — privilégio: podemos transformar nosso sofrimento e por meio dele, através dele, recolocar, a cada vez, nosso mundo em movimento, em desejo. Condição fundamental da livre humanidade, condição vital dada, afirma Hegel, "antes" (*vor*) de todo o direito (*Recht*) constituído.

Nietzsche, por sua vez, vai querer nomear esse "privilégio" vital do sofrimento, mas com palavras que se referem menos à esfera do direito ou da forma do que à esfera do próprio corpo, portanto, da força. É o corpo considerado no seu "trabalho" com suas próprias paixões, suas dores, assim como um bebê nasce com a dificuldade do "trabalho" da mãe parturiente: todos os movimentos, todos os gestos, o corpo inteiro é solicitado para isso. É como se, de Hegel a Nietzsche, transitássemos de um paradigma paterno até um paradigma mais materno do sofrimento: o "direito anterior" do *Vorrecht* torna-se aqui *Urquelle*, uma "fonte original" feminina que vai especificar sua vocação no *Gebären*, isto é, engendramento, antes de encarnar, corporalmente, em um *Gebärden*, isto é, em um conjunto de gestos:

> Na medida em que o fenômeno é um reflexo adequado do Um original, ele é a imagem da contradição e a imagem da dor. Cada fenômeno é, portanto, ao mesmo tempo, o Um original ele mesmo: todo sofrimento, todo ato de sentir é sofrimento original (*alles Leiden Empfinden ist Urleiden*), visto, porém, através do fenômeno localizado, recolhido na rede do tempo. [...] O sofrimento, a nostalgia, a falta são como a fonte original das coisas (*das Leid, die Sehnsucht, der Mangel als Urquelle der Dinge*). [...] A dor é o ser verdadeiro, isto é, a sensação de si. A dor, a contradição são o ser verdadeiro. O prazer, a harmonia são a aparência. [...] O mundo só é plenamente perceptível como fenômeno através da vontade, unicamente. Não apenas, portanto, ela sofre, mas ela engendra (*es ist also nicht nur leidend, sondern gebärend*): ela engendra a aparência, a cada instante, por menor que seja [...]. Somos, então, o ser — e precisamos engendrar a aparência. O conhecimento trágico é como uma mãe (*die tragische Erkenntiniss als Mutter*) da arte. [...] A prodigiosa capacidade artística do mundo (*das ungeheure künstlerische Vermögen der Welt*) tem seu *analogon* na prodigiosa dor original (*in dem ungeheuren Urschmerz*).[12]

Antes mesmo de qualquer representação patética e generalizada, como sabemos, pelo gênero trágico — através dos heróis que gritam, das mulheres que choram, das mães de luto, dos repetidos lamentos em *ai! ai!* entoados ou vociferados ao longo do texto —,[13] Nietzsche entende a dor humana situada no nível mais fundamental: ela não é nada menos, diz ele, do que a "fonte original das próprias coisas" (*Urquelle der Dinge*). De modo que toda aparição ou manifestação, todo fenômeno visível (*Erscheinungen*), serão pensados como

12. F. Nietzsche, *Fragments posthumes* (1869–1872), 7 [157–169], trad. M. Haar ; J.-L. Nancy, in *Œuvres philosophiques complètes*, I-1. G. Colli ; M. Montinari (orgs.). Paris : Gallimard, 1977, p. 309–313.

13. Cf. N. Loraux, *La voix endeuillée: essai sur la tragédie grecque*. Paris: Gallimard, 1999, p. 45–46. Não é por acaso que Loraux atribui a Nietzsche, nesse livro, uma pertinência filosófica que os filólogos relutaram por muito tempo em lhe conceder. Cf. Didi-Huberman, "La blessure à entendre" (2004), *Po&sie*, n. 135, 2011, p. 97–108.

filhos da dor: engendrados, paridos por essa "dor original" materna (*Urleiden, Urschmerz*), constantemente trabalhando, eternamente retornando. A partir de então, um gesto, uma mímica, uma imagem só terão valor aos olhos de Nietzsche na medida em que "a dor e o sofrimento são capazes de passar pela visão".[14]

É justamente o que acontece quando expomos nosso impoder na energia do pranto. Nessa perspectiva, expor-se em lágrimas só terá sentido se a maneira de agir (*Gebaren*) transmite gestos (*Gebärden*) verdadeiramente "paridos" pela dor, num parto vital (*Gebären*) em que toda representação, aos olhos de Nietzsche, origina-se e quebra-se ao mesmo tempo. O paradoxo desse *impoder afetivo* é que o filósofo insiste em falar dele como uma "vontade", portanto, como uma *potência efetiva*. Essa vontade é, primeiramente, o "inconsciente", talvez a "força plástica" inerente ao próprio poder de ser afetado. Gilles Deleuze mostrou claramente que a *potência*, segundo Nietzsche, passava pela prova, pelo *impoder* do ser afetado, submetido ao *pathos*, mas que tirava dessa mesma afecção uma verdadeira "potência de transformação".[15]

> A vontade de potência manifesta-se como o poder de ser afetado, como o poder determinado da força de ser ela mesma afetada [...]. O poder de ser afetado não significa necessariamente passividade, mas *afetividade*, sensibilidade, sensação [...]. Toda sensibilidade é apenas um devir de forças [...]; o *pathos* é o fato mais elementar do qual resulta um devir.[16]

Já existem aí elementos para reverter completamente nossos estereótipos sobre a "fraqueza" dos afetos (ou das paixões), comparada com a "força" dos fatos (ou das ações). A *efetividade do afetivo* está, principalmente, no texto de Nietzsche, indicada pela articulação estreita das duas palavras *Schmerz*, a dor como potência afetiva, e *Vermögen*, a capacidade ou potência efetiva.

14. F. Nietzsche, *Fragments posthumes*, op. cit., 7 [201], p. 321.
15. G. Deleuze, *Nietzsche et la philosophie*. Paris: PUF, 1962 (ed. 1997), p. 47- 48.
16. Ibid., p. 70–72.

Talvez não seja por acaso que essa mesma palavra *Vermögen* será usada e comentada por Heidegger em uma passagem famosa da sua "Carta sobre o humanismo" em que estão reunidas a afetividade do desejo e a efetividade do "poder", entendido como "potência", "capacidade" ou "recurso":

> Cuidar de uma "coisa" ou de uma "pessoa" na sua essência, significa amá-las: desejá-las. Esse desejo (*mögen*) significa, se pensarmos mais originalmente, o dom da essência. Esse desejo é a própria essência do poder (*Vermögen*) que pode não apenas realizar isso ou aquilo, mas fazer com que alguma coisa "se desdobre" na sua proveniência, ou seja, fazer ser. O poder do desejo é aquilo "graças" (*Kraft*) a que alguma coisa tem propriamente o poder de ser. Esse poder é propriamente o "possível" (*das Mögliche*), aquilo cuja essência repousa no desejo. Em nome desse desejo, o Ser pode o pensamento. Ele o torna possível.[17]

Poderíamos, é claro, comentar esses três textos, de Hegel, Nietzsche, e Heidegger — escolhidos entre vários outros possíveis —, de acordo com suas diferenças e dificuldades específicas. Reuni-os, primeiramente, apenas para indicar nosso problema fundamental: problema ético e antropológico, talvez, mas indissociável das suas dimensões estéticas, de um lado, políticas, de outro. É o problema do "privilégio" (o *Vorrecht*, segundo Hegel), da "fonte original" (a *Urquelle*, segundo Nietzsche) ou da "força" (a *Kraft*, segundo Heidegger), através dos quais uma dor pode se transformar em desejo, um impoder em possibilidade, uma paixão em ação. Então, como aquele que se lamenta no impoder e na *opressão do impossível* acaba encontrando uma *possível emancipação*, através da qual seu gesto patético vai se tornar potência de agir?

17. M. Heidegger, "Lettre sur l'humanisme" (1946), in *Questions III*, trad. R. Munier. Paris: Gallimard, 1966, p. 78–79.

Do impasse emotivo à abertura emocional

A emoção é como a imagem. É um termo ou exageradamente valorizado (contra tudo aquilo que seria friamente "intelectual") ou exageradamente desvalorizado (contra tudo aquilo que cheira a pieguice e sentimentalismo). Ou ainda uma palavra mágica usada para pedir ajuda para resolver, sem problematizar, todas as questões, ou uma "palavra de má fama", como dizia Merleau-Ponty, justamente como a palavra *imagem*. Parece extremamente perigoso querer construir com ela uma ontologia. Haveria um "ser em geral" da emoção? Não há apenas experiências, estados relativos, momentos, situações, singularidades, casos? A desvalorização da experiência emocional talvez tenha começado com sua projeção sobre uma dessas "categorias" universais, descritas outrora por Aristóteles: são as grandes classes de predicados que podemos afirmar de um sujeito qualquer e, para além disso, as grandes "divisões do ser", que correspondem — ou respondem — aos grandes "gêneros do ser", postulados por Platão no *Sofista*. Podemos então dizer que um sujeito está *em ação* ou, ao contrário, *em paixão*. Aristóteles dá esse exemplo: "Ele corta, ele queima", forma ativa; ou então "ele é cortado, ele é queimado",[18] forma passiva (o exemplo é interessante porque o corte abre, enquanto a queimadura — o verbo usado por Aristóteles designa também a cauterização —, é capaz de fechar, de reunir aquilo que foi previamente dissociado, separado; cortar e queimar é o que faz um homem que tortura outro, mas é também, quem sabe, o caminho escolhido por um médico para salvar um ferido). "A ação e a paixão admitem a contrariedade, e elas são suscetíveis de mais e de menos",[19] segundo os casos considerados, escreve Aristóteles.

18. Aristóteles, *Organon*, I. Categorias, IV, 2, trad. J. Tricot. Paris: Vrin, 1969, p. 6.
19. Ibid., IX, 11b, p. 54.

Parece que a língua escolhe para nós, antecipadamente, aquilo que deveríamos pensar por meio dessas categorias. De fato, dizemos de alguém que exprime sua dor: ele está "sob domínio da emoção", ou "sob o império da paixão". Império, domínio sobre o sujeito: é o pior, na paixão. É a sua natureza de impasse quanto à ação, quanto ao movimento, quanto à vontade. Na célebre escultura helenística do *Laocoonte*, por exemplo, o herói trágico é representado como o sujeito de um sofrimento e de uma emoção violentos, expressos na contorção de todo o seu corpo e no espasmo do seu rosto (*fig.* 4). Dessa maneira, ele é o sujeito de um *pathos* fundamental: ele sofre, submete-se, geme. Consequentemente, falta a ele tudo aquilo a que se opõe, no quadro das categorias aristotélicas, esse mesmo *pathos*: ou seja, de um lado o *logos* (Laocoonte sofre a tal ponto que a palavra e até o pensamento lhe são subtraídos, e só lhe resta a força de gritar); de outro, a *poiesis* ou o "fazer" (Laocoonte é impedido de se mexer, de agir, portanto, de "fazer" o que quer que seja, sob o domínio mortal das serpentes e do seu próprio terror). Assim, ao ser do *pathos* — da paixão ou da emoção — faltam a palavra e o pensamento, tanto quanto a ação e a vontade.

É assim que a *via passional* tomada pelo corpo entregue à emoção acha-se projetada sobre a *voz passiva* adotada pela língua, limitada por seus próprios critérios gramaticais. Desde o final do século XIX, Otto Apelt observava que as categorias ontológicas definidas por Aristóteles eram estritamente dedutíveis de uma classificação linguística — grega, evidentemente — dos sentidos possíveis do verbo de ligação.[20] Tomando as coisas do ponto de vista interno do sistema de Aristóteles, talvez possamos afirmar que "as categorias querem designar os grandes gêneros, não conceitos, mas as próprias coisas"; que elas formam, portanto, uma "classificação das realidades" como tais (naquilo que Aristóteles chamava

20. O. Apelt, *Beiträge zur Geschichte der griechischen Philosophie*. Leipzig: Teubner, 1891, p. 112–113.

Figura 4. *Laocoonte e seus filhos* (detalhe), mármore anônimo, romano, cerca de 50 d.C., segundo um original grego do século III a.C. Roma, museus do Vaticano. Foto The Warburg Institute.

de *predicamentos*) e não apenas da linguagem que as designa (naquilo que Aristóteles chamava de *predicáveis*).[21] Podemos, portanto, extrair as categorias aristotélicas do lado de uma "ligação nas coisas" (como faz Martin Heidegger) e não do lado de uma "ligação no pensamento"[22] (como havia feito Franz Brentano).

Podemos até afirmar, como faz Pierre Aubenque, que "é na *Física* de Aristóteles, e não na sua teologia, que encontraremos os delineamentos da sua doutrina das categorias".[23] Nesse sentido, o *pathos* seria não uma simples "voz passiva" da linguagem, mas uma "afecção da essência" (*pathè ousias*) como tal, ou melhor, tal como está ligada ao mundo sensível. Porque, no mundo inteligível, nada é "passivo", nada é "pático" ou "patético". Quando Santo Agostinho quer estabelecer um quadro das categorias divinas — suprassensíveis — inspirado em um Aristóteles misturado com Plotino, ele é obrigado, com toda a lógica, a revogar a categoria do *pathos*, invocando Deus como "aquele que age (*facientem*) sobre as coisas moventes sem estar ele mesmo em movimento, sem sofrer nenhuma paixão (*nihilque patientem*)".[24] O *pathos* só existe, então, na imanência, assim como só há emoção em um mundo sensível. O que quer dizer, aos olhos de muitos filósofos, que o *pathos é o impasse*: impasse da linguagem, do pensamento, do ato, da liberdade, da transcendência. Quando corto ou quando queimo, posso, a qualquer momento, suspender ou transformar meu ato, já que na ação sou o mestre do meu gesto, assim como, quando pronuncio uma frase, eu posso, sendo o mestre da minha palavra, a todo instante modulá-la, modificá-la, dar a ela a direção da minha

21. J.-M. Le Blond, *Logique et méthode chez Aristote: étude sur la recherche des principes dans la physique aristotélicienne*. Paris: Vrin, 1939 (ed. 1973), p. 29.
22. M. Heidegger, "Lettre sur l'humanisme", art. cit. p. 73–76.
23. P. Aubenque, *Le problème de l'être chez Aristote: essai sur la problématique aristotélicienne*. Paris: PUF, 1962 (ed. 1972), p. 377.
24. Agostinho, *La Trinité*, v, 1, trad. M. Mellet e T. Camelot. In *Œuvres*, *xv. Paris:* Desclée de Brouwer, 1955, p. 426–427.

escolha. A paixão, pelo contrário é puramente passiva; ao que parece, ela não abre nenhum horizonte quanto à liberdade do ato.

Pior ainda: a paixão ou a emoção nos deixam, com muita frequência, *sem voz*. Impasse quanto ao ato, mas também impasse quanto à linguagem, embora o *pathos* só pareça ser pensável sob a categoria linguística da *voz passiva*. Talvez possamos entender que Émile Benveniste retomou a análise de Otto Apelt, ao afirmar que "as categorias de Aristóteles [...] se revelam como a transposição das categorias de língua", pois os verbos *poïein* e *paschein*, "fazer" e "sofrer" (passivo), foram visivelmente escolhidos por Aristóteles "de modo a sublinhar a oposição linguística" que informa nosso próprio pensamento sobre qualquer coisa e sobre qualquer temporalidade, "ativa" ou "passiva".[25,26] Bárbara Cassin retomou o texto de Aristóteles para mostrar nele o papel fundamental do *logos* como operador da conversão entre o "objeto da sensação" — ou mesmo da paixão ou da emoção — e o "sujeito da frase" ou do pensamento.[27] Atualmente, veremos que as abordagens "analíticas" da emoção, inclusive da emoção estética, são abordagens reguladas por uma relação entre verdade e ficção e que, por isso, fazem parte apenas da conclusão de uma interpretação linguística e logicista das categorias aristotélicas da "ação" e da "paixão".[28]

Mas o entendimento do *pathos* como impasse do *logos* — ficar sem voz, sem palavras, sem frases e sem pensamento, sob o domínio da paixão — não corre o risco de colocar o *logos* em

25. É. Benveniste, "Catégories de la pensée et catégories de la langue" (1958), in *Problèmes de linguistique générale*. Paris: Gallimard, 1966, p. 67 e 70.

26. O verbo *sofrer* pode ter, portanto, um sentido ativo e também passivo, por exemplo, sofrer um acidente. Em francês, há dois verbos: o verbo passivo é *subir* e o ativo *souffrir*. [N.T]

27. Cf. B. Cassin, *Aristote et le logos: contes de la phénoménologie ordinaire*. Paris: PUF, 1997, p. 139–166.

28. Cf. R. de Sousa, *The Rationality of Emotion*. Cambridge (Mass.)/Londres: The MIT Press, 1987. S. Cavell, "Énonciation performative, énonciation passionnée", trad. N. Ferron, in *Philosophie: le jour d'après demain*. Paris: Fayard, 2011, p. 171–208. J.-P. Cometti; J. Morizot; R. Pouivet (orgs.), *Esthétique contemporaine: art, représentation et fiction*. Paris: Vrin, 2005, p. 317–444. ("Émotion et fiction").

aporia, em impasse consigo mesmo? Benveniste talvez tenha razão ao afirmar que "a possiblidade do pensamento está ligada à faculdade da linguagem, pois a língua é uma estrutura informada de significação, e pensar é manipular os signos da língua".[29] Tudo aquilo que eu mesmo posso *pensar da emoção* passa pelas palavras, que eu organizo em frases, de acordo com as regras estruturais — ou as "categorias" — da língua, na página branca em que estou escrevendo agora. A aporia consiste, talvez, na própria situação em que a emoção, essa palavra em suspenso, essa linguagem impedida, fosse como que requisitada a se curvar às condições "categoriais" do pensável e do dizível. Não cabe aos poetas fazer explodir essa aporia, quero dizer, saber entrar em um uso "não categorial" da língua? Eles não fazem *a emoção falar* para além das limitações da sua própria língua? Não são eles que sabem dizer, ao mesmo tempo, a paixão do ato e o ato da paixão, quando "queimo" e "sou queimado" coincidem totalmente, na mesma frase (por exemplo, uma frase de amor)?

Do ponto de vista categorial — que foi, em boa parte, o dos filósofos clássicos —, a emoção e o *pathos*, no final das contas, foram definidos apenas negativamente: impasses ou privações do ato, da linguagem, do pensamento. *Impasses relativos à alma*, dirão todos aqueles para quem a paixão manifesta apenas o domínio do corpo sobre a alma. As "paixões da alma", afirma Descartes, são, de fato, causadas pelo corpo e nos levam, por isso mesmo, a nos enganar sobre a natureza das coisas, principalmente porque elas nos informam menos sobre aquilo que *é* do que sobre aquilo que *é útil* ou que acreditamos ser.[30] Kant, por sua vez, dirá que as emoções e as paixões — que ele distingue conceitualmente, mas

29. É. Benveniste, "Catégories de la pensée et catégories de langue", art. cit., p. 74.
30. Cf. R. Descartes, *Les Passions de l'âme* (1649), in *Œuvres et lettres*, A. Bridoux (org.). Paris: Gallimard, 1953, p. 708–710. Cf. D. Kambouchner, *L'Homme des passions: commentaires sur Descartes*. Paris: Albin Michel, 1995.

que reúne no mesmo capítulo — vêm tanto da "falta de razão" quanto de uma verdadeira *doença da alma*:

> A inclinação que a razão do sujeito não pode dominar ou só consegue fazê-lo com dificuldade é a *paixão*. A *emoção*, pelo contrário, é o sentimento de um prazer ou de um desprazer atual que não deixa o sujeito alcançar a reflexão (ou seja, essa representação da razão que indica se devemos nos abandonar a ela ou rejeitá-la). Ficar submisso às emoções e às paixões é sempre uma doença da alma, pois ambas excluem o domínio da razão. Numa e na outra há o mesmo grau de violência; mas elas diferem em qualidade: um médico teria que usar métodos diferentes para preveni-las e para curá-las.[31]

Doenças tão graves que tanto a "alegria exuberante" quanto a "aflição"– a tristeza superlativa — serão consideradas por Kant como "emoções que ameaçam a própria vida".[32] Caberá aos médicos, aos alienistas e depois aos psiquiatras reagrupar todos esses fenômenos passionais em *quadros clínicos*, nos quais os acessos de choro, por exemplo, entrarão como sintomas com expressão própria.[33]

Nesses quadros, emoção e paixão só podiam ser pensadas negativamente, como padrão — ou como defeitos —, no interior de uma filosofia e de uma psicologia organizadas em "categorias" ou em *formas* substanciais. As coisas só vão mudar a partir do momento em que o ponto de vista da substância dá lugar a um questionamento sobre as *funções*, e até mesmo a uma filosofia ou a uma psicologia das *forças*. É o que aparece de forma exemplar em Henri Bergson, que quis devolver às emoções sua intensidade própria, sua consistência dinâmica, sua função criativa para além do seu "padrão" intelectual ou representacional. Tudo parte de

31. E. Kant, *Anthropologie du point de vue pragmatique* (1798), trad. M. Foucault. Paris: Vrin, 1964 (ed. 1970), p. 109.
32. Ibid., p. 111.
33. Cf. G. Dumas, *Nouveau Traité de psychologie, III: les associations sensitivo-motrices*. Paris: Alcan, 1933, p. 39–292, principalmente p. 271–290 ("Le pleurer, le sanglot, les larmes"). Cf. igualmente, L. Maury, *Les émotions de Darwin à Freud*. Paris: PUF, 1993, p. 65–87 ("Les larmes").

um questionamento das relações entre a alma e o corpo, tudo parte de uma crítica aguda do organicismo em Darwin, Spencer e William James:[34] não, as emoções não são redutíveis a essas *reações ofuscadas*, perturbadas ou doentias que veem nelas os experimentadores míopes da idade positivista. Bergson propõe, ao invés disso, reconhecer nelas *dados imediatos* cuja profundidade, variedade e intensidade podem, de fato, perturbar nossa consciência, nossa faculdade representacional ou intelectual: "A intensidade desses sentimentos consiste sempre na multiplicidade dos estados simples que a consciência vai descobrindo confusamente".[35]

A reversão de perspectiva é completa: são as emoções que se revelam, a partir de agora, simples, verdadeiras, profundas, ativas; e é a própria consciência intelectiva que se torna complicada e até mesmo confusa, superficial, enganosa defeituosa. E isso porque as emoções surgem de uma temporalidade fundamental — memória, "élan" — que a inteligência apenas espacializa "horizontalmente" e corta "mecanicamente".[36] É porque Bergson inventa uma filosofia dos *movimentos plurais* (e não dos estados substanciais), uma filosofia das *durações fluentes* (e não do tempo recortado em "pausas" sucessivas), porque ele faz com que a emoção adquira essa novíssima importância: "Toda emoção vem do movimento", comenta David Lapoujade.

> Se, por outro lado, Bergson prefere o termo *emoção* a *afeto*, é talvez porque sua etimologia já sugere o movimento. A emoção é o movimento pelo qual o espírito capta o movimento das coisas, dos seres ou o seu próprio. [...]. Ou seja, a emoção é o *movimento virtual* — mas real — dos movimentos atuais que se realizam no mundo. [...] Participamos do movimento daquilo que se faz contanto que fiquemos emocionados.[37]

34. Cf. H. Bergson, *Essai sur les données immédiates de la conscience* (1889), in *Œuvres*, ed. A. Robinet. Paris: PUF, 1959 (ed. 1970), p. 22–24.
35. Ibid., p. 24.
36. Id. *L'Évolution créatrice* (1907), in *Œuvres*, op. cit. p. 725–807.
37. D. Lapoujade, *Puissances du temps: versions de Bergson*. Paris: Minuit, 2010, p. 23.

A partir de agora, estamos longe de qualquer melindre fora da realidade, longe de qualquer sensibilidade que ofusque a representação correta das coisas: "É por excesso de intelectualismo que retiramos o sentimento de um objeto e que consideramos toda emoção como repercussão, na sensibilidade, de uma representação intelectual", escreve Bergson.[38] Longe de todo lugar atribuído às emoções no registro do "sensível" — isto é, da aparência, da ilusão, do desconhecimento, da captação doentia —, por oposição ao "inteligível", o filósofo propõe, então, que se compreenda a emoção como uma *interface criativa* desses dois domínios abusivamente mantidos à distância por toda a tradição a racionalista: "Há emoções que são geratrizes de pensamento; e a invenção, embora de ordem intelectual, pode ter a sensibilidade como substância".[39] Teríamos até mesmo que aceitar

> constatar a diferença entre a inteligência abandonada a si mesma e aquela que consome com seu fogo a emoção original e única [...]. No primeiro caso, a mente trabalha a frio, combinando entre si ideias que há muito escorreram em palavras, que a sociedade remete a ela no estado sólido. No segundo, parece que o material fornecido pela inteligência entra, primeiramente, em fusão e, a seguir, se solidifica novamente em ideias, dessa vez informadas pela própria mente [e a emoção que a aquece, transporta-a, coloca-a em movimento].[40]

De Aristóteles a Bergson, portanto, o fogo trocou de mãos: não há mais, simplesmente, a ação ("eu queimo") contra a paixão ("sou queimado"), mas, nessa experiência da *abertura emocional*, há um sujeito que aceita a "fusão" das suas próprias representações solidificadas pelo uso e pelo consenso das categorias, um sujeito que alcança então o livre exercício da invenção, mesmo que ela seja intelectual. Há, talvez, admitirá Bergson, uma "emoção que

38. H. Bergson, *Les deux sources de la morale et de la religion* (1932), in *Œuvres*, op. cit. p. 1008.
39. Ibid., p. 1011.
40. Ibid., p. 1013-1014.

é [ou é apenas] o efeito da representação e que se acrescenta a ela"; mas deve-se também — e principalmente — levar em conta e fazer frutificar uma emoção "que precede a representação, que a contém virtualmente e que é, até certo ponto, sua causa".[41] Essa imaginação, diz Bergson, é o "entusiasmo"; é um "seguir em frente", jogo e trabalho ao mesmo tempo.[42] O que o filósofo acabará exprimindo em termos de "liberação":[43] se a emoção é o movimento virtual através do qual as palavras, as ideias e os atos entram em "fusão" e não são mais solidificados sob o grilhão das categorias, então podemos dizer que não há ação autêntica — entendamos com isso: livre, libertadora — sem a *revolta virtual* que já coloca a emoção diante da realidade constituída.

Não seria isso reconhecer uma verdadeira *intencionalidade* — o contrário, portanto, de um estado unilateralmente "passivo" — nas experiências da emoção ou do *pathos*? A ideia será encontrada em toda a fenomenologia, começando pelas reflexões de Edmund Husserl sobre os "vividos intencionais", dos quais os "atos afetivos" e a "intencionalidade do sentimento" (*Gefühlsintentionalität*) dependem diretamente;[44] ou então nas análises dos "estados afetivos" e do desejo em Karl Jaspers ou Erwin Strauss.[45] Sabemos, por outro lado, que Jean-Paul Sartre colaborou na tradução francesa

41. Ibid., p. 1014.
42. Ibid., p. 1018.
43. Ibid., p. 1019.
44. Cf. E. Husserl, *Recherches logiques II: recherches pour la phénoménologie et la théorie de la connaissance* (*Recherches III, IV e V*) (1913), trad. H. Élie; A. L. Kelkel; R. Schérer. Paris: PUF, 1962 (ed. revista, 1972), p. 139–324 ("Des vécus intentionnels et de leurs contenus"), principalmente, p. 191–201 (sobre o "sentimento", as "sensações afetivas" e os "atos afetivos"). Cf. N. I. Lee, "La phénoménologie des tonalités affectives chez Edmund Husserl", *Alter, Revue de phénoménologie*, n. 7, 1999, p. 243–250.
45. Cf. K. Jaspers, *Psychopathologie générale* (1913–1922), trad. A. Kastler; J. Mendousse. Paris: Alcan, 1928 (reed. Paris, Bibliothèque des Introuvables, 2000). E. Straus, *Du sens des sens: contribution à l'étude des fondements de la psychologie* (1935), trad. G. Thinès; J. P. Legrand. Grenoble: Jérôme Millon, 1989, p. 373–431. Cf. F. J. J. Buytendijk, "Approche phénoménologique du problème des sentiments et des émotions" (1987), trad. P. Cabestan,

da *Psychopathologie générale* de Karl Jaspers antes de compor seu próprio *Esboço para uma teoria das emoções*, publicado em 1938. Apesar da distância que ele queria estabelecer em relação ao bergsonismo, Sartre, nesse livro, procurou retomar, por sua conta, a crítica da "teoria periférica" de William James (a emoção como desordem); ele refutou a teoria psicológica de Pierre Janet (a emoção como a desadaptação ou conduta de fracasso); afastou-se da *Gestaltpsychologie* e rejeitou aquilo que ele considerava como um "finalismo" na doutrina freudiana (a emoção como fuga diante de uma revelação a ser feita da verdade inconsciente).[46]

Sartre propunha, então, abandonar toda "psicologia positiva" e voltar-se para o ponto de vista construído pela fenomenologia.[47] Não é porque a "consciência emocional" é "irracional" — não reflexiva, não representacional, não intelectual — que ela recusa apreender o mundo como tal: pelo contrário, ela se coloca "diante do mundo" e, em certo sentido, responde a ele com precisão.[48] Resumindo, escreve Sartre, "o sujeito emocionado e o objeto emocionante estão unidos em uma síntese indissolúvel. A emoção é [portanto] uma certa maneira de apreender o mundo".[49] Afirmação decisiva na história da reviravolta filosófica pela qual a emoção, de defeito — falta ou desordem —, adquire o estatuto de uma experiência integral, ou seja, *agida, ativa, e até mesmo compreensiva*. A emoção é agida, mesmo que seja como "magia": por causa disso, Jean-Paul Sartre a promove a uma autêntica "transformação" do mundo".[50] E conclui que "a emoção não é um acidente, [mas que ela] é um modo de existência da

Alter Revue de phénoménologie, n. 7, 1999, p. 251–270. R. Barbaras, "Affectivité et mouvement: le sens du sentir chez Erwin Straus", ibid., p. 15–29.

46. J.P. Sartre, *Esquisse d'une théorie des émotions*. Paris: Hermann, 1938 (ed. 2010), p. 21–38.

47. Ibid., p. 7–19.

48. Ibid., p. 38 e 54.

49. Ibid., p. 39.

50. Ibid., p. 43.

consciência, uma das maneiras pela qual ela *compreende* (no sentido heideggeriano de *Verstehen*) seu 'ser-no-mundo' ".[51]

Coube, talvez, a Maurice Merleau-Ponty levar a cabo essa mudança de perspectiva pela qual, na tradição filosófica, a *emoção como impasse* dá lugar *à emoção como abertura,* mesmo que seja ao preço de uma "desordem" radical na organização do mundo. Ora, a maneira como essa mudança é descrita, na *Fenomenologia da percepção*, não deixa de evocar a violência contida na imagem bergsoniana das categorias que são "fundidas" quando "ser queimado" e "queimar" chegam juntos a esse estado de incandescência da nossa relação com o mundo, autorizada pela emoção para além de toda a relação de frontalidade:

> Ficar emocionado é estar engajado em uma situação que não conseguimos enfrentar e que, no entanto, não queremos deixar. Ao invés de aceitar o fracasso ou voltar atrás, o sujeito, nesse impasse existencial, explode o mundo objetivo que lhe impede o caminho e procura em atos mágicos uma satisfação simbólica.[52]

O sujeito da emoção transforma, então, sua "passividade" inicial — esse "impasse existencial" ligado ao fato de que ele "não consegue enfrentar" uma certa ordem do mundo que lhe é imposta — em um gesto insurrecional de seu próprio corpo, uma "atividade" que começa pela destruição, porventura psíquica e virtual, desse mundo objetivo que se trata, então, de "estilhaçar". A emoção seria algo assim como *uma revolta oblíqua*, um ato paradoxal que ele não consegue "enfrentar". Entretanto, ele não desiste de transformar o mundo, o que começa a fazer no plano da imanência constituído por suas próprias respostas gestuais, corporais. Como compreender, porém, o que Merleau-Ponty designa, ao final, como

51. Ibid., p. 62. Cf. P. Cabestan, "Qu'est-ce que s'émouvoir? Émotion et affectivité selon Sartre", *Alter, Revue de phénoménologie,* n. 7, 1999, p. 91–120.
52. M. Merleau-Ponty, *Phénoménologie de la perception*. Paris: Gallimard, 1945 (ed 1976), p. 101–102.

"satisfação simbólica"? Não podemos dizer, então, que o sujeito da emoção produz, na sua revolta oblíqua, uma coisa que Claire-Line Mouchet chama de uma "efetividade anterior, inatual, em tensão com a situação atual", através da qual "o impasse diante do mundo constituído" se transforma em "abertura efetiva"?[53]

A emoção é, então, exemplar ao nos sugerir a profundidade desmedida do percebido. Na experiência emocional, compreendemos que o percebido vem de longe, que ele nos falta tanto quanto se mostra, e exige então de nós uma *práxis* exploratória, interrogativa. Através do abalo em que ela nos lança, a emoção nos lembra que a nossa visão permanece parcial, para sempre separada da evidência, mas exigida.[54]

Não devemos entender, então, que a emoção coloca em jogo a *existência* do sujeito no mundo, é claro, mas também o movimento de uma *exigência* que visa o *conhecimento do mundo* — o "percebido", de que fala Merleau-Ponty —, assim como sua *transformação* agida?

Sofrimento e potência

A palavra *emoção* nos fala, etimologicamente, de um *movimento fora de si*. Quando estamos emocionados, ficamos "fora de nós mesmos" — fora de nosso ser habitual — e também podemos deslocar, e até mesmo estilhaçar, os objetos e os próprios limites em que nos situamos no mundo. Posso estar "fora de mim", na raiva, mas, se quebro a mesa da cozinha, é o próprio mundo objetivo que foi colocado "fora de si", "de pernas para o ar".

53. C. L. Mouchet, "Émotion et perception: à partir de Merleau-Ponty et Glen Mazis", *Alter, Revue de phénoménologie*, n. 7, 1999, p. 181–182.

54. Ibid., p. 184. Cf. G. A. Mazis, "Merleau-Ponty: l'habiter et les émotions" (1989), trad. C. L. Mouchet; S. Vendest, ibid., p. 285–305. Sobre a emoção como "limite do comportamento", cf. H. Plessner, *Le rire et le pleurer: une étude des limites du comportement humain* (1941), trad. O. Mannoni. Paris: Maison des sciences de l'homme, 1995.

Ex-movere significa, em latim, colocar em movimento e deslocar, a ideia de tirar alguma coisa de um lugar ou de mexer nela, sacudir todas as coordenadas, embaralhá-las, confundi-las, tumultuá-las. O particípio *emotus* diz que um sujeito está psicologicamente "transtornado" ou "oprimido", mas diz também que um objeto foi "expulso" ou "liberado" por conta de uma revolta do sujeito em relação àquilo que o estava atrapalhando. À *paixão* emotiva, que é afobação, desorientação sofrida, responde, dialeticamente, a *ação* de uma desorientação da ordem objetiva, através dos gestos de insurreição do sujeito emocionado. É como se a emoção fosse uma epidemia, passando da transformação do corpo diante das coisas à transformação das coisas através do corpo. Na Idade Média, *emocionar* significava "perder a calma, levar à revolta" e a *emoção* designava, então, logicamente a "desordem" social, a "sedição", a revolta em ato.[55] A emoção designaria, então, um abalo capaz de ser transmitido da paixão (sofrer o estado das coisas) para a ação (modificar o estado das coisas). É um *sintoma* — uma das principais significações médicas da palavra *emoção*, na sua origem — contanto que essa palavra seja compreendida na sua capacidade de abalar, tumultuar a ordem do próprio mundo.

Vimos que Bergson foi o filósofo da emoção promovida ao nível de *virtualidade* ativa; depois, Merleau-Ponty refundou o conceito em termos de *abertura*. Coube talvez a Gilles Deleuze a reformulação de tudo isso — através de Nietzsche e Spinoza — em termos de *potência*. Em seu livro de 1962, Deleuze retoma o tema nietzschiano do *pathos* e do sofrimento como *Urquelle*, "fonte original" dos atos humanos mais decisivos (dos quais a arte faz parte), articulando-o com uma interpretação original da famosa "vontade de potência": interpretação na qual se trata de pensar a *potência* por meio de uma "genealogia da força", que não tem

55. Cf. A. Rey (org.), *Dictionnaire historique de la langue française*. Paris: Dictionnaires Le Robert, 1992 (ed. 1995), I, p. 681.

mais nada a ver com a acepção usual desses termos — *potência*, *força* — quando queremos compreendê-los pela óptica do *poder* e, principalmente, do poder político. A "potência" nietzschiana, segundo Deleuze, é um "princípio essencialmente *plástico*" que não domina nada: "que não é maior do que aquilo que ele condiciona, que se metamorfoseia com o condicionado, que é determinado, em cada caso, por aquilo que ele determina".[56]

Deleuze, com toda a certeza, ficou fascinado pelo enunciado inaugural de Nietzsche sobre a "vontade de potência" compreendida como... *pathos*: "A vontade de potência se manifesta como o poder de ser afetado, como o poder determinado da força de ser ela mesma afetada" — o que provoca uma reviravolta de toda a perspectiva clássica: "O poder de ser afetado não significa necessariamente passividade, mas *afetividade*, sensibilidade, sensação."[57] A "vontade de potência" nietzschiana se situaria, então, na junção exata do afetivo e do efetivo, do emotivo e do começo do movimento das próprias coisas. Segundo Deleuze, ela não tem nada a ver com nenhuma vontade de dominação.

> Se a vontade de potência significasse *querer a potência*, ela dependeria, evidentemente, dos valores estabelecidos, honras, dinheiro, poder social, pois esses valores determinam a atribuição e o reconhecimento da potência como objeto de desejo e de vontade. E essa potência que a vontade desejaria só seria obtida lançando-se em uma luta ou em um combate. Mais do que isso, perguntemos: *quem* quer a potência dessa maneira? *Quem* quer dominar? Justamente aqueles que Nietzsche chama de escravos, de fracos. Querer a potência é a imagem que têm os impotentes da vontade de potência. [...] A vontade de potência no seu mais alto grau, sob sua forma intensa ou intensiva, não consiste em cobiçar, nem mesmo em tomar, mas em dar e criar. Seu verdadeiro nome, diz Zaratustra, é dado pela virtude. E que a máscara seja o mais belo dom

56. G. Deleuze, *Nietzsche et la philosophie*, op. cit. p. 57.
57. Ibid, p. 70.

[no *pathos* da tragédia, por exemplo], mostra a vontade de potência como força plástica, como a mais alta potência da arte.[58]

Essas frases desenham, antecipadamente, tudo aquilo que formará, na obra de Gilles Deleuze, uma verdadeira *estética da potência*, da "paixão" e do "possível", seja na interpretação nietzschiana da tragédia grega, na afetividade e efetividade do "rosto-potência", no cinema, ou na energia intrínseca reconhecida nos "devires-minoritários".[59] Mas essa estética não funciona sem uma *ética da potência*, que Deleuze, alguns anos depois do seu livro sobre Nietzsche, revela na obra do filósofo mais "doce" e menos "autoritário" de todos, quero dizer, Espinoza. Lembremos que a releitura deleuziana de Espinoza é fundada na retomada de um dos termos mais desvalorizados da filosofia contemporânea, sobretudo estruturalista, ou seja, o conceito de *expressão*, tão "mal afamado" quanto as noções de imagem e emoção — porque está ligado a elas.

Desse texto difícil e notável, gostaria apenas de destacar, seguindo o fio da questão aqui colocada, três elementos que poderiam recolocar a emoção como "movimento fora de si", no contexto de uma ideia da expressão no sentido em que Deleuze, segundo ou depois de Espinoza — bem longe, em todo o caso, das tradições fisiognomonicas ou mecanicistas, do próprio Descartes a Lavater e a Darwin —, nos quis fazer entender. Em primeiro lugar, chamaremos a expressão de *potente porque é imanente*. Ela não tem nada de uma realidade secundária: está até mesmo situada

58. Id., "Conclusions sur la volonté de puissance et l'éternel retour" (1967), in D. Lapoujade (org.) *L'Ile déserte et autres textes* (1953-1974). Paris: Minuit, 2002, p. 166-167.

59. Id. *Nietzsche et la philosophie*, op. cit., p. 116. Id., *Cinéma 1: l'image-mouvement*. Paris: Minuit, 1983, p. 125-130. Id. e F. Guattari, *Mille plateaux, 2: capitalisme et schizophrénie*. Paris: Minuit, 1980, p. 134 e 284-380. Cf. X. Papaïs, "Puissances de l'artifice", *Philosophie*, n. 47, 1995, p. 85-92. F. Zourabichvili, "Deleuze et le possible (de l'involontarisme en politique)", in É Alliez (org.), *Gilles Deleuze: une vie philosophique*. Le Plessis-Robinson: Institut Synthélabo pour le Progrès de la Connaissance, 1998, p. 335-357. A. Sauvagnargues, *Deleuze: l'empirisme transcendantal*. Paris: PUF, 2009, p. 111-115.

no nível filosófico mais fundamental, aquele que Aristóteles quis, justamente, abordar em termos de "categorias", pois se trata de afrontar "as dificuldades que dizem respeito à unidade da substância e à diversidade dos atributos".[60] A expressão não designa nem revela — o que podemos esperar de um signo — já que ela não é de ordem categorial; ela "ultrapassa a relação de causalidade" visto que se desdobra segundo uma multiplicidade irredutível e não hierárquica ("não há entre os atributos nenhuma espécie de desigualdade", escrevia Espinoza no *Breve tratado*); ela não é, finalmente, nem "representativa" nem "clara e distinta", como queria Descartes.[61]

A expressão é então potente porque ela mostra, porque ela ex-plica — e se desdobra — a partir da sua própria implicação: a partir da sua imanência à coisa que ela exprime.[62] Mas, em segundo lugar, Deleuze diz que a expressão é *potente porque é afirmativa*. Não é mais necessário, como fazia Aristóteles, opor a qualquer preço a potência e o ato: "A potência é sempre o ato, ou, pelo menos, está em ato. [...] Podemos substituir a distinção entre a potência e o ato pela correlação entre uma potência de agir e uma potência de sofrer, ambas atuais".[63] O que significa, em relação à nossa questão da emoção ou da paixão, que não há nenhuma "falta de ato" no fato de "ser afetado": "Toda potência acarreta um poder de ser afetado que corresponde a ela e que dela é inseparável."[64] Ora, Deleuze não está tirando em Espinoza a mesma lição que ele havia tirado, anteriormente, da potência nietzschiana como *pathos* fundamental e "poder de ser afetado"? Não está traçando uma linha de continuidade entre a *Ética* e

60. G. Deleuze, *Spinoza et le problème de l'expression*. Paris: Minuit, 1968, p. 9.
61. Ibid, p. 48–49, 53, 59, 97, 100 e 116–119.
62. Ibid., p. 11–15 e 153–169.
63. Ibid., p. 82.
64. Ibid., p. 82, em geral, p. 72–84.

o *Zaratustra*, quando ele diz que toda filosofia da expressão é "filosofia da afirmação pura"?[65]

Ora, essa "afirmação" fundamental será colocada em gestos na expressão: disso advém a pergunta central formulada por Deleuze, a partir dos capítulos da *Ética* dedicados aos afetos ou emoções: "O que pode um corpo"?[66] Maneira de dizer que a expressão *é potente porque ela é ativa*, contanto que seja construída a sequência que nos fará passar do *sofrer* ao *imaginar* — "a imagem é a ideia da afecção", resume Deleuze, embora ela nos faça "apenas conhecer o objeto pelo seu efeito" —,[67] do imaginar ao *pensar* — segundo o jogo das "noções comuns" e da "livre harmonia entre imaginação e a razão" —,[68] e, finalmente, do pensar ao *agir*, o que Deleuze chama de "devir-ativo", intrínseco de toda expressão.[69] Contra Aristóteles, que queria distinguir, de qualquer maneira, a "voz passiva" da "voz ativa", Espinoza afirma, de certa forma, que "ser queimado" não é menos ativo do que "queimar", pois, nos dois casos, a situação *dinâmica*, potente, se exprime sob a forma, não de um substantivo fixo ou de um adjetivo não essencial, mas de um verbo a ser modalizado constantemente, a ser colocado em movimento e em "emoção".[70]

Tentaremos, porém, dar um outro passo, justamente. Ao tirar de Espinoza e de Nietzsche uma filosofia da "afirmação pura", Gilles Deleuze talvez tenha colocado tudo em um mesmo saco — radical e alegremente, dirão alguns, unilateralmente, dirão outros —, na sua alergia bem conhecida em relação a toda forma de pensamento "dialético". Giorgio Agamben, voltando de forma mais meticulosa à distinção aristotélica da potência (*dynamis*) e do

65. Ibid., p. 51.
66. Ibid., p. 197–213.
67. Ibid., p. 132.
68. Ibid., p. 252–267 e 275
69. Ibid., p. 267 e 298.
70. Ibid., p. 37.

ato (*energeia*) até a definição do "sofrer" (*paschein*) proposta pelo *Tratado da alma*, tornou, em um certo sentido, mais complexa e "dialética" a filosofia deleuziana da "potência-ato".[71] Talvez, ao comentar Espinoza, Deleuze fosse repetindo que "toda potência acarreta um poder de ser afetado". Mas a relação — a "coação" — do *sofrimento* e da *potência* não era, no entanto, descrita como tal, a não ser, talvez, em certas análises de imagens, em Francis Bacon, como o pintor da histeria, do grito, das "forças", ou então em Eisenstein, Dreyer ou Buñuel, cujos planos fechados[72] de rostos patéticos passam, como escreve Deleuze, "do afeto à ação".[73]

O que é que está, então, *em potência* no sujeito da emoção e do "sofrimento", no sujeito *que sofre*? A "fonte original" do *pathos* (Nietzsche), a "virtualidade" da emoção (Bergson), a "abertura" para o mundo (Merleau-Ponty) ou o "poder de ser afetado" (Deleuze) nos colocaram no caminho de uma resposta à qual falta, no entanto, aquilo que chamarei juntamente com Gilles Châtelet (que reintroduziu o ponto de vista dialético em uma epistemologia, entretanto, diretamente inspirada por Deleuze) de "junção dialética" dos dois termos.[74] Formulemos, então, uma hipótese: aquilo que transforma o devir-sofrimento em devir-potência não seria outra coisa senão uma *dialética do desejo*, no mesmo sentido em que Freud — leitor discreto, mas perspicaz, de Espinoza e de Nietzsche — observou, e a seguir teorizou os termos em questão.

Podemos ler, nos *Estudos sobre a histeria*, uma notável expressão que parece diretamente ligada ao nosso propósito: é a dos "afetos ativos" (*aktiven Affekte*) ou "estênicos" (*sthenischen*) —

71. G. Agamben, "La puissance de la pensée" (1987), trad. J. Gayraud, in *La puissance de la pensée: essais et conférences*. Paris: Payot & Rivages, 2006, p. 233–245.
72. Optamos por usar sempre *plano fechado* ao invés de *close*. [N.T.]
73. G. Deleuze, *Francis Bacon: logique de la sensation*. Paris: La Différence, 1981, p. 33–43. Id., *Cinéma 1: l'image-mouvement*, op.cit., p. 125–195.
74. Cf. G. Châtelet, *Les enjeux du mobile: mathématique, physique, philosophe*. Paris: Seuil, 1993, p. 115–152.

expressão avançada para dar conta das potências estupefacientes (relativas àquela pergunta muito antiga: "O que pode um corpo"?), características da motricidade histérica.

Os afetos "ativos", "estênicos", compensam o impulso de excitação (psíquica) por uma descarga motora. Os gritos e os pulos de alegria, o tônus muscular aumentado pela raiva, as vociferações, as represálias, permitem que a excitação se alivie através de certos movimentos. O sofrimento moral se livra da excitação através dos esforços respiratórios e das secreções: os soluços e as lágrimas. Cada um pode, diariamente, constatar que essas reações tendem a diminuir e a acalmar a excitação.[75]

Esse texto, porém, é de Joseph Breuer, e não de Freud. Percebemos nele a construção de uma noção ainda mecanicista da descarga motora como "expressão" fisiológica ou fisiognômica de sua "excitação" psíquica original. De certa forma, estamos mais próximos de uma teoria da expressão das emoções (como em Darwin) e de uma teoria semiológica das neuroses (como em Charcot) do que dessa *dialética do sintoma* que Freud começou a elaborar no mesmo momento. O que Breuer conta nessas linhas remete mais diretamente à observação da histeria, cuja fisiognomonia típica Charcot pensava construir com a ajuda da fotografia e dos "quadros clínicos": em uma prancha da *Iconografia fotográfica da Salpêtrière*, por exemplo, podemos ver a paciente sufocar — língua protrátil, olhos revirados — em uma expressão imediatamente referenciável ao afeto da angústia (*fig.* 5).[76] Mas, como no exemplo da criança de Darwin, o observador esqueceu

75. S. Freud; J. Breuer, *Études sur l'hysthérie* (1895), trad. A. Berman. Paris: PUF, 1956 (ed. 1973), p. 160.

76. Cf. D. M. Bourneville; P. Régnard, "Hystéro-épilepsie, action de l'éther, métallothérapie", in *Iconographie photographique de la Salpêtrière*, I. Paris: Progrès médical/Delahaye & Lecrosnier, 1876–1877, p. 108–158 e pl. XXV–XL. G. Didi-Huberman, "L'observation de Célina (1876- 1880): esthétique et expérimentation chez Charcot", *Revue internationale de psychopathologie*, n. 4, 1991, p. 267–322.

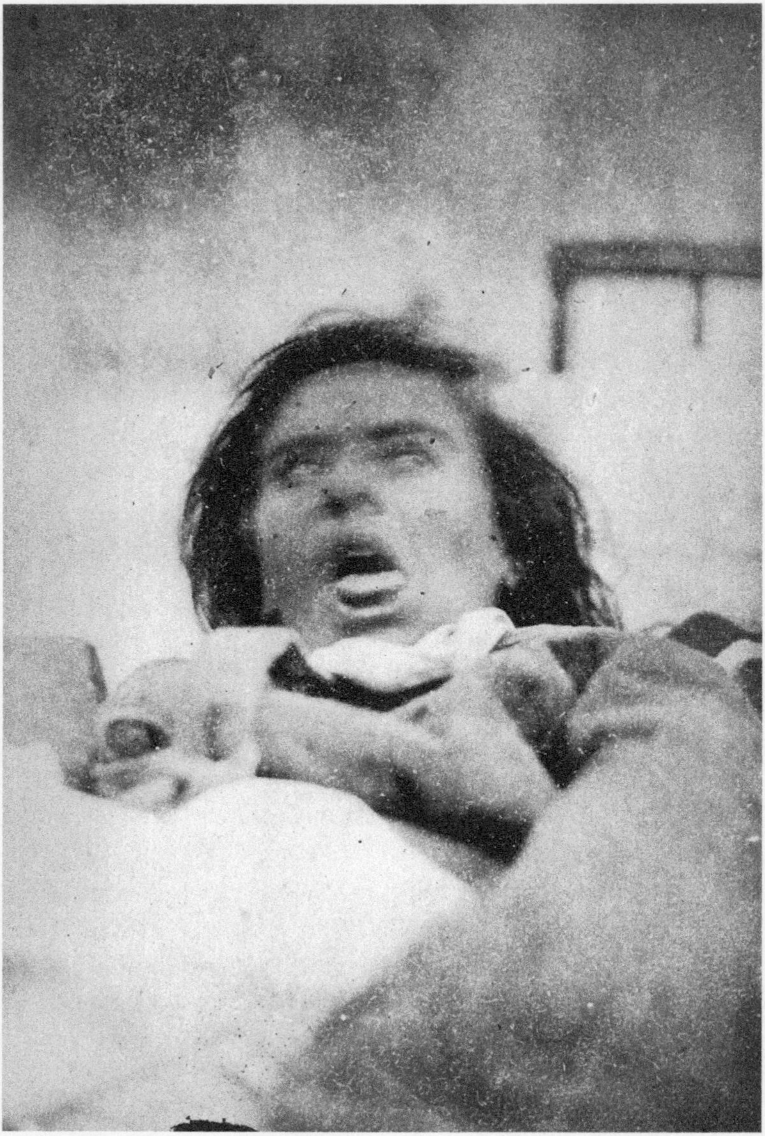

Figura 5. Désiré-Magloire Bourneville, *Hystéro-épilepsie, hallucinations : angoisse*, 1875. Fotografia publicada na *Iconografia fotográfica do hospital da Salpêtrière*, I, 1876–1877, prancha XXIX.

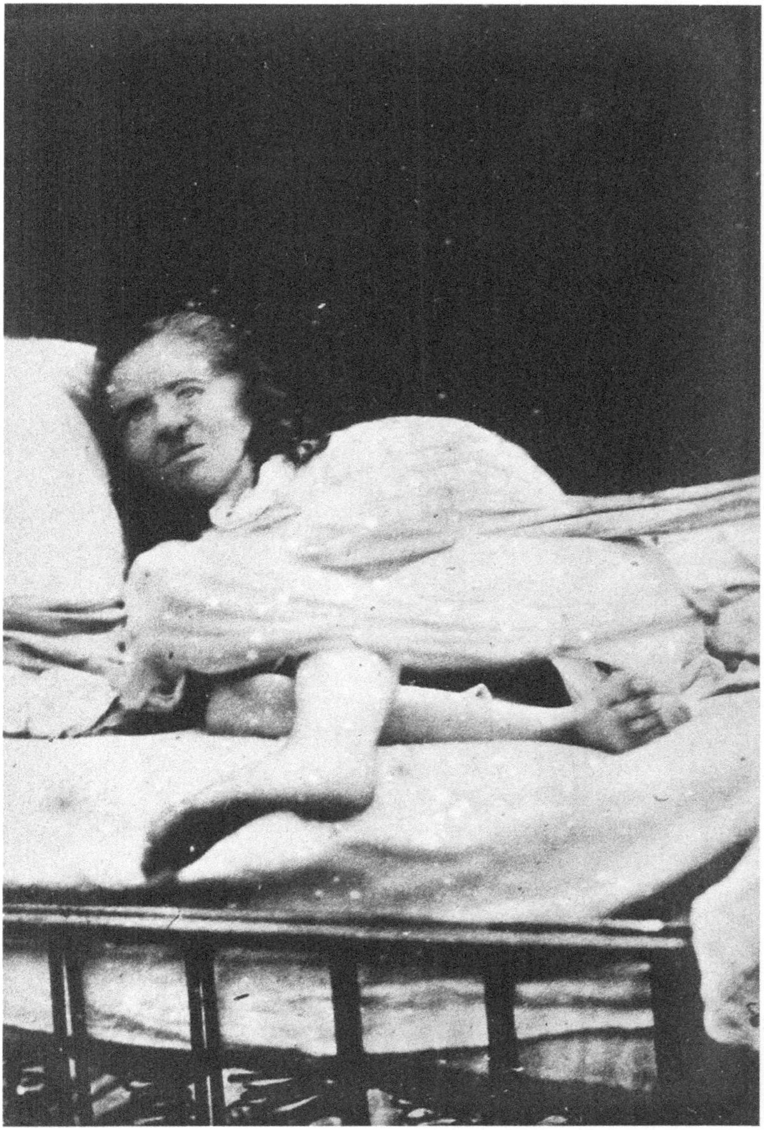

Figura 6. Désiré-Magloire Bourneville, *Hystéro-épilepsie: contorsions*, 1875. Fotografia publicada na *Iconografia fotográfica do hospital da Salpêtrière*, I, 1876–1877, prancha XXXVIII.

de assinalar que a angústia, aqui, é provavelmente inseparável da própria situação fotográfica e do olhar dos clínicos impondo ao corpo que sofre o tormento suplementar de uma camisa de força. Assim, no mesmo momento em que a paciente parece "exprimir" sua dor através de gestos motores de uma certa intensidade, ela é tolhida por amarras que limitam toda "expressão" ao espaço protocolar do enquadramento. Veremos Celina, em uma imagem seguinte, lançar o pé na direção da objetiva fotográfica — apesar da restrição da mesma camisa de força — como se seu *sofrimento*, sua angústia, já tivesse se transformado em *potência* de revolta, esse verdadeiro "afeto ativo" dirigido contra o aparelho da sua própria representação (*fig. 6*).

Foi Freud quem logo compreendeu que o sofrimento só se torna potência — com o afeto ativo, o *pathos* age — através da mediação, da junção dialética, de um certo *destino das imagens* na organização do sintoma psíquico. Em primeiro lugar, o *destino dos afetos* é aquele indicado etimologicamente pela palavra *emoção*: ele só vale pelos deslocamentos, pelas conversões ou pelas transformações que o colocam "fora de si". Vejamos, por exemplo, o que Freud escreve, em 1894, a seu amigo Wilhelm Fliess:

> Quantas lacunas — grandes e pequenas — ainda subsistem na minha mente, no que diz respeito às neuroses, mas tenho agora delas uma visão de conjunto e uma concepção geral. Conheço três mecanismos: 1º a conversão dos afetos (histeria de conversão), 2º o deslocamento do afeto (obsessões) e 3º a transformação do afeto (neuroses de angústia, melancolia).[77]

Em segundo lugar, Freud compreendeu que esse destino dos afetos está ligado — no melhor e no pior dos casos — ao *destino das representações* associadas a eles na vida do sujeito, inclusive quando essas representações passaram pela prova do recalque.

77. S. Freud, *La naissance de la psychanalyse* (1887–1902), trad. A. Berman. Paris: PUF, 1956 (ed. 1973), p. 76–77 (carta a W. Fliess de 21 de maio de 1894).

Na "comunicação preliminar" aos *Estudos sobre a histeria*, assinado por Freud e Breuer, descobrimos que as histéricas sofrem de reminiscências recalcadas:

> Entre as lembranças, aquelas que provocaram a aparição de fenômenos histéricos conservaram um extraordinário frescor e, durante muito tempo, seu pleno valor emocional (*ihre vollen Affektbetonung*). É preciso destacar, no entanto, como um fato notável do qual poderemos nos servir, que essas lembranças, contrariamente a muitas outras, não permaneceram à disposição do sujeito.[78]

Percebemos, então, que o drama interno de todo afeto — nessa organização retesada pelo desejo inconsciente, de um lado, e a expressão mímica, do outro — consiste em ser *dissociado da representação* que lhe deu origem. O afeto permanecerá intenso: não recalcamos nossas emoções. Mas ele ficará "coagido", escreve Freud, se a representação ou a lembrança não mais estiverem à disposição do sujeito. Assim, o "nascimento da psicanálise", como procedimento terapêutico, foi apresentado por Freud e Breuer como o desbloqueio verbal dessa mesma dissociação (patológica) entre o afeto e a representação:

> Para nossa grande surpresa, descobrimos, de fato, que cada um dos sintomas histéricos desaparecia, imediatamente, e não mais voltava, quando conseguíamos colocar em plena luz a lembrança do incidente desencadeador, despertar o afeto ligado a ele (*den begleitenden Affekt wachzufuren*), e quando, a seguir, o doente descrevia aquilo que lhe tinha acontecido, de maneira muito detalhada, e dando à sua emoção uma expressão verbal (*und dem Affekt Worte gab*). [...] Compreendemos agora por que razão o procedimento psicoterapêutico que acabamos de descrever age eficazmente. Ele suprime os efeitos da representação (*Vorstellung*) que não fora primitivamente aliviada, permitindo que o afeto coagido (*eingeklemmten Affekt*) se descarregue verbalmente.[79]

78. Id.; J. Breuer, *Études sur l'hystérie*, op. cit. p. 6.
79. Ibid., p. 4 e 12.

Vinte anos depois, na *Metapsicologia*, essa dialética irá se exprimir sempre em termos de "representação" (*Vorstellung*) e de "energia pulsional" (*Triebenergie*) das quais nossas emoções ou nossos afetos aparecem como a encarnação subjetiva e gestual.[80] "O que é, então, um afeto?" É o que Freud vai se perguntar nas suas *Conferências introdutórias à psicanálise*. E prosseguirá com estas palavras:

> Em todo caso, é algo composto de muitas partes. (*Jedenfalls etwas sehr Zusammengesetztes*). Um afeto engloba, primeiramente, enervações e descargas (*Innervationnen oder Abfuhren*) motoras determinadas; em segundo lugar, certas sensações (*Empfindungen*), que podem ser de dois tipos: as percepções das ações motoras que ocorreram, e as sensações diretas de prazer e de desprazer que dão ao afeto, como dizemos, sua tonalidade fundamental (*Grundton*). Mas não creio que com essa enumeração tenhamos atingido a essência do afeto. Há alguns afetos onde temos a impressão de penetrar mais profundamente e nos quais acreditamos destacar que o centro que assegura a coesão do conjunto assim designado é a repetição de uma experiência vivida, determinada, carregada de significação (*Wiederholung eines bestimmten bedeutungsvollen Erlebnisses*). Essa experiência vivida só poderia ser uma impressão muito precoce, de natureza muito geral, que é preciso transportar para a pré-história (*Vorgeschichte*), não do indivíduo, mas da espécie. Para me fazer compreender: o estado afetivo (*Affektzustand*) seria completamente construído à maneira de um ataque histérico, ele seria, como este, a cristalização de uma reminiscência (*Niederschlag eine Reminiszenz*). O ataque histérico é, portanto, comparável a um afeto individual novamente formado, o afeto normal, pela expressão de uma histeria genérica.[81]

Com essa formulação freudiana do afeto, toda a tradição conceitual ligada ao que entendemos por paixão ou emoção adquire uma nova feição. Pode-se dizer que a *potência do pathos*, revelada por Espinoza e por Nietzsche — mais tarde comentada por Gilles Deleuze em termos de "afirmação pura" — adquire, a partir de

80. S. Freud, *Métapsychologie* (1915), trad. J. Laplanche e J. B. Pontalis. Paris: Gallimard, 1968 (ed. revista, 1996), p. 55-56.

81. Id., *Conférences d'introduction à la psychanalyse* (1916- 1917), trad. F. Cambon. Paris: Gallimard, 1999, p. 501.

então, uma complexidade inesperada, uma espécie de profundidade intricada que Freud exprime, primeiramente, em termos de "caráter composto" (*Zusammengesetzt*), onde atuam juntas e se contradizem, ao mesmo tempo, as "inervações" e as "descargas", as "sensações" subjetivas e as "ações" motoras. Pode-se dizer também que a *abertura emocional* para o mundo, valorizada pela tradição fenomenológica — principalmente nas análises de Sartre e de Merleau-Ponty — volta-se aqui para o lado do "mundo interior", ou inconsciente, que Freud nos apresenta, ao mesmo tempo, como um campo de batalha e um sítio arqueológico.

A compreensão das emoções ganha, certamente, em complexidade estrutural, visto que o afeto não é mais apenas uma "experiência do mundo", mas também a *imagem dialética*, imagem encarnada, motora, de um ponto de contato entre a "experiência vivida" e sua própria "pré-história", a intensidade presente do afetivo (comparado a um ataque histérico "genérico", isto é, comum a todos, em um dado espaço cultural), e a "cristalização" ou sobrevivência de um complexo de memória inconsciente. Jacques Lacan (no seu seminário sobre *A angústia*) e Pierre Kaufmann (no seu livro *L'expérience émotionnelle de l'espace*) tentaram, por sua vez, articular essa *abertura*, própria à descrição fenomenológica, com a *profundidade* inerente às construções metapsicológicas, principalmente sobre a questão nodal da angústia como derradeiro modelo do afeto, seja em Heidegger ou em Freud.[82] Georges Bataille poderia ser chamado aqui, igualmente, na medida em que

82. Cf. id. *Inhibition, symptôme e angoisse* (1926), trad. M. Tort, Paris: PUF, 1951 (ed. 1978), p. 55-56. M. Heidegger, *L'Être et le temps* (1927), trad. R. Boehm; A. de Waelhens. Paris: Gallimard, 1964, p. 226-233. J. Lacan, *Le séminaire X: L'Angoisse* (1962-1963), J. A. Miller (org.). Paris: Seuil, 2004, p. 11 25-38 e 185-198. Id. *Le séminaire* XVII: *L'Envers de la psychanalyse* (1969-1970), J. A. Miller (org.). Paris: Seuil, 1991, p. 168-169. Pierre Kaufmann, *L'Expérience émotionnelle de l'espace*. Paris: Vrin, 1967 (ed. 1983), p. 15-17, 22-27, etc. J. Porée, "La vérité de l'émotion selon *L'expérience émotionnelle de l'espace de Pierre Kaufamann*", *Alter, Revue de phénoménologie*, n. 7, 1999, p. 185-212.

foi um dos raros pensadores do seu tempo para quem "abertura" e profundidade" andavam constantemente juntas: pois, em toda a *experiência interior*, o sujeito, longe das tranquilas introspecções, fica *fora de si* num lugar em que o mais visceral abre-se para o mais sideral, ele se "desdobra" por inteiro na própria emoção, considerando que ela manifesta — claramente, Nietzsche foi convidado para o banquete do "suplício" de Bataille — a *potência do pathos*.[83]

A emoção não diz *eu*

Abertura, profundidade: diante da expressão das emoções, seria preciso saber reconhecer constantemente essa dupla distância, medir essa dupla dimensão. Por um lado, devemos constatar a universalidade — geográfica, temporal — e a *comunidade das emoções*: todas as crianças choraram, todas as crianças chorarão, e Charles Darwin, desse ponto de vista, estava legitimamente qualificado, como biólogo da evolução, para se debruçar sobre esse problema. Assim como florescem, hoje em dia, também legitimamente — mas nesse "modismo" que vê ressurgirem as grandes esperanças da ciência positivista —, tantos estudos sobre a "biologia das paixões".[84] Por outro lado, é preciso admitir a *singularidade das emoções*: todas as crianças choram, mas cada uma constitui a "tonalidade fundamental" do seu afeto através do conjunto, cada vez diferente, das inervações, descargas motoras, sensações e reminiscências singulares ligadas ao momento, ao movimento e à constituição desejante do sujeito. É assim que a

83. Cf. Georges Bataille, *L'expérience intérieure* (1943), in *Œuvres complètes*, v. Paris: Gallimard, 1973, p. 7–189.

84. CF. J. D. Vincent, *Biologie des passions*. Paris: Seuil, 1988 (ed. revista e aumentada, Paris: Odile Jacob, 1994). R. Dantzer, *Les émotions*. Paris: PUF, 1988 (ed. 1994). C. André; F. Lelorf, *La force des émotions: amour, colère, joie*. Paris: Odile Jacob, 2001. L. Maury, *Les émotions de Darwin à Freud*, op, cit., p. 88–124. U. Jensen e D. Morat (orgs.), *Rationalisierungen des Gefühls. Zum Verhältnis von Wissenschaft und Emotionen*, 1880–1930. Munique: Wihlem fink Verlag, 2008.

emoção, esse *movimento fora de si*, aparece como um movimento *fora de si*, fora do "eu". E duplamente: fora do eu porque ele surge das profundezas inconscientes (o "Isso"); fora do eu porque ele se abre decisivamente — se mostra, se expõe, se desdobra — para o mundo exterior (a comunidade humana).

Alguns psicanalistas propuseram uma nomenclatura diferencial da "emoção-abertura" e da "emoção-profundidade" — mas sem efeito teórico perene, me parece. Jacques Lacan, por exemplo, quis distinguir uma *emoção* supostamente superficial de uma *inquietação* "mais profunda", como ele dizia.[85] Pierre Kaufmann quis encontrar na *emoção* um "apelo ao reconhecimento" pelo Outro, resumindo, uma transformação transindividual, socializada, do *afeto* compreendido como o processo intrapsíquico mais fundamental.[86] Enquanto o próprio Freud havia proposto a expressão francesa *état émotif* (estado emocional), em seu texto publicado pela *Revue neurologique*, em 1895, para traduzir aquilo que ele chamava de *Affekt*, em alemão,[87] Daniel Widlöcher tentou distinguir a *emoção* como "expressão" externa, socializada, e o *afeto* como "regulagem interna do aparelho psíquico".[88] Mas, com essa vontade tipológica, não estaríamos nos privando de fazer a pergunta mais essencial, ou seja, aquela sobre as relações entre o "interno" e o "externo", a profundidade e a abertura, nesses fenômenos essencialmente *bifaciais* ou bidimensionais que são as emoções?

Muito mais precisa e convincente é a reflexão de Monique Schneider sobre a emoção em Freud, colocada como o surgimento de uma "presença manifesta do estranho no próprio", quando o trauma age no afeto como "corpo estranho" (*Fremdkörper*) e

85. J. Lacan, *Le séminaire X: L'Angoisse*, op. cit., p. 18–23.
86. P. Kaufmann, *L'expérience émotionnelle de l'espace*, op. cit., p. 116.
87. S. Freud, "Obsessions et phobies: leur mécanisme psychique e leur étiologie" (1895) [texto original em francês], in *Névrose, psychose et perversion*. Paris: PUF, 1973 (ed. 1978), p. 40.
88. D. Widlöcher, "De l'émotion primaire à l'affect différencié", in P. Mazet; S. Lebovici (orgs.), *Émotions et affects chez le bébé et ses partenaires*. Paris: Eshel, 1992, p. 45–55.

ocorre através da "representação" (*Darstellung*) de "cenas" marcadas pela movimentação das imagens mais inesperadas, mais inquietantes e invasivas.[89] Não me surpreendo que Schneider, com toda a coerência, tenha, recentemente, prolongado essa análise da emoção em Freud com uma reflexão sobre o "desemparo original" (*anfängliche Hilflosigkeit*) como ponto de partida de toda organização psíquica do "prazer-desprazer", no *Projeto para uma psicologia científica* elaborado por Freud em 1895.[90] O que era "dor original" em Nietzsche toma aqui a forma de um desamparo fundamental que deixa a criança com seu choro, ou seja, com sua reação corporal, diante da sensação de estar entregue ao "objeto hostil", por um lado, e de estar privada, por outro, da ajuda dos seus próximos.[91] Ainda como em Nietzsche — principalmente em seus textos sobre a tragédia —, a análise freudiana parece chegar, para além dessa situação inicial, a uma concepção do *pathos* como "sofrimento-recusa" e como "sofrimento-artista", ao mesmo tempo.[92]

Vemos, então, que a concepção freudiana da emoção resulta na elaboração de um tema *ético* — uma "ética da proximidade", que Monique Schneider vai querer estender até Levinas[93] — e *estético*, como Nietzsche já havia feito, e cujas premissas Aby Warburg irá desenvolver, a partir das suas análises das "fórmulas do *pathos*" (*Pathosformeln*), na longa continuidade da história da arte. É um modo de dizer que as emoções — assim como as crenças ou como os fenômenos de "gosto" — não são essas

89. M. Schneider, "L'Émotion selon Freud: l'irruption du 'corps étranger' ", *Alter, Revue de phénoménologie*, n. 7, 1999, p. 213–232.
90. S. Freud, "Esquisse d'une psychologie scientifique" (1895), trad. A. Berman, in *La naissance de la psychanalyse*, op. cit., p. 336 (onde o termo está traduzido pela expressão *impuissance originelle* (impotência original), enquanto que a recente edição das *Lettres à Wilhem Fliess*, 1887–1904, trad. F. Kahn; F. Robert. Paris: PUF, 2006, p. 626, propõe a expressão *desaide initial* (desajuda inicial)).
91. M. Schneider, *La détresse, aux sources de l'éthique*. Paris: Seuil, 2911, p. 25–150.
92. Ibid., p. 56–70 e 263–275.
93. Ibid., p. 277–345.

pequenas coisas "pessoais" que um indivíduo vai "possuir", ou guardar com ele: *as emoções são do interesse de qualquer um,* até mesmo de *todos nós*. É o próprio prolongamento — estético, ético e até político — da ideia de que as emoções nos influenciam como "movimentos fora de si" ou "fora do si mesmo", tema que Gilles Deleuze, ao falar do seu abalo estético diante da pintura de Francis Bacon — mas também ao falar do tema ético implicado em toda emoção estética —, exprimiu em termos admiráveis:

> A emoção não diz *eu*. [...] É como estar fora de si. A emoção não é da ordem do eu, mas sim do acontecimento. É muito difícil apreender um acontecimento, mas não creio que essa apreensão implique a primeira pessoa. Seria melhor recorrer à terceira pessoa, como Maurice Blanchot quando diz que há mais intensidade na frase "ele [ou ela] sofre" do que em "eu sofro".[94]

Se a emoção não diz *eu*, é porque ela reúne em um mesmo acontecimento expressivo os dois "outros", pelos quais o "eu" geralmente ignora que ele é inteiramente atravessado e de quem é, portanto, dependente: digamos, para simplificar, o *outro-interior*, que dá à emoção a sua profundidade, e o *outro-exterior*, que lhe dá a sua abertura. A frase de Gilles Deleuze poderia, aliás, ser esclarecida, em um nível muito fundamental, a partir das reflexões de Gilbert Simondon — de quem Deleuze foi um leitor atento — sobre a questão do "eu" e da individuação. Simondon afirmava, no seu grande livro sobre *L'individuation psychique et collective*, que "manifestações como a emoção no ser individual parecem impossíveis de explicar unicamente a partir do conteúdo e da estrutura do ser individuado".[95] Resumindo, "a emoção é incompreensível segundo o indivíduo"[96] — ou o "eu" —, na medida em que ela se

94. G. Deleuze, "La peinture enflamme l'écriture" (1981), in *Deux régimes de fous: textes et entretiens (1975-1995)*, ed. D. Lapoujade. Paris: Minuit, 2003, p. 172.
95. G. Simondon, *L'individuation psychique et collective à la lumière des notions de forme, information, potentiel et métastabilidade*. Paris: Aubier, 1989 (ed. 2007), p. 211.
96. Ibid., p. 212.

desdobra segundo uma dimensão particular na qual o *pré-individual* (o outro do interior) toca o *transindividual* (o outro do exterior). Para Simondon, essa é uma maneira de indicar os limites de todo discurso — inclusive o de Darwin — que faz da emoção um simples caso de indivíduos ligados por suas expressões comuns:

> Para que a relação entre um ser e outro seja possível, é preciso uma individuação que envolva os seres entre os quais a relação existe: isso supõe que exista entre os seres individuados uma certa carga de indeterminado, ou seja, de realidade pré-individual que passou pela operação de individuação sem ser efetivamente individuada. [...]. De fato, os aspectos de adaptação destacados por Darwin existem, mas não esgotam toda a realidade da emoção. Pela emoção, o ser se desadapta e se adapta, [pois a emoção] manifesta no ser individuado a continuidade do pré-individual; ela é esse potencial real que, no interior do indeterminado natural, suscita no sujeito a relação no interior do coletivo que se institui. [...] Troca entre o pré-individual e o individual, [a emoção] prefigura a descoberta do coletivo. Ela é um questionamento do ser como individual, porque tem o poder de suscitar uma individuação do coletivo que irá recobrir e ligar o ser individuado. [Dessa maneira, a emoção] não é, na realidade, desorganização do sujeito, mas o começo de uma nova estruturação que só poderá se estabilizar na descoberta do coletivo.[97]

Essa prosa filosófica pode parecer muito "técnica" ou difícil. Ela lembra quase o estilo de Hegel, na sua *Fenomenologia do espírito*. Mas é preciso ter em mente que Gilbert Simondon inaugura aqui algo como uma nova maneira de pensar as categorias aristotélicas, nada menos do que isso. E, no entanto, as coisas ficam muito claras na organização do nosso próprio trajeto, já que a expressão escolhida por Simondon para definir a emoção como *potencial real*, capaz de "prefigurar a descoberta do coletivo", apenas prolonga um pouco mais essa reavaliação da emoção como *movimento virtual*, segundo Bergson, *vivido intencional*, segundo Husserl, *abertura para o mundo*, segundo Sartre e Merleau-Ponty, *dialética do*

97. Ibid., p. 210–213.

desejo, segundo Freud, até essa *potência* ou "poder de ser afetado" de que fala Deleuze, a partir de Nietzsche e de Espinoza.

O novo passo é que, com uma emoção que não diz mais *eu*, estamos, a partir de agora, em um terreno onde o *pathos* não pode mais ser pensado fora da sua situação no *ethos*. Então, a emoção, seja na ordem pática do sofrimento real, ou na ordem estética da nossa relação com as imagens, vem ao encontro da preocupação ética, para colocá-la em perigo ou em ação, segundo o caso. Os parágrafos iniciais das *Minima Moralia* vão se revelar, quanto a isso, bastante significativos: Theodor Adorno, de fato, exige nessa obra que a emoção sentida diante da realidade esmagadora dos campos de extermínio nazistas não imobilize o sujeito na sua "lamentação", mas saiba recolocar seu livre pensamento em movimento, apesar de esse movimento dialético ter que interagir, como queria Hegel, com o "absoluto dilaceramento" da morte:

> A aniquilação que os campos de concentração infligiram aos sujeitos atinge agora a própria forma da subjetividade. Há algo de sentimental e de anacrônico na reflexão subjetiva, embora ela volte sua crítica contra si mesma: algo que é da ordem de uma lamentação sobre o andamento do mundo, e essa lamentação não pode ser recusada em nome da bondade do mundo, mas sim porque, dessa forma, o sujeito corre o risco de se fixar no estado em que ele se encontra (*Sosein*) e vir a confirmar ele mesmo essa lei do mundo. [Ora, isso está] em oposição com a maneira como Hegel procede [quando faz da mente] essa "potência que sabe olhar o negativo de frente, e se alojar perto dele".[98]

O que Adorno recusa — política e moralmente — não é a emoção como tal, nem mesmo o fato de "se lamentar" *em si*. O que ele recusa é a emoção que diz *eu*, a lamentação que se lamenta *sobre si*. Seria, portanto, um erro interpretar, em Adorno, o recurso à dialética hegeliana como um defeito de intelectualismo

98. T.W. Adorno, *Minima Moralia: réflexions sur la vie mutilée* (1944–1947), trad. E. Kaufholz; J. R. Ladmiral. Paris: Payot, 1980 (ed. 1991), p. 10–11.

ou de espiritualismo “antiemotivos”. Na verdade, é o contrário, como podemos ler com toda a clareza em uma página ulterior das *Minima Moralia*:

> Acreditar que o pensamento possa tirar proveito do declínio das emoções graças à objetividade que o caracteriza, ou que ele nada tem a temer desse declínio, já faz parte do processo de emburrecimento. [...] Não é a memória inseparável do amor que quer conservar aquilo que, no entanto, vai passar? Cada movimento da nossa imaginação não é engendrado pelo desejo que, ao deslocar os elementos daquilo que existe, transcende-os para não os trair? A mais simples das percepções não se forma com o medo da coisa percebida ou com o desejo por ela?[99]

Lembremos também a maneira emocionante como Adorno soube prestar homenagem ao “realismo” de Siegfried Kracauer: “A relação que ele tinha com a verdade, era que o sofrimento deveria passar sem ser deformado nem abrandado no pensamento, que, se não fosse assim, o volatizaria”.[100] Lembremos, por fim, na *Dialética negativa*, esse aforismo que vem restituir ao *pathos* sua potência, no próprio terreno do *logos* e do *ethos*: “A necessidade de fazer com que o sofrimento se exprima é a condição de toda verdade.”[101]

Talvez haja filósofos que sonhem com uma política “absoluta”, uma política que seria “verdadeira” por ser “não expressiva”, segundo a lógica platônica.[102] Mas essa utopia do pensamento político, essa utopia das *totalidades frontais*, se abstém de tudo aquilo que esvazia, no real histórico e na constituição antropológica das sociedades — mesmo que elas sejam “contra o Estado” —, as *linhas de falha*, as revoltas oblíquas, os desvios imaginativos, os

99. Ibid., p. 117.
100. Id., “Un étrange réaliste: Siegfried Kracauer” (1964), in *Notes sur la littérature*, trad. S. Muller, Paris: Flammarion, 1984 (ed. 2009), p. 264–265.
101. Id., *Dialectique négative* (1966), trad. G. Coffin; J. Masson; O. Masson; A. Renaut; D. Trousson. Paris: Payot, 1978 (ed. 1992), p. 22. Para uma versão levinassiana desse destino ético das emoções, cf. J-M. Salanskis, *L’émotion éthique: Levinas vivant*, I. Paris: Klincksieck, 2011.
102. Cf. A. Badiou, “La politique: une dialectique non expressive” (2005), in *La relation énigmatique entre philosophie et politique*. Meaux: Germina, 2011, p. 67–87.

momentos de fraqueza inerentes a toda "potência de ser afetado". Se a emoção não diz *eu*, isso significa que deveria ser possível começar a construir uma *política das emoções*. Uma política que fosse pensável, como propõe Roberto Esposito, na "terceira pessoa",[103] essa mediação necessária para *abrir as emoções* para a dimensão coletiva: para fazer delas "o interesse de todos", o bem comum, mesmo que fosse sob a forma bastante cruel daquilo que Aby Warburg chamava de um "tesouro de sofrimentos" (*Leidschatz*).[104]

Assim como existe uma história da dor — uma história feita de experiências e de respostas práticas, de imaginações e de respostas discursivas —,[105] existe uma história das emoções como respostas corporais, imaginativas, discursivas e até institucionais às diferentes experiências páticas às quais mulheres e homens, na história, estão necessariamente submissos ou prometidos. Ora, essa história não será apenas "natural" ou adaptativa — segundo uma linhagem que vai de Charles Darwin a Walter Cannon e outros —,[106] mas também *cultural* e *simbólica*, na medida em que a expressão das emoções, com os gestos que liberam sua intensidade significativa, age, constantemente, no grupo das *forças corporais* e no das *formas sociais*.

Basta lembrar o estudo pioneiro de Robert Hertz sobre as respostas coletivas à dor do luto — as "festas funerárias", como ele não teme chamá-las —, ou ainda as reflexões de Émile Durkheim

103. Cf. R. Esposito, *Terza persona: politica dela vita e filosofia dell'impersonale*. Turim: Einaudi, 2007, p. 127–184. Id., *Communauté, immunité, biopolitique: repenser les termes de la politique* (2008), trad. B. Chamayou. Paris: Les Prairies ordinaires, 2010, p. 229–247. Cf. também S. Natoli e L. Verga, *La politica e il dolore*. Roma: Lavoro, 1996.
104. Cf. M. Warnke, "Der Leidschatz der Menscheit wird humaner Besitz", in *Der Menschenrechte des Auges: Über Aby Wartung*. Frankfurt: Europäische Verlagsanstalt, 1980, p. 113–186.
105. Cf. R. Rey, *Histoire de la douleur* La Découverte, 1993 (ed. 2011). R. Macmullen, *Les émotions dans l'histoire, ancienne et moderne* (2003), trad. F. Regnot. Paris: Les Belles Lettres, 2004.
106. Cf., W.B. Cannon, *Bodily Changes in Pain, Hunger, Fear and Rage*. Nova York/Londres: D. Appleton Company, 1915.

sobre os "ritos expiatórios", isto é, os "ritos que são celebrados na inquietude ou na tristeza", e até mesmo na raiva, na sua grande obra sobre *As formas elementares da vida religiosa*.[107] Em seguida, será decisiva a contribuição de Marcel Mauss para essa antropologia cultural — que ele chama, em dado momento, de "interpsicológica" — das emoções humanas:

> Uma categoria considerável de expressões orais de sentimentos e de emoções pertence apenas ao coletivo, em um grande número de populações espalhadas por todo um continente. Digamos logo que essa característica coletiva não atrapalha em nada a intensidade dos sentimentos, muito pelo contrário. Lembremos os montes formados sobre os mortos pelos Warramunga, os Kaitish, os Arunta. Mas todas essas expressões coletivas, simultâneas, de valor moral e absolutamente obrigatórias dos sentimentos do indivíduo e do grupo, são mais do que simples manifestações, são signos, expressões compreendidas, enfim, uma linguagem. Esses gritos são como frases e palavras. Precisam ser ditas, mas, se é preciso dizê-las, é porque todo o grupo as compreende. Trata-se, mais do que de manifestar seus sentimentos, de manifestá-los para os outros, porque é preciso fazê-lo. Eles são manifestados para si exprimindo-os para os outros, e no lugar dos outros. É, essencialmente, uma simbologia.[108]

Não podemos deixar de lembrar que esse artigo de Mauss sobre "A expressão obrigatória dos sentimentos" era uma espécie de complemento ao estudo de Georges Dumas sobre "As lágrimas", publicado no *Journal de psychologie* da mesma época:[109] uma resposta antropológica e sociológica ao ponto de vista puramente fisiológico e psicológico, pelo qual as emoções são, em

107. R. Hertz, "Contribution à une étude sur la représentation collective de la mort" (1907), in *Sociologie religieuse et folklore*. Paris: Alcan, 1928 (reed. Paris, PUF, 1970), p. 1–83. É. Durkheim, *Les formes élémentaires de la vie religieuse: le système totémique en Australie*. Paris: Alcan, 1912 (reed. Paris, PUF, 1990), p. 556–592.

108. M. Mauss, "L'expression obligatoire des sentiments (rituels oraux funéraires australiens)" (1921), in *Œuvres, III: cohésion sociale et divisions de la sociologie*, ed. V. Karady. Paris: Minuit, 1969, p. 277–278.

109. G. Dumas, "Les larmes", *Journal de psychologie normale e pathologique*, XVII, 1920, n. 1, p. 45–58. Cf., id., *Nouveau traité de psychologie*, op. cit., p. 271–290.

geral, compreendidas. "Não são apenas o choro, mas todos os tipos de expressão oral dos sentimentos que são, essencialmente, não fenômenos exclusivamente psicológicos, ou fisiológicos, mas fenômenos sociais."[110] A partir daí, afirma Mauss, "por mais desarticulados que sejam gritos e urros, eles são sempre, em certo grau, musicais, quase sempre ritmados, cantados em coro pelas mulheres. Estereótipo, ritmo, coro, tudo ao mesmo tempo, fisiológico e sociológico".[111] Esses choros e esses gritos fúnebres deverão, então, ser apreendidos como uma "ejaculação estética" — como o antropólogo ousa escrever —, uma energia vocal e gestual que é tão ritmada (cultural) quando urrada (corporal), tão poética (até naquilo que será chamado um "gênero esquiliano", isto é, de Ésquilo) quanto pulsional.

> Mesmo quando não são cantados, pelo fato de que são emitidos ao mesmo tempo, esses gritos têm uma significação completamente diferente do que aquela de uma pura interjeição sem alcance. Eles têm sua eficácia [...] de esconjuração [ou] de expulsão do malefício.[112]

Em 1936, Marcel Mauss colocará essas *emoções coletivamente formadas* na rubrica das "técnicas do corpo", inerentes a todo universo cultural.[113]

Compreendemos melhor, a partir de agora, que a emoção possa não dizer eu. O ponto de vista introduzido por Marcel Mauss teria a admirável vantagem de liberar as emoções da *armadilha subjetivista*. Mas ele esconde uma armadilha simétrica, se nos contentarmos em compreender por "linguagem" social e por dimensão "simbólica" um sistema de valores, de representações e de práticas no qual nada provoque um sintoma. É aquilo que

110. M. Mauss, "L'Expression obligatoire des sentiments", art. cit., p. 269.
111. Ibid., p. 275.
112. Ibid., p. 276.
113. Id., "Les techniques du corps" (1936), in *Sociologie et anthropologie*. Paris: PUF, 1950 (ed. 1980), p. 363-386.

chamarei de *armadilha unanimista*, na qual as emoções — que Deleuze, com razão, chama de "acontecimentos", isto é, no mínimo, rupturas potenciais na organização dos hábitos sociais — podem ser reduzidas ao estatuto de respostas "adequadas" ou "simétricas", dadas às injunções simbólicas de uma sociedade. No fundo, esse é o desafio que toda antropologia das emoções vai confrontar, entre a "representação social" e a "inadequação social", também citada numa abordagem como a de David Le Breton.[114] A emoção não diz *eu*, mas ela se mantém, a cada vez, no limite — ou na junção dialética — de uma comunidade e de uma singularidade.

Emoção, pobreza, dignidade: a economia e o conflito

Zombamos de quem chora e os desprezamos. Será porque a emoção mostra a todos o rosto do impoder e oferece à comunidade apenas sua própria fragilidade, seu desterro, sua condição infantil, sua pobreza? Não seria, de fato, a própria *pobreza* — física e moral, econômica e social — que chora, quando os povos estão em lágrimas, bem distantes de Charles Darwin e de seu impávido burguês inglês? Depois de Darwin (para quem aqueles que choram eram, antes de tudo, as crianças, as mulheres, os loucos e os primitivos colonizados), surgiu uma nova era da pobreza — e da barbárie — cuja antropologia foi esboçada por Walter Benjamim por meio de uma fórmula conhecida: "A experiência está em queda"

114. D. Le Breton, *Les passions ordinaires: anthropologie des émotions*. Paris: Armand Colin-Masson, 1998, p. 116–121. Cf., também id., *Anthropologie de la douleur*. Paris: Métailié, 1995, p. 173–219. V. Despret. *Ces émotions qui nous fabriquent: ethnopsychologie de l'authenticité*. Le Plessis-Robinson: Institut Synthélabo pour le progrès de la connaissance, 1999, p. 275–348.

(*die Erfahrung ist im Kurse gefallen*).[115] Nesse contexto, chorar seria, então, essa experiência da pobreza duas vezes desvalorizada: uma vez como pobreza e outra vez como experiência.

Nessas análise, Benjamin antecipava tudo aquilo que, mais recentemente, Jacques Rancière chamou de "a partilha do sensível". Sua antropologia do homem moderno não buscava nada menos do que a articulação entre o político e a estética, na situação que ele tinha sob os olhos (a República de Weimar):

> Pobres, é isso que nos tornamos. Peça por peça, dispersamos a herança da humanidade, tivemos que penhorar esse tesouro, muitas vezes por um centésimo do seu valor, em troca da ninharia do "atual". A crise econômica bate à nossa porta, atrás dela uma sombra, a guerra que se prepara. Os povos têm, então, que se arranjar como podem, têm que recomeçar com pouca coisa. Estes se aliam aos homens que se empenharam em explorar possibilidades radicalmente novas [isto é, os artistas], baseadas no discernimento e na renúncia. Nos seus edifícios, nos seus quadros, e nas suas narrativas, a humanidade se prepara para sobreviver, se preciso for, à civilização. E, principalmente, ela faz isso rindo.[116]

Como se coubesse aos artistas — Benjamin pensa aqui em Bertold Brecht, em Kafka, em John Heartfield e em Charles Chaplin — dar aos pobres que nos tornamos uma certa capacidade de reverter o pranto em riso, ou seja, o desespero em desejo, que é revolucionário por natureza.

É que existe em todo "poder de ser afetado" a possibilidade de uma reviravolta emancipadora. "A experiência está em queda" — talvez, mas cada experiência, por mais pobre e "lamentável" que seja, deve ser pensada como o próprio meio da sua transformação, da sua emancipação. Na medida em que o problema da emoção pôde ser deslocado da sua dimensão subjetiva para uma dimensão intersubjetiva, e do seu conteúdo psicológico para seu conteúdo

115. W. Benjamin, "Expérience et pauvreté" (1933), in *Œuvres*, II, trad. P. Rusch. Paris: Gallimard, 2000, p. 365.
116. Ibid., p. 372.

social, podemos, a partir de então, afirmar que a emoção coloca sua *pobreza* essencial, seu impoder, no próprio terreno, ético e político, da *dignidade*. "A experiência está em queda" — talvez, mas isso não nos dispensa, nem por um instante, de colocar a questão da *dignidade dos povos em lágrimas*. Uma definição de Emmanuel Kant, na sua *Fundamentação da metafísica dos costumes*, esclarece, perfeitamente, esse princípio:

> Tudo tem um *preço*, ou pelo menos uma *dignidade*. Aquilo que tem um preço também pode ser substituído por qualquer outra coisa que lhe seja equivalente; ao contrário, aquilo que é superior a qualquer preço, aquilo que não admite, por consequência, equivalente, é o que tem uma dignidade.[117]

Mais uma vez, a emoção seria como a imagem: Plínio, o Velho, fustigava outrora o "mercado da arte" — por exemplo, quando um rico colecionador de Pompeia comprava uma estátua grega de Zeus, e mandava cortar-lhe a cabeça para substitui-la por uma reprodução da sua própria, esculpida por um artista romano — em nome de um conceito de *imago*, inteiramente compreendido através da noção cívica de *dignitas* republicana.[118] Assim como as imagens, as emoções deveriam, então, ser pensadas sob o ângulo da dignidade e não do preço, do direito público e não do direito privado. Mas somos obrigados a constatar que, assim como no domínio das imagens, é o preço que, na maioria das vezes, suplanta a dignidade das emoções. A noção jurídica de *petrium doloris*, por exemplo, ainda hoje designa uma "reparação" sob a forma de compensação financeira que, teoricamente, toda

117. E. Kant, *Fondements de la métaphysique des mœurs* (1785), trad. V. Delbos. Paris: Librairie Générale Française, 1993, p. 113.
118. Plínio, o Velho, *Histoire naturelle* XXXV, II–IV, ed. e trad. J-M. Croisillse. Paris: Les Belles Lettres, 1985, p. 37–42. Cf. Didi-Huberman, "L'image-matrice. Histoire de l'art e généalogie de la ressemblance" (1995), in *Devant le temps: histoire de l'art et anachronisme des images*. Paris: Minuit, 2000, p. 59–83.

vítima pode reivindicar, nos casos ditos de "danos físicos, danos morais, ou danos estéticos".[119]

Compreendemos, então, que, entre *pobreza* e *dignidade*, as emoções humanas estão, necessariamente, destinadas a um *conflito* que marca seu teor político essencial. Não há "sociologia das emoções" sem o reconhecimento de uma *economia conflitante do sensível*, cujos fundamentos foram esboçados por Georg Simmel, principalmente quando ele analisa os fenômenos decorrentes dos atrativos (enfeites dos ricos) e da repulsão (odor dos pobres), na sua grande obra sobre as "formas da socialização".[120] Max Weber, por sua vez, quis tratar a questão da "comunidade emocional" no âmbito de uma reflexão sobre as ligações entre o mundo econômico e os "tipos de dominação" política.[121] Já Elias Canetti acabará situando toda a "sociologia sensível" de *Massa e poder* entre a questão do contato corporal — mesmo na sua reação fóbica — e um epílogo pessimista sobre a "devastação do sobrevivente", uma conclusão que mostra um "quadro de total impoder" do homem moderno diante de suas próprias emoções, de seu próprio *pathos*.[122]

As emoções são, então, como as imagens: umas e outras deveriam quase sempre envolver a *dignidade* dos sujeitos — até mesmo

119. Código civil francês, artigos 1382–1383, G. Vernandet et al. (orgs.). Paris: Dalloz, 2010, p. 1658–1692. [N.T.] Sobre danos morais e materiais, no Brasil: Código civil, art. 186 e 927, lei 10406, 2002.

120. G. Simmel, *Sociologie: étude sur les formes de la socialisation* (1908), trad. L. Derroche-Gurcel e S. Muller. Paris: PUF, 1999, p. 629–644. Para uma sociologia contemporânea das emoções, cf., principalmente, J. Duvignaud, *La Genèse des passions dans la vie sociale*. Paris: PUF, 1990. P. Paperman; R. Ogien, *La couleur des pensées: sentiments, émotions, intentions*. Paris: EHESS, 1995. J. H. Turner; J. E. Stets, *The Sociology of Emotions*. Cambridge/Nova York: Cambridge University Press, 2005. Y. Guillaud ; J. Widmer (orgs.), *Le juste et l'injuste: émotions, reconnaissance et actions collectives*. Paris: L'Harmattan, 2009.

121. M. Weber, *Économie et société, II: l'organisation et les puissances de la société dans leur rapport avec l'économie* (1911–1920), trad. dirigida por J. Chavy; É. De Dampierre. Paris: Plon, 1971 (ed. 1995) p. 204–211.

122. E. Canetti, *Masse et puissance* (1960), trad. R. Rovini. Paris: Gallimard, 1966, p. 11–12 e 495–500.

das comunidades inteiras às quais eles pertencem — mas, na verdade, nós os observamos desesperadamente submetidos a uma *pobreza* que lhes é imposta, em todos os planos, pela *economia conflitante* dos mundos históricos e políticos onde eles tentam existir. Marie-José Mondzain, por exemplo, mostrou muito bem como a "crise das imagens", no contexto bizantino, foi simplesmente uma crise do poder — político e religioso — no qual a própria noção de "economia" (*oïkonomia*) desempenhava um papel fundamental.[123] Em seguida, Giorgio Agamben retomou o grande dossiê patrístico da "economia divina" na história,[124] para recolocá-la no centro de uma longa reflexão sobre o poder como "máquina governamental", no sentido dado por Michel Foucault.[125]

Ali onde Foucault tinha feito das práticas institucionais e dos discursos de saber seus domínios privilegiados de pesquisa, Giorgio Agamben dá um passo decisivo ao colocar a questão jurídica e teológica do poder através das suas prescrições, mas também dos seus *gestos* e suas *imagens,* sem contar as *emoções* que lhes são concomitantes. O poder não precisa só do "governo", precisa também da "glória". Ora, a glória precisa sempre de gestos litúrgicos, de encenações de imagens e das emoções — uma multidão vibrante na aclamação do soberano, por exemplo — formando uma unanimidade.[126] Não é por acaso que Agamben tenha reconhecido, por meio da análise das "insígnias do poder",

123. M.-J. Mondzain, *Image, icône, économie: les sources byzantines de l'imaginaire contemporain*. Paris: Seuil, 1996, p. 23–210.

124. Cf. notamment O. Lillge, *Das patristische Wort "Oikonomia": Seine Geschichte und seine Bedeutung bis auf Origenes.* Erlangen: Diss. Universität, 1955. J. Moingt, *La Théologie trinitaire de Tertullien*. Paris: Aubier, 1966, II, p. 551–616 e III, p. 852–932. G. Richter, *Oikonomia: Der Gebrauch des Wortes "Oikonomia" im Neuen Testament, bei den Kirchenvätern und in der theologischen Literatur bis ins 20. Jahrhundert*, Berlim: Walter de Gruyter, 2005.

125. G. Agamben, *Le Règne et la gloire: pour une généalogie théologique de l'économie et du gouvernement. Homo sacer, II, 2* (2007), trad. J. Gayraud; M. Rueff. Paris: Seuil, 2008, p. 13–16 e 41–91.

126. Ibid. , p. 257–298.

por Percy Ersnt Schramm, uma elaboração conceitual das "fórmulas de *pathos*" (*Pathosformeln*), segundo Aby Warburg.[127] E quanto à questão — igualmente de Warburg — das "sobrevivências" (*Nachleben*), ela evidentemente atravessa essa análise, visto que, para Giorgio Agamben, como também para Marie-José Mondzain, trata-se de sugerir uma arqueologia das gestualidades, das imagens e das emoções políticas tal como elas são usadas pelo próprio homem moderno.

Na era da "pobreza em experiência", parece que,

> de um modo geral, as cerimônias e as liturgias tendem, hoje em dia, para a simplificação, pois as insígnias do poder são reduzidas ao mínimo, as coroas, os tronos e os cetros são conservados nas vitrines dos museus ou dos Tesouros, e as aclamações, que tiveram tanta importância para a função gloriosa do poder, parecem ter desaparecido quase em toda parte. É verdade que não está muito distante a época em que, no âmbito daquilo que Kantorowiccz chamava *the emocionalism* dos regimes fascistas, as aclamações tiveram um papel decisivo na vida política de certos grandes Estados europeus: nunca, talvez, uma aclamação, no sentido técnico, tenha sido pronunciada com tanta força e eficácia quanto o *Heil Hitler*, na Alemanha, ou o *Duce duce*, na Itália fascista. Entretanto, esses clamores unânimes, que ainda ontem ecoavam pelas praças das nossas cidades, parecem, hoje, pertencer a um passado longínquo e irrevogável.[128]

E, no entanto, essa organização emocional, gestual e espetacular, ainda sobrevive, segundo Agamben — que vai buscar isso tanto em Carl Schmitt quanto em Guy Deborde —, na "democracia consensual" e sua correlativa "sociedade do espetáculo".[129]

Mas uma análise como essa — com a qual só poderíamos compartilhar a preocupação arqueológica ou genealógica, na longa duração do direito romano, da teologia cristã e da história da

127. Ibid. , p. 273 (cf. P. E. Schramm, *Herrschaftszeichen und Staatssymbolik. Beiträge zu ihrer Geschichte vom dritten bis zum sechzehnten Jahrhundert*, Stuttgart, Anton Hiersemann, 1954-1956).
128. Ibid., p. 377-378.
129. Ibid., p. 378-385.

filosofia — apenas conclui, novamente, aquilo que era preciso abrir, como já tentei desenvolver.[130] Quando as emoções terminam no cadinho do *emocionalism*, segundo Ernst Kantorowicz, da "opinião pública", segundo Carl Schmitt, ou do "espetáculo", segundo Guy Deborde, é porque elas caíram novamente na armadilha unanimista da qual falei acima. Ora, nessa armadilha são aprisionadas todas as *diferenças* que fazem da vida histórica um perpétuo "movimento fora de si": quero dizer, principalmente, essa *dignidade* dos povos na intensidade dos conflitos, nos quais eles também sabem bradar seu impoder, seu *pathos* ou sua potência de oposição aos governos que eventualmente os oprimem. As "tonalidades emotivas da multidão", como as chama Paolo Virno, não poderiam ser consideradas puros espelhos do reino e de sua glória.[131]

Nesse sentido, seria tão inútil desencorajar emoções sociais quanto acreditar que podemos medi-las,[132] ou ainda, falar delas em termos de "impacto" e de "gestão", ou seja, em termos de pura economia.[133] Por mais legítimo que seja o ponto de vista sociológico, proveniente das análises de Marcel Mauss — ponto de vista implicitamente retomado por Anne Vincent-Buffault, quando funda sua *História das lágrimas* sobre os elementos simbólicos da linguagem e da troca —,[134] não podemos esquecer de colocar em jogo esses dois parâmetros fundamentais para toda análise das emoções na história: primeiramente, que não há vida sensível sem um *médium* que a faz aparecer e que não é redutível aos

130. Cf. G. Didi-Huberman, *Survivance des lucioles*. Paris: Minuit, 2009, p. 57–113.
131. Cf. P. Virno, *Grammaire de la multitude: pour une analyse des formes de vie contemporaines* (2001), trad. V. Dassas. Nîmes/Montréal: L'Éclat-Conjonctures, 2002 (ed. 2007), p. 94–102.
132. Cf. R. Plutchik; H. Kellerman (orgs.), *Emotion: Theory, Research, and Experience*, IV. *The Measurement of Emotions*. San Diego/Londres: Academic Press, 1989.
133. Cf. B. Rimé, *Le Partage social des émotions*. Paris: PUF, 2005 (ed. 2009), p. 307–386.
134. A. Vincent-Buffault, *Histoire des larmes, XVIIIe-XIXe siècles*. Paris: Rivages, 1986, p. 24–45. Cf. também J.-F. Laé, *L'Instance de la plainte: une histoire politique et juridique de la souffrance*. Paris: Descartes & Cie, 1996. F. Héritier ; M. Xanthakou (orgs.), *Corps et affects*. Paris: Odile Jacob, 2004.

esquematismos do "signo" ou do "símbolo" (esse *médium* sensível que é também gesto ou imagem, por exemplo, deve até mesmo ser pensado, como faz Emanuele Coccia, como essa "potência específica" que envolve a própria definição do vivo como poder de se reproduzir e como destino da sensibilidade);[135] em segundo lugar, não há vida sensível sem aquilo que Jacques Rancière chama de *partilha*, para indicar sua vocação para a *comunidade* (na ideia do "comum compartilhado") e ao mesmo tempo para o *conflito* (na ideia das "partes exclusivas").[136] Se as emoções são como as imagens, não seria, simplesmente, porque estas oferecem àquelas seu *médium* privilegiado na história?

As emoções mediatizadas: a antipatia e o mercado do choro

Nossa atitude diante das imagens é profundamente marcada pelo duplo excesso — de supervalorização e de desvalorização — em relação às emoções. De um lado, as imagens seriam o lugar epifânico das nossas emoções mais intemporais: simpatizamos, temos empatia, nos assombramos diante de certas imagens, nos surpreendemos e temos empatia diante de seus gritos silenciosos, como se quiséssemos, muitas vezes, esquecer *o pensamento que elas constroem* com método. Por outro lado, as imagens seriam o lugar obscurantista das nossas emoções mais inconfessáveis: desconfiamos, nos afastamos de certas imagens, protestamos diante de seus gritos silenciosos, como se quiséssemos, muitas vezes, esquecer *o pensamento que elas sacodem* com vigor. A primeira atitude é, em geral, refutada pela tradição filosófica, sob as categorias da captação imaginária, da *doxa*, do "emocionalismo" ou do "sensacionalismo" populares, enfim, da ausência de qualquer julgamento. Não esqueçamos a jurisdição estética, outrora formulada

135. E. Coccia, *La Vie sensible*, trad. M. Rueff. Paris: Payot & Rivages, 2010, p. 43–48 e 149.
136. J. Rancière, *Le Partage du sensible: esthétique et politique*. Paris: La Fabrique, 2000, p. 12–25.

por Emmanuel Kant: "O puro julgamento de gosto é independente do fascínio e da emoção", de modo que um julgamento estético emitido sob o domínio da emoção será qualificado de "bárbaro".[137] Um julgamento estético que não tenha outro fim a não ser ele mesmo é o que ainda aparece em inúmeros filósofos contemporâneos, para os quais o "emotivismo" seria, na verdade, apenas um obstáculo — na melhor das hipóteses, um efeito colateral, quase patológico — na nossa relação com as imagens da arte.[138]

Nietzsche, no entanto, no capítulo da *Genealogia da moral* intitulado "Que significam os ideais ascéticos?", acertou os ponteiros ao mostrar, com ironia mordaz, até que ponto Kant, na sua concepção do julgamento estético, teve medo de *tocar* e ser *tocado*:

> "É belo, diz Kant, aquilo que provoca um prazer *desinteressado*" — Desinteressado! Comparem essa definição com essa outra, de um verdadeiro espectador e artista — Stendhal, que, em algum lugar, chama a beleza de *uma promessa de felicidade*. Em todo caso, aqui é *recusado* e riscado o único aspecto do fato estético destacado por Kant: o *desinteresse pessoal*. Quem tem razão, Kant ou Stendhal? — Certamente, enquanto nossos esteticistas, em defesa de Kant, não se cansam de validar o fato de que, sob o fascínio da beleza, podemos contemplar de forma "desinteressada" *até mesmo* estátuas de mulheres nuas, temos o direito de rir um pouco às custas deles: sobre esse ponto delicado, as experiências dos artistas são "mais interessantes", e Pigmaleão, em todo caso, *não era* necessariamente um "homem desprovido de estética". Tenhamos pois uma opinião melhor sobre a inocência de nossos esteticistas, embasada por esses argumentos, e coloquemos a favor de Kant, por exemplo, aquilo que ele nos diz, com a ingenuidade de um pastor do campo, sobre as particularidades do tocar![139]

Foi talvez por ter aprendido a lição nietzschiana — principalmente sobre os destinos do *pathos* na tragédia grega e no seu

137. E. Kant, *Critique de la faculté de juger* (1790), trad. A. Philonenko. Paris: Vrin, 1979, p. 65–66.
138. Cf. principalmente R. Rochlitz, *L'Art au banc d'essai: esthétique et critique*. Paris: Gallimard, 1998, p. 60, 155–156 e 169–175.
139. F. Nietzsche, *La Généalogie de la morale* (1887), in *Œuvres philosophiques complètes*, VII. ed. G. Colli; M. Montinari, trad. I. Hildenbrand; J. Gratien. Paris: Gallimard, 1971, p. 294–295.

Figura 7. Aby Warburg, *Bilderatlas Mnemosyne*, 1927–1929. Prancha 42.
Londres, Warburg Institute Archive. Foto The Warburg Institute.

"renascimento", no século xv — que Aby Warburg quis realizar sua grande empreitada por uma antropologia histórica das imagens, totalmente articulada em torno das "sobrevivências" (*Nachleben*) de que são capazes as "fórmulas de *pathos*" (*Pathosformeln*) da Antiguidade: ou seja, sobre os avatares temporais de emoções fundamentais mediatizadas nas imagens. Tudo isso recolhido por entre as pranchas do seu *Bilderatlas Mnemosyne* que ficou inacabado quando ele morreu.[140] Em cada *imagem*, Warburg buscava o *gesto* humano, em cada gesto ele buscava a "fórmula", ou seja, a combinação específica — culturalmente especificada — de *emoções* capazes de se associar ou de se confrontar, segundo uma dinâmica estrutural e histórica que ele chamava de "polarização-despolarização": é o que podemos ver, por exemplo, na prancha 42 de seu atlas dedicado à "inversão energética do *pathos* do sofrimento" (*Leidenspathos in energetischer Inversion*), em que os gestos do luto, por vezes, podem se transformar em gestos do desejo, como no caso da Madalena exaltada ao pé da cruz (*fig. 7*).[141]

Portanto, as próprias emoções são como as imagens que as veiculam: elas definem um vasto *campo de conflitos* onde o impoder disputa com a potência, a singularidade com a comunidade, a antiguidade com suas transformações posteriores, o *sim* com o *não* etc. Não surpreende, portanto, que as últimas pranchas do *Bilderatlas Mnemosyne* recoloquem toda a dialética das imagens num contexto político, no qual a aclamação das multidões diante da procissão eucarística de Roma, em 1929 — no mesmo momento em que o ditador Mussolini e o papa Pio xi assinavam sua Concordata — está ao lado de gravuras antissemitas do Renascimento e uma representação, paradoxal nesse contexto, da

140. Aby Warburg, *Der Bilderatlas Mnemosyne: Gesammelte Schriften*, ii-1 (1927–1929), ed. M. Warnke; C. Brink. Berlim: Akademie Verlag, 2000 (2. ed. revista, 2003). Cf. G. Didi-Huberman, *Atlas ou le gai savoir inquiet*: *l'oeil de l'histoire*, 3. Paris: Minuit, 2011.
141. A. Warburg, *Der Bilderatlas Mnemosyne*, op. cit., p. 76–77.

Figura 8. Aby Warburg, *Bilderatlas Mnemosyne*, 1927–1929. Prancha 79. Londres, Warburg Institute Archive. Foto The Warburg Institute.

Esperança pintada por Giotto (*fig. 8*).[142] Trata-se de um campo de conflitos, visto que, de um lado, está "o Povo", segundo Carl Schmitt, o povo que aclama em uníssono para dizer *sim* ao "reino" e à sua "glória"; e, de outro lado, estão escondidos "os povos" minoritários que tiveram — e terão, nos anos seguintes — que sofrer muito com o "reino" ou com a sua "glória". São os povos que dizem *não* e que organizam como podem sua esperança de se libertar, em função de seu próprio pessimismo imposto: são, certamente, os povos segundo Walter Benjamim, que comentou a mesma imagem medieval da *Esperança*[143] antes de articular, no âmbito das suas reflexões fundamentais sobre a história, os motivos do pessimismo político e das "imagens apesar de tudo": "Organizar o pessimismo significa... no espaço da conduta política... descobrir um espaço de imagens."[144]

Compreendemos que Aby Wargurg, a exemplo de Georg Simmel, tenha considerado, durante a longa duração do seu trabalho, sua própria sondagem sobre as imagens como uma exploração na "tragédia da cultura".[145] Imagens contra imagens, portanto, até mesmo emoções contra emoções. Podemos nos surpreender que as emoções, compreendidas segundo uma antropologia do impoder e da abertura diante do mundo, possam se erguer com tanta força umas contra as outras; mas isso é possível justamente porque elas estão mediatizadas, e, portanto, socializadas, politizadas, conflitadas. Theodor Adorno, nas suas *Minima Moralia*, evocava esses "arcaísmos de tons apaixonados" que se fixam, nas nossas sociedades, em "palavras feitas" — em palavras

142. Ibid., p. 132–133.

143. W. Benjamin, *Sens unique* (1928), trad. J. Lacoste. Paris: Les Lettres Nouvelles/Maurice Nadeau, 1978 (ed. Revista, 1988), p. 196.

144. Id., "Paralipomènes et variantes des 'thèses sur le concept d'histoire'" (1940), in *Écrits français*, ed. J.-M. Monnoyer. Paris: Gallimard, 1991, p. 350.

145. Cf. G. Simmel, "Le concept et la tragédie de la culture" (1911), in La *Tragédie de la culture et autres essais*, trad. S. Cornille; P. Ivernel. Paris: Rivages, 1988, p. 177–215.

de ordem, em opiniões prontas —, através das quais eles se erguem acima das nossas cabeças "como letreiros luminosos" nos quais "brilha o caráter publicitário da cultura", a partir de então, inconsciente da sua própria tragédia.[146] Na mesma época, podíamos ler na *Dialética da razão*, logo antes do capítulo dedicado ao antissemitismo, um longo comentário sobre a "produção industrial dos bens culturais" como "mistificação das massas".[147]

Parece cruel, ou ao menos excessivo, que Adorno e Horkheimer tenham articulado dessa maneira os temas da *destruição dos povos* e da *produção cultural* vista como indústria. E, no entanto, eles tinham razão (embora as coisas tenham mudado depois). Lembro-me que, há alguns anos — devia ser a primavera de 2006 — eu estava entediado num quarto de hotel, em Chicago, e assisti, por acaso, ao famoso programa de Oprah Winfrey. Ela recebia Élie Wiesel no estúdio, por ocasião de uma nova tradução americana de *A noite*. Eu os vi, primeiramente, caminhando juntos, muito emocionados, pelo campo de Auschwitz coberto de neve, numa sequência gravada algumas semanas antes. O público que estava no estúdio era composto de uns cinquenta estudantes, meninos e meninas, selecionados a partir de uma redação sobre o tema: "Por que *A noite* de Élie Wiesel é um livro necessário ainda hoje?", ou algo parecido. Num canto do auditório estava reunido um pequeno grupo de sobreviventes "autênticos" do Holocausto, naquele contexto, que não tinham muita coisa a dizer e que sorriam vagamente, sem saber como se comportar.

Era, portanto, uma grande encenação da emoção diante da história. O próprio Élie Wiesel transmitia isso no timbre grave e frágil de sua voz, em sua retórica misturada de sabedoria e tristeza. Os estudantes estavam ansiosos para passar do *status* de

146. T. W. Adorno, *Minima Moralia*, op. cit., p. 45.

147. Id. e Max Horkheimer, *La Dialectique de la raison: fragments philosophiques* (1944), trad. É. Kaufholz. Paris: Gallimard, 1974 (ed. 2007), p. 129-176.

simples *audience* ao de *winners*. Falou-se, então, da destruição dos povos; falou-se dos judeus e dos ruandeses. Oprah Winfrey assumia o papel de maestrina de todas essas emoções revelando, por exemplo, de repente — com aquele tom de voz vitoriosa, típica das competições em programas de TV —, ter "reencontrado" os pais de uma estudante ruandesa exilada nos Estados Unidos desde o genocídio, e "sem notícias" da família. Reencontros comoventes. Fortes emoções no estúdio. Encenação perfeitamente calculada do *crescendo* (para desencorajar o *zapping*). No final do programa, a apoteose: num novo tom de voz publicitário, a apresentadora anunciou que cada um dos estudantes premiados pela redação iria receber cinco mil dólares. Câmeras voltadas para o grupo dos *winners:* finalmente, eles se derramaram em lágrimas.

Se minha lembrança não for muito imprecisa, podemos deduzir desse exemplo uma realidade infelizmente muito banal hoje em dia: as emoções são parte integrante — e, até certo ponto, constitutivas — do "caráter de fetiche da mercadoria" espetacular. Karl Marx já havia compreendido que a própria mercadoria é "uma coisa muito complexa, cheia de sutilezas metafísicas e argúcias teológicas".[148] Não surpreende, portanto, que as "sutilezas metafísicas", teológicas ou psicológicas, possam entrar na própria definição — e na eficácia — de uma mercadoria. Essa será, é claro, a premissa a partir da qual Guy Deborde vai elaborar sua própria crítica da "sociedade do espetáculo":

> Toda a vida das sociedades nas quais reinam as condições modernas de produção se anuncia como uma imensa acumulação de *espetáculos* que devem ser compreendidos como uma relação social entre pessoas, mediatizada por imagens. [...] Como setor econômico avançado, que molda, diretamente, uma crescente multidão de imagens-objetos, o

148. K. Marx, *Le Capital, livre I* (1867), trad. org. por M. Rubel. Paris: Gallimard, 1968 (ed. 2008), p. 152–153. Cf. A. Artous, *Marx et le fétichisme: le marxisme comme théorie critique*. Paris: Syllepse, 2006, p. 57–79.

espetáculo é a *principal produção* da sociedade atual. [...] O espetáculo se submete aos homens vivos, na medida em que a economia os submeteu totalmente. Ele é apenas a economia se desenvolvendo por si mesma.[149]

Assim como a contenção física que redobra e censura os gritos da criança que chora (*fig. 1*), assim como a camisa de força que redobra e contém a crise e a angústia da histérica da Salpêtrière (*fig. 5*), o *quadro midiático* ou "espetacular" tem como efeito redobrar as emoções e, ao mesmo tempo, aliená-las, tornando-as verdadeiramente impotentes. A grande pesquisa de Aby Warburg sobre as *Pathosformeln* tem a vantagem de se estender até os domínios mais contemporâneos da fotografia, do cinema e da televisão; não é por acaso, aliás, que os trabalhos mais notáveis nesse sentido venham da Alemanha.[150] Somos obrigados a observar que a *supervalorização das emoções*, no universo de imagens que nos cerca — e nos sufoca — resulta, efetivamente, na sua *negação* pura e simples (mas vamos observar que essa negação, no seu processo, não é nem pura nem simples). A partir de então, as emoções têm um *preço*, como quando a câmera do repórter não larga sua "vítima" — e não retribui em valor de exposição — enquanto ela não derramar sua lágrima. Nesse contexto, as emoções só aparecem para serem substituídas por outras emoções, outras lágrimas, outras vítimas, e assim, aparentemente, elas acabam perdendo toda

149. G. Debord, *La Société du spectacle* (1967), in *Œuvres*, ed. J.-L. Rançon; A. Debord. Paris: Gallimard, 2006, p. 766–769.

150. Cf. notadamente G. Koch, *Auge und Affekt: Wahrnehmung und Interaktion*. Frankfurt: Fischer Taschenbuch Verlag, 1995. P. Löffler, *Affektbilder: Eine Mediengeschichte der Mimik*. Bielefeld: Transcript Verlag, 2004. O. Grau; A. Kiel (orgs.), *Mediale Emotionen: Zur Lenkung von Gefühlen durch Bild und Sound*. Frankfurt: Fischer Taschenbuch Verlag, 2005. M. Diers, *FotografieFilmVideo. Beiträge zu einer kritischen Theorie des Bildes*. Hamburgo: Philo & Philo Fine Arts, 2006. K. Sykora; L. Derenthal; E. Ruelfs (orgs.), *Fotografische Leidenschaften*. Marburgo: Jonas Verlag für Kunst und Literatur, 2006. B. Söntgen; G. Spiekermann (orgs.), *Tränen*. Munique: Wilhelm Fink Verlag, 2008. C. Caduff; A.-K. Reulecke; U. Vedder (orgs.), *Passionen: Objekte, Schauplätze, Denkstile*. Munique: Wilhelm Fink Verlag, 2010.

a *dignidade*, toda sua realidade humana, toda sua singularidade. Elas se tornam genéricas — como dizemos dos medicamentos, o que significa, em todo caso, que elas não formam uma comunidade — no grande *mercado do choro* do mundo mediático contemporâneo, como nesses "concursos de choro" que podemos ver, hoje em dia, nas emissoras de televisão norte-americanas, japonesas ou indianas.[151]

Era inevitável que esse sobrepreço no *pathos* acabasse suscitando a crítica, a desconfiança e, logo depois, a rejeição: a mais completa *antipatia*, em suma. O "mercado do choro", de fato, só serve agora para garantir a audiência, alimentar a "concorrência entre as vítimas", fundar toda "identidade" sobre o sofrimento, consagrar o trauma como um "domínio", captar tudo nos modelos neocolonialistas destinados a "roubar as emoções", do mesmo modo que a história daqueles para quem a sociedade do espetáculo não foi concebida etc.[152] A fotografia de reportagem só exacerba a captação dos instantes emocionais, dirá Vincent Lavoie, para eliminar sua compreensão histórica.[153] "As guerras, atualmente, são também o espetáculo de som e luz dos nossos salões", é o que Susan Sontag escreverá, desanimada.[154] Enfim, há tantas imagens e tantas emoções que se acotovelam sob nossos olhos

151. Cf. P. Löffler, "Fluid(um): Über die Medialität der Tränen", in *Tränen*, op. cit., p. 265–267.
152. Cf. J.-M. Chaumont, *La Concurrence des victimes: génocide, identité, reconnaissance*. Paris: La Découverte, 1997. C. Gautier; O. Le Cour Grandmaison (orgs.), *Passions et sciences humaines*. Paris: PUF, 2002. S. Ahmed, *The Cultural Politics of Emotion*. Edimburgo: Edinburgh University Press, 2004. J. Goody, *Le vol de l'histoire: comment l'Europe a imposé le récit de son passé au reste du monde* (2006), trad. F. Durand-Bogaert. Paris: Gallimard, 2010, p. 387–413. E. Benbassa, *La Souffrance comme identité*. Paris: Fayard, 2007. D. Fassin e R. Rechtman, *L'Empire du traumatisme: enquête sur la condition de victime*. Paris: Flammarion, 2007. D. Moïsi, *La Géopolitique de l'émotion: comment les cultures de peur, d'humiliation et d'espoir façonnent le monde*, trad. F. Boisivon. Paris: Flammarion, 2008.
153. Cf. V. Lavoie, *L'Instant-monument: du fait divers à l'humanitaire*. Montréal: Dazibao, 2001, p. 57–120.
154. S. Sontag, *Devant la douleur des autres* (2002), trad. F. Durand-Bogaert. Paris: Christian Bourgois, 2003, p. 26.

— para concorrerem umas com as outras — que "não podemos mais nem compreender, nem imaginar" o que quer que seja da nossa história contemporânea.[155] Gostaríamos de revogar imediatamente todas as imagens e todas as emoções: parar de olhar e parar de chorar, como quer fazer o personagem de Stig Dagerman que, ao recusar deixar rolar uma única lágrima, acabará exilado da sociedade em que vive.[156]

Mas não estamos vendo a operação que sustenta essa assustadora dialética da *supervalorização* e da *antipatia*? Não estamos vendo a que renúncias ela conduz? Sabemos que um objeto superexposto encontra-se como que devorado pela luz dos projetores que o fetichizam: constatamos que ele se torna, dessa maneira, impossível de ser olhado. Suponhamos que essa reflexão também valha no domínio ético. As emoções seriam, então, duas vezes negadas por sua própria supervalorização: uma vez porque elas perdem em valor real (dignidade) aquilo que elas parecem ganhar em valor de mercado (preço); outra vez porque elas perdem em singularidade aquilo que parecem ganhar em número, pois são capitalizadas em séries diferentes. O melhor meio de tornar um espectador impotente é entupi-lo de imagens e de emoções indefinidamente intercambiáveis. Sabemos que a melhor maneira de esvaziar de sua substância — e da sua alegria — palavras como *filosofia*, *conceito* ou *acontecimento* é valorizá-las pela lógica do marketing, como observaram Gilles Deleuze e Félix Guattari.[157] O mesmo vale para a imagem e a emoção: só as supervalorizamos para tirar delas toda sua potência efetiva.

155. Ibid., p. 134.
156. Cf. S. Dagerman, "L'homme qui ne voulait pas pleurer" (1947), in *Les Wagons rouges*, trad. C. G. Bjurström; L. Albertini,. Paris: Maurice Nadeau, 1987, p. 115–132. Sobre a questão da "humanidade das lágrimas", cf. J.-L. Chrétien, *Promesses furtives*. Paris: Minuit, 2004, p. 61–86.
157. Cf. G. Deleuze; F. Guattari, *Qu'est-ce que la philosophie ?*. Paris: Minuit, 1991, p. 15–16.

As emoções seriam, então, como as imagens, mas também como a própria vida, quando a economia biopolítica contemporânea, segundo as análises de Roberto Esposito, acaba opondo à *comunidade* viva um processo de *imunidade* que, "primeiramente necessário à proteção da nossa vida", chega a tal ponto — a uma certa fixação perversa — que "acaba negando-a".[158] O *pathos* e o "poder de ser afetado" não sofrem o mesmo tipo de imunização, por meio de seus próprios dispositivos de supervalorização mediática? Não estão destinados a essa "fobia do tocar" da qual fala Elias Canetti, em *Massa e poder*,[159] e que Alain Brossat retoma, por sua vez, para fustigar — às vezes, porém, excessivamente, me parece — os múltiplos defeitos daquilo que ele chama de "democracia imunitária", que pode estar fundada sobre uma grande economia da "tetania afetiva", da *insensibilização*?[160]

Aquilo mesmo que nos emancipa (dos afetos que nos tornam reféns da infelicidade do mundo), também nos acorrenta: essa vitória que obtemos sobre nós mesmos ao reforçar, o tempo todo, nossas capacidades imunitárias e nossa condição anestésica, também é nossa maldição. Ela nos distancia sempre, cada vez mais, do horizonte da comunidade, segundo um processo de impassibilização e de insensibilização.[161]

Esse é, portanto, o curioso destino dos *gestos emotivos* na vida das nossas sociedades: por um lado, reconheceremos a importância das emoções na própria estrutura — inclusive institucional — *dos gestos políticos*, como lembra Claudine Haroche, depois de Robert Hertz ou de Norbert Elias.[162] Assim como houve uma "etiqueta da corte", na época dos regimes monárquicos, há formas

158. R. Esposito, *Communauté, immunité, biopolitique*, op. cit., p. 136 (e, em geral, p. 129–145).
159. E. Canetti, *Masse et puissance*, op. cit., p. 11–12.
160. A. Brossat, *La Démocratie immunitaire*. Paris: La Dispute, 2003, p. 35 e 53–84.
161. Ibid. , p. 78–79.
162. C. Haroche, *L'Avenir du sensible: les sens et les sentiments en question*. Paris: PUF, 2008, p. 31–52. Cf. R. Gori e M.-J. Del Volgo, *La Santé totalitaire: essai sur la médicalisation de*

corporais e uma "etiqueta da democracia", elas próprias abalroadas pelas "comunidades de emoção" do fascismo, do nazismo e suas diversas variantes.[163] A época contemporânea, pouco importa se a chamamos de neocapitalismo ou sociedade do espetáculo, parece ser muito marcada, desse ponto de vista, por aquilo que Claudine Haroche define como uma "cultura da desatenção": cultura na qual a etiqueta antiga — a reserva, a postura e o decoro, tudo aquilo que o século XVIII chamava de "governo de si", promovido pela burguesia em oposição às "efusões" e aos "tormentos" do povinho[164] — foi reconduzida e transformada pelas estratégias de percepção ligadas à *antipatia* de que falei acima. É a desatenção, a distância, a indiferença que conduzem, hoje em dia, esse jogo do "governo de si", por exemplo, nessa "cegueira por delicadeza" que nos faz desviar os passos diante do corpo de um mendigo deitado no chão. É toda uma estratégia da *indiferença* que faz, desde então, de nossos semelhantes uma massa de "indivíduos insignificantes".[165]

O ponto crucial de todas essas observações é que não há nenhuma contradição, de fato, entre os dois fenômenos que são, de um lado, a *supervalorização* das emoções e, de outro, sua *insensibilização,* sua tendência para a indiferença, sua vocação para a "antipatia" generalizada. A supervalorização das emoções não é

l'existence. Paris: Denoël, 2005 (réed. Paris, Flammarion, 2009). C. Lane, *Comment la psychiatrie et l'industrie pharmaceutique ont médicalisé nos émotions* (2007), trad. F. Boisivon. Paris: Flammarion, 2009.

163. C. Haroche, *L'Avenir du sensible*, op. cit., p. 97–140.

164. Ibid., p. 13–30. A. Farge, *Effusion et tourment, le récit des corps: histoire du peuple au XVIIIe siècle*. Paris: Odile Jacob, 2007. A questão de uma história das emoções tinha sido colocada por L. Febvre, "Comment reconstituer la vie affective d' autrefois ? La sensibilité et l'histoire" (1941), in*Vivre l'histoire,* ed. B. Mazon. Paris: Robert Laffont-Armand Colin, 2009, p. 192–207. Cf. também W. M. Reddy, *The Navigation of Feeling: a Framework for the History of Emotions*. Cambridge/Nova York: Cambridge University Press, 2001. F. Toudoire-Surlapierre; N. Surlapierre (orgs.), *Les Larmes modernes: larmes et modernité dans la littérature et les arts du XIXe à nos jours*. Paris: L'Improviste, 2010.

165. Ibid. , p. 141–188.

senão o outro lado da sua insensibilização, na medida em que, ao fetichizar as emoções — tanto no sentido marxista das mercadorias, quanto no sentido freudiano dos objetos do desejo — elas se paralisam ou se fixam em quadros representativos restritivos que as levam à *imobilização*. Ora, se retirarmos todo o movimento, ou toda a "moção" de uma emoção, só iremos, é claro, destruí-la, pensando que a estamos dominando. Emoções paralisadas ou paralisantes são apenas não-emoções, "afecções" sem potência de serem verdadeiramente afetadas. Pior ainda, elas são apenas a máscara de algo bem mais temível, se Freud tiver razão quando diz que a indiferença, no fundo, é apenas um caso especial do ódio.[166] Ou, pelo menos, o medo de sentir o ódio surgindo do fundo da própria piedade, logo transformada em indiferença "defensiva".

É nesse sentido que poderíamos compreender as análises de Hanna Arendt sobre as ligações entre a violência política e a mais racional das instrumentalizações técnicas.[167] É nesse sentido que poderíamos tirar partido dos trabalhos de Anne Vincent-Buffault sobre a indiferença democrática, como secularização do desprezo aristocrático de antigamente e dissolução da ligação social.[168] É nesse sentido que devemos reler as análises de Zygmunt Bauman sobre o desmoronamento ético — violência e indiferença misturadas — na "vida em migalhas" de nossas sociedades[169] (e onde poderíamos quase dizer que cada "migalha" é uma emoção fetichizada, isto é, necrosada). É nesse sentido que devemos ainda

166. S. Freud, *Métapsychologie*, op. cit., p. 36–37.

167. H. Arendt, *Du mensonge à la violence:essais de politique contemporaine* (1972), trad. G. Durand. Paris: Calmann-Lévy, 1972 (ed. 1994), p. 105–187. Cf. A. Abensour, "La 'rationalité instrumentale' et l'indifférence moderne", in *Être indifférent? La tentation du détachement*, L. Laufer (org.). Paris: Autrement, 2001, p. 70–94.

168. Cf. A. Vincent-Buffault, *L'Éclipse de la sensibilité: éléments d'une histoire de l'indifférence*. Lyon: Parangon/Vs, 2009, p. 5–12 e 139–140.

169. Cf. Zygmunt Bauman, *La Vie en miettes: expérience postmoderne et moralité* (1995), trad. C. Rosson, Rodez. Le Rouergue/Chambon, 2003 (reed. Paris: Hachette Littératures, 2010), p. 110–139.

meditar sobre as lições da "produção social da indiferença", segundo Michel Herzfeld, do "crescimento da insignificância", segundo Cornelius Castoriadis, da "reificação" e da "sociedade do desprezo", segundo Axel Honneth...[170] Marie-José Mondzain, por sua vez, escreve:

> O que é preciso decidir, é saber quais são as paixões comuns diante daquilo que não deve nunca nos deixar indiferentes. Decidir sobre nossas imagens é fazer uma escolha conjunta a favor ou contra a liberdade [...], é produzir e nos dar imagens que mobilizem nossas escolhas.[171]

"Decidir sobre nossas imagens".... Mas por que voltamos sempre para as imagens? Porque, como mostrou Hannah Arendt — a partir de uma concepção bastante livre da faculdade kantiana de julgar —, a *imaginação* pode ser considerada a *faculdade política e crítica* necessária para devolver toda a sua "potência" às emoções que nos solicitam, a partir daquilo que a história nos coloca, necessariamente, diante dos olhos.[172] Porque a primeira tarefa de uma tomada de posição política, como afirmava, por sua vez, Günther Anders, consiste em iniciar a análise da "discrepância (*Diskrepanz*) entre aquilo que somos capazes de produzir (*herstellen*) e aquilo que somos capazes de representar para nós mesmos

170. Cf. S. Lipovetsky, *L'Ère du vide: essais sur l'individualisme contemporain*. Paris: Gallimard, 1983, p. 39–54. M. Herzfeld, *The Social Production of Indifference: Exploring the Symbolic Roots of Western Bureaucracy*. Nova York/Oxford: Berg, 1992. C. Castoriadis, *La Montée de l'insignifiance: les carrefours du labyrinthe*, IV. Paris: Seuil, 1996. Id. , *Post-scriptum sur l'insignifiance:entretien avec Daniel Mermet*. La Tour d'Aigues: L'Aube, 1998. A. Honneth, *La Société du mépris: vers une nouvelle théorie critique* (1994–2004), trad. O. Voirol, P. Rusch; A. Dupeyrix. Paris: La Découverte, 2006. Id., *La Réification: petit traité de théorie critique* (2005), trad. S. Haber. Paris: Gallimard, 2007.
171. M.-J. Mondzain, "L'indifférence comme tentation suprême (entrevista com Laurie Laufer)", in *Être indifférent?*, op. cit., p. 54.
172. Cf. H. Arendt, *Juger. Sur la philosophie politique de Kant* (1975), trad. M. Revault d'Allonnes. Paris: Seuil, 1991, p. 118–126.

(*vorstellen*)".[173] Ora, o problema ético resultante dessa discrepância foi considerado por Anders como uma "falta de imaginação":

> A imoralidade ou o erro, hoje em dia, não está mais na sensualidade nem na infidelidade, nem na desonestidade ou na imoralidade, nem mesmo na exploração, mas sim na falta de imaginação (*Phantasie*). Pelo contrário, hoje em dia, nosso primeiro postulado deve ser: amplia os limites da tua imaginação, para saber o que fazes [...]. Mesmo que a imaginação sozinha seja insuficiente, se ela for conduzida de modo consciente, ela apreende infinitamente mais "verdade" do que a "percepção". Para estar, justamente, à altura do empírico, e por mais paradoxal que isso possa parecer, precisamos mobilizar nossa imaginação.[174]

Ampliar, portanto, os limites de nossa imaginação: *mobilizá-la*, é uma maneira de dizer, ao mesmo tempo, sua potência de movimento e seu poder de decisão. Romper o quadro — ou a camisa de força — tanto das representações convencionais dos nossos estados emocionais, quanto das nossas circunstâncias históricas. Procurar o que está fora do enquadramento. Tentar todas as montagens possíveis. Como ignorar que isso é uma operação extremamente frágil, e até mesmo perigosa? Por exemplo, ao se "des-imunizar" das emoções, a imaginação não corre o risco de *ofuscar o julgamento*, se ela cair na identificação, se o compadecer cair no compassional — e não no reconhecimento —, como analisaram Myriam Revault d'Allonnes, no plano filosófico, e Luc Boltanski, no plano sociológico, para além das reflexões mais "humanistas" de Martha Nussbaum?[175] A imaginação não acaba também *ultrapassando o julgamento*, quando aquilo que toma forma,

173. G. Anders, *Et si je suis désespéré, que voulez-vous que j'y fasse? Entretien avec Mathias Greffrath* (1977), trad. C. David. Paris: Allia, 2004, p. 65.
174. Ibid. p. 65–66.
175. Cf. M. Revault d'Allonnes, *L'Homme compassionnel*. Paris: Seuil, 2008. L. Boltanski, La *Souffrance à distance: morale humanitaire, médias et politique*. Paris: Métailié, 1993 (rééd. Paris, Gallimard, 2007). P. Dumouchel, *Émotions: essai sur le corps social*. Le Plessis-Robinson: Institut Synthélabo pour le Progrès de la Connaissance, 1995. M. C. Nussbaum, *Upheavals of Thought: The Intelligence of Emotions*. Cambridge/Nova York:

graças a ela, não é outra coisa a não ser a própria "desapreensão", o "fora de si" — lírico ou trágico — do sujeito emocional?[176] Mas não será exatamente isso o belo risco que devemos correr para "fazer existir, sem julgar", assim como Gilles Deleuze propunha ser a criativa, a necessária tarefa filosófica?[177]

Cambridge University Press, 2001, p. 295–454. Id., *Les Émotions démocratiques: comment former le citoyen du XXIe siècle ?* (2010), trad. S. Chavel. Paris: Climats-Flammarion, 2011.

176. Cf. P. Kaufmann, *L'Expérience émotionnelle de l'espace*, op. cit., p. 269- 270. M. Collot, *La Matière-émotion*. Paris: PUF, 1997, p. 9–28.

177. G. Deleuze, "Pour en finir avec le jugement" (1993), in *Critique et clinique*. Paris: Minuit, 1993, p. 169.

OSCILAÇÕES DA DOR

Roland Barthes e as carpideiras de Odessa

Um homem morre. Mulheres choram. Vimos isso em todos os tempos, e em todas as latitudes, na realidade do mundo histórico. Vemos isso representado em todas as tragédias, nas epopeias ou nas óperas, nos romances e nas canções populares, nos quadros mitológicos e nas esculturas religiosas, em inúmeros filmes de ficção e em incontáveis imagens documentais. Vamos nos deter em um exemplo cinematográfico famoso: Vakulenchuk, o marinheiro de *O encouraçado Potemkin*. Vakulenchuk é um homem do povo: proletário e contestatário da sua condição miserável. É o primeiro a ser assassinado por seu oficial superior, quando protestava pela dignidade de seus camaradas e pela sua própria, "por uma simples colher de borscht". Ele foi, escreveu Einsenstein, em um intertítulo do filme, "o primeiro a pagar com a vida" a revolta do *Potemkin*. Os fatos ocorreram em Odessa, no dia 16 de junho de 1905. A revolta terminou em sangue e lágrimas.

Lendo o primeiro intertítulo do filme — realizado em 1925 —, essa história seria apenas, retrospectivamente, um episódio entre mil outros possíveis, mil casos passados ou futuros da "guerra justa", que a Revolução proletária em curso representa aos olhos de Lenin. Ao ver, porém, as primeiras imagens do filme, o espaço teórico da doutrina política se precipita no espaço imediato, o plano fechado da vida cotidiana, da vida "humana demasiado humana". Lembramos, então, que é uma questão de corpo e de carne. Uma questão de necessidade vital, comer, e de uma realidade repugnante: de um lado, os marinheiros extenuados de trabalhar, seu próprio cansaço filmado quase amorosamente por Eisenstein; de outro, os pedaços de carne podre, cheios de larvas fervilhantes, destinados à refeição do dia. Para um borscht infame, alterado, degradante, nojento. Vemos o engulho e a humilhação, e logo a raiva surda dos marinheiros. Vemos, em contracampo, a hipocrisia do médico de bordo, as mímicas ameaçadoras do oficial superior Guiliarovski, a louça de porcelana e a baixela de prata para a boa refeição dos "patrões", os preparativos para a benção de graças. Os marinheiros que recusam o borscht estragado são ameaçados de morte — é a famosa cena da lona na proa do navio, inventada por Einsenstein. No momento em que o oficial ordena: "Fogo!", Vakulenchuk grita: "Irmãos!". E a revolta começa. O médico será jogado no mar ("Vai alimentar os vermes embaixo da água!"), mas o oficial Guiliarovski atira em Vakulenchuk, e seu corpo de herói épico — que, por um momento sublime, permanece atravessado nas cordas — cai na água, antes de ser piedosamente recuperado por seus camaradas.

Um barco leva o cadáver até o cais do porto de Odessa. O morto é colocado sobre o chão do quebra-mar. Uma curiosa tenda — que parece, aos nossos olhos ocidentais, uma cabana de índios — faz as vezes de capela funerária. Segundo a tradição ortodoxa, uma vela acesa é colocada entre as mãos de Vakulenchuk. Enquanto um cartaz, colocado sobre seu ventre, exibe a inscrição: "Por uma colher de borscht". Então, o filme muda, e começa uma outra parte, intitulada por Eisenstein, em um estilo que evoca com muita força Victor Hugo e os títulos dos capítulos de *Os miseráveis*, "O morto exige justiça". Todo *O encouraçado Potemkin* poderá ser visto, a partir de agora, como o surgimento, o dramático desdobramento e a própria organização desse clamor, dessa "exigência" do povo. A morte de um homem "exige justiça"; mas o clamor, a justiça exigida — antes de qualquer possibilidade aberta para que a justiça passe, para que a "justiça seja feita" — só podem começar aqui pelo impoder do choro. Antes dos *povos em armas*, há, portanto, fatalmente, os *povos em lágrimas*.

É o que Eisenstein mostra com precisão, em uma longa sequência — bem construída, bem articulada, bem dialética — na qual vemos o povo simples de Odessa acorrer pouco a pouco, até atingir as proporções de uma enorme multidão, em direção ao cadáver do marinheiro exposto no porto. Chega primeiro um homem sozinho que vem se recolher, tirando o chapéu com um gesto em que se reconhece imediatamente seu conteúdo de *pietàs* (tanto dor quanto piedade). Ele é seguido por duas velhas com a cabeça coberta por um véu, evocando viúvas ou mulheres muito religiosas. Depois, uma mãe com seus dois filhos. Depois, uma outra velha, que vai reacender a vela sobre o cadáver, já enxuga uma lágrima, enquanto as outras duas se recolhem juntas, corpos unidos, cabeças baixas, os punhos fechados sobre o peito ou contra o rosto. Uma outra mulher se lamenta, apoiando o rosto na mão, o corpo tomado pela dor. Em todos os planos seguintes, outras mulheres ainda vão aparecer, como se viessem manifestar todo o leque possível das singularidades e dos estereótipos dos *gestos do luto*. É uma pequena antropologia expiatória de véus em volta do rosto, de corpos ajoelhados e, a seguir, de lamentos cadenciados, de soluços e de gritos, filmados um de cada vez, no *plano coletivo* da dor de todos e nos *planos fechados* sobre a dor de cada um.

Sabemos que Roland Barthes, num famoso artigo de 1970, escreveu algumas linhas muito duras sobre essa sequência.[1] "O

1. R. Barthes, "Le troisième sens: notes de recherche sur quelques photogrammes de S. M. Eisenstein", in *Cahiers du cinéma*, n. 222, 1970, p. 12–19. Foi retomado em *L'Obvie et l'obtus: essais critiques* III. Paris: Seuil, 1982, p. 43–61. Citarei, salvo algumas exceções, a edição das *Œuvres complètes*, É. Marty (org.). Paris: Seuil, 2002, III, p. 485–506.

terceiro sentido", além da repercussão considerável entre os leitores, é também um texto crucial no trajeto interno de Roland Barthes pela questão das imagens. Poderíamos dizer, em uma primeira aproximação, que ele *divide* ali *a evidência das imagens*. Ele, de fato, faz uma virulenta *crítica da evidência como "significação" estereotipada*, consequência natural de todo um percurso que começa com as *Mitologias* e vai até algo que parece, então, completamente novo no Barthes semiólogo: *a assunção da evidência como "significância" quase imperceptível*, subjetiva, não racional, cuja consequência natural será realizada, dez anos mais tarde, com o famoso *punctum* de *A câmara clara*. Essa distinção entre dois gêneros da evidência visual era crucial por revelar, com muita pertinência, um duplo regime da imagem — olhando para trás, eu poderia facilmente dizer que boa parte da minha própria percepção das imagens se deve a ele, ainda que seja pela marcação repetida de certas diferenças, pequenas ou grandes.[2]

O que eu gostaria hoje de esclarecer, tanto quanto possível, é a consistência desse duplo regime em Barthes e sua ligação — fantasmática, teórica, e até mesmo ética e política — com a rejeição dessa *cena de luto* do *Potemkin*, rejeição aparentemente necessária para que se encontrasse no final das contas — quero dizer, em *A câmara clara* — uma *cena da dor* que toda a sua escritura, talvez, obscuramente, procurasse há muito tempo. Por que essa rejeição das emoções coletivas, das "mitologias" do luto, foi se fixar em Einsenstein e em *O encouraçado Potemkin*? Talvez porque Eisenstein ocupasse, no final dos anos 1960, no discurso

2. Cf. G. Didi-Huberman, *Invention de l'hystérie: Charcot et l'Iconographie photographique de la Salpêtrière. Paris:* Macula, 1982, p. 62–68 e 88 (nova edição acrescida de um posfácio. Paris: Macula, 2012, p. 84–92 e 121). Id., *La Peinture incarnée*. Paris: Minuit, 1985, p. 28–62 e 92–115. Id., *Devant l'image: question posée aux fins d'une histoire de l'art*. Paris: Minuit, 1990, p. 271–318.

crítico e cinéfilo dos *Cahiers du cinéma*,[3] um lugar equivalente ao que Bertold Brecht ocupara, dez anos antes, no discurso crítico e dramatúrgico da revista *Théâtre populaire*.[4] Em janeiro de 1969, os *Cahiers* publicaram a última entrevista do cineasta russo com Ilya Veissfeld.[5] Depois, a partir do número seguinte, foi lançado um ambicioso programa de tradução dos textos teóricos de Eisenstein, particularmente os que foram reunidos sob o título de *A natureza não indiferente*. No número de novembro de 1969, um texto tirado dessa coletânea — e que tinha como objeto a noção de "contraponto" na montagem — apresentava duas pranchas de fotogramas extraídos de *O encouraçado Potemkin*[6] (*fig. 9–10*). Com outros fotogramas tirados de *Ivan, o Terrível*[7] — e mais uma imagem isolada do filme de Mikhaïl Romm, *O fascismo de todos os dias*[8,9] — eles formam todo o material visual que serviu de base às "notas de pesquisa" de Roland Barthes sobre o "terceiro sentido".

Mas voltemos à cena central: um homem morreu, mulheres choram, e são também "mulheres do povo". Esses dois temas conjugados — *povo, pranto* — formam, nos diz Roland Barthes, o "sentido obvio", e até mesmo o "sentido óbvio no estado puro", de toda a sequência de Eisenstein. O *povo* pode ser "lido", logo imediatamente nos dois fotogramas escolhidos para isso (*fig. 11*):

3. Revista de cinema fundada, em 1951, entre outros por André Bazin. Godard, Truffaut, Chabrol, colaboraram com a revista, antes mesmo de se tornarem cineastas. Foi o berço da Nouvelle Vague. [N. T.]

4. Revista fundada em 1953 por Jean Villar, diretor de teatro francês; teve Roland Barthes como editor e foi engajada nas ideias do teatro popular de Bertold Brecht. [N. T.]

5. I. Veissfeld, "Mon dernier entretien avec Eisenstein" (1968), trad. L. et J. Schnitzer, *Cahiers du cinéma*, n. 208, 1969, p. 18–21.

6. S. M. Eisenstein, "La musique du paysage (suite). La nouvelle étape du contrepoint du montage" (1945), trad. anonyme [L. et J. Schnitzer], *Cahiers du cinéma*, no 217, 1969, p. 16 e 19.

7. *Ibid.*, p. 20 e 23. Cf. J.-P. Oudart, "Sur *Ivan le Terrible*", *Cahiers du cinéma*, no 218, 1970, p. 15–23.

8. Cf. B. Eisenschitz, "Entretien avec Mikhaïl Romm", *Cahiers du cinéma*, no 219, 1970, p. 26.

9. Filme russo, 1965. Mikhaïl Romm foi discípulo de Einsenstein. [N. T.]

Vejamos essas duas imagens que o apresentam [esse "sentido óbvio"] no estado puro. As quatro figuras da imagem II "simbolizam" três idades da vida, a unanimidade do luto (funeral de Vakulenchuk). O punho fechado da imagem IV, filmado em pleno "detalhe", significa a indignação, a raiva dominada, canalizada, a determinação do combate; unido metonimicamente a toda a história do *Potemkin*, ele "simboliza" a classe operária, sua força e sua vontade; pois, por milagre de inteligência semântica, esse punho visto ao contrário, mantido pelo seu dono em uma espécie de clandestinidade (a mão, primeiro, pende naturalmente ao longo das calças e, em seguida, se fecha, se retesa, pensa, ao mesmo tempo, seu futuro combate, sua paciência e sua prudência), não pode ser lido como o punho de um brigão, eu diria até: de um fascista: ele é imediatamente um punho de proletário.[10]

Não nos enganemos: a aparente homenagem prestada por Barthes ao "milagre de inteligência semântica", realizado por Einsenstein, esconde, na realidade — e não por muito tempo — um julgamento extremamente severo sobre a retórica visual de *O encouraçado Potemkin*. Do tema *povo* ao tema *pranto*, é toda a "ênfase", todo o "cenarismo" de Eisenstein que são acusados, como se a própria estereotipia dos gestos do luto — que aqui aparecem como gestos coletivos, *pranto* e *povo* reunidos até no tema iconográfico multissecular da *Pietà* (*fig.* 12) — autorizasse Barthes a só falar da "arte" de Eisenstein entre aspas, sua maneira de dizer que esses gestos, essas imagens, *não* fazem parte, justamente, da Arte ou do Texto, como o próprio Barthes quer nos fazer entender:

Por aí podemos ver que a "arte" de S. M. Eisenstein não é polissêmica: ela escolhe o sentido, impõe-no, derruba-o (se a significação é extravasada pelo sentido obtuso, nem por isso ela é negada, embaralhada); o sentido eisensteiniano fulmina a ambiguidade. Como? Pelo acréscimo de um valor estético, a ênfase. O "cenarismo" de Eisenstein tem uma função econômica: ele profere a verdade. Vejam a imagem III [*fig.* 12]: muito classicamente a dor vem das cabeças baixas, das expressões

10. R. Barthes, "Le troisième sens", art. cit., p. 489 [restitui aqui a numeração original dos fotogramas na edição original dos *Cahiers du cinéma*].

faciais de sofrimento, da mão sobre a boca que contém o soluço; mas ainda que tudo isso já tenha sido suficientemente dito, um traço decorativo volta a dizê-lo: a superposição das duas mãos, dispostas esteticamente em uma ascensão delicada, maternal, floral, na direção do rosto que se inclina; no detalhe geral (as duas mulheres), um outro detalhe se inscreve *"em abismo"*: vindo de uma ordem pictural, como uma citação dos gestos de ícones e de *pietàs*, ele não desvia o sentido, mas o acentua; essa acentuação (própria da arte realista) tem aqui uma certa ligação com a "verdade": a verdade do *Potemkin*. Baudelaire falava da "verdade empática do gesto, nas grandes circunstâncias da vida"; aqui, é a verdade da "grande circunstância proletária" que pede a ênfase. A estética eisensteiniana não constitui um nível independente: ela faz parte do sentido óbvio, e o sentido óbvio, em Eisenstein, é sempre a revolução.[11]

Ao qualificar a atitude corporal das carpideiras com os adjetivos *maternal* e *floral*, Roland Barthes não estará rebaixando o *pranto* enlutado das "mães" de Odessa a uma simples flor, quero dizer, um *decoro* patético e retórico cuja função seria apenas conferir uma certa "ênfase" à narrativa épica, revolucionária, do *Potemkin*? E isso não faz do próprio *povo* um instrumento figurativo trivial do filme épico, como se o filme de Eisenstein fizesse parte de uma crítica análoga àquela que Roland Barthes desenvolveu, nos anos 1950, sobre o *Júlio César* hollywoodiano de Joseph Mankiewicz?[12] Em todo caso, fica claro que o projeto *semiológico* e descritivo já não basta para Roland Barthes, visto que "O terceiro sentido" se desenvolve, desde o início, como acabamos de constatar, de acordo com um objetivo mais claramente estético e *crítico*.

O projeto semiológico trabalha, como quase sempre, em um ritmo ternário: Barthes nos apresentou, primeiramente, o "nível informativo" da mensagem ou da "comunicação"; em seguida, o "nível simbólico" das "significações" culturais; e finalmente esse "terceiro sentido" cuja novidade será introduzida pelo

11. Ibid., p. 489.
12. Id., *Mythologies* (1957), in *Œuvres complètes*, op. cit., I, p. 691-693 ("Les Romains au cinéma").

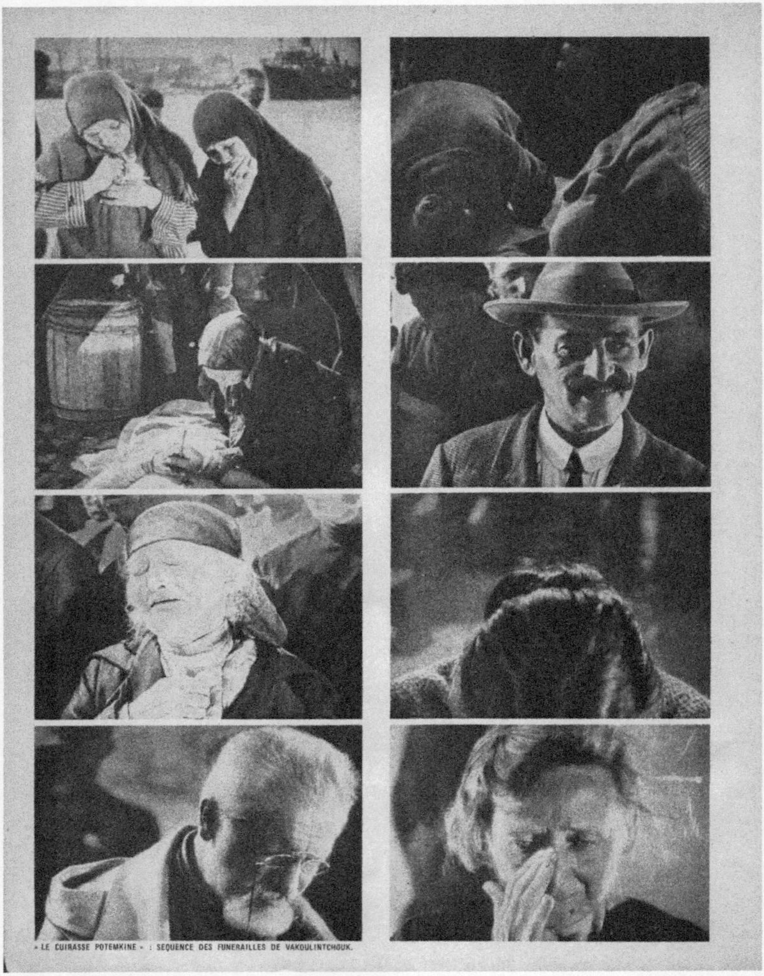

Figura 9. Serguei M. Eisenstein, *O encouraçado Potemkin*, 1925. Fotogramas publicados na *Cahiers du Cinéma*, n. 217, 1969, p. 16.

Figura 10. Serguei M. Eisenstein, *O encouraçado Potemkin*, 1925.
Fotogramas publicados na *Cahiers du cinéma*, n. 217, 1969, p. 19.

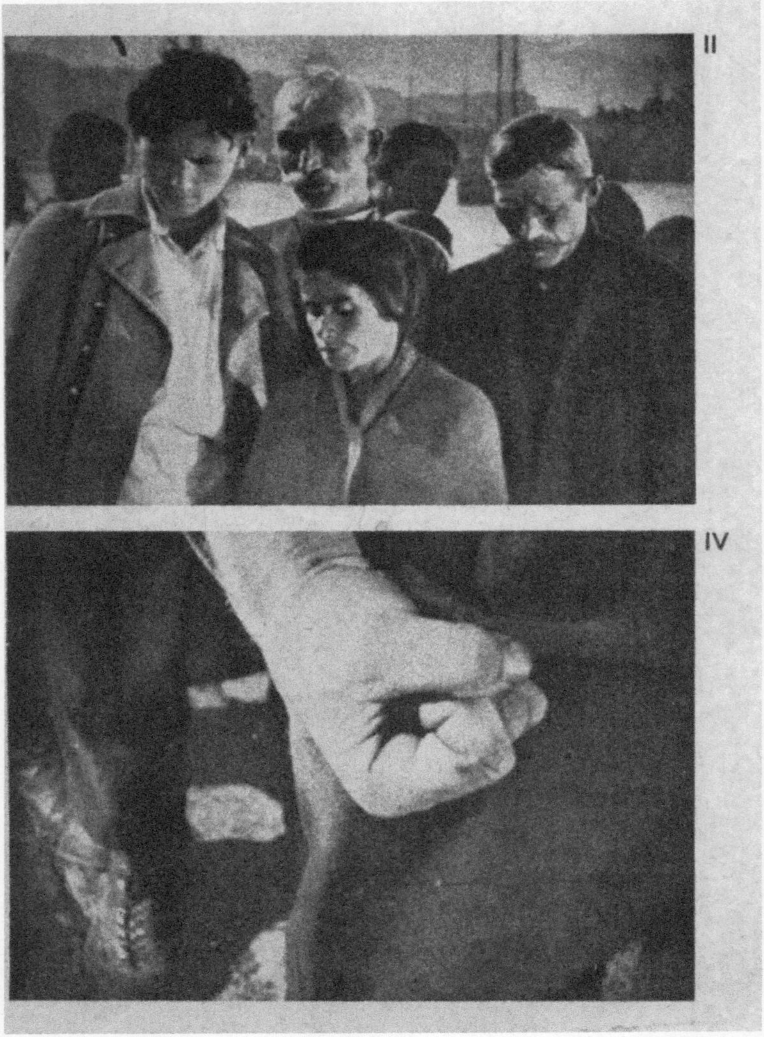

Figura 11. Serguei M. Eisenstein, *O encouraçado Potemkin*, 1925. Fotogramas publicados por Roland Barthes em "O terceiro sentido: notas de pesquisa sobre alguns fotogramas de S. M. Eisenstein", *Cahiers du cinéma*, n. 222, 1970, p. 13.

Figura 12. Serguei M. Eisenstein, *O encouraçado Potemkin*, 1925. Fotograma publicado por Roland Barthes em "O terceiro sentido: notas de pesquisa sobre alguns fotogramas de S. M. Eisenstein", *Cahiers du cinéma*, n. 222, 1970, p. 14.

vocabulário — emprestado de Jacques Lacan — da "significância".[13] Seria tentador, desse ponto de vista, aproximar essa classificação barthesiana de outras tipologias semiológicas, igualmente ternárias, que encontramos, por exemplo, em Charles Sanders Peirce (ícone, símbolo índice) ou em Erwin Panofsky (sujeito natural, sujeito convencional, significação intrínseca). Mas o objeto da crítica, desenvolve-se de outra maneira, completamente diferente: como sugeri, para Barthes, de agora em diante, trata-se de *dividir a evidência das imagens*. Trata-se, portanto, de partir em dois: voltar para uma estrutura binária em que se opõem, mais claramente, mais violentamente, o "sentido óbvio", de um

13. Id., "Le troisième sens", art. cit., p. 485-488.

lado — com seus efeitos informativos, comunicacionais ou culturais —, e o "sentido obtuso" do outro.

A questão que se coloca com a escolha do exemplo eisensteiniano e do tema que o constitui — um homem que morre, mulheres que se lamentam — vai situar, a partir de então, entre *povos* e *pranto*, a organização do *tema emotivo* em Roland Barthes: tema inseparável do objetivo teórico que o atravessa, da escritura autobiográfica que ele enseja, até mesmo de uma *política da comoção*, com a qual poderemos aprender uma lição a partir das oscilações sobre esse assunto demonstradas o tempo todo pelo texto barthesiano.

As oscilações do tema emotivo e das figuras do povo

Barthes sempre oscilou diante das imagens. E ainda mais diante das emoções alheias visíveis nas imagens. Ele oscilou até na sua própria vontade de dividir, de discernir, de diferenciar dois regimes da evidência (evidência tanto das imagens quanto das emoções). Diante das sólidas posições de Jean-Paul Sartre, por exemplo, ele quis, primeiramente, "evitar o confronto, fugir da polarização", como lembrava Susan Sontag.[14] Ao mesmo tempo, ele foi esse "ser dividido, duplo, [...] exaltando aqui aquilo que ele rejeitava ali, rejeitando apenas para melhor exaltar".[15] Seria filosoficamente fácil esclarecer as mil e uma contradições que percorrem a obra de Barthes, e é essa sua fraqueza doutrinal. Mas, justamente, Barthes não foi um homem de doutrina, se é que foi um filósofo. Ora, sua fraqueza foi também sua grandeza: ele oscilava, ele não desistia de juntar os inconciliáveis, mesmo que fosse para dar livre curso a alguns equívocos do pensamento cujos termos ele nunca procurava colocar dialeticamente até o fim.

14. S. Sontag, *L'Écriture même: à propos de Barthes* (1982), trad. P. Blanchard. Paris: Christian Bourgois, 1982 (éd. 2009), p. 35.

15. B. Comment, *Roland Barthes: vers le neutre*. Paris: Christian Bourgois, 1991 (éd. 2002), p. 15.

Quando, em "O terceiro sentido", Roland Barthes escolhe — elege — a cena da lamentação coletiva de *O encouraçado Potemkin*, ele produz ainda uma oscilação, até mesmo um equívoco, desse tipo. Por um momento, ele se aproxima, fascinado, desse *povo em pranto*. Mas é para melhor se afastar dele, como se estivesse desgostoso com a "unanimidade", como ele diz, desse "óbvio" patético, sem surpresa e sem sutileza que atrai o espectador logo agoniado, sufocado pela "verdade empática do gesto" das carpideiras. Ora, o que Roland Barthes *revoga* nessas páginas é exatamente *aquilo que ele havia invocado*, alguns anos antes, diante do "pranto geral" da tragédia antiga, considerada, então, como o lugar por excelência — tanto no plano do conteúdo representativo quanto no do dispositivo espetacular — de uma verdadeira *emoção política* surgindo na "tempestade física de todo um povo":

> Desde a Antiguidade, não sabemos mais chorar, não ousamos mais chorar. Essa ideia, falsamente heroica, de que devemos esconder nossa dor, é contrária ao espírito do teatro antigo, onde se chorava muito, profundamente. [...]
>
> Hoje, guardamos nossas lágrimas. Para quem? Para quê? Finalmente, achamos que nada mais é digno do nosso pranto [do que, pelo contrário, foi] esse admirável tumulto coletivo encarregado, na Antiguidade, de dar um nome carnal aos infortúnios do acontecimento. Esse dom das lágrimas de que o público antigo dispunha não tinha nada em comum com a pequena tempestade individual, meio nervosa, meio retórica, do nosso romantismo. [...]
>
> Ora, a tragédia antiga suscitava o pranto geral. A tempestade física de todo um povo acompanhava as infelicidades que, no entanto, pertenciam apenas à humanidade superior dos reis, dos heróis e dos deuses. [...]. Se tomarmos a tragédia grega na sua pureza original, as lágrimas coletivas do povo não são nada menos do que sua mais alta cultura, seu poder de assumir no abismo do seu próprio corpo os infortúnios da ideia ou da história.[16]

16. R. Barthes, "Pouvoirs de la tragédie antique" (1953), in *Œuvres complètes*, op. cit., I, p. 259-260.

E foi assim que, em 1953, a tragédia antiga — que volta com tanta frequência na própria situação do fragmento eisensteiniano: mulheres que choram em volta de um "morto que exige justiça"[17] — surgiu aos olhos de Barthes, naquele momento, como a encenação de *povos em lágrimas*, cuja emoção deve ser compreendida como uma "verdadeira emoção *política*", suscitando no conjunto dos espectadores, esses *povos que olham*, uma não menos "verdadeira emoção *política*".[18] Antes de nos arriscarmos a interpretar o movimento pelo qual Barthes inverteu completamente essa abordagem dos "povos em lágrimas", através de uma crítica violenta do patético eisensteiniano, antes mesmo de tentar isolar o momento da inversão, no qual ele passa da invocação à revogação, tentemos, por um instante, seguir o percurso inicial do seu pensamento, no lugar daquilo que poderíamos chamar de *emoções públicas*.

Não é surpresa o ressurgimento, a partir de 1954, do "tema emotivo" (e político) das lágrimas, no estudo dedicado a Jules Michelet, autor por excelência do *povo* e de seus *humores*. Barthes fala ali, com muita pertinência, das lágrimas como um "meio de incubação" histórica; ele evoca o "poder germinativo do pranto, não lágrimas mentais, lágrimas de metáfora, mas sim lágrimas de água e sal que vêm aos olhos, à boca, ao rosto"; de modo que "as lágrimas são o meio líquido da expansão cordial, do qual sabemos que ela nada mais é do que a verdadeira força geratriz".[19] Esse é, então, o famoso "dom das lágrimas" cristão — frequentemente citado por Barthes em sua longa obra — promovido à dignidade de um princípio antropológico do qual o próprio "povo" será promovido a "substância chave, a substância-vida".[20] A intervenção de Michelet — antes de Bertold Brecht, que modificará sua inflexão num

17. Cf. N. Loraux, *Les Mères en deuil*. Paris: Seuil, 1990. G. Didi-Huberman, "La blessure à entendre" (2004), *Po&sie*, n. 135, 2011, p. 97–108.
18. R. Barthes, "Pouvoirs de la tragédie antique", art. cit., p. 261.
19. Id., *Michelet* (1954), in *Œuvres complètes*, op. cit., I, p. 414–415.
20. Ibid., p 418.

sentido bem mais materialista — já nos faz compreender essa ligação fundamental e trágica que transforma o *tema emotivo* em um verdadeiro *tema político* suscetível de uma abordagem histórica.

Aliás, a evidência trágica não pode ser lida apenas no passado, entre as linhas áridas de Sófocles (*Ajax*, *Antígona*) e a prosa oceânica de MIchelet (*O povo*, *A mulher*). Ela também se coloca à prova no presente de Barthes, por exemplo, diante dessa atriz sem idade, essa anacrônica *pasionaria*, que foi Maria Casarès, "intérprete trágica sobrevivente" que, em 1954, atuava diante de um público que já havia afogado na indiferença burguesa a força do pranto como emoção política. Barthes descreve assim a grande atriz espanhola do mesmo modo que Georges Bataille, uma década antes, descrevera o *cante jondo* do velho Diego Bermúdez Cala El Tenazas:[21]

> A arte de Maria Casarès possui o poder capital da tragédia: fundar o espetáculo sobre a evidência da paixão. Se ela grita, se ela chora, se ela espera, é até o fim, até o limite do intolerável. [...]
>
> Expor um signo até o seu fim não está ao alcance de todos. Geralmente, o bom ator faz com que compreendam e para por aí. Entretanto, é nesse momento que Maria Casarès captura e obriga a explorar com ela toda a duração do gesto dramático: se ela chora, não basta compreender que ela sofre, é preciso também sofrer a materialidade das suas lágrimas, suportar esse sofrimento bem depois de tê-lo compreendido. [...] Tudo na sua arte prepara um lançamento do espectador para fora do seu álibi de espectador, obrigando-o a se comprometer em uma instituição solene da paixão. Assim é, no teatro, a virtude do excesso: instalar cada signo na duração, transgredir o tempo todo os limites da alusão ou da alegoria para ocupar, sem medida, o próprio coração das coisas, é fundar a tragédia, porque a tragédia nada mais é do que o momento no qual o homem é devastado por uma evidência.[22]

21. Cf. G. Didi-Huberman, "L'œil de l'expérience" (2004), in *Vivre le sens*. Paris: Centre Roland Barthes-Seuil, 2008, p. 147–177.

22. R. Barthes, "Une tragédienne sans public" (1954), in *Œuvres complètes*, op. cit., I, p. 493–494 (para uma análise dessa organizção teatral, em geral, cf. C. Bident, *Le Geste théâtral de Roland Barthes*. Paris: Hermann, 2012).

Mas por que a *evidência trágica* do corpo "sem medida" de Maria Casarès terminava, aos olhos de Roland Barthes, na incompreensão e na solidão? Porque o teatro francês — onde ela surgiu de modo estranho, quase de mau gosto, no papel de uma carpideira, como as de *Guernica* — era um teatro majoritariamente burguês, um teatro onde "a curiosidade tomava o lugar da dor", enquanto gostava-se de mostrar nos palcos a "beleza inconsistente ou etérea dos estúdios Harcourt".[23, 24] Então, em 1954, Barthes reivindicava claramente o excesso do *pathos* como uma afirmação política da evidência trágica como questão do povo, do *démos*. Sabemos que é a época da sua participação ativa na aventura da revista *Théâtre populaire*: distante de qualquer boa consciência do "povo-panaceia", o teatro só poderia ser "popular" ao situar muito alto a *exigência histórica* dos textos, gestos e imagens, propostos ao público.[25] Como dizia Michelet, e como comenta, então, Barthes, "o Povo é elemento e não grupo social", ele é até mesmo o elemento considerado primeiramente como "aquilo que sofre e não se exprime", salvo, talvez, se chorar junto a um morto que exige justiça...[26]

Sabemos o quanto as *Mitologias*, em 1957, tentarão ainda defender esse "povo" de suas próprias imagens convencionais, o "proletário", segundo o Partido Comunista francês, ou o "operário simpático", segundo o cinema hollywoodiano.[27] É que o mito, segundo Roland Barthes, aparece primeiro como uma "expressão despolitizada"[28] — ou então, uma expressão unilateralmente

23. Estúdio fotográfico fundado em 1934 e conhecido por suas fotos em preto em branco, sempre do mesmo estilo, de estrelas de cinema e outras personalidades. [N. T.]
24. Ibid., p. 494. Id., "Pouvoirs de la tragédie antique", in *Œuvres complètes*, op. cit., I, p. 259.
25. Id., "Éditorial" (1954), in *Œuvres complètes*, op. cit., I, p. 458–460. Id., "Pour une définition du théâtre populaire" (1954), in *Œuvres complètes*, op. cit., I, p. 515–516.
26. Id., *Michelet*, in *Œuvres complètes*, op. cit., I, p. 417.
27. Id., *Mythologies*, op. cit., p. 700–702 ("Le Pauvre et le Prolétaire"), 722- 724 ("Un ouvrier sympathique") e 780 (sobre a fraseologia burguesa das palavras "população" ou "social").
28. Ibid., p 853–856.

ideológica, como no caso do stalinismo — à qual é preciso saber opor uma "literatura de esquerda" que assuma a posição de um "realismo" compreendido como "ideia moral" e, ao mesmo tempo, como envolvimento político.[29] Como ficar surpreso, nessas condições, com o papel crucial que logo representará, no pensamento de Barthes, a obra de Bertold Brecht?

Para o bem e para o mal, Brecht influenciará Barthes em um primeiro afastamento, que também foi uma primeira guinada teórica: *um afastamento da emoção*, da paixão ou do *pathos*, logo, da tragédia. Um afastamento da "expressão" em geral, movimento ratificado, na época, pela maneira um pouco sumária — os textos de Brecht ainda não tinham sido extensivamente traduzidos — de compreender a *Verfremdung* ou "distanciamento", como era traduzido então:

> Lição capital para a própria dramaturgia, que não tem mais o encargo de seduzir ou de representar uma interioridade ilusória, mas sim de levar o espectador para longe do espetáculo: adeus a todas as banalidades sobre a "participação" do público, fim do teatro da cumplicidade, que sempre foi apenas o da abdicação [...], não mais a necessidade de persuadir pela veracidade ou pela ênfase, ou de atrair, de comprometer pelo expressionismo.[30]

Roland Barthes compreendeu, imediatamente, que Brecht estava introduzindo algo de "capital" na representação da história humana. Alguma coisa que estava muito além do que aquilo que os detratores burgueses do dramaturgo, na época, colocavam na conta de um "produto literal do realismo socialista"[31] (já faço a ressalva que Barthes, em "O terceiro sentido", não teve a mesma generosidade em relação a Einsenstein). O que faz então Brecht de tão "capital"? Ele substitui toda ideia de *natureza* pela *história*.

29. Id., "Oui, il existe bien une littérature de gauche" (1953), in *Œuvres complètes*, op. cit., I, p. 229-233. Id., "Réponse à Albert Camus" (1955), in *Œuvres complètes*, op. cit., I, p. 573-574. Id., "Le théâtre est toujours engagé" (1956), in *Œuvres complètes*, op. cit., I, p. 652-653. Id., "Nouveaux problèmes du réalisme" (1956), in *Œuvres complètes*, op. cit., I, p. 656-659.
30. Id., "Théâtre capital" (1954), in *Œuvres complètes*, op. cit., I, p. 505.
31. Ibid., p. 503.

Em *Mãe Coragem*, por exemplo, "ele leva o espectador a uma consciência mais profunda da história [e para isso] ele *desloca* a fatalidade [pseudonatural] da guerra", o que o faz "levar o espectador para longe do espetáculo" para melhor confiar a ele a responsabilidade moral a ser tirada da fábula representada.[32] E o ator não fica devendo nada a essa guinada antiexpressionista: fim das lágrimas das *pasionarias*; fim dessa "arte tradicional" que

> quer, essencialmente, atrair ator e espectador para uma mesma visão psicológica do papel [já que] Brecht pede a seus atores o contrário de tudo isso: ele os proíbe de "se colocarem na pele" dos personagens [...], a participação visceral é cortada, o ator se distancia [e é assim] que ele atua "corretamente".[33]

Essa é, portanto, a "revolução brechtiana" cujo enunciado Barthes assume em um artigo de 1955 e retoma em 1964, nos seus *Ensaios críticos*: os "males dos homens" não são "paixões", coisas sofridas unilateralmente, já que eles estão sempre "entre as mãos dos próprios homens". O que equivale a dizer que "a arte pode e deve intervir na história".[34] Passamos então, rapidamente, do pobre *gesto trágico* para a grande *gesta épica*: das expressões do corpo para os signos da história, da fatalidade dominante para a decisão política, da proximidade para o distanciamento, da confusão emotiva para a lucidez reflexiva, da empatia para a moral, do sentimento para a tomada de consciência, da imobilidade alienada para a liberdade de ação — uma nova política da arte, em suma.[35] Parece, então, que diante dos *povos em pranto*, Roland

32. Ibid., p. 504–505.

33. Id., "Le comédien sans paradoxe" (1954), in *Œuvres complètes*, op. cit., I, p. 513.

34. Id., *Essais critiques* (1964), in *Œuvres complètes*, op. cit., II, p. 315 ("La révolution brechtienne" [1955]).

35. Id., "Brecht" (1955), in *Œuvres complètes*, op. cit., I, p. 593. Id., "Brecht, Marx et l'Histoire" (1957), *ib*Id., p. 907–910. Id., "Brecht et notre temps" (1958), in *Œuvres complètes*, op. cit., I, p. 921–923. Id., *Essais critiques*, op. cit., p. 343–347 ("Les tâches de la critique brechtienne" [1956]).

Barthes se compromete — com a ajuda da "revolução brechtiana" — com um afastamento do *pranto* e da emoção, em geral. O que sobra, então, dos *povos*, esteticamente falando?

Sobra o realismo. Antes de tudo, o realismo literário, que Barthes, nesse mesmo período, sugere ser uma "ideia moral", uma maneira de dizer que ele seria o veículo, por excelência, de uma escritura politicamente responsável. Ora, é nesse momento que, rapidamente, algo para de funcionar bem, como se cada certeza adquirida em algum lugar ficasse, de repente, comprometida em outro lugar. Por um lado, de fato, Barthes insiste em *reivindicar* um realismo histórico e político, como podemos ler na sua "Resposta a Albert Camus", de 1955, onde ele formula a pergunta em termos quase brutais:

> Pode uma peste equivaler, não digo a uma ocupação, mas à Ocupação? [...]. Ora, para mim, acredito no realismo; ou pelo menos (pois essa palavra *realismo* tem uma herança bem pesada), acredito em uma arte literal na qual as pestes são apenas pestes, e a *Resistência é toda a* Resistência.[36]

Por outro lado, porém, Roland Barthes não deixou de *se inquietar* com aquilo mesmo que ele chamava de "realismo". Em *O grau zero da escritura*, ele já havia dedicado uma longa passagem crítica — marca tanto de interesse quanto de reticência — às "escrituras políticas". Aquela que corresponde à época da Revolução Francesa não obteve, certamente, sua indulgência: ele só via ali, de fato, uma "forma moldada no drama" e, além disso, um "exagero" da realidade histórica, algo como um "gesto empático capaz de dar continuidade ao cadafalso cotidiano".[37] Aquela que corresponde à época das revoluções marxistas incorre no defeito oposto:

> Aqui, o fechamento da forma não vem de uma amplificação retórica nem de uma ênfase da eloquência, mas de um léxico tão particular, tão

36. *Id.*, "Réponse à Albert Camus", art. cit., p. 573.
37. Id., *Le Degré zéro de l'écriture* (1953), in *Œuvres complètes*, op. cit., I, p. 184.

funcional quanto um vocabulário técnico; as próprias metáforas estão severamente codificadas. [...] A escritura revolucionária francesa é tão empática quanto a escritura marxista é litótica, pois cada palavra nada mais é do que uma exígua referência ao conjunto de princípios que a sustentam de uma maneira inconfessável.[38]

Portanto, aquilo que "dá continuidade ao cadafalso", ou seja, a *sentença*, na linguagem revolucionária francesa, vai, a partir daí, ocupar o lugar de *processo*, na linguagem stalinista:

> No universo stalinista, onde a *definição*, ou seja a separação entre o Bem e o Mal, ocupa a partir de então toda a linguagem, não há mais palavra sem valor, e a escritura tem, finalmente, como função, organizar o processo: não há mais nenhum *sursis* entre a denominação e o julgamento, [...] trata-se de uma verdadeira tautologia, procedimento constante da escritura stalinista.[39]

Compreendemos que Roland Barthes não tenha gostado nem do exagero nem da tautologia, nem da ênfase nem da lítotes, nem da sentença nem do processo. Nos dois casos, é visível para ele "o conteúdo eternamente repressivo da palavra *Ordem*".[40] Resta, no espaço contemporâneo, um "terceiro estilo", a meio caminho entre a escritura literária e a escritura engajada: uma escritura "intelectual" na qual Roland Barthes talvez inscreva sua própria produção daquela época, o que não o impede de fazer um julgamento muito severo a ela:

> Assim como, no presente estado da História, toda escritura política só pode confirmar um universo policial, assim também toda escritura intelectual só pode instituir uma paraliteratura, que não ousa mais dizer seu nome. O impasse dessas escrituras é, portanto, total, elas só podem remeter a uma cumplicidade ou a uma impotência, ou seja, de qualquer maneira, a uma alienação.[41]

38. Ibid., p. 185.
39. Ibid., p. 185–186.
40. Ibid., p. 186.
41. Ibid., p. 188.

O que se vislumbra ou se antecipa nessas páginas, me parece, nada mais é do que um segundo distanciamento, talvez uma segunda guinada teórica: se a escritura teatral — a de Brecht, principalmente — permitiu um *afastamento da emoção* (ou ao pranto), será que não podemos dizer, agora, que a escritura romanesca — a de Sade, de Balzac, imediatamente e, bem depois, a de Marcel Proust — estaria comprometida com *um afastamento da política* (ou aos povos)? Já não podemos pressentir isso, ao encontrar, em uma das últimas páginas do *Grau zero da escritura*, um julgamento inaceitável sobre a "comportada escritura dos revolucionários" e sua "impotência para criar uma escritura"? Barthes escreve então:

> A explosão da linguagem literária foi um fato de consciência, não um fato de revolução [...]. Portanto, os escritores comunistas são os únicos a manter, imperturbavelmente, uma escritura burguesa que os escritores burgueses já condenaram há muito tempo.[42]

Esse breve retorno aos textos de Roland Barthes dos anos 1950 já não lança uma nova luz sobre a violenta condenação do realismo eisensteiniano presente em "O terceiro sentido", quinze anos depois? Talvez, aos olhos de Barthes, essa violência venha do fato de que Eisenstein reúne, na cena das carpideiras de Odessa, os dois defeitos opostos da ênfase revolucionária francesa e da lítotes marxista soviética. Não é por acaso, desse ponto de vista, que a mesma citação de Baudelaire sobre "a verdade empática do gesto nas grandes circunstâncias da vida" seja usada nos dois textos, com uma distância de quinze anos.[43] E que a passagem sobre o "sentido óbvio" possa fustigar, ao mesmo tempo, o "cenarismo" exagerado da sequência eisensteiniana e a ausência de qualquer polissemia — característica tautológica, de certa forma — de uma representação, segundo Barthes, inteiramente a serviço da única "verdade"

42. Ibid., p. 215.
43. Ibid., p. 184. Id., "Le troisième sens", art. cit., p. 489.

leninista da "grande circunstância proletária".[44] Por isso, o autor de "O terceiro sentido" pôde mostrar uma certa desconfiança em relação a esses povos em pranto — *povos* aprisionados na retórica marxista, *pranto* atraído pela retórica expressionista.

Do "terceiro realismo" ao "terceiro sentido"

"O terceiro sentido" apareceria então — pelo menos antes do surgimento da hipótese surpreendente do "sentido obtuso" — como um estrito prolongamento das reflexões de Barthes sobre a situação do realismo. Não é por acaso que o artigo da *Cahiers du cinéma* revela afinidades impressionantes com um breve texto publicado por ele em 1956, numa revista franco-alemã chamada *Documents*. Esse texto, justamente intitulado "Novos problemas do realismo", já se organiza de acordo com um plano ternário destinado a elaborar uma tipologia, mas, principalmente, a colocar lado a lado as duas correntes antagonistas, do "realismo burguês" à francesa e do "realismo socialista" à russa. No primeiro, escreve Barthes, o real é considerado na sua dimensão de *tabu* — "a sexualidade, a miséria social" —, que teria motivado "todos os processos literários feitos pela burguesia contra seus escritores" do século XIX, Baudelaire, Flaubert ou Zola.[45] Para o segundo gênero de realismo, ao contrário, o real é considerado na sua dimensão *significativa*: então, "o realismo é a arte das significações *justas*", o que poderia remeter ao elogio feito anteriormente (e citado acima) ao ator brechtiano, capaz de "atuar de forma justa", mas que agora assume a posição inversa, uma marca de extrema desconfiança. Pois a própria "ideia de *justeza* contém um perigo

44. Id., "Le troisième sens", art. cit., p. 489.
45. Id., "Nouveaux problèmes du réalisme", art. cit., p. 656.

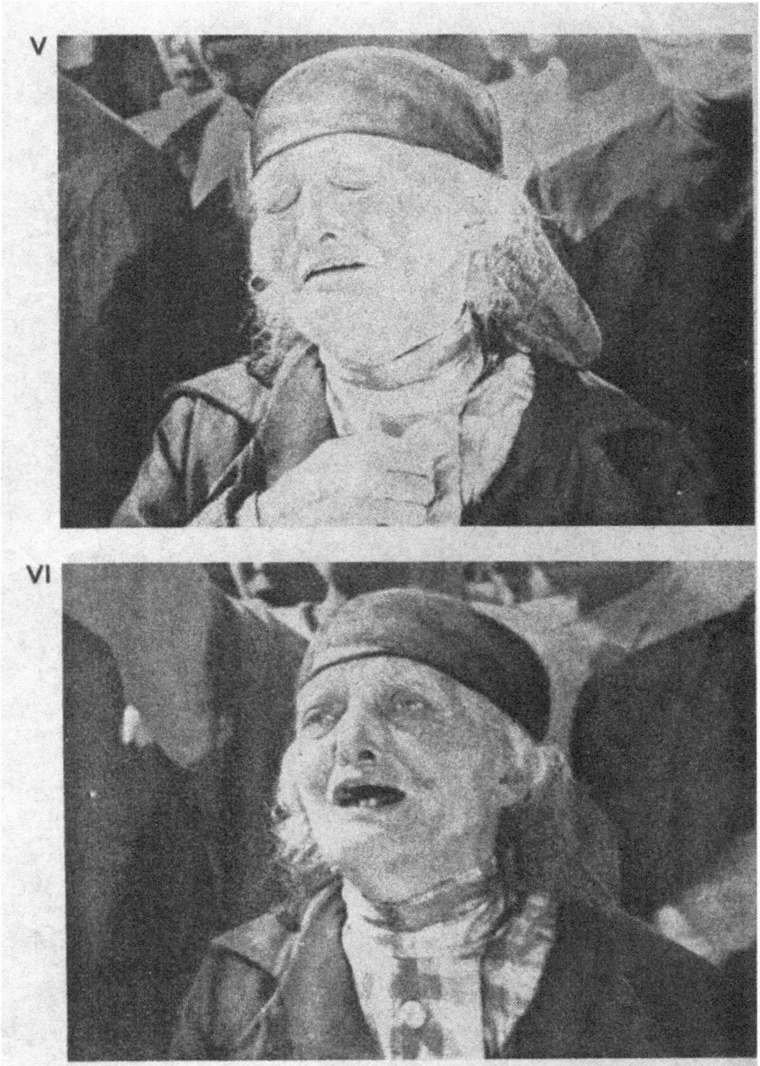

Figura 13. Serguei M. Eisenstein, *O encouraçado Potemkin*, 1925. Fotogramas publicados por Roland Barthes em "O terceiro sentido: notas de pesquisa sobre alguns fotogramas de S. M. Eisenstein", *Cahiers du cinéma*, n. 222, 1970, p. 14.

de moralidade: o realismo socialista facilmente corre o risco de voltar a ser uma arte moral, destinada a *tranquilizar*".[46]

Ora, Barthes já indica — mas só indica — uma terceira via: uma espécie de "terceiro realismo". Se o realismo burguês, como o de Balzac, por exemplo, é visto como um "realismo profundo", e se o realismo socialista é visto por sua vez como uma busca da "significação justa", resta, como sugere Barthes, explorar o território da "superfície do real", ou até mesmo do *real como superfície*. Esse novo território, a superfície do mundo, coloca para o escritor — assim como para todo fotógrafo ou todo cineasta — o "problema da *distância de acomodação* ao real. A que distância o escritor deve regular seu olhar sobre o real?"[47] Essa é a nova pergunta. Ela vai ser uma obsessão para Roland Barthes, até atingir seu ponto culminante, em *A câmara clara*. Por enquanto, ela é formulada em um apelo — literário — para olhar o mundo com "olhos livres":

> Estamos hoje diante de dois segmentos de realismo: um realismo da profundidade, socialista pela estrutura, mas burguês pela forma, e um realismo de superfície, livre de forma, mas apolítico, logo, burguês pela estrutura.
>
> Sinto que o problema maior da nossa literatura é juntar esses dois segmentos para chegar a um realismo total. Do meu ponto de vista, o caminho é partir do realismo socialista para dotar a superfície do real de significações que não sejam mais significações burguesas. Mas, para chegar a isso, é preciso que o escritor se habitue a *ver* a superfície com olhos livres.[48]

"*Ver* a superfície com olhos livres"... O que Roland Barthes acaba de descartar nessas linhas não é nada menos que o binômio sobre o qual repousava até então toda uma maneira de considerar a literatura: *profundidade e significação*. É preciso opor a *superfície* das coisas à profundidade; é preciso preferir o *olhar* sobre o mundo à significação. É isso o "terceiro realismo": um realismo

46. Ibid., p. 657.
47. Ibid., p. 658.
48. Ibid., p. 658–659.

da "visão superficial" que vai justificar o interesse crescente de Barthes — mesmo que seja para se sentir desconfortável às vezes — pelas artes visuais, da encenação teatral até a pintura e do cinema até a fotografia. Se a dramaturgia contemporânea (Michel Vinaver) ou o *Nouveau Roman* (Robe-Grillet) o interessam, nesse momento, é talvez em razão daquilo que ele espera, a partir daí, de um "terceiro realismo": quando *escrever é ver*, ou quando ver supõe uma modificação salutar dos códigos da significação.

Ora, o que existe no próprio cruzamento do olhar com a superfície? *A imagem*. Em 1953, Barthes já escreve que a escritura — por mais "superficial" que seja — tem no seu "fundo" algo que vem do olhar: "Existe, no fundo da escritura, uma 'circunstância' estranha à linguagem, como se fosse o olhar de uma intenção que já não é mais a da linguagem."[49] Será talvez uma maneira discreta de estabelecer o diálogo com o Jean-Paul Sartre de *O Imaginário* e de *O que é a literatura?* ou com o Maurice Blanchot de *O espaço literário*, nos quais vagam, constantemente, a imagem e o imaginário, transplantados na escritura e assombrando-a, de parte a parte.[50] É sobretudo uma maneira de traçar o caminho necessário entre a "imaginação do signo" (como Barthes se exprimia em um artigo de 1962, retomado nos *Ensaios críticos*)[51] e a "escritura do visível" (como François Wahl irá intitular a coletânea póstuma dos quinze textos de Barthes sobre a pintura, a fotografia e o cinema, reunidos, em 1982, em *O óbvio e o obtuso*, que constitui também um terceiro volume dos *Ensaios críticos*).[52]

Então, Barthes *se deixou seduzir pelas imagens*, e isso por razões teóricas profundas — movidas por grandes questões ligadas à

49. Id., *Le Degré zéro de l'écriture*, op. cit., p. 183.

50. Cf. J.-P. Sartre, *L'Imaginaire: psychologie phénoménologique de l'imagination*. Paris: Gallimard, 1940. Id., *Qu'est-ce que la littérature ?*. Paris: Gallimard, 1948. M. Blanchot, L'Espace littéraire. Paris: Gallimard, 1955 (éd. 1988), p. 25-32 e 341-355.

51. R. Barthes, *Essais critiques*, op. cit., p. 460-465 ("L'imagination du signe" [1962]).

52. Id., *L'Obvie et l'obtus: essais critiques III*, éd. F. Wahl. Paris: Seuil, 1982, p. 7-214.

literatura, à significação, em geral — rapidamente associadas a um evidente prazer no exercício da visão e na manipulação das imagens, uma manipulação feita de recortes, de comparações e de compilações, de montagens de todos os tipos. É o que vemos, a partir de 1959–1960, nos seus comentários sobre as fotografias de *Mãe Coragem* feitas por Pic,[53] e é o que vai se amplificar cada vez mais nos sistemas iconográficos constituídos posteriormente em algumas de suas obras mais famosas, como *O império dos signos*, em 1970 — mesmo ano em que ele faz a montagem dos fotogramas de Eisenstein para "O terceiro sentido" —, *Roland Barthes por Roland Barthes*, em 1975 e, certamente, *A câmara clara*, em 1980.

Mas Barthes sempre oscilou diante das imagens. Talvez ele tenha sido *tomado por elas*, mas também *se apegou a elas*. Mesmo apaixonado, queria obstinadamente se separar delas. O que são, por exemplo, as *Mitologias*, senão essa verdadeira máquina de guerra contra as imagens que moldam nossa sociedade e determinam nossas crenças, das mensagens publicitárias até a "fotogenia eleitoral", do "ator de Harcourt"[54] até os "Romanos no cinema", e da "iconografia do abade Pierre"[55] até o "rosto de Garbo"?[56] No mesmo ano de 1970, ano em que publica suas reflexões sobre *o povo em pranto* de *O encouraçado Potemkin*, Roland Barthes redige um prefácio para a nova edição das *Mitologias*, que, a partir de então, ele define ao mesmo tempo como uma "crítica ideológica" e uma "desmontagem semiológica" da "cultura dita de massa":

53. Id., "Sept photos modèles de *Mère Courage*" (1959), in *Œuvres complètes,* op. cit., I, p. 997–1013. Id., "Commentaire: prefácio de *Brecht, Mère Courage et ses enfants* (com fotografias de Pic)" (1960), in *Œuvres complètes,* op. cit., I, p. 1064–1082.

54. Ver N. T. anterior.

55. Padre católico (1912–2007) fundador da Comunidade de Emaús, defensor dos pobres e muito popular na França. [N. T.]

56. Id., *Mythologies,* op. cit., p. 688–693, 699–700, 711–713, 724–725 e 796–798 (atualmente, podemos ter uma ideia mais precisa das fontes iconográficas de Roland Barthes usando a edição ilustrada das *Mythologies,* organizada por J. Guittard. Paris: Seuil, 2010).

uma "*semioclastia*", diz ele, da cultura ocidental — na qual o "inimigo capital" será "a Norma" dos discursos — que não vai funcionar, já vimos, sem uma verdadeira *iconoclastia*.[57]

Aos olhos de Roland Barthes, a cultura ocidental é, em grande parte, uma cultura ou "civilização da imagem", e seus paradoxos deverão ser enfrentados pelo semiólogo e pelo sociólogo:

> A imagem não apenas veicula pulsões, tabus, afetos, forças irracionais e instintivas (pelo menos é o que se postula), mas, principalmente, ela se espalha de modo incontrolável. [Por outro lado], o poder "afetivo" da imagem ainda é desconhecido; o que quer dizer que, até segunda ordem, ele pode e deve ser questionado. A afetividade da imagem continua sendo um mito cuja vantagem ainda vemos bem: é postulando essa afetividade, sem nunca duvidar dela, que as censuras se estabelecem e triunfam: questionar a natureza afetiva da imagem, seria questionar a própria censura, e compreendemos que a sociedade hesite em discutir os "efeitos" da imagem: ela precisa deles.[58]

Barthes terá assim justificado suas marcantes contribuições para uma verdadeira — e tão necessária — *crítica da imagem*, uma crítica que, nos anos 1960 principalmente, levou-o a *aplicar a semiologia* nesse domínio, novo para ele, dos objetos visuais. As imagens significam, elas não podem, portanto, ser verdadeiramente compreendidas e criticadas sem uma "técnica do sentido, ou seja, uma semântica", e sem um ponto de vista sobre a "estrutura" envolvendo, além do ponto de vista semântico, tudo aquilo que quisemos chamar de "aventura semiológica".[59] Isso explica, por exemplo, os numerosos artigos produzidos por Roland Barthes para a revista *Communications* (o órgão do Centro de estudos das comunicações de massa, da 6ª seção da École Pratique des Hautes Études, onde ele trabalhava): "A mensagem fotográfica",

57. Ibid., 673.
58. Id., "Civilisation de l'image" (1961), in *Œuvres complètes*, op. cit., I, p. 1137–1138.
59. Ibid., p 1139.

"Civilização da imagem" e "A informação visual", publicados em 1961, logo no primeiro número.[60]

Vivemos cercados, impregnados de imagens e, no entanto, ainda não sabemos quase nada da imagem. O que ela é? O que significa? Como ela age? O que comunica? Quais são seus efeitos prováveis — e seus efeitos inimagináveis? A imagem toca o homem puro, o homem antropológico, ou, ao contrário, o homem socializado, já marcado por sua classe, seu país, sua cultura? Enfim, a imagem vem de uma psicofisiologia ou de uma sociologia? E se ela vem das duas, será de acordo com qual dialética?[61]

A resposta de Barthes a essas perguntas vai consistir — e aliás, já consistia, há alguns anos — em conduzir seu trabalho crítico pelas duas frentes simétricas da antropologia (através do *tema emotivo*) e da sociologia (através do *tema político*). Em "O terceiro sentido", vemos claramente que a cena da lamentação é refutada nesses dois planos: no plano político, desenvolve-se uma crítica da *imagem-povos*, cuja evidência muito codificada — as velhas como personagens da iconografia religiosa, os homens de punho fechado como "símbolos" imediatos da classe operária — já tinha sido questionada nas *Mitologias*, a propósito das figuras do "pobre" e do "proletário", do "operário simpático" e, principalmente, da "grande família dos homens", pelo relato devastador sobre a exposição de Edward Steichen *The Family of Man*, que Barthes analisava, bem injustamente, acho eu, como um puro objeto de "mistificação" ideológica sobre a noção de sociedade humana.[62]

Quanto à *imagem-pranto*, criticada em Eisenstein pela "ênfase" lacrimejante das velhas de Odessa, ela já havia mostrado seu limite — o limite da sua "afetividade", como dizia Barthes —, principalmente no capítulo das *Mitologias* dedicado às "fotos-choque":

60. Ibid., p. 1137–1139. Id., "Le message photographique" (1961), in *Œuvres complètes*, op. cit., I, p. 1120–1133. Id., "L'information visuelle" (1961), in *Œuvres complètes*, op. cit., I, p. 1140–1143.
61. Id., "L'information visuelle", art. cit., p. 1140.
62. Id., *Mythologies*, op. cit., p. 700–702, 722–724 e 806–808.

ali já está, de fato, denunciada a "linguagem intencional do horror" (ou da dor), com a "superconstrução", o "construído em excesso" que ela acarreta, produzindo uma "legibilidade perfeita [...] que não nos desorganiza".[63] O que, de agora em diante, poderá ser traduzido no vocabulário do "sentido óbvio". Não fiquemos surpresos de reencontrar esse tema da "superconstrução" na análise das imagens do *Potemkin*, na qual a "acentuação" enfático-decorativa da dor é analisada exatamente nos mesmos termos.[64] Estaríamos, então, diante das carpideiras eisensteinianas como se estivéssemos diante do *momento trágico* de uma narrativa, que seria, entretanto, de ordem épica: aos olhos de Barthes, a cena de lamentação funciona inteiramente como uma encenação grandiloquente da "afetividade", e como a "purgação emotiva" de uma *catarse* tanto empática quanto enfática. Entre o *excesso de código* ideológico e o *excesso de afeto* trágico, parece que nada poderá ser salvo da cena das carpideiras de Odessa, aos olhos de Roland Barthes.

Como fazer, então, nessa situação difícil, para não oscilar diante das imagens? É muito difícil atingir com "olhos livres" esse *olhar das superfícies* que a defesa barthesiana — o desejo — chama de um "terceiro realismo". A cena das carpideiras do *Potemkin* não constitui, desse ponto de vista, um modelo para tudo aquilo que deve ser evitado no exercício desse olhar? Pelo menos, Eisenstein parece reunir ali as duas características principais daquilo que Barthes considera detestável na constituição de toda imagem. Primeiramente, o *fetichismo*, que imobiliza todas as superfícies do real em um *enquadramento* em que o real se torna um puro *quadro*. Três anos depois de ter fustigado o "cenarismo" pitoresco de Eisenstein, Barthes concentrou seu ataque em um texto famoso intitulado "Diderot, Brecht, Eisenstein". Como Diderot (cuja estética deve ser colocada em estreita relação com uma noção

63. Ibid., p. 752.
64. Id., "Le troisième sens", art. cit., p. 489.

clássica da "cena de gênero", ilustrada pela pintura de Greuze) e como seu contemporâneo comunista Bertolt Brecht, Eisenstein teria se servido de um "*Organon* da Representação [que tem], como duplo fundamento, a soberania da decupagem e a unidade do sujeito que faz os cortes".[65] É o "quadro":

> Nada separa o plano de Eisenstein da pintura de Greuze (a não ser, é claro, o projeto, aqui moral, ali social); nada separa a cena épica do plano eisensteiniano (a não ser o fato de que, em Brecht, o quadro quer a crítica do espectador, e não a sua adesão).
>
> O quadro (pois trata-se de uma decupagem) é um objeto fetiche? Sim, no nível do sentido ideal (o Bem, o Progresso, a Causa, a advento da boa História), não no nível da sua composição. Ou, mais exatamente, é a própria *composição* que permite deslocar o termo *fetiche* e levar mais longe o efeito amoroso do corte. [...]
>
> Brecht indicou que, no teatro épico (que procede por quadros sucessivos), toda a carga, significante e agradável, está em cada cena, e não no conjunto; no nível da peça, não há desenvolvimento, não há amadurecimento, há um sentido ideal, é verdade (diretamente em cada quadro), mas não há sentido final, apenas cortes, cada um deles com potência demonstrativa suficiente. Mesma coisa em Einsenstein: o filme é uma contiguidade de episódios, e cada um deles é absolutamente significante, esteticamente perfeito; é um cinema com vocação antológica: ele mesmo estende, em pontilhado, para o fetichista, o pedaço que este deve cortar [...].
>
> No teatro, no cinema, na literatura tradicional, as coisas são sempre vistas de *algum lugar*, é o fundamento geométrico da representação: é preciso um sujeito fetichista para fazer esse recorte. Esse lugar de origem é sempre a Lei: lei da sociedade, lei da luta, lei do sentido. Toda arte militante só pode ser, então, a partir daí representativa, legal. [...] Tudo aquilo que se passa aquém desse limite [o enquadramento do quadro] (e é o caso de Brecht, de Eisenstein) só pode ser legal: no final das contas, é a Lei do Partido que recorta a cena épica, o plano fílmico, é essa Lei que olha, enquadra, centra, enuncia.[66]

Nessa perspectiva, é claro que os olhos não estão "livres": o enquadramento da representação encerra o olhar em uma ordem

65. Id., "Diderot, Brecht, Eisenstein" (1973), in *Œuvres complètes*, op. cit., IV, p. 338.
66. Ibid., p. 339–344.

preexistente — a "Lei do Partido", por exemplo — e o obriga, então, a um *fetichismo* que é *pausa sobre a imagem*, pausa do sentido na imagem, sentença de morte da sua livre inventividade. O fato de a cena das carpideiras de Odessa ser uma *cena movimentada*, agitada por gestos e clamores, não oferece uma verdadeira objeção ao raciocínio engajado. Pois ela só designa o outro mal simétrico, a outra parte detestável da imagem, aos olhos de Barthes: a *histeria*. A histeria, ou a outra maneira de impedir o "livre olhar" das superfícies. Aquilo que o fetichismo (no nível das cenas e da história) encerra no enquadramento perverso do quadro, a histeria (ao nível dos gestos e do corpo) o mergulha numa *profundidade* mórbida, uma profundidade de *sintomas*: segredos e secreções, a dor psíquica e as lágrimas, por exemplo. Isso confere a ênfase dos gestos, o teatralismo das paixões, o ruidoso clamor trágico — todas as coisas em relação às quais Roland Barthes não deixará de manifestar sua desconfiança, e mesmo seu desgosto, por meio de um vocabulário que vai criticar a "captura", a "coalescência" e até mesmo a "analogia". A crítica do quadro pertenceria assim a uma "política" barthesiana dedicada a "extinguir todo poder", cuja ética consistiria em "extinguir a histeria".[67]

Compreendemos melhor, para além do caso particular de Eisenstein, porque Roland Barthes ressaltou tantas vezes seu desafeto, até mesmo sua desconfiança, em relação ao cinema em geral: em 1963, numa entrevista para a *Cahiers du cinéma*, ele diz que é uma "atividade inteiramente projetiva", o que ele enuncia, primeiramente, por sua própria conta, e depois, sub-repticiamente, de modo mais geral.[68] Em algum lugar entre o enquadramento fetichizado e o movimento histerizado, ele critica o cinema porque "ali sempre acontece alguma coisa" (contrariamente à literatura de que ele gosta, e onde, diz ele, é sempre possível que "não

67. Cf. B. Comment, *Roland Barthes, vers le neutre*, op. cit., p. 219–290.

68. R. Barthes, "Sur le cinéma" (1963), in *Œuvres complètes*, op. cit., II, p. 255 e 257.

aconteça nada").[69] Enfim, ele se sente prisioneiro do enquadramento (perverso) assim como do agir (histérico) que lhe são impostos no cinema. E quando seus interlocutores (Michel Delahaye e Jacques Rivette) citam a potência e o "elemento impossível de ser apreendido" da montagem, a partir de um exemplo tirado de Eisenstein, Barthes responde como semiólogo, eu diria aqui como redutor de sentido, como *pesquisador de unidades discretas*: "Seria interessante ver se um procedimento cinematográfico pode ser convertido, metodologicamente, em unidades significantes."[70]

Compreendemos melhor por que a análise das carpideiras do *Potemkin* poderia caber inteiramente em "O terceiro sentido" observando algumas dessas "unidades significantes", sob a forma dos fotogramas isolados por Barthes (*fig.* 11–12). Em 1964, o autor dos *Ensaios críticos* retoma sua dificuldade fundamental diante das imagens cinematográficas: "Parece ser muito difícil *deter-se* na imagem",[71] *a imagem una*, principalmente enquanto *imagens plurais* desfilam continuamente no filme, segundo uma temporalidade impossível de suspender. E esse é o problema que *as imagens*, em geral, colocam para o semiólogo desejoso de articular alguma coisa sobre *a imagem:*

> Voltando à imagem, é evidente que ela é um objeto misterioso. A imagem significa? É uma questão na qual estamos trabalhando, mas, por enquanto, podemos apenas situar dificuldades, impossibilidades, resistências. A grande resistência da imagem em se oferecer como um sistema de significação, é aquilo que chamamos de seu caráter analógico, diferentemente da linguagem articulada. Esse caráter analógico da imagem está ligado ao seu caráter contínuo — contínuo que, no caso do cinema, comporta um aspecto não apenas espacial, mas que também é reforçado por um contínuo temporal, a sucessão das imagens.[72]

69. Ibid., p. 260.
70. Ibid, p. 259.
71. Id., "La Civilisation de l'image" (1964), in *Œuvres complètes,* op. cit., II, p. 564.
72. Id., "Sémiologie et cinéma" (1964), in *Œuvres complètes,* op. cit., II, p. 622–623.

O cinema, arte do *continuum das imagens*, desafia assim em Roland Barthes tanto o semiólogo apaixonado pelo "olhar preciso", quanto o crítico apaixonado pelo "olhar livre". O cinema nos fixa no seu enquadramento (perverso), nos impõe seus gestos espetaculares (histéricos) e nos embarca na sua temporalidade impossível de ser suspensa, de ser recortada, de nos pertencer. Daí essa "resistência ao cinema" cuja legitimidade teórica é reivindicada por Barthes, através da "impossibilidade estatutária do fragmento" no cinema, esse fragmento cujo paradigma será oferecido por ele — como o haiku poético — com um "olhar livre", destacado do imaginário pegajoso:

> Resistência ao cinema: ali, o próprio significante é sempre liso, por natureza, qualquer que seja a retórica dos planos; é, sem remissão, um *continuum* de imagens; a película (bem denominada: é uma pele sem hiância) *segue*, como uma fita falante: impossibilidade estatuária do fragmento, do haiku. [...] Tudo me é dado.[73]

O imaginário pegajoso, portanto. Mas como se soltar dele? Como despertar da "hipnose" — esse ponto de encontro entre o olhar que captura o perverso e o olhar que é captado pelo histérico — que, segundo Barthes, caracteriza o cinema como tal?

O que é a imagem fílmica (inclusive o som)? Um *engodo*. É preciso entender essa palavra no sentido analítico. Estou fechado junto com a imagem, como se estivesse preso na famosa relação dual[74] que funda o Imaginário. A imagem está ali, diante de mim, para mim: coalescente (seu significante e seu significado bem fundidos), analógica, global, evidente; é um engodo perfeito: precipito-me sobre ela como um animal sobre a aparente isca que lhe é estendida; e, é claro, ela mantém no sujeito aquilo que acredito

73. Id., *Roland Barthes par Roland Barthes* (1975), in *Œuvres complètes*, op. cit., IV, p. 634.
74. Corrijo aqui a lição das *Œuvres complètes* (que registra "cruel"), em virtude da referência que Barthes faz aqui às análises de Jacques Lacan sobre a relação imaginária como "relação dual".

ser o desconhecimento ligado ao Eu e ao Imaginário. Na sala de cinema, por mais distante que seja meu lugar, colo meu nariz, até esmagá-lo no espelho da tela, nesse "outro" imaginário com o qual me identifico narcisicamente (dizem que os espectadores que gostam de sentar o mais perto possível da tela são as crianças e os cinéfilos); a imagem me cativa, me captura: *colo* na representação...[75]

Instala-se então aquilo que vai se tornar um dos grandes *leitmotiven* barthesianos: o distanciamento da *evidência emotiva* ("choro") e da *evidência ideológica* ("povos"), atualizadas na análise da cena eisensteiniana, vai se expressar a partir de então como um distanciamento mais amplo em relação à *evidência imaginária*. Será, ao acaso, o "demônio da analogia" e a "coalescência do engodo", em *Roland Barthes por Roland Barthes*, a "aversão" da analogia, em "Vinte palavras-chave para Roland Barthes", o tema do "exílio do Imaginário", em *Fragmentos de um discurso amoroso*, e a seguir, em 1978, o julgamento conclusivo — aparentemente conclusivo — de que "toda Imagem é ruim", afirmação seguida de uma comparação, estranhamente trivial em Barthes, entre a "captura da imagem" e a fritura de uma batata em óleo fervente...[76]

A reafecção da imagem através do seu detalhe deslocado

Barthes, porém, encontraria um novo caminho para gostar das imagens no ponto exato que lhe convinha. Ele acabou encontrando o caminho para olhá-las e poder nos falar delas sem, contudo, deixar-se envolver pela sua evidência emotiva, ideológica ou "imaginária". Para isso, inventou o "terceiro sentido", o *sentido obtuso*. Foi a maneira que ele encontrou para retornar à sua

75. Id., "En sortant du cinéma" (1975), in *Œuvres complètes*, op. cit., IV, p. 780–781.

76. Id., *Roland Barthes par Roland Barthes*, op. cit., p. 624–625. Id., "Vingt mots-clés pour Roland Barthes" (1975), in *Œuvres complètes*, op. cit., IV, p. 853- 854. Id., *Fragments d'un discours amoureux* (1977), in *Œuvres complètes*, op. cit., V, p. 139–142. Id., "L'image" (1978), in *Œuvres complètes*, op. cit., V, p. 516–517.

desafecção diante das imagens, e para *reafetá-las*, reafetá-las com reflexões teóricas, primeiramente... e logo com afetos, em um retorno à emoção, uma nova guinada (que teremos, portanto, que tentar analisar). Barthes começou por extrair dos dezesseis fotogramas do *Potemkin* — reunidos nas páginas de um número da *Cahiers du cinéma* que ele tinha diante dos olhos (*fig.* 9–10) — duas novas imagens de carpideiras (*fig.* 13):

> A convicção do sentido obtuso me veio, pela primeira vez, diante da imagem v. Uma pergunta se impunha: o que é que coloca para mim a questão do significante nessa velha mulher que chora? Logo me convenci de que não eram, embora perfeitos, nem a expressão do rosto, nem o gestual da dor (pálpebras fechadas, boca esticada, punho sobre o peito); isso pertence à significação plena, ao sentido óbvio da imagem, ao realismo e ao cenarismo eisensteinianos. Eu sentia que o traço penetrante, inquietante como um convidado que insiste em ficar sem dizer nada, em permanecer ali onde não precisamos dele, deveria se situar na região da testa: o lenço em torno da cabeça como uma touca devia estar ali por alguma razão. Entretanto, na imagem vi, o sentido obtuso desaparece, há apenas uma mensagem de dor. Compreendi, então, que a espécie de escândalo, de suplemento ou de deriva imposta a essa representação clássica da dor provinha muito precisamente de uma tênue relação: a do lenço-touca em volta da testa, dos olhos fechados e da boca convexa; ou melhor, para retomar a distinção do próprio S.M.E. [Serguei Mikhailovitch Eisenstein], entre "as trevas da catedral" e "a catedral cheia de trevas", de uma relação entre a linha "baixa" do lenço, anormalmente puxado até as sobrancelhas, como nesses disfarces onde se quer aparentar algo grotesco ou bobo, a subida circunflexa das antigas sobrancelhas, apagadas, velhas, a curva excessiva das pálpebras abaixadas mas aproximadas como se fossem vesgas, e a borda da boca entreaberta, correspondendo à barra do lenço e às sobrancelhas, no estilo metafórico "como um peixe fora da água". Todas essas características (o lenço grotesco, a velhota, as pálpebras vesgas, o peixe) têm como vaga referência uma linguagem um pouco vulgar, a de um disfarce bem lastimável; reunidas à nobre dor do sentido óbvio, elas formam um dialogismo tão tênue que não podemos garantir sua intencionalidade. O próprio desse terceiro sentido é, de fato — pelo menos em S.M.E. —, confundir o limite que separa a expressão do disfarce,

mas também dar essa oscilação, de uma maneira sucinta: uma ênfase elíptica, se podemos dizer assim...[77]

É assim que Barthes se reapropria — se reafeta — da imagem: depois de ter rejeitado seu "sentido óbvio" ou global (a carpideira chora, assim como todo o povo presente, por um morto que "exige justiça"), ele retém essa característica local que chama de "sentido obtuso", e que apreende por meio de uma rede de *detalhes deslocados*, desapercebidos e até mesmo surpreendentes, se não fossem arbitrários ("a linha do lenço", a "subida circunflexa das sobrancelhas", a "curva excessiva das pálpebras"). É uma atitude de época, uma vez que se mostra de acordo com certos trabalhos, estritamente contemporâneos, sobre a estética freudiana — os de Jean-François Lyotard, de Sarah Kofman ou de Hubert Damisch –[78] que insistiam todos no deslocamento do interesse analítico da *coerência representativa* para o *excedente da observação*, e a partir de uma abordagem "em massa" das imagens para uma abordagem "em detalhe". Jacques Lacan também não está longe, e é a lição dele que ouvimos distintamente — lição ao mesmo tempo estruturalista (no campo do saber) e iconoclasta (no campo da ética) — através da frase inicial de Roland Barthes: "O que é que coloca para mim a questão do significante, nessa velha mulher que chora?".[79]

Com essa frase — quase chocante, pensando bem — Barthes revoga tanto o *tema emotivo* da sequência eisensteiniana (chorar um morto) quanto seu *tema político* (exigir justiça). Ele *se coloca*, coloca *para si mesmo*, a "questão do significante". Isso quer dizer que ele deixa para o comum dos mortais a lamentação trágica e a

77. Id., "Le troisième sens", art. cit., p. 492.
78. Cf. S. Kofman, *L'Enfance de l'art: une interprétation de l'esthétique freudienne*. Paris: Payot, 1970, p. 77–143. H. Damisch, "La partie et le tout", *Revue d'esthétique*, XXIII, 1970, n. 2, p. 168–188. J.-F. Lyotard, *Discours, figure*. Paris: Klincksieck, 1971, p. 9–23.
79. R. Barthes, "Le troisième sens", art. cit., p. 492.

reivindicação épica sobre as margens do "significado" — a partir de agora sem interesse para ele. Ele dá de costas para *o gesto* da carpideira (tema emotivo) e para *a gesta* do povo (tema político). Procura o "significante", conceito linguístico e semiológico que, nesse novo contexto visual, vai logo chamar de *traço*, "o traço penetrante, inquietante como um convidado que insiste em ficar sem dizer nada, em permanecer ali onde não precisamos mais dele".[80] Traço *deslocado*, portanto, e deslocado — des-motivado, de certa forma — pela busca de uma "outra coisa" na imagem que não é aquilo que a imagem quer mostrar.

Mas Roland Barthes é um pesquisador sutil (a sutileza vai ser talvez o objeto central de toda a sua pesquisa): o *traço* aqui só é "penetrante e inquietante" se for reconhecido como *relação*, e só se for uma "relação tênue". Na imagem considerada (*fig. 13, acima*), trata-se de relacionar "o lenço-touca, os olhos fechados e a boca convexa"; a "relação tênue" vai se tornar, então, "oscilação", e até mesmo "um dialogismo tão tênue que não podemos garantir sua intencionalidade".[81] Estamos novamente aqui no interior de uma *oscilação* que condensa, nessa mesma passagem, o uso equivocado do adjetivo *lastimável*: na imagem óbvia (fig. 13 a*baixo*), a carpideira é "lastimável" no sentido de que, ao exercer um gesto de pena, de piedade, ela apela para a compaixão do espectador pela sua "nobre dor" e pelo "morto que exige justiça"; na imagem obtusa (*fig. 13, acima*), ela agora só é "lastimável" porque incita uma reação deslocada, derivada, defasada, aquela que suscita em Barthes uma ideia de "disfarce" desajeitado, vulgar, "grotesco". Estamos ali, em algum lugar — um lugar bastante impreciso —, entre a "expressão" e o "disfarce", a verdade de um gesto e a ficção de uma panóplia.

80. Ibid., p. 492.
81. Ibid., p. 492.

É um *lugar de deslocamento*: lugar deslocado por um objeto, ou então lugar para um objeto deslocado. Daí, talvez, a expressão usada por Barthes nessas mesmas linhas: "como um peixe fora da água". Daí que a *ênfase* pode sobreviver no "sentido obtuso", mas só se ela for *elíptica*. Há ênfase porque o detalhe escolhido *acentua* um ponto particular na superfície representacional; mas esse detalhe *frustra* toda a retórica possível, já que ele

> não vai no sentido do sentido (como faz a histeria), não teatraliza (o cenarismo eisensteiniano está em um outro nível), nem marca um *outro lugar* do sentido (um outro conteúdo, acrescentado ao sentido óbvio), mas os frustra — subverte não o conteúdo, mas a toda a prática do sentido. Nova prática, rara, afirmada contra uma prática majoritária (a da significação)...[82]

O "sentido obtuso", portanto, *subverte a significação* na imagem. Barthes o qualifica, então, de várias maneiras: ele é "descontínuo" (ali onde a imagem se apresenta globalmente como um *continuum*), "contra natureza" (ali onde a imagem nos apresenta um mundo identificável), "afastado" (do seu referente, isto é, da "instância realista", em geral), "depletivo" (ele não preenche nada) ou até mesmo "erético"[83] (ele também nunca consegue "esvaziar-se" completamente); ele aparece, por fim, como "uma emergência, uma dobra (uma falsa dobra) que marca a pesada camada das informações e das significações".[84]

Isso também quer dizer que o "sentido obtuso" *frustra a história* que tende a ser narrada na imagem (e isso se dá em um grau exemplar na epopeia eisensteiniana): "O sentido obtuso é descontínuo, *indiferente* à história e ao sentido óbvio (como significação da história)".[85] Contrariamente ao "tema a ser desenvolvido", que

82. Ibid., p. 501.
83. O termo francê *érethique* é usado no âmbito médico para indicar uma manifestação tensa, retesada.
84. Ibid., p. 500–501.
85. Ibid., p. 500.

constitui a sequência das carpideiras no *Potemkin*, o "sentido obtuso" é um "tema sem variação nem desenvolvimento, [marcado pela] *indiferença* ou liberdade de posição [...] em relação à narrativa".[86] A narrativa não é, portanto, destruída como tal, ela vai ser apenas subvertida, frustrada por essa "indiferença" — noção em que se encontra talvez uma das premissas do "neutro" barthesiano dos anos seguintes — através da qual, diz ele, a diegese *"foge do interior"*.[87] O "sentido obtuso" insere, portanto, no *continuum* da imagem narrativa essa *diferença indiferente* do detalhe deslocado que funciona sozinho: é "a própria contra-narrativa".[88]

Como qualificar a operação barthesiana? Por um lado, ela aparece na sua grande força teórica, sua fecundidade, até mesmo na sua simplicidade: torna-se claro, a partir de então, que nas imagens a *evidência está dividida* (mas, não esqueçamos, Freud já havia esclarecido isso há muito tempo, principalmente no lugar da imagem onírica, do gesto emotivo ou do sintoma histérico). Parece também que a *evidência partilhada* — quero dizer, consensual, espontânea, ideológica, a evidência como *doxa* — deve sofrer uma crítica legítima (mas não é isso que quase todos os filósofos desde Platão têm a pretensão de fazer?). O que é muito menos evidente, por outro lado, é a maneira como Roland Barthes propõe ou mesmo impõe — pois, em 1970, ele já é um mestre, portanto logo será ouvido, comentado, imitado — a *evidência singular* de "seus próprios sentidos obtusos", ou seja, de seus exemplos. Como ele mesmo afirma, de maneira irônica e estratégica (a estratégia consiste em indicar uma saída do estruturalismo),

> o sentido obtuso não está situado estruturalmente, um semantólogo não concordará com sua existência objetiva (mas o que é uma leitura objetiva?), e se ele é evidente (para mim), talvez *ainda* seja (por enquanto)

86. Ibid., p. 502.
87. Ibid., p. 501.
88. Ibid., p. 501.

> pela mesma "aberração" que *obrigava* o solitário e infeliz Saussure a ouvir uma voz enigmática, sem origem e obsessiva, a voz do anagrama no verso arcaico. A mesma incerteza [surge] quando se trata de *descrever* o sentido obtuso (de dar alguma ideia de onde ele vai, para onde ele vai); o sentido obtuso é um significante sem significado; daí a dificuldade em nomeá-lo: minha leitura fica suspensa entre a imagem e sua descrição, entre a definição e a aproximação. Se não podemos descrever o sentido obtuso, é porque, contrariamente ao sentido óbvio, ele não copia nada: como descrever aquilo que não representa nada?[89]

Mas o que é então essa "evidência (para mim)"? Quem é o *eu* dessa evidência singular, deslocada? Quem é ele para além de toda identificação com o "solitário e infeliz Saussure"? Talvez seja uma questão de *autoridade*: de legitimidade na decisão teórica e, também de *ser-autor*, isto é, escritor, literato. Barthes indica isso muito bem quando afirma que "aquilo que o sentido obtuso confunde, esteriliza, é a metalinguagem", e precisa: "a crítica".[90] Podemos então — e devemos até — explicar, criticar o "sentido óbvio"; mas não podemos explicar nem criticar um "sentido obtuso". Por quê? Porque o "leitor" está de certa forma *implicado* nele, aquém de toda definição e de toda descrição possíveis. "O sentido obtuso não está na língua", chega a afirmar Barthes, "mesmo aquela dos símbolos" ou dos significantes partilhados entre os membros de uma mesma cultura.[91] É, portanto, *impartilhável*, e é por isso que ele *me separa* da comunidade dos leitores, dos locutores. Ele me deixa quase sempre "só e infeliz" diante dele, entre meus semelhantes. Ora, se "ele é evidente (para mim)", é na medida em que meu *eu* soube dar o passo literário — que todo "semantólogo" ignora — de eleger, designar as características do seu *desejo*.

89. Ibid., p. 500.
90. Ibid., p. 500.
91. Ibid., p. 498.

Parece então coerente que, em todo o texto de "O terceiro sentido", o único escritor nominalmente citado seja Georges Bataille, através de uma chamada que não quer ser precisa, informativa, mas sim cúmplice e admirativa. É que Georges Bataille foi, ao mesmo tempo, um pensador extraordinariamente poderoso — embora filósofo heterodoxo e "não profissional", como o próprio Barthes — e escritor soberano de seus desejos, mesmo os mais inconfessáveis. Ele foi também um grande colecionador de "sentidos obtusos" com todos os planos fechados fotográficos que ilustravam seus artigos da revista *Documents*.[92] Mas Roland Barthes é, evidentemente, mais secreto, mas tímido: suas escolhas de detalhes vão se referir mais delicadamente a traços levemente esboçados. Será, nas imagens de *Ivan, o Terrível*, a "beleza de Basmanov", na qual ele reconhece algum "erotismo"; será a "doce inocência" das crianças que cantam e onde já está indicada uma espécie de "androginia" felliniana; será a "feiura" e o "desconforto" inerentes à figura da malvada Eufrosínia; no único fotograma tirado do *Fascismo de todos os dias* de Mikhaïl Romm, será "a ingenuidade loura [...] do jovem arqueiro, a doçura das suas mãos e da sua boca".[93]

Mas o exemplo inaugural — o da carpideira de Odessa (*fig. 13*) — permanece o mais poderoso, o mais revelador de todos. Trata-se, de fato, de uma *mãe disfarçada* com a *dor deslocada* por seu próprio acessório indumentário. O que já surpreende — e vai se confirmar durante toda a obra barthesiana — é a atenção dedicada aqui, por deslocamento, à roupa. Ali onde Aby Warburg, pela noção de "acessório em movimento" (*bewegtes Beiwerk*), tinha observado, na Arte Clássica e no Renascimento, *a articulação da roupa com a paixão*, Roland Barthes — que parece ter ignorado tudo da obra de Warburg — insiste na sua disjunção. O

92. Ibid., p. 498.
93. Ibid., p. 498-500.

deslocamento é intensificação velada ou desaprovação do gesto emotivo? Barthes responde que é uma desaprovação: se alguma coisa na "velha chorando" coloca para Barthes a "questão do significante", isso se faz através da *disjunção entre o gesto e o acessório*. Aqui, portanto, o acessório indumentário contradiz o corpo emotivo dessa velha mulher. Ele faz explodir sua mímica de dor ao introduzir um efeito de "disfarce", de "postiço", de pastiche: é a "ridicularização" de toda expressividade; é a substituição do aspecto "choroso" da mulher pelo aspecto "grotesco".[94]

Se olharmos um pouco melhor a imagem eleita por Barthes como paradigma do "sentido obtuso" (*fig. 13, em cima*) comparando com aquela que ainda suporta o peso do "sentido óbvio" (*fig. 13, em baixo*), percebemos que ela está superexposta, de modo que o rosto da mulher, esbranquiçado pela luz, tende a desaparecer atrás do "pó de arroz" de uma máscara "lastimável". Essa velha carpideira praticamente se tornou algo como um palhaço branco — se a isolarmos do restante, é claro. O "sentido obtuso" destrói então toda a aderência imaginária à emoção veiculada por essa imagem, assim como ele destrói toda adesão a seu sentido político. É por isso que o coque da *pasionaria* comunista será colocado por Roland Barthes no mesmo nível de "sentido obtuso" — "postiço", "pastiche", "fetiche ridículo" — que a barbicha ameaçadora do *Terrível*, o tzar-tirano (*fig. 14*).[95]

Seria, no entanto, simples demais afirmar que Barthes invoca o "sentido obtuso" pura e simplesmente para revogar a pertinência dos temas *emotivo* e *político*. Em certo sentido, afirma-se exatamente o contrário ao se virar a página (o que não deixa de surpreender o leitor, depois de toda a diatribe contra um "sentido óbvio", ao mesmo tempo *emotivo* e *político*): "Acho que o sentido obtuso carrega uma certa *emoção*: capturada no disfarce, essa

94. Ibid., p. 492–493.
95. Ibid., p. 493.

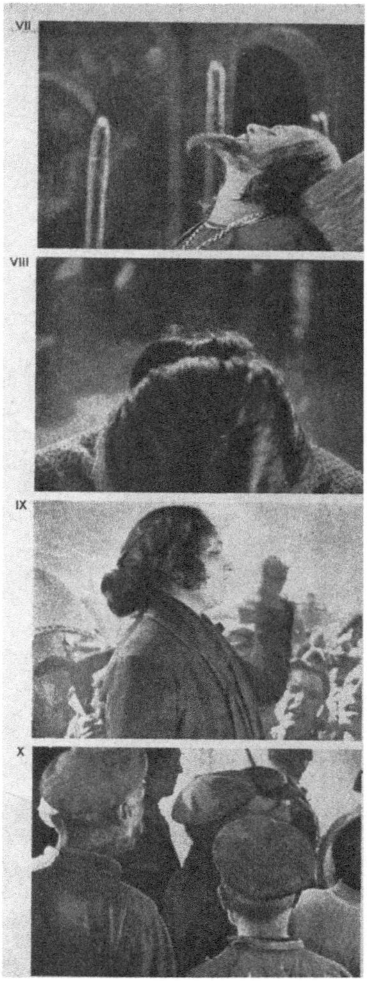

Figura 14. Serguei M. Eisenstein, *O encouraçado Potemkin*, 1925, e *Ivan, o Terrível*, 1944–1958. Fotogramas publicados por Roland Barthes em "O terceiro sentido: notas de pesquisa sobre alguns fotogramas de S. M. Eisenstein", *Cahiers du cinéma*, n. 222, 1970, p. 15.

emoção nunca é repulsiva; é uma emoção que *designa*, simplesmente, aquilo de que gostamos, aquilo que queremos defender: é uma emoção-valor, uma avaliação."[96] Assim, o *pranto* das mulheres de Odessa seria ultrapassado por uma emoção "grotesca" e "não repulsiva", enquanto que os *povos* seriam salvos por essa "alguma coisa amorosa" que tanto agrada a Barthes na maneira de Eisenstein filmar seus atores, apesar da "ênfase" e do "cenário".[97]

O "sentido obtuso" conseguiria, então, preservar uma certa *comoção do desejo* quando este permanece em suspenso e "não atinge esse espasmo do significado que, geralmente, faz recair, voluptuosamente, o sujeito na paz das nominações".[98] Ele seria, por outro lado, um traço — não ouso dizer uma marca — de luxo: um *luxo do eu* contra todo consenso simbólico, contra toda utilidade social. Um luxo que deve ser compreendido como a eleição, pelo eu, de um detalhe que ninguém viu ou não quis ver. Um luxo que pode ser pensado, escreve Barthes, como um "gasto sem retorno" (isso é dito em referência provável ao tema de Bataille do "gasto improdutivo") que, no fim, traz algo como uma lição política, mesmo que ela seja paradoxal, já que "*ainda* não pertence à política de hoje, mas *já* pertence à política de amanhã".[99]

Em todo o caso, o "sentido obtuso" já corresponde, no próprio Barthes, dez anos antes de *A câmara clara*, a uma espécie de fenomenologia da sua própria consciência mesquinha. É claro que, nessa fenomenologia, há lugar para a confusão e para a falta de motivação: por que *esse* lenço, *essas* pálpebras, *esse* fotograma? Mas não há lugar para o impessoal *isso*, assim como, em 1980, haverá lugar para a "dor", mas não para o "trabalho de luto". O uso das noções psicanalíticas em Barthes vai parar aqui. Tudo aqui vai e volta para o *eu* do escritor, esse ser *sensível aos signos*. Ora,

96. Ibid., p. 493.
97. Ibid., p. 493 e 498.
98. Ibid., p. 501
99. Ibid., p. 501.

parece-me ser possível relacionar essa soberania do *eu* com o modo particular como Barthes vai construir a *evidência do sentido obtuso*, essa evidência que passa, do início ao fim, por uma verdadeira *paixão pela unidade*. O que é a *unidade* — palavra que ele usa com frequência — para Roland Barthes? É o contrário de uma totalidade ou de uma globalidade. É, antes de tudo, o modo de existência do *discreto*: ele terá sentido, sucessivamente, na "discrição" linguística (a unidade como elemento seccionável), na "discrição social" (a conveniência de uma roupa, por exemplo), por fim, na "discrição" afetiva (a emoção solitária, indicada, mas contida, de uma escritura como a de Marcel Proust).

Num primeiro momento, portanto, o desejo de compreender as imagens será levado, em Barthes, com a ajuda da semiologia, até as *unidades significantes*: discrição linguística. É assim que se constituirá um novo valor de uso do *detalhe*. Para isso, será necessária a primeira "guinada" teórica de que falei anteriormente, ou seja, a inversão das "emoções coletivas" inerentes aos modos trágico-épicos da representação teatral ou cinematográfica. Em 1954, por exemplo, Barthes ainda estava entusiasmado com o espaço de "solidariedade" social com a história, constituída, segundo ele, pela invenção do formato cinemascope:

> Tecnicamente, a dimensão épica nasceu. Imaginem-se diante de *O encouraçado Potemkin*, não mais colocado na extremidade de uma luneta, mas em contato direto com o ar, a pedra, a multidão: esse *Potemkin* ideal onde poderíamos, finalmente, estender a mão aos insurrectos, participar da luz e receber, por assim dizer, a escada trágica no próprio peito; isso agora é possível; a varanda da História está pronta.[100]

Contudo, quinze anos depois desse elogio das "emoções coletivas" — no qual, pelo que sei, Barthes faz sua primeira referência ao *Potemkin* de Eisenstein —, em "O terceiro sentido", não

100. Id., "Au cinémascope" (1954), in *Œuvres complètes*, op. cit., I, p. 456–457.

se trata mais, absolutamente, de "estender a mão" às carpideiras de Odessa: guinada emotiva, estética, política. Enquanto isso, o semiólogo se debruçou sobre "O problema da significação no cinema", e até mesmo — com Gilbert Cohen-Séat — sobre "As unidades traumáticas" no cinema, sem contar, é claro, o texto já citado de "Semiologia e cinema".[101] Na sua longa entrevista para a *Cahiers du cinéma*, em 1963, Barthes colocava assim a difícil questão sobre as "unidades discretas":

> Podemos tentar situar essa dificuldade. Parece-nos, até agora, que o modelo de todas as linguagens é a fala, a linguagem articulada. Ora, essa linguagem articulada é um código. Ela utiliza um sistema de signos não analógicos (que, consequentemente, podem ser, e são, descontínuos); por outro lado, o cinema se mostra, à primeira vista, como uma expressão analógica da realidade (e, além do mais, contínua); e não sabemos como lidar com uma expressão analógica e contínua para introduzir, para começar uma análise do tipo linguística; por exemplo, como recortar (semanticamente), como fazer variar o sentido de um filme, de um fragmento de filme? Portanto, se o crítico quisesse tratar o cinema como uma linguagem, abandonando a inflação metafórica do termo, ele deveria, primeiramente, discernir se há no *continuum* fílmico elementos que não são analógicos, ou que têm uma analogia deformada, ou transposta, ou codificada, providos de uma sistematização tal que pudéssemos tratá-los como fragmentos de linguagem; esses são problemas de pesquisa concreta, que ainda não foram abordados, que poderiam ser [abordados], a partir de espécies de testes fílmicos, depois dos quais veríamos se é possível estabelecer uma semântica, mesmo que parcial (provavelmente parcial), do filme. Ao aplicar métodos estruturalistas, poderíamos isolar elementos fílmicos, ver como eles são compreendidos, a que significados eles correspondem em tal ou tal caso e, fazendo variar, ver em que momento a variação do significante acarreta

101. Id., "Le problème de la signification au cinéma" (1960), in *Œuvres complètes,* op. cit., I, p. 1039- 1046. Id., "Les 'unités traumatiques' au cinéma: principes de recherche" (1960), in *Œuvres complètes,* op. cit., I, p. 1047–1056 [como o texto das Obras completas estava truncado, faremos referência a R. Barthes e G. Cohen-Séat, "La recherche des 'unités traumatiques' dans l'information visuelle: les unités traumatiques au cinéma", *Revue internationale de filmologie*, n. 34, 1960, p. 13–21]. Id., "Sémiologie et cinéma", art. cit., p. 622–628.

uma variação do significado. Teríamos então isolado, verdadeiramente, no filme, unidades linguísticas das quais poderíamos a seguir construir as "classes", os sistemas, as declinações.[102]

É justamente no interior do problema estrutural, o qual torna incomensuráveis o "descontínuo dos signos" e o "contínuo da expressão",[103] que a procura das "unidades significantes"[104] vai dar lugar a uma procura menos estrutural que modal, se podemos dizer assim: será o segundo tempo da busca barthesiana diante da imagem, o tempo das unidades modais. É então que o sentido fica "suspenso"[105] na modalidade singular, na "discrição" de um detalhe que se desloca, que não "cola" nem no sentimentalismo emotivo, nem no sentido comumente reconhecido na imagem. É o caso do lenço "lastimável" e "grotesco" na testa da carpideira de Odessa: uma modalidade singular da imagem, capaz de um deslocamento inesperado desde a sua significação óbvia — e o *pathos* que corresponde a ela — até uma espécie de arte do "disfarce". Notemos imediatamente que Roland Barthes não poderia encontrar melhor veículo dessa modalidade particular do que o acessório indumentário, em uma palavra: a moda. Já indiquei como, diferentemente de Aby Warburg, Barthes colocava toda a força do "sentido obtuso" na disjunção entre o *pathos* e o acessório, que se torna então, na sua escolha de olhar, o essencial e o centro de tudo — por mais paradoxal que seja, pois está deslocado.

Ora, no percurso de Barthes, há algo como uma verdadeira cena originária desse deslocamento radical de atenção do gesto "patético" para o acessório indumentário. Não é por acaso que ela diz respeito a uma série de fotografias de teatro que poderiam quase ser vistas como os fotogramas de um filme. Também não é

102. Id., "Sur le cinéma", art. cit., p. 257.
103. Ibid., p. 258.
104. Ibid., p. 259.
105. Ibid., p. 263-265.

por acaso que ela diz respeito ao mesmo tipo de situação — trágica — da cena da lamentação do *Potemkin*: é um homem (um filho) que morre, e é uma mulher (sua mãe) que chora por ele. Encontramos isso na *Mãe Coragem* de Bertold Brecht, cuja encenação Barthes vira em 1954 — "admiráveis atuações", diz ele.[106] Em 1959 e depois em 1960 (duas vezes, portanto), Barthes vai escrever comentários precisos sobre as fotografias que Roger Pic tirou dessa peça, encenada pelo Berliner Ensemble, em 1957. Tudo está lá: o tema do luto materno sobre o cadáver do filho — tema ao mesmo tempo misteriosamente eleito e afastado com toda a força —; o deslocamento da atenção da própria emoção para um detalhe do figurino aparentemente "neutro"; a solicitação exclusiva do suporte fotográfico para realizar com sucesso todas essas operações de olhar (quer digam respeito ao teatro ou ao cinema).

Inicialmente, surge uma espécie de teoria do fotograma (como veremos com todas as letras na conclusão de "O terceiro sentido"), e Barthes mistura espontaneamente — ou estrategicamente — o vocabulário do cinema e da fotografia:

> Quando o Berliner Ensemble veio encenar *Mãe Coragem* pela segunda vez em Paris, em 1957, o fotógrafo Pic fotografou toda a apresentação com uma teleobjetiva. Graças a ele, logo teremos uma verdadeira história fotografada de *Mãe Coragem,* fato novo, acho, na crítica de teatro, pelo menos na França. Essa sequência de fotografias (cerca de cem), sobre uma única peça, não será apenas algo muito belo (pois *Mãe Coragem* é uma bela história), será também algo muito precioso para aqueles que querem refletir sobre o teatro. Pois o que a fotografia revela é exatamente aquilo que é trazido pela atuação, é o detalhe. Ora, o detalhe é o próprio lugar da significação, e é porque o teatro de Brecht é um teatro da significação que o detalhe é tão importante.[107]

Em 1960, Roland Barthes retomará o mesmo raciocínio: as "fotografias de teatro" de Roger Pic, escreve ele, "são de certa forma

106. Id., "Théâtre capital", art. cit., p. 503.
107. Id., "Sept photos modèles de *Mère Courage*", art. cit., p. 997.

os momentos de um filme", momentos preciosos, pois mostram "detalhes que não aparecem forçosamente no movimento da representação, mas que contribuem, no entanto, para a sua verdade".[108] A fotografia de teatro — assim como o fotograma de um filme — "mostra o descontínuo de que é feita uma grande obra; ela libera os átomos de espetáculo e funda assim um verdadeiro museu imaginário" que compreendemos ser feito inteiramente de *detalhes significantes*.[109] É numa espécie de mímica — uma mímica teórica — do *distanciamento* brechtiano que Roland Barthes vai fazer o *deslocamento* do seu próprio olhar, com o legítimo objetivo de dividir a evidência da representação. Mas como ele faz isso? Tudo está ali. Desde o começo, vemos uma fotografia na qual a recusa de Mãe Coragem, marcada no seu rosto por uma expressão "fechada", se desloca — no comentário de Barthes — para as costas do capelão, isto é, para o tecido do seu casaco.[110] O processo atingirá seu clímax na cena do luto:

> Mãe Coragem teve que se conter para não reconhecer o corpo do filho; quando os soldados vão embora, ela explode [*fig. 15*]. O que há de mais perturbador aqui? As costas do capelão que vai embora, por pudor, por impotência; essas costas curvadas que se retiram, recolhem, por assim dizer, toda a dor da mãe, insignificante em si. Nas duas cenas, a fotografia traz à luz uma relação humana e uma história; um elemento marginal torna-se responsável pelo sentido da imagem.[111]

De um lado, portanto, Mãe Coragem "explode". Mas por que Barthes evita, então, descrever o que ele vê? De que ou em que Mãe Coragem "explode"? Em soluços? Não. De raiva? Também não. É bem mais extremo e *patético* do que isso: é um grito imenso, transtornado, silencioso, sobre o qual Barthes não vai dizer nada

108. Id., "Commentaire: préface à Brecht, *Mère Courage et ses enfants* (com fotografias de Pic)", art. cit., p. 1064.
109. Ibid., p. 1064.
110. Ibid., p. 1064-1065.
111. Ibid., p. 1070.

Figura 15. Bertolt Brecht, *Mãe Coragem*, 1941 (apresentação do Berliner Ensemble em Paris, 1957). Fotografia de Roger Pic, publicada por Roland Barthes em *Bertolt Brecht. Mère Courage et ses enfants*, 1960. ©Adagp. Paris, 2016.

Figura 16. Bertolt Brecht, *Kriegsfibel*, 1955, prancha 39: "Lamentação em Singapura".

(uma vez que ele foi, de fato, meticulosamente pensado, escrito e encenado por Brecht, em referência direta a uma fotografia, justamente a fotografia de uma mulher sentada no chão, gritando diante do filho morto, durante os bombardeios de Singapura, em 1941, e isso está nas montagens de imagens realizadas por Brecht para o seu *Arbeitsjournal* e para a sua *Kriegsfibel* [fig. 16]).[112, 113] Mas, para Roland Barthes, Mãe Coragem "explode" de... nada. Sua história está fora da sua emoção, assim como sua emoção está fora da História. Portanto, sua emoção não tem interesse: "insignificante", como ele ousa, cruelmente, escrever. É que ele trabalha para desgrudar, desapegar seu olhar e quer, para isso, fundar uma estética do "distanciamento" e do deslocamento, da "discrição" e do pudor absolutos. Será preciso, então, que um "elemento marginal" — as costas do capelão, ou melhor, seu casaco — torne-se "responsável pelo sentido da imagem", recolhendo toda sua força de comoção. Não conceder seu olhar ao grito de Mãe Coragem: esse era, para Barthes, o preço a ser pago ao colocar "o detalhe" contra "a metafísica", apostando tudo numa "visualidade saturada de inteligência" e num realismo das superfícies enquanto elas "significam", longe de toda "expressão" ou de toda "sobressignifcação" patética.[114] Podemos dizer que o lenço da carpideira de Odessa (*fig. 13, acima*) representará, em 1970, o mesmo papel em relação à sua boca aberta (*fig. 13, abaixo*), no nível local de um só rosto, que o casaco do capelão, na fotografia de Pic de 1959, representa em relação ao grito de Mãe Coragem (*fig. 15*).

Em seus escritos dos anos 1960 sobre o cinema, Barthes voltará com frequência aos "detalhes" ou os "significantes" indumentários, transformando pouco a pouco em objetos teóricos — o "sentido obtuso", mais tarde o *punctum* — a espécie de fascínio que

112. Cf. G. Didi-Huberman, *Quand les images prennent position: l'œil de l'histoire*, 1. Paris: Minuit, 2009, p. 159–171.
113. Brecht reunia anotações e imagens nos seus *Cadernos de trabalho* e no ABC *da guerra*. [N.T.]
114. R. Barthes, "Commentaire", art. cit., p. 1075–1076 e 1078–1079.

o havia tomado, anteriormente, diante dos saiotes e dos cachinhos dos bonitões dos filmes épicos americanos.[115] Toda uma parte da paixão teórica de Barthes, sabemos disso, foi dedicada à *moda* na qual, frequentemente, o mais "discreto" contém o mais "essencial" — é o próprio princípio da "distinção", da verdadeira elegância — como podemos ler, por exemplo, nessa frase do *Sistema da moda*: "Por antífrase, aquilo que chamamos *acessório*, em Moda, é com frequência o essencial, sendo que o sistema falado está precisamente encarregado de fazer significar o *quase nada*."[116]

"Fazer significar o *quase nada*": essa frase resume talvez todo o projeto estético de Roland Barthes, toda sua abordagem das imagens fotográficas e cinematográficas (vejam que deixei de lado os comentários sobre a pintura, a música e a arquitetura, por razões que se explicam, penso, com a simples leitura de "O terceiro sentido" e de *A câmara clara*). Mas esse projeto precisou de várias tentativas, várias temporalidades, várias hipóteses ou vários riscos. A primeira foi a das "unidades significantes" pensadas por meio de uma análise dos *detalhes* estruturais, ou seja, não expressivos: pretexto inicial para descartar a emoção das imagens. A segunda foi a das "unidades modais" fazendo de cada detalhe uma *moção*, um deslocamento até o acessório característico do "sentido obtuso": e isso começou quando um casaco de homem pareceu, aos olhos de Barthes, mas "comovente" do que o grito de uma mãe de luto. A terceira temporalidade, em 1970, ainda estaria por vir: em A *câmara clara*, de 1980, aparecerá a

115. Id., *Mythologies*, op. cit., p. 691. Id., "Le problème de la signification au cinéma", art. cit., p. 1041-1044. Id., "Sur le cinéma", art. cit., p. 262-263.

116. Id., *Système de la Mode* (1967), in *Œuvres complètes*, op. cit., II, p. 916. Cf. igualmente id., "Histoire et sociologie du vêtement: quelques observations méthodologiques" (1957), in *Œuvres complètes*, op. cit., I, p. 892-906. Id., "Langage et vêtement" (1959), in *Œuvres complètes*, op. cit., I, p. 949-959. Id., "Pour une sociologie du vêtement", in *Œuvres complètes*, op. cit., I, p. 1019-1022. Id., "'Le bleu est à la mode cette année': note de recherche des unités signifiantes dans le vêtement de mode" (1960), in *Œuvres complètes*, op. cit., I, p. 1023-1038. Id., *Essais critiques*, op. cit., p. 316-324 ("Les maladies du costume de théâtre" [1955]).

temporalidade das "unidades pungentes", esse *punctum* no qual, em uma última guinada, Roland Barthes irá encontrar, mas apenas para ele — "solitário e infeliz", talvez, como o pobre Saussure diante dos seus anagramas —, um caminho para a *imagem-emoção.*

"Talvez eu seja o único a ver isso"

Foi assim que Roland Barthes respondeu à sua própria injunção de 1956: "É preciso que o escritor se habitue a *ver* a superfície com olhos livres".[117] Mas me parece importante compreender, tanto na prática quanto na teoria, as próprias condições dessa liberdade. É uma liberdade *literária*, sem dúvida alguma (daí a indiferença relativa de Barthes em relação aos teóricos da imagem fotográfica, de Walter Benjamim a Hubert Damisch, por exemplo). Ora, isso significa, *na prática*, que a "liberdade dos olhos" foi conquistada em um espaço fechado de álbuns folheados numa mesa de trabalho. Imagino que Roland Barthes começava *por fixar o olhar* percorrendo aquilo que ele tinha nas mãos, um artigo da *Cahiers de cinéma*, para "O terceiro sentido", ou um número especial do *Nouvel Observateur*, para *A câmara clara.*[118] Momento decisivo do olhar que escolhe, faz séries, constitui sua iconografia pelo modo idiossincrásico. Imagino que, em seguida, Roland Barthes deixava seu olhar correr por um pouco mais de tempo pelas imagens espontaneamente eleitas; então, ele podia *deslocar seu olhar* na imagem, deixar-se surpreender por algum "sentido obtuso" ou algum *punctum*. Enfim, chegava o tempo propriamente literário, o tempo para *inscrever esse deslocamento.*

Esse exercício dos "olhos livres" — num ambiente fechado — certamente condiciona a prevalência atribuída por Roland

117. Id., "Nouveaux problèmes du réalisme", art. cit., p. 659.
118. Cf. *Cahiers du cinéma*, n. 217, 1969, p. 16 e 19. *Le Nouvel Observateur Spécial photo*, hors-série n. 2, 1977.

Barthes à fotografia: ela não exige que se saia do escritório e, principalmente, ela não "foge" nesse *continuum* temporal que Barthes tinha dificuldade de suportar na experiência do cinema. Uma fotografia cabe na mão, pode ser colocada sobre uma mesa, pode ser utilizada como uma ficha de anotações. Mas como ter na mão uma sequência do *Potemkin* com seus dezesseis ou vinte e quatro fotogramas por segundo? Como colocá-la sobre a mesa de trabalho, em meio às fichas de anotações? Na verdade, a resposta é fácil, embora contestável: basta escolher um ou dois fotogramas, do qual Barthes afirmará *in fine* — fechando seu projeto da *emoção* com uma deslegitimação de todo movimento, de toda *moção* de imagens — que ele "nos dá o *interior* do fragmento", que ele "suspende a limitação fílmica" inscrevendo, ao mesmo tempo, sua própria essência.[119] Compreendemos que essa "utopia do fotograma", como a chama Raymond Bellour, nos diz mais sobre a trajetória de Barthes em direção ao *punctum* do que toda sua teoria do fílmico como tal.[120]

A escolha de um ou dois fotogramas — ou de uma ou duas fotografias, não faz diferença nesse nível prático — comporta várias vantagens heurísticas. Primeiramente, ela permite criar, com toda a "liberdade dos olhos", algumas *unidades* privilegiadas que podem

119. R. Barthes, "Le troisième sens", art. cit., p. 503-506.

120. Para uma discussão dos comentaristas sobre essas questões, cf. especialmente S. Pierre, "Éléments pour une théorie du photogramme", *Cahiers du cinéma*, n. 226-227, 1971, p. 75-83. D. Polan, "Roland Barthes and the Moving Image", *October*, n. 18, 1981, p. 41-46. J. Rosenbaum, "Barthes and Film: 12 Suggestions", *Sight and Sound*, L, 1982-1983, n. 1, p. 50-53. R. Bellour, *L'Entre-images: photo, cinéma, vidéo*. Paris: La Différence, 1990 (ed. revista, 2002), p. 114-115 e 132. N. Brenez, "Inventions du corps subtil: Barthes et Eisenstein", in C. Coquio; R. Salado (orgs.), *Barthes après Barthes: une actualité en questions*. Pau: Publicações da Universidade de Pau, 1993, p. 167-172. P. Dubois, "Barthes et l'image", *The French Review*, LXXII, 1999, n. 4, p. 676-686. D. Païni, "La résistance au cinéma", in M. Alphant; N. Léger (orgs.), *R/B. Roland Barthes*. Paris: Centre Pompidou/Seuil/IMEC, 2002, p. 119-124. C. Garson, "Roland Barthes, voix-*off* du cinéma: *Inclusum labor illustrat*", *Revue des sciences humaines*, n. 268, 2002, p. 73-92. D. Andrew, "The Ontology of a Fetish", *Film Quarterly*, LXI, 2008, n. 4, p. 62-66.

então serem vistas como as "personagens teóricas" da pesquisa: e é esse o caso da carpideira de Odessa que, de simples figurante, torna-se subitamente, aos olhos de Barthes, uma espécie de heroína do drama que se desenrola entre "sentido óbvio" e "sentido obtuso" (*fig. 13*). O que também supõe que ela foi previamente extraída da multiplicidade, do povaréu, por assim dizer, das outras imagens da sequência. O segundo ganho é o da possibilidade de *manipulação*: extrair unidades é um ato experimental que permite, para o bem ou para o mal, suscitar entre elas um jogo completamente novo, como quando Barthes relaciona o coque da *pasionaria* com a barbicha de Ivan, o Terrível (*fig. 14*). E foi assim que Roland Barthes acabou transformando a imagem fotográfica, essa "mensagem sem código",[121] em algo como um código — mas um código pessoal, até mesmo secreto — sem mensagem.

E depois, terceiro ganho, a fotografia vai se tornar, nas mãos de Barthes, uma imagem de uso privado, um verdadeiro objeto *autográfico*. Depois de reconhecer e analisar, com a pertinência que sabemos, os funcionamentos retóricos da imagem;[122] depois de ter apontado simetricamente com o dedo os "detalhes" visuais dispostos por Flaubert para criar, na escritura, um efeito de real",[123] Barthes vai tentar esvaziar a imagem da sua retórica e, ao mesmo tempo, preencher, investir sua própria escritura de visualidade. No *Império dos signos* florescem as fotografias nas quais, ele dirá, "as imagens não 'ilustram' o texto", mas introduzem, por assim dizer, uma "oscilação visual, análoga talvez a essa *perda de sentidos* que o Zen chama de *satori*".[124] Também nos lembramos das frases que abrem o *Roland Barthes por Roland Barthes*, frases

121. R. Barthes, "Le message photographique", art. cit., p. 1120–1133.
122. Id., "Rhétorique de l'image" (1964), in *Œuvres complètes,* op. cit., II, p. 573–588. Id., "Visualisation et langage" (1966), in *Œuvres complètes,* op. cit., II, p. 876–881.
123. Id., "L'effet de réel" (1968), in *Œuvres complètes,* op. cit., III, p. 25–32.
124. Id., *L'Empire des signes* (1970), in *Œuvres complètes,* op. cit., III, p. 349.

compostas em uma tipografia — em itálico — que, como um negativo fotográfico, inverte o curso normal do texto que vai se seguir:

> Comecemos com algumas imagens: elas são a parte do prazer que o autor se oferece ao terminar seu livro. Esse prazer vem do fascínio (e por isso mesmo é bastante egoísta). Só conservei as imagens que me sideram, sem que eu saiba por quê (essa ignorância é própria do fascínio, e o que direi de cada imagem será apenas sempre imaginário). [...]
>
> Quando a meditação (a sideração) constitui a imagem como um ser destacado, quando faz dela o objeto de um gozo imediato, ela não tem mais nada a ver com a reflexão, mesmo sonhadora, de uma identidade; ela se atormenta e se encanta com uma visão que não tem nada de morfológica (nunca pareço comigo) mas sim orgânica. Abrangendo todo o campo parental, o conjunto de imagens age como um suporte e me coloca em relação com o "isso" do meu corpo; ele suscita em mim uma espécie de sonho obtuso cujas unidades são dentes, cabelos, um nariz, uma magreza, pernas com longas meias de seda que não me pertencem, mas que também não pertencem a outra pessoa a não ser a mim mesmo: a partir de então, estou em estado de inquietante familiaridade: vejo a fissura do sujeito (exatamente aquilo sobre o que ele não pode dizer nada).[125]

Lembremos que esse texto abre um livro extraordinário, a *autografia sensível* de um pensador que toma a si próprio, até nos detalhes menos convencionais, como objeto de escritura. O *eu* estará, portanto, por toda a parte, e haverá — Barthes sabe muito bem que isso faz parte, psicanaliticamente falando, da própria consistência do *eu* — *imagens*, mesmo na continuação de seu livro. As imagens aparecem, então, menos como "a parte do prazer que o autor se oferece ao terminar seu livro", como ele afirma com um certo charme, do que como uma instância fundamental, *inicial* a seu projeto de escritura como tal. Isso consistia numa nova guinada, uma nova aposta de Roland Barthes em relação às suas posições críticas até então desenvolvidas no lugar das imagens e do imaginário.

125. Id., *Roland Barthes par Roland Barthes*, op. cit., p. 581.

Primeira aposta: não se trata mais, de agora em diante, de se contentar em criticar as imagens — no plano ideológico, como nas *Mitologias*, ou no plano semiológico, como em "Mensagem fotográfica" —, trata-se, de agora em diante, de *chamar as imagens para si*. De se envolver, portanto, mesmo que seja "egoisticamente", como Barthes admite desde o começo, no "fascínio" e no "imaginário". De se arriscar, portanto, a uma segunda aposta, *envolver-se na ignorância* que o "fascínio", a "sideração" e o "gozo imediato" supõem, como ele diz, das imagens. Mas Barthes não é, unilateralmente — longe disso: não há nada de unilateral nele —, um homem da autossatisfação "inteiramente ligada ao eu". Esse envolvimento imaginário é para ele, antes de tudo, *inquietude*: ele se atormenta e se encanta alternadamente, como lemos na passagem que acabo de citar, mas também, por exemplo, nos *Fragmentos de um discurso amoroso*.[126]

É uma aposta fenomenológica: a aposta de descrever essa inquietude, e de que essa inquietude tome então um *valor de conhecimento* apesar de tudo. Aposta admirável, pois ele não hesita em entrar pela porta bizarra da *Unheimliche*, essa "inquietante familiaridade" da imagem sobre a qual ele espera *escrever aquilo que ele vê naquilo de que ele não pode dizer nada*: "*Vejo* a fissura do sujeito (aquilo mesmo sobre o que ele não pode dizer nada)". É uma aposta, uma operação de risco. Mas qual é o risco? De um lado arriscamos perder certos objetos teóricos, as "unidades significantes", por exemplo (como unidades de *significação*, aquelas que Barthes procurava nos anos 1960). Em 1977, ele tratará de um "terceiro sentido" superlativo da imagem fotográfica, chamado a partir de agora de "sétimo sentido" — ou "sétimo dom" da imagem —, os seis primeiros designados sucessivamente como "verdade", "caráter", "tipo", "Eros", "morte" e "passado": "O sétimo

126. Id., *Fragments d'un discours amoureux*, op. cit., p. 171–172.

sentido é, precisamente, aquele que resiste a todos os outros, é o suplemento indizível, a evidência de que, na imagem, sempre há *outra coisa*: o inesgotável, o intratável da Fotografia."[127]

Por outro lado, arriscamos ganhar um novo personagem teórico: uma "unidade significante"... na qual não mais se tratará de significação, mas, como dirá Barthes, tomando emprestado do vocabulário de Lacan, de *significância*. A partir de agora, ficará faltando encenar esse personagem teórico — digamos: a "consciência sensível" do próprio Barthes — na sua inquietude fundamental, seu adiamento perpétuo, sua oscilação de cada texto, de cada frase e de cada palavra. A escritura de Barthes diante das imagens torna-se, então, uma escritura paradoxal, entre a linguagem sempre presente e a afirmação de seu "suplemento indizível", o signo e a significância, mas também entre o "egoísmo" da relação idiossincrática com as imagens e algo como uma lição teórica nova, válida para quem souber entendê-la.[128]

Escrever, portanto, essa inquietude: Roland Barthes entra agora no último círculo, na derradeira guinada. Nesse momento, trata-se de reencontrar — partindo, porém, do zero — tudo aquilo que havia sido reivindicado nos textos dos anos 1950 sobre a tragédia, mas rapidamente revogado desde as *Mitologias*, a situação das "carpideiras de Odessa" representando aqui uma espécie de paradigma central, o revés desse equilíbrio ou o cerne dessa oscilação. Em 1977, em um belo texto intitulado "Diretamente nos olhos", Barthes traz de volta, por assim dizer, o *tema emotivo* na temática do "signo inquieto" que ele procura então explicitar:

127. Id., "Tels" (1977), in *Œuvres complètes*, op. cit., V, p. 301.

128. Id., "Droit dans les yeux" (1977), in *Œuvres complètes*, op. cit., V, p. 353-357. Id., *La Préparation du roman, I e II. Notes de cours et de séminaires au Collège de France*, 1978-1979 e 1979-1980, N. Léger (org.). Paris: Seuil/IMEC, 2003, p. 113-118 et 246-266. Id., "Note sur un album de photographies de Lucien Clergue" (1980), in *Œuvres complètes*, op. cit., V, p. 895-897. Id., "Sur la photographie" (1980), in *Œuvres complètes*, op. cit., V, p. 931-937.

> Massacre no Camboja: os mortos se espalham pela escada de uma casa em parte demolida; no alto, sentado num degrau, um jovem olha para o fotógrafo. Os mortos delegaram àquele que ficou vivo o encargo de olhar para mim; e é no olhar desse jovem que eu os vejo mortos.[129]

Texto tão emocionado — emocionante — quanto breve. Ele esconde, no entanto, uma complexidade real, devida, talvez, à guinada que começa a se manifestar em Barthes. Há, primeiramente, o horror de um massacre que a fotografia documenta. Mas ela ainda se destaca, no sistema dos valores elaborado desde *Mitologias*, pelo "exagero" e pela emoção "repulsiva" das "fotos-choque". Pelo menos, no "sentido óbvio" da imagem. Mas dois elementos vão permitir que Roland Barthes olhe para ela de outra maneira, e encontre ali algo como um "sentido obtuso": é o próprio jovem, ser vivo, ser amável em contrapartida ao horror; e é o seu olhar, dirigido à objetiva, portanto ao próprio Barthes olhando para a foto. Fascínio, portanto, fascínio pelo *amável* misturado ao *fúnebre* da situação. Tudo se manifesta nessa "relação tênue", a partir da qual Barthes poderá, talvez, se emocionar com os próprios mortos — ou pelo menos olhar para eles — por meio da graça, pois para ele é uma graça essa delegação de olhar vinda de um jovem sobrevivente enlutado por todos os seus, quem sabe.

No mesmo ano em que escreveu esse texto, Roland Barthes concedeu a Angelo Schwartz uma entrevista (que só foi publicada em 1980): ele esboçava ali o tema essencial, central de *A câmara clara*, do "contato com a morte" induzido pela fotografia. Esse contato vinha sendo sugerido em termos teóricos desde 1964, na "Retórica da imagem":

> A fotografia instala, de fato, não uma consciência do *estar-ali* da coisa (que qualquer cópia poderia provocar), mas uma consciência do *ter-estado-ali*. Trata-se, portanto, de uma nova categoria do espaço-tempo. [...]

129. Id., "Droit dans les yeux", art. cit., p. 355 (onde a fotografia não foi reproduzida).

> É, portanto, ao nível dessa mensagem designada ou mensagem sem código que podemos compreender plenamente a *irrealidade real* da fotografia; sua irrealidade é a do *aqui*, [...] e sua realidade é a de *ter-estado-ali.*[130]

Mas, naquele momento (em 1977), Barthes começava a submeter o *tema teórico* ao *tema autobiográfico*, logo, ao *motivo emotivo*, tudo isso em uma espécie de dialética ainda indefinida, ou mesmo "recalcada", como ele mesmo diz, do fascínio (olhar num olhar: o amável) e da dor (olhar para um morto: o fúnebre):

> Cada ato de captura e de leitura de uma foto é implicitamente, de modo recalcado, um contato com aquilo que já não é mais, ou seja, com a morte. Acho que é assim que deveria ser abordado o enigma da foto, pelo menos é assim que eu vivo a fotografia: como um enigma fascinante e fúnebre.[131]

O amável e o fúnebre: estamos aqui no mesmo nível dos dois temas fundamentais de *A câmara clara*. Lembramos que o livro se origina de um "desejo ontológico" de Barthes no lugar daquilo que ele chama de a "Fotografia", com F maiúsculo[132] — como outrora os filósofos faziam com seus mais altos conceitos, suas essências mais especiais. Tratava-se de registrar a ligação, indefectível segundo Barthes, de toda fotografia com seu referente. Quase imediatamente, surgiu, então, esse nó crucial do amável com o fúnebre:

> Diríamos que a Fotografia traz sempre com ela seu referente, ambos atingidos pela mesma imobilidade amorosa ou fúnebre, no próprio interior do mundo em movimento: eles estão colados um ao outro, membro por membro, como o condenado acorrentado a um cadáver em certos suplícios; ou ainda semelhantes a esses casais de peixes

130. Id., "Rhétorique de l'image", art. cit., p. 583.
131. Id., "Sur la photographie", art. cit., p. 934.
132. Id., *La Chambre claire: note sur la photographie*. Paris: Cahiers du cinéma/Gallimard/Seuil, 1980, p. 13 [citarei, primeiramente, essa edição, por causa da sua paginação original, aquela exatamente desejada por Barthes], in *Œuvres complètes*, op. cit., v, p. 791.

(os tubarões, acho eu, segundo Michelet) que nadam juntos, como se estivessem unidos por um coito eterno.[133]

Tudo já parece dito nessa "imobilidade amorosa ou fúnebre" da fotografia que desperta em Barthes essas comparações com situações extremas de suplícios ou de coitos. Mas ainda é difícil enunciar frontalmente aquilo que essas comparações conotam. Será preciso levá-lo, progressivamente, desdobrá-lo — narrativa ou teoricamente — até um ponto central ainda não nomeado. A tarefa é difícil, como foi, outrora, para o "solitário e infeliz Saussure". Por enquanto, Barthes confia, portanto, nas suas próprias aquisições, nas suas próprias manias ou metodologias antigas. Primeiro, *classificar*: assistimos, portanto, à instauração de uma nova tipologia, "*operator-spectator-spectrum*",[134] que evoca, ao mesmo tempo, a classificação ternária de "O terceiro sentido" e o organograma medieval das profissões do livro, "*scriptor-compilator-commentator-auctor*", que encontramos, principalmente, em *Crítica e verdade*.[135]

Em seguida, *criticar*: separar-se das percepções comuns, das emoções coletivas, dos consensos ideológicos. Barthes reitera, então, sua velha crítica das "fotos-choque" em um questionamento daquilo que, a partir daí, ele vai chamar de fotografia "surpreendente" ou "significante" ou "unária": desconfiança em relação ao "tempo decisivo" (uma mulher fotografada por Weegee, no instante em que ela pula pela janela), à "proeza" (Harold Edgerton capturando a queda de uma gota de leite), ao "achado" (um enquadramento incongruente em Kertész), ao "desafio" (quando o fotógrafo pensa ser um acrobata), à mensagem social (em Sander,

133. Ibid., p. 17 (793).
134. Ibid., p. 22–24 (795–796).
135. Id., "Le troisième sens", art. cit., p. 485–488. Id., *Critique et vérité* (1966), in *Ouvres complètes*, op. cit., II, p. 800.

mas “esse impasse é um pouco o de Brecht”) e, claro, à “ênfase” (em quase todas as fotografias de reportagem).[136]

Sabemos que Barthes vai propor contra tudo isso uma teoria mais melancólica ou “pensativa”: uma teoria do corpo fotografado como *spectrum* e do detalhe fotográfico como *punctum*. O *spectrum* designa aquilo que existe de fúnebre em toda fotografia considerada como “efígie” (no sentido antigo, funerário, do termo): é então que, ontologicamente falando, Barthes poderá dizer que “a Morte é o *eidos* dessa Foto” especulando sobre o “revestimento mortífero da Pose”, na qual todo o corpo ficará condicionado ao protocolo fotográfico.[137] O *punctum* designa algo certamente mais complexo, no entanto, compreendemos rapidamente que ele fornece uma espécie de nova elaboração do “sentido obtuso”. Assim como este se distinguia do “sentido óbvio”, como a significância da significação, o *punctum* se diferencia daquilo que Barthes chama, a partir de agora, de *studium* e que equivale à busca da significação, abordagem “aplicada”, cultural e até mesmo científica da fotografia. Mas o *studium* “não tem acuidade particular”.[138] Se há um *amável* no interior da fotografia, então “o *studium* é da ordem do *gostar*” — um “semidesejo”, em suma — enquanto o *punctum* diz respeito, verdadeiramente, ao *amar*[139] e àquilo que há de mais contundente no desejo.[140]

Roland Barthes pensou ser capaz, diante de toda fotografia, de “tratar sucessivamente”[141] do *studium* (aquilo que interessa a ele) e do *punctum* (aquilo que “aponta” para ele, “apunhala-o”, até chegar ao amor). Na realidade, *A câmara clara* deve ser lida

136. Id., *La Chambre claire*, op. cit., p. 57-65 e 69-71 (813-818 e 819-821).
137. Ibid., p. 224-33 (796-800).
138. Ibid., p. 48 (809).
139. O autor coloca os dois verbos em inglês *to like/to love*, pois em francês só existe um verbo único *aimer*. Como também temos os dois verbos *gostar/ amar*, a tradução pode ficar em português. [N.T.]
140. Ibid., p. 50 (810).
141. Ibid., p.49 (809).

como o drama da irreconciliável "essência da Fotografia", já que o *punctum* vem "escandir" o *studium* até "quebrá-lo" literalmente. O "ponto" aqui não é apenas "pontuação", mas algo muito mais grave: é um golpe "que parte da cena, como uma flecha, e vem me trespassar".[142] Aí reside essa *força da imagem*, que não descobrimos tranquilamente ao "descer ainda no detalhe" da imagem, por aproximações reguladas, mas sim ao nos deixarmos atingir, de repente, por esse "algo" que fez *pic*, esse "detalhe que leva toda a minha leitura", como um efeito de *satori* zen ou como uma ferida, uma picada, um ponto de dor.[143]

É então que a fotografia se torna "intratável": indomesticável. Inassimilável a essa "semelhança" pela qual queremos reduzir sua proximidade com o referente: inassimilável a tudo aquilo que a puxa para a arte, a arte da pintura em particular; inassimilável ao "código civilizado das ilusões" proposto pelo mercado mediático ou pela fotografia de massa; inassimilável, enfim, ao "traço genético" pelo qual, com a ajuda dos álbuns de família, queremos acreditar em uma permanência hereditária da figura humana.[144] É então que o "desejo ontológico" de Barthes em relação à fotografia se divide. De um lado, ele quer nos revelar aquilo que a fotografia é "em si" ou em geral, ou seja, "através de que característica essencial ela se distingue da comunidade das imagens": e é o famoso "*isso-foi*" — prolongamento direto do "*ter-estado-ali*" postulado em 1964 na "Retórica da imagem" — que resume como "toda foto é de certa forma conatural a seu referente", mesmo que seja no interior de uma temporalidade bem particular.[145] Nesse momento, Barthes talvez terá visto "surgir a essência" que ele

142. Ibid., p. 48–49 (809).
143. Ibid., p.52 e 80–81 (811 e 818).
144. Ibid., p. 157–164 e 180–184 (870–873 e 883–885).
145. Ibid., p. 13–14 e 119 (791 e 850–851).

procurava... só que um "impasse", como ele diz,[146] esperava por ele no interior do seu reconhecimento do "*isso-foi*".

Mas esse impasse — impasse ontológico, impasse quanto a uma definição do "noema da Fotografia" — será, ao mesmo tempo, um caminho oportuno para Barthes, ou melhor, seu *kairós* de escritor, sua bifurcação decisiva na direção daquilo que *A câmara clara* nos oferece de mais notável: uma *autografia nascida da fotografia*. Talvez haja, de modo geral, um "enigma fascinante e fúnebre" em toda fotografia. Mas nem o *amável* (o fascinante) nem o *fúnebre* (o doloroso) existem, nem tampouco podem ser experimentados "de modo geral": é esta pessoa específica que é amável aos olhos de Barthes, nunca o gênero humano em geral, nem mesmo tal ou tal grupo de pessoas (o populacho de Odessa, por exemplo, ou mesmo do Camboja); é esta pessoa que está aqui, nunca é alguém em geral, cuja perda dolorosa é sentido por Barthes e da qual ele logo irá traçar o verdadeiro canto fúnebre, com a ajuda da fotografia, em *A câmara clara*.

O *punctum* aparece, é verdade, como um dos conceitos mais famosos que Roland Barthes nos legou. Ele foi então recebido, comentado, criticado, usado por várias razões, desde as mais sutis (como por Jacques Derrida, quando desenvolve seu conteúdo ao mesmo tempo *pontuativo* e *pungente*)[147] até as mais duvidosas (como por Michael Fried, quando tenta, como quase sempre, fazer de Barthes seu próprio discípulo no sempiterno debate norte-americano sobre o modernismo na arte).[148] Sua função

146. Ibid., p. 18 e 20 (793-794).

147. J. Derrida, "Les morts de Roland Barthes", *Poétique*, n. 47, 1981, p. 269-292.

148. M. Fried, "Barthes's *Punctum*", *Critical Inquiry*, XXXI, 2005, n. 3, p. 539-574. Cf. igualmente J. Elkins, "Critical Response: What Do We Want Photography to Be? A Response to Michael Fried", *Critical Inquiry*, n. 4, p. 938-956. Entre os numerosos comentários de *A câmera clara*, assinalemos igualmente, por ordem cronológica: H. Damisch, "L'intraitable", *Critique*, XXXVIII, 1982, n. 423-424, p. 681-687. É. Marty, "L'assomption du phénomène", ibid., p. 744- 752. R. Bellour, "Le spectateur pensif" (1984), in *L'Entre-images*, op. cit., p. 75-80. R. Durand, *Le Regard pensi: lieux et objets de la photographie*. Paris: La Différence, 1990,

estratégica, direi até narrativa, é o que vai me deter: se o *punctum* aparece nas duas partes do livro que Barthes nos apresenta, no entanto, como antitéticas — e entre as quais, exatamente, ele coloca a palavra *palinódia*, isto é, uma retratação sob forma poética[149] — é precisamente porque o *punctum* lhe serve de passagem secreta através do impasse teórico, ontológico, experimentado por ele. A grande lição do *punctum*, que Barthes ainda não havia assumido na época de "O terceiro sentido", é que o exercício do olhar, para além ou através do *studium* e todas as significações óbvias da imagem, exige uma nova prática, uma *ética singular* da escritura.

É nesse novo sentido — que não é mais, absolutamente, de ordem semiológica — que o *punctum* funciona como "unidade". Primeiramente, é uma *unidade local e visual*: detalhe incógnito no detalhe conhecido, "objeto parcial" ou "grão", como escreve Barthes sobre várias imagens.[150] É uma fulgurância, a força visual de um *satori* na imagem.[151] É um "suplemento" pensativo, até mesmo fúnebre ou erótico: "o *kairós* do desejo", ou, simetricamente, o instante pungente de um luto.[152] Como ficar surpresos

p. 9–23. F. Wahl, "Le singulier à l'épreuve", in *Les Cahiers de la photographie*, n. 25, 1990, p. 14–21. B. Comment, *Roland Barthes, vers le neutre,* op. cit., p. 111–129. C. Coquio, "Roland Barthes et Walter Benjamin: image, tautologie, dialectique", in *Barthes après Barthes: une actualité en questions,* op. cit., p. 195–208. J. Leenhardt, "Arrêts sur images: une évolution de Barthes", in *Barthes après Barthes: une actualité en questions,* op. cit., p. 159–165. A. Haverkamp, "The Memory of Pictures: Roland Barthes and Augustine on Photography", in *Comparative Literature*, XLV, 1993, n. 3, p. 258–279. A. Fleischer, "Légender le siècle", in *R/B. Roland Barthes,* op. cit., p. 119–124. M. Olin, "Touching Photographs: Roland Barthes's "Mistaken" Identification", in *Representations*, LXXX, 2002, n. 1, p. 99–118. J.-C. Milner, *Le Pas philosophique de Roland Barthes*. Lagrasse: Verdier, 2003, p. 69–89. É. Marty, *Roland Barthes: le métier d'écrire*. Paris: Seuil, 2006, p. 263–308. F. Soulages, "Barthes et la folle empreinte ou la folie, le scandale et la foi", in *Empreintes de Roland Barthes*, D. Bougnoux (org.). Paris/Nantes: Institut national de l'Audiovisuel/Cécile Defaut, 2009, p. 203–222. M. Gil, *Roland Barthes: au lieu de la vie*. Paris: Flammarion, 2012, p. 477–486.

149. R. Barthes, *La Chambre claire*, op. cit., p. 96 (836).

150. Ibid., p. 73–77 (822–827).

151. Ibid., p: 80–82 (828).

152. Ibid., p.89 e 95 (833 e 836).

de ver Roland Barthes escolher seus *puncta* ali mesmo onde ele havia eleito seus "sentidos obtusos" — lenço da carpideira ou bonés dos homens (*fig.* 13–14) —, ou seja, em todos esses detalhes de texturas, tecidos, roupas, acessórios que fazem, literalmente, a constelação de *A câmara clara*? Aqui é um "lençol branco" e ali uma "camisa de mangas arregaçadas", aqui as "malhas das sungas" e ali um "cinto largo", aqui "sapatos afivelados" e ali uma "gola Danton",[153] aqui "calçados esportivos", ali um simples "colar", aqui um "*kilt*" e ali — está tudo ali, para terminar — as "roupas que minha mãe usava".[154]

O *punctum* aparece também como uma *unidade temporal*: todos esses pedacinhos de tecido, todas essas malhas ou esses "grãos" que Barthes escolhe no campo da imagem, não serão eles o equivalente de um *templum* divinatório reduzido a minúsculas superfícies, a pontos? Eles não se destacam do "gesto do harúspice", ao qual é dedicado todo um parágrafo de *Roland Barthes por Roland Barthes*?[155] Pela graça do *punctum*, assim como pela graça de todo gesto divinatório, o "*isso-foi*" não permanece na dimensão abstrata de um passado ido, resolvido: pelo contrário, ele produz, ao mesmo tempo, o *aqui* (presença) e o *em outro lugar* (separação), o "presente" e o "adiado".[156] É isso mesmo que faz tremer o tempo da pose, entre a pausa e a captura, o passado e o desejo.[157] É isso mesmo que também faz da fotografia uma questão de espectros, ou, como Barthes se arrisca a dizer em certo

153. Gola larga e alta. [N.T.]

154. Ibid., p. 44, 46, 71, 73, 74, 82, 87, 91 e 100 (807, 821, 823, 828, 830, 834 e 842).

155. Id., *Roland Barthes par Roland Barthes*, op. cit., p. 627–628.

156. Id., *La Chambre claire*, op. cit., p. 121 (851).

157. Ibid. p. 122–125 (852–854).

momento, de “ressurreição”.[158] E é então que o *punctum*, “exorbitante” em relação a nossos hábitos visuais, torna-se “indialético” em relação a todos os nossos esquemas temporais.[159]

Ao dizer que “a Fotografia tem alguma coisa a ver com a ressureição”, Roland Barthes admite que ele se entrega a “questões que pertencem a uma metafísica ‘tola’ ou simples”: mas, ele afirma, é justamente isso “a verdadeira metafísica”.[160] Ele experimentará isso, algumas páginas adiante, em uma das imagens mais *amáveis* e, ao mesmo tempo, *fúnebres* de toda a sua obra (*fig.* 17):

> Em 1865, o jovem Lewis Payne tentou assassinar o secretário de Estado americano W.H. Seward. Alexandre Gardner fotografou-o na sua cela; ele está esperando o enforcamento. A foto é bela, o rapaz também: é o *studium*. Mas o *punctum* é: *ele vai morrer*. Leio ao mesmo tempo: *isso será* e *isso foi*; observo com horror um futuro anterior no qual a morte é o que está em jogo. Ao me dar o passado absoluto da pose (aoristo), a fotografia me diz a morte no futuro. O que aponta para mim é a descoberta dessa equivalência. [...] Sinto um arrepio, como o psicótico de Winnicott, *por uma catástrofe que já aconteceu*. Independente de o sujeito já estar morto ou não, toda fotografia é essa catástrofe.[161]

Esses são os paradoxos de uma “metafísica ‘tola’, ou simples”: Lewis Payne “*está esperando* o enforcamento” e, no entanto, já faz tempo que ele “*foi* enforcado”. Seu juiz e seu carrasco também já morreram há muito tempo. Nesse sofisma, é evidentemente a temporalidade da imagem que passou pela armadilha de todos esses verbos *ser e estar*.[162] Outros paradoxos: o arrepio sentido por Roland Barthes diante dessa situação — “ele está esperando o enforcamento” — tem sua fonte no *studium*, contrariamente ao que ele sugere; é uma emoção surgida do contraste entre a bela

158. Ibid., p. 129–133 (855–854).
159. Ibid., p. 139–143 (861–863).
160. Ibid., p. 129 e 133 (885–856).
161. Ibid., p. 148–150 (865).
162. Em francês, apenas um verbo: *être*. [N.T.]

Figura 17. Alexander Gardner, Retrato de Lewis Payne, 1865. Fotografia publicada por Roland Barthes em *A câmara clara*, 1980, p. 149.

indiferença desse rapaz, que poderia se parecer com Andy Warhol, e a legenda terrível que se lê abaixo da imagem. Por outro lado, essa beleza do sujeito que posa, contrariamente ao que Barthes sugere, vem do *punctum* e não do *studium*, pois, assim como na fotografia do jovem cambojano, o olhar do *amável* ainda mergulha aqui nos olhos do espectador "solitário e infeliz" que Barthes talvez fosse naquele momento. Daí uma perturbação ainda maior — pungente — pois à situação erotizada vem se colar o tema *fúnebre*, a morte que estava *atrás* do jovem cambojano (no espaço) e que, a partir de agora, está *diante* do jovem norte-americano (no tempo).

No fundo, porém, pouco importam essas contradições ou esses paradoxos. O que conta, o que marca de verdade a flecha do *punctum* no olhar de Barthes são estas simples palavras: "Eu sinto um arrepio." Vocês, os que não se arrepiaram diante dessa fotografia publicada em formato A3 no *Nouvel Observateur*, são muitos.[163] Mas eu, Roland Barthes, "observo com horror" e "sinto um arrepio". Para dizer o essencial do *punctum*: ele é uma *unidade subjetiva*. Ela diz algo do olhar, mas, de repente, ela nada diz de objetivável, nem de verificável, nem mesmo de partilhável. É isso também que quer dizer, em Barthes, o adjetivo *intratável*: há na imagem alguma coisa — o mais essencial, o mais contundente — que *eu* sou o único a ver. O retorno do *tema emotivo*, em Barthes, como pensador dos signos e das imagens, não poderia, portanto, ficar sem uma legitimação, uma "autoridade" atribuída ao "eu" solitário, apaixonado ou infeliz, de Barthes como escritor da sua própria vida.

Essa equivalência entre *olhar* e *escrever seu "eu"* torna-se então fundamental. Eu me pergunto: ela é certamente exata (não há olhar sem o sujeito do olhar), mas até onde ela é exata? Em todo caso, ela percorre todo *A câmara clara*. Desde a primeira página, Roland Barthes evoca uma "surpresa" — diante de uma fotografia de Jerônimo, o último irmão de Napoleão — que "ninguém

163. *Le Nouvel Observateur-Spécial photo*, op. cit., p. 10.

parecia compartilhar ou mesmo entender"; e ele comenta: "A vida [do olhar] é pontuada de pequenas solidões."[164] Um pouco mais adiante, ele reivindica esse retraimento solitário no qual olhar uma *imagem para si mesmo* — e não por ela mesma — seria uma alternativa ética para o incômodo que ele sente, como homem público, por ser olhado como uma *imagem pelos outros*: "A 'vida privada' não é nada a não ser essa zona de espaço, de tempo, onde eu não sou uma imagem, um objeto. É meu direito *político* de ser um sujeito que eu preciso defender."[165]

A seguir vem a sua reflexão sobre a condição do *Spectator*, sempre com S maiúsculo: contra o "material bruto" das *imagens comuns* (*comuns* no sentido de que sua evidência é banal, e também de que elas são partilhadas por todo mundo), o *Spectator* escolhe, apenas para ele, *imagens isoladas* (isoladas no sentido de que sua escolha é pontual, e também de que sua evidência não é partilhável): "Algumas delas provocavam em mim ínfimas jubilações, como se remetessem a um centro silencioso, um bem erótico ou dilacerante, escondido em mim mesmo..."[166] "Determinada foto *me acontece*, outra não", escreve Barthes, um pouco mais adiante; "determinada foto, de repente, me acontece; ela me anima e eu a animo."[167] Determinada foto — a foto misteriosamente eleita — *lhe acontece*, portanto, como diríamos que um acidente ou uma doença *lhe acontece*, ou seja, *cai sobre ele*, de maneira imprevista. Que essa foto *o anime* e por ele seja animada, *amada*, é isso que Barthes vai chamar, de agora em diante, de *comoção*,[168] talvez uma

164. R. Barthes, *La Chambre claire*, op. cit., p. 13 (791).
165. Ibid., p. 32 (800).
166. Ibid., p. 33-34 (800-801).
167. Ibid., p. 38-39 (803).
168. Ibid., p. 37 (803).

maneira de dizer que a emoção diz respeito apenas ao *eu*.[169] Daí a importância do tema emotivo ou "afetivo":

> Minha fenomenologia aceitava se comprometer com uma força, o afeto; o afeto era aquilo que eu não queria reduzir; sendo irredutível, ele era por isso mesmo aquilo a que eu queria, deveria reduzir a Foto. [...] A essência prevista da Foto não podia, no meu espírito, separar-se do "patético" de que ela é feita, desde o primeiro olhar.[170]

A *comoção* poderia assim nomear esse novo paradoxo do *punctum:* ela é essa "característica involuntária"[171] que, no entanto, depende inteiramente de *mim*, ou seja da minha vontade de elegê-la, guardá-la em algum lugar entre a contingência passageira do *ver* e a necessidade paciente, consciente, de *querer* inscrevê-la (compreendemos melhor, a partir daí, por que Barthes, em *A câmara clara*, escolherá o caminho de uma fenomenologia e não de uma psicanálise). É, portanto, de maneira muito lógica que vai se estabelecer a equivalência entre *ver* e *estar sozinho*, condição alternadamente infeliz, nas suas "pequenas solidões" incompreendidas, e um pouco orgulhosa, envolvida na sua grande solidão inspirada. Como os grandes artistas da tradição romântica, Barthes reivindica a exclusividade da sua relação com aquilo que ele olha: "Abstenho-me de herdar de um outro olhar."[172] Como os grandes filósofos da tradição idealista ou mística, ele reivindica "descer ainda mais nele mesmo para encontrar a evidência" ou o *eidos* daquilo que ele olha.[173]

169. A palavra usada por Barthes (*émoi*) é melhor traduzida por *comoção*. Ele usa *émoi*, visivelmente pela aproximação com *moi* (eu). É isso que leva Didi-Huberman a tratar *émoi* como "aquilo que só *eu* vejo" (emoção que só *eu* sinto).[N.T.]
170. Ibid., p. 41–42 (804- 805).
171. Ibid., p. 79–80 (827).
172. Ibid., p. 82 (828).
173. Ibid., P. 96 (836).

O *eidos*, escreve Barthes:[174] não é a verdade do aspecto, a ideia inteligível e, portanto, o sentido derradeiro de toda forma visível? Mas a verdade não diz respeito a todos, ela não é nosso bem comum por excelência? Pois bem, não é. Não aqui, em todo caso: não diante das imagens. *Ver*, aqui, é *ser o único a ver*: "talvez eu seja o único a ver isso", escreve Barthes referindo-se à relação instaurada pela fotografia com "a Morte",[175] com M maiúsculo, isso dito com toda a vontade de esquecer Charles Baudelaire, Nadar ou Walter Benjamin. A consequência disso — ou melhor, sua causa — seria que a *comoção* só pertence ao *eu*: "Eu estava descobrindo isso novamente, partindo do zero, melhor dizendo, levado pela verdade da imagem, através de uma emoção que só pertencia a mim."[176] Essa teria sido, então, a última guinada desse pensador dos signos e dos códigos que foi Roland Barthes: reivindicar o aspecto pungente das imagens quando "aquilo que posso nomear não pode realmente me atingir"; reivindicar a "subjetividade absoluta" contra todos os códigos sociais.[177] Reivindicar, enfim, a *emoção do ver* como um "protesto de singularidade", no lugar de todos os discursos comuns... sem por isso renunciar ao projeto de uma "ciência do sujeito, cujo nome não me importa", mas que será chamada, apesar de tudo, em certo momento, de ciência do singular ou "*Mathesis singularis*",[178] uma maneira de qualificar essa *escritura de si* que caracteriza as últimas obras de Roland Barthes.

174. Ibid, p. 95 (836).
175. Ibid., p. 56 (813).
176. Ibid., p. 119 (851).
177. Ibid., p. 84 e 88 (830 e 833).
178. Ibid., p. 21 e 36 (795 e 801).

Pothos/Pathos: a dor de um só diante do luto de todos

A emoção, em Barthes, só sabe então dizer *eu*. Mas o que é uma emoção que "só pertence a mim"? Como a emoção poderia ser unilateralmente apropriada, ela que ultrapassa meus limites de sujeito, inclusive os limites da minha solidão diante dos outros? Sabemos que Roland Barthes por muito tempo proclamou sua solidão, apesar da sua condição de homem público e mundano. Mas nem por isso ele foi um dândi, pelo menos se considerarmos sua própria definição do dândi, que seria "individualista", mas não necessariamente "só".[179] Vimos com que pertinência — desde "O terceiro sentido" até *A câmara clara* — Barthes tornou-se capaz de *dividir a evidência* das imagens entre "sentido óbvio" e "sentido obtuso", ou entre *studium* e *punctum*. E compreendemos, pouco a pouco, que, para levar a cabo essa operação, ele teve também que *dividir* a *emoção* em si. Haveria, então, uma "emoção óbvia", repulsiva e comum, à qual seria preciso opor essa "emoção obtusa", pungente e singular, cujo *punctum* seria a característica visual por excelência?

Já entendemos que não é uma questão de psicologia, nem mesmo de sociologia: é uma questão de ética. Onde se produz, então, a divisão das evidências, se não no próprio *ethos*, "fotos-choque" *para todos* de um lado, "imagens pungentes" de outro, *apenas para mim*? Na época das *Mitologias*, Roland Barthes pensava, principalmente, na divisão ética através de uma *crítica* das "emoções coletivas" atravessadas por ideologias; a partir de *Roland Barthes por Roland Barthes*, ele vai situá-la no contexto de uma escritura ou de uma *poética* da "comoção do eu". Mas a oposição entre essas *duas evidências emotivas*, a coletiva e a privada, aparece em toda a obra de Roland Barthes. Em O *prazer do texto*, por exemplo, um pequeno parágrafo sobre a emoção a define como "uma agitação beirando o desmaio" que, em todos os casos, vai se

179. Id., *Roland Barthes par Roland Barthes*, op. cit., p. 682.

colocar "contra a regra geral".[180] Em *Roland Barthes por Roland Barthes*, as coisas serão apresentadas com muito mais nuance, mais *dialética*, por assim dizer:

> *Sed contra.* Quase sempre, ele parte de estereótipo, da opinião banal *que está nele.* E como não é isso que ele quer (por reflexo estético ou individualista), ele procura outra coisa; habitualmente, ele logo se cansa e para na primeira opinião contrária, no paradoxo, naquilo que nega mecanicamente o preconceito (por exemplo: "Só existe ciência do particular"). Enfim, ele estabelece com o estereótipo relações de oposição, relações familiares. [...]
>
> *Dialéticas.* Tudo parece indicar que seu discurso anda de acordo com uma dialética de dois termos: a opinião corrente e seu contrário, a Doxa e seu paradoxo, o estereótipo e a inovação, o cansaço e o frescor, o gosto e o desgosto: *gosto/não gosto.* Essa dialética binária é a própria dialética do sentido (*marcado/não marcado*) e do jogo freudiano (*Fort/Da*): a dialética do valor.
>
> Entretanto, será verdade? Uma outra dialética se desenha nele, procura se enunciar: a contradição dos termos cede para ele, através da descoberta de um terceiro termo, que não é de síntese, mas de *partida*: tudo volta, mas volta como Ficção, ou seja, numa outra volta da espiral.[181]

Roland Barthes joga, portanto, *a emoção contra a regra* duas vezes, ou mesmo três: uma vez como "perturbação" nos hábitos regrados do sujeito; depois como "oposição" aos estereótipos sociais; e uma terceira vez como essa nova "partida" dialética na qual vão desaparecer todas as alternativas frontais, todos os conflitos binários. A teoria do "neutro", em Barthes, não deveria ser lida, a partir daí, como uma explicação dessa "partida" dialética, chamada em outro lugar de "oscilação" produtiva de alguma "terceira via" desapercebida?[182] Desde o começo de *A câmara clara,* Roland Barthes fala assim do seu "dilema" ou do seu

180. Id., *Le Plaisir du texte* (1973), in *Œuvres complètes,* op. cit., IV, p. 233.
181. Id., *Roland Barthes par Roland Barthes,* op. cit., p. 647 e 735-736.
182. Ibid., p. 706-707. Id., *Le Neutre: notes de cours au Collège de France,* 1977-1978. T. Clerc (org.). Paris: Seuil/IMEC, 2002, p. 31, 38-40, etc.

"desconforto" de "sujeito hesitante entre duas linguagens, uma expressiva, outra crítica"; ora, todo o seu capítulo intitula-se "A emoção como partida" — mas isso só pode ser lido bem ao final, no índice.[183] Uma "partida", portanto: não apenas um ponto de começo, o início de uma aventura do pensamento, mas sim a estrutura de excesso, sua própria regra dialética, através da qual, como Barthes afirmou, "tudo volta, mas volta como Ficção".

A emoção como "partida", ou seja, *a emoção como regra*. É uma *outra regra*, claro: uma regra não social, uma regra solitária e, no entanto, uma regra ética. É uma regra de escritura e de anamnese, pois ela vem dessa decisão: "Decidi tomar como guia a consciência da minha comoção."[184] E se a fotografia teve toda essa importância aos olhos de Roland Barthes, não seria porque, como ele diz, "ela leva a representação até esse ponto louco no qual o afeto (o amor, a compaixão, o luto, o impulso, o desejo) é a garantia do ser", nada menos do que isso?[185] Descobrimos aqui que o vocabulário ontológico (garantir o ser) é acompanhado de um vocabulário quase místico (amor, compaixão, impulso) apoiado por uma referência explícita à "prece individual, em voz baixa, interiorizada, meditativa" da *devotio moderna*.[186] Referência que também é apoiada pelos temas do "sofrimento de amor", da "piedade" e até mesmo, por fim, do "êxtase", que se revela na última parte de *A câmara clara*.[187] Carlo Ossola estava certo, portanto, ao relacionar as "lágrimas interiores" de *A câmara clara* ou da *Vita nova* à devoção, ao mesmo tempo solitária e autoritária, de Inácio de Loyola que Roland Barthes havia estudado, dez anos antes, através do seu "dom das lágrimas", sua escritura singular

183. Id., *La Chambre claire*, op. cit., p. 20–22 e 191 (794–795 e 891).
184. Ibid., p. 24 (796).
185. Ibid., p. 176 (880).
186. Ibid., p. 152 (868).
187. Ibid., p. 176–184 (880–885).

e sua relação com as imagens.[188] Podemos observar, aliás, que tanto em Barthes quanto em Inácio de Loyola a imagem não cessa de oscilar entre o mal (a ser afastado de si) e a comoção (a ser trazida para si); e que esta, por sua vez, não cessa de oscilar entre uma solidão extática e uma regra ética transmitida — *via* o essencial de toda essa operação, ou seja, a escritura, o livro — a toda uma "companhia", a toda uma sociedade de discípulos.[189]

Entre sua "emoção contra a regra" e sua "emoção como regra", entre a afirmação da sua mais profunda solidão e a publicação do seu pensamento — ato social, ou mesmo político, que, na época de *A câmara clara*, teve impacto e ensinamento consideráveis —, Roland Barthes se condenava, em suma, a uma atitude paradoxal. Talvez até mesmo a uma atitude de negação: *sei muito bem* que minha escritura é pública, publicada, influente, criadora de uma relação de autoridade e de uma relação social, de uma "audiência" como se diz, *mas, ainda assim insisto* em afirmar que minha visão é solitária e incompreendida por todos, porque "sou o único a ver" e que "minha emoção só pertence a mim". "Sei muito bem..., mas, ainda assim insisto", sabemos que essa é uma fórmula antecipada pelo psicanalista Octave Mannoni para dar conta da "negação", no sentido freudiano do termo (*Verleugnung*).[190] Barthes faz referência a ela mais de uma vez em seus trabalhos. Ela caracteriza o *crer* e o *fazer crer* inerentes às manipulações fetichistas

188. C. Ossola, "Brûlé de larmes", in *R/B. Roland Barthes*, op. cit., p. 129–132. Cf. R. Barthes, *Sade, Fourier, Loyola* (1971), in *Œuvres complètes*, op. cit., III, p. 739- 746 e 754–759.
189. Cf. Ignace de Loyola,."Journal des motions intérieures" (1544–1545), trad. P.-A. Fabre; M. Giuliani, in *Écrits*, M. Giuliani (org.). Paris: Desclée de Brouwer, 1991, p. 311–382. Id., "Règles" (1547), trad. A. Demoustier, in *Écrits*, p. 605–616. Cf. P.-A. Fabre, *Ignace de Loyola: le lieu de l'image. Le problème de la composition de lieu dans les pratiques spirituelles et artistiques jésuites de la seconde moitié du XVIe siècle*. Paris: Vrin/EHESS, 1992. R. Dekoninck, *Ad Imaginem: statuts, fonctions et usages de l'image dans la littérature spirituelle jésuite du XVIIe siècle*. Genebra: Droz, 2005.
190. O. Mannoni, "Je sais bien, mais quand même..." (1964), in *Clefs pour l'Imaginaire ou l'Autre Scène*. Paris: Seuil, 1969, p. 9–33.

da imagem, como algo entre uma crença privada e uma retórica de persuasão social. No seu centro, segundo Freud, está a questão fundamental que parece colocar para os homens alguma coisa como uma posição preeminente, fálica, da mãe.[191]

Ora, todas as perguntas de Barthes tanto sobre as imagens, quanto sobre as emoções parecem ter passado pela — ou melhor, ter tropeçado na, em todo caso, ter visado a — *figura das mães*. Não estou falando apenas da mãe *dele*, Henriette Barthes, que morreu em 25 de outubro de 1977, cuja fotografia já aparece no frontispício de *Roland Barthes por Roland Barthes*[192] — numa estranha confusão-disjunção do nome repetido do autor e da imagem feminina diante dele — e de quem uma fotografia mais antiga, como sabemos, assombra literalmente toda a escritura de *A câmara clara*. Estou falando das mães no plural, as mães que formam essa grande figura, na qual se cristalizaria toda uma parte da escritura barthesiana sobre as imagens, desde a Maria Casarès trágica até a escritura enlutada de 1980, passando, é claro, pela *Mãe Coragem* e pelas "carpideiras de Odessa". Ora, essa figura adquire, em Barthes, uma posição tão paradoxal quanto fundamental: é, com efeito, uma *figura de negação* na qual, para que o amável do desejo venha se abrigar no fúnebre do luto, de acordo com a *evidência obtusa* que Barthes quis a cada vez construir para si, será preciso recusar — descartar — um certo número de coisas.

Que coisas seriam essas? Provavelmente, as coisas, ou melhor, as situações nas quais experimentamos ao mesmo tempo o *patético* e o *político*, o emotivo e o coletivo. Ora, foi tudo isso, precisamente, que mobilizou Roland Barthes em 1953–1954, quando se cruzaram sua paixão pelo teatro e seu engajamento "de esquerda"

191. S. Freud, "Le fétichisme" (1927), trad. dirigida por J. Laplanche, in *La Vie sexuelle*. Paris: PUF, 1969 (ed. revista, 1977), p. 133–138.

192. R. Barthes, *Roland Barthes par Roland Barthes*, op. cit., p. 579 (estou me referindo aqui à edição original. Paris: Seuil, 1975, p. 2–3).

(provavelmente, portanto, em um novo pensamento influenciado pela obra de Jean-Paul Sartre): são testemunhos disso, de um lado, seus posicionamentos sobre a "literatura de esquerda" e, de outro, suas análises da tragédia sob a óptica da potência do "choro geral", considerado uma autêntica "emoção política".[193] E é justamente nessa época que Barthes vê em Maria Casarès essa *mater dolorosa* ou essa *pasionaria* que o público burguês é incapaz de compreender, que tenta mobilizar a emoção: fazer do teatro uma "instituição solene da paixão".[194]

De onde vem, então, a guinada de Roland Barthes, sua renúncia, sua crítica e depois sua verdadeira fobia de qualquer "instituição solene da paixão", principalmente se ela coloca em cena mulheres chorando por seus filhos mortos? Talvez, para começar, de um recuo para a perspectiva endógena — ocidental, burguesa, até mesmo parisiense — dos seus próprios objetos de estudo. Enquanto Aby Warburg pôde manter a contraperspectiva dos Hopis, enquanto Antonin Artaud pôde brandir a dos Tarahumaras ou do teatro balinês, e enquanto Georges Bataille pôde refletir sobre o *cante jondo*, por exemplo, Roland Barthes abandonou toda a *potência trágica* nas margens de uma cultura unilateralmente condenada à inexistência, uma cultura arcaica, passada ou extinta: não houve, portanto, para ele, uma possível *sobrevivência trágica*. Então, quando ele olha, nas *Mitologias*, a foto-choque do funeral de Adnan Malki, em abril de 1955, vê apenas aquilo que, no enquadramento do repórter fotográfico, vem, segundo ele, de uma vulgar "exorbitância" da dor[195] (*fig. 18*).

O que Barthes vê ali, portanto, é apenas a *instituição mediática da paixão*. Mas as fotografias de *Paris-Match*, sua paginação, sua montagem e suas legendas chamativas, não conseguem evitar,

193. Id., "Oui, il existe bien une littérature de gauche", art. cit., p. 229-233. Id., "Pouvoirs de la tragédie antique", art. cit., p. 259-267.
194. Id., "Une tragédienne sans public", art. cit., p. 493-496.
195. Id., *Mythologies*, op. cit., p. 753.

Figura 18. Fotografia anônima, *Na varanda do adeus, a noiva desesperada*, 1955. Fotografias publicadas em *Paris-Match*, n. 329, 7–14 de maio, 1955, p. 64–65.

como documentos fotográficos, *essa autêntica instituição solene da paixão* constituída pelo funeral de um "mártir" sírio em 1955 (aliás, eu diria que isso vale ainda hoje — escrevo estas linhas em março de 2012 — para todos os funerais filmados na Síria com irrisórios mas eficazes celulares). Barthes teve, então, toda a razão de fustigar o uso quase publicitário da dor em um contexto social cuja emoção trágica, segundo ele mesmo, nós éramos incapazes de compreender em sua totalidade. Mas essa foi sua profunda ambiguidade em relação ao referente: ele não deixa nunca o espaço da sua própria recepção das imagens — *Paris-Match*, isto é, a banca de jornal do seu bairro — e se recusa, consequentemente, a ver que distante dali, nas ruas de Damasco, uma multidão é capaz de solenizar a dor erguendo o caixão de um soldado morto no momento em que ele passa diante da varanda da noiva em prantos; e, aliás, não é uma noiva falsa que vemos aqui, mas uma mulher ritualizando sua dor diante dos olhos de todos, cercada por toda uma sociedade de mulheres — irmãs, mães, amigas — que *se lamenta e se apoia ao mesmo tempo*, numa autêntica "emoção coletiva", digna das análises do grande antropólogo Ernesto De Martino sobre as lamentações rituais que perduraram nas culturas da bacia do Mediterrâneo.[196]

Talvez tenha sido a *perda das emoções trágicas* — emoções coletivas e até mesmo políticas, no sentido amplo — que determinou, em Barthes, essa divisão da evidência espetacular entre "sentido óbvio" e "sentido obtuso". E observamos que tudo isso começa com a situação teatral e fotográfica de *Mãe Coragem*, situação centrada em uma *deslegitimação da dor materna*: é quando "a dor da mãe, insignificante em si", dá lugar ao "elemento marginal" eleito por Roland Barthes, aquele casaco do capelão que passa a ser aquilo que existe "de mais perturbador aqui"[197] (*fig. 15*). É nesse momento, também, que uma *mudança fantasmática* capital começa a se estabelecer: é quando, a propósito de *A mãe*, de Brecht, o autor dos *Ensaios críticos* observa que seu próprio tema — "o tema de *A mãe*, ele escreve, é, simplesmente, como o título indica, a maternidade" — está *invertido*: "Em *A mãe*, a relação [de maternidade] está invertida: é o filho que pare espiritualmente a Mãe."[198] Então, quando o filho morrer, é toda a "espessura afetiva" da mãe como "mãe tradicional" que dará lugar a um puro processo de "consciência": "O amor aqui não é efusão, ele é essa força que transforma o fato em consciência."[199] Será que não poderíamos dizer, por analogia, que Roland Barthes quis ele mesmo "parir espiritualmente a Mãe", e isso desde o frontispício de *Roland*

196. E. De Martino, *Morte e pianto rituale nel mondo antico. Dal lamento pagano al pianto di Maria* (1958), Turin, Bollati Boringhieri, 1975. Cf. G. DidiHuberman, *Ninfa dolorosa: essai sur la mémoire des gestes*. Paris: Gallimard. [em preparação]
197. R. Barthes, "Commentaire: préface à Brecht, *Mère Courage et ses enfants*", art. cit., p. 1070.
198. Id., *Essais critiques*, op. cit., p. 400-401 ("Sur La Mère de Brecht" [1960]).
199. Ibid., p. 402.

Barthes por Roland Barthes, sem contar, é claro, esse grande empreendimento espiritual e maternal que é *A câmara clara*?

Mas isso ainda supõe uma *reviravolta afetiva* fundamental: seria preciso agora que pudéssemos evitar que cada mãe chore por seu filho morto. Só o filho, para "parir espiritualmente a Mãe", terá que tomar para si o *pathos* conjugado do amável e do fúnebre. É por isso que as "carpideiras de Odessa", que Eisenstein investiu de todo esse *pathos*, só podiam ser violentamente eliminadas sob a óptica do projeto barthesiano: não são elas "mães tradicionais", efusivas, "patéticas" e vulgares? (*fig.* 12 *e* 13, *em baixo*). É melhor, a partir de agora, substituí-las por esse outro elemento marginal, esse pedacinho do "lenço" na testa, considerado como aquilo que há "de mais perturbador" na imagem (*fig.* 13, *em cima*). Um *punctum*, para dizer tudo: ou seja, uma operação de olhar destinada a *neutralizar o pathos*, mesmo que seja o *pathos* do luto, quando a perda do ser amado desencadeia a histeria das gesticulações emotivas.[200] Imagino com facilidade que Barthes foi indiferente à histeria das jovens, mas que ficou muito mais angustiado diante da histeria das mães, principalmente das mães enlutadas. A magnífica expressão que ele inventa, em 1953, ao escrever que o choro trágico tem a potência de "dar um nome carnal aos choques do acontecimento"[201] — essa expressão só vale agora para o ponto minúsculo, o *punctum* eleito por um autor solitário tendo como base uma emoção não partilhável.

É por isso que, em *A câmara clara*, há apenas uma imagem do mesmo tipo da *Pietà*: é um morto coberto por um lençol branco, fotografado na Nicarágua por Koen Wessing, no final dos anos 1970; várias pessoas estão em volta dele, arrasadas, e supomos, sem saber direito, que é a mãe dele que se lamenta no primeiro plano (*fig.* 19)... Ora, Barthes só nos mostra essa

200. Id., *Le Neutre*, op. cit., p. 38–40

201. Id., "Pouvoirs de la tragédie antique", art. cit., p. 259.

Figura 19. Koen Wessing, *Nicarágua: pais descobrindo o cadáver do filho*, 1979.
Fotografia publicada por Roland Barthes em *A câmara clara*, 1980, p. 45.

imagem para dizer que ela é "banal", para concentrar seu olhar em um sapato isolado ou um lençol a mais, e terminar por julgá-la assim, junto com todas as outras que se parecem com ela (ou seja, as fotografias de guerra, em geral): "Elas não têm, aos meus olhos, nenhuma marca; sua homogeneidade permanecia cultural: eram 'cenas', um pouco como em Greuze, se não fosse a frieza do tema."[202] Análise cruel que vem diretamente das *Mitologias*, assim como de "O terceiro sentido" e do texto sobre "Diderot, Brecht, Eisenstein"; e cuja lógica — mimética — foi levada ao extremo por certos autores da *Cahiers du cinéma*, por exemplo, quando a recusa de toda "identificação repulsiva" diante de uma célebre fotografia do gueto de Varsóvia levou Alain Bergala a rejeitar todo o "sentido óbvio" dessa imagem, mas a "eleger" ali, como elemento crucial, unicamente o boné do pequeno judeu de braços erguidos.[203]

Em todo o caso, a partir de *Mitologias*, Roland Barthes não deixará de opor às "mães enlutadas" o *sed contra* da sua posição original e solitária. O "sentido obtuso" e o *punctum* funcionam como operadores teóricos de deslocamento, talvez, mas eles também levam — ou visam — a uma inversão fantasmática da situação trágica das "carpideiras". E todo *A câmara clara* será construído para sustentar essa inversão: construir, longe de toda *mãe enlutada*, a figura autobiográfica de um *filho mergulhado na dor*, um filho que chora silenciosamente a mãe morta, através de fotografias interpostas. E, se existe uma dialética para além dessa simples inversão dos termos, ela estará naquilo que Barthes chama, em 1975, de relação "narcísica e maternal" com a imagem oposta a todo "estereótipo".[204] Por que *narcísica*? Porque o observador, diante de uma foto, vê-se nela como se estivesse se vendo, "sozinho e

202. Id., *La Chambre claire*, op. cit., p. 46 (807). Cf. igualmente *La Chambre claire*, p. 143–147 (863–865).

203. A. Bergala, "Le pendule (la photo historique stéréotypée)", *Cahiers du cinéma*, n. 268–269, 1976, p. 43.

204. R. Barthes, "En sortant du cinéma", art. cit., p. 781.

infeliz", fúnebre e enlutado tanto por si mesmo — ele que se vê, então, mortal — quanto pelo outro. Por que *maternal*? Porque a imagem, apesar de tudo, torna-se "habitável" e "familiar", no sentido de que, escreve Barthes, "Freud diz do corpo materno que 'não há outro lugar do qual possamos dizer com tanta certeza que já estivemos ali' " — imagem que acolhe a partir daí esse fantasma "*heimlich*, despertando em mim a Mãe",[205] uma mãe "nem um pouco inquietante" (amável) e, no entanto, como saberemos na continuação do texto, já perdida (fúnebre).

O narcísico e o maternal se reúnem muito bem na abordagem, no uso que Barthes faz da fotografia. Ou, pelo menos, na esperança que ele quer colocar ali e que apenas a Mãe poderá preencher justamente: "Ah, se pelo menos a Fotografia pudesse me dar um corpo neutro, anatômico, um corpo que não signifique nada! Infelizmente, estou condenado pela Fotografia, que acredita que isso é bom, a ter sempre uma aparência: meu corpo nunca encontra seu grau zero, ninguém dá isso a ele (talvez apenas minha mãe?)."[206] Será preciso lembrar que, no seu artigo sobre as "unidades traumáticas" no cinema, de 1960, Barthes escolheu, como paradigma central de sua afirmação, a situação chamada de "HJ-MM", ou seja, "homem jovem-mulher madura":

> De acordo com aquilo que o espectador ache, que se trata de uma mãe e um filho, ou de dois personagens num relacionamento amoroso, ou ainda, e principalmente, de uma relação filial mesclada de ambiguidade ("mãe e filho com problema"), as diferentes peripécias vão aparecer como *signos* que vêm apoiar, complicar ou contrariar a clareza da relação.[207]

Não poderíamos então dizer que essa "relação filial mesclada de ambiguidade" atravessa várias imagens colocadas por Barthes nos seus livros, desde seus próprios retratos de criança, em *Roland*

205. Id., *La Chambre claire*, op. cit., p. 68 (819).
206. Ibid., p. 27 (797).
207. Id., "Les 'unités traumatiques' au cinéma", art. cit., p. 1050-1051.

Barthes por Roland Barthes — principalmente uma imagem na qual ele parece uma garotinha, usando uma espécie de saia e botinas — até a famosa fotografia invisível da mãe, imagem fixada em uma época em que ela era uma garotinha, imagem eleita em *A câmara clara* como a única na qual Barthes se sentiu capaz de "ser fiel a seu ser" e, portanto, de atingir a "verdade [de seu] rosto"?[208]

A câmara clara é um livro datado com precisão, um pouco como dataríamos nosso diário íntimo. No final do texto, Barthes colocou: "15 de abril — 3 de junho, 1979".[209] Jean-Louis Lebrave fez um estudo notável sobre a gênese textual da obra, baseando-se no dossiê existente no IMEC[210] — hoje na Biblioteca Nacional da França — no qual ele pôde examinar o "manuseio material e textual" das páginas manuscritas, das "sobras" e das fichas acumuladas por Roland Barthes ao longo desse período[211] (podemos apenas lamentar que o material iconográfico não apareça nesse estudo genético, e que tenha então passado em branco o papel das imagens na solicitação para a escrita assim como no próprio trabalho de composição da obra). Descobrimos, em todo caso, que a escritura de *A câmara clara* se assemelha a uma *montagem* para a qual "Barthes brinca com o papel, a tesoura, a fita adesiva, os clipes"[212] (e à qual seria preciso acrescentar, repito, as imagens fotográficas compiladas, recortadas ou não, nos diferentes livros e revistas que Barthes gostava de folhear).

208. Id., *Roland Barthes par Roland Barthes,* op. cit., p. 603. Id., *La Chambre claire,* op. cit., p. 105–110 (843–847). Sobre a "Photographie du Jardin d'hiver", cf. principalmente C. Thomas, "La photo du jardin d'hiver", *Critique*, XXXVIII, 1982, n. 423–424, p. 797–804. A. Gefen, "Le Jardin d'hiver: les 'biographèmes' de Roland Barthes", in *Barthes, au lieu du roman,* M. Macé; A. Gefen (orgs.). Paris: Desjonquières/Nota Bene, 2002, p. 159–171. F. Trémolières, "Au bord de l'image: aux marges de *La Chambre claire*", in *L'Impensable qui fait penser. Histoire, théologie, psychanalyse: pour Jacques Le Brun,* P.-A. Fabre; A. Tardits; F. Trémolières (orgs.). Paris: Seuil, 2009, p. 183–189.
209. R. Barthes, *La Chambre claire,* op. cit., p. 184 (885).
210. Institut Mémoires de l'Edition Contemporaine, associação de profissionais ligados à edição. [N.T.]
211. J.-L. Lebrave, "*La genèse de La Chambre claire*", *Genesis*, n. 19, 2002, p. 79–107.
212. Ibid., p. 79.

O que chama a atenção nessa gênese textual de *A câmara clara*, é que, de fato, tudo se distribui entre o "narcísico" e o "maternal" ou, melhor dizendo, entre a *comoção do eu* e a *perda da mãe*. É uma escritura onde a dor física ameaça o pensamento, mas também o provoca quando ele se transforma ao falar de si na escritura — tudo isso na mediação meditativa de um olhar voltado para as imagens fotográficas:

> Afeto. Sofro, logo penso. [...] Mas eu pensava que sofreria menos se pudesse *transformar* (não reduzir, nem generalizar, mas transformar — *falar*). *Dor* [...] ou: luto [...] palidez de chumbo: fora das frases fora das lágrimas, que só elas podem despertar: as Fotos.[213]

As imagens fotográficas parecem representar, nessa organização da escritura e da dor, o papel de "fotogramas" para um longo "filme" do luto atravessado por Roland Barthes. Elas foram um *suporte icônico da dor*, mas, ao mesmo tempo, assumiram a função de um *veículo à espera da doçura*, a ser encontrada no próprio exercício de uma escritura dessa dor: "Dor pelas próprias fotos — mas promessa de doçura e de força para escrever o texto."[214] O que é certo, em todo o caso, é que o "léxico do autor", elaborado em 1973-1974 para *Roland Barthes por Roland Barthes*[215] encontra, a partir de 1979-1980, um "léxico da mãe", através da provação do luto. Por isso, o último livro de Roland Barthes, passagem obrigatória e quase unânime entre todos os pesquisadores em fotografia, deve ser relido a partir do zero, desta vez à luz do *Diário do luto* —

213. Apud J.-L. Lebrave, "*La genèse de La Chambre claire*", *Genesis*, n. 19, 2002, p. 100-104 (fichas 25, 112 verso e 116).

214. Apud J.-L. Lebrave, "*La genèse de La Chambre claire*", *Genesis*, n. 19, 2002, p. 102 (fiche 113). Sobre a condição constitutiva do material como "iconografia" da obra escrita em Barthes, cf. N. Léger, "Immensément et en détail", *R/B. Roland Barthes*, op. cit., p. 91-94.

215. R. Barthes, *Le Lexique de l'auteur: séminaire à l'École pratique des hautes études, suivi de fragments inédits du* Roland Barthes par Roland Barthes. A. Herschberg Pierrot (org.). Paris: Seuil, 2010.

cuja escritura é exatamente contemporânea de *A câmara clara* — recentemente publicado sob os cuidados de Nathalie Léger.[216]

Desde as primeiras páginas, é toda a violência e o equívoco misturados com tudo aquilo que ele havia chamado antes de "unidade traumática": "26 de outubro de 1977. Primeira noite de núpcias. Mas, primeira noite de luto? — 27 de outubro. Você não conheceu o corpo da mulher! Conheci o corpo de minha mãe doente, e em seguida morrendo."[217] A *guinada fantasmática* de que falei acima funciona muito bem aqui: como escreve Barthes, ela induz a uma "confusão dos estatutos" da qual lembramos que ele havia falado em sua análise de *A mãe* e que, a partir de agora, ao falar sobre *a mãe dele*, se exprime por essas palavras: "Durante meses, fui a mãe dela. É como se eu tivesse perdido minha filha."[218] Ou ainda, diante de uma fotografia das mães enlutadas, protestando na Praça de Maio, em Buenos Aires (imagem que não será retomada nem comentada em *A câmara clara*): "E eu a imagino com horror entre as mulheres e mães dos desaparecidos que se manifestam aqui e ali. Como ela teria sofrido se tivesse me perdido."[219]

Mas, desde *Mãe Coragem* e das "carpideiras de Odessa", Roland Barthes já não tinha construído a muralha dessa *guinada afetiva* que o fazia desprezar toda emoção vulgar, partilhada, em benefício dos deslocamentos sutis do "sentido obtuso"? Não poderíamos dizer então que, a partir de 25 de outubro de 1977, a emoção do luto e a dor física se impunham a Roland Barthes com a violência, e até mesmo a trivialidade, de um "sentido óbvio"? Então, nova guinada: a emoção volta e com ela o excesso, a "histeria" das lágrimas. "Eu choro", "começo a soluçar", é o que lemos um pouco em todo o *Diário do luto*, vendo um determinado objeto, uma determinada

216. Id., *Journal de deuil* (1977–1979). N. Léger (org.). Paris: Seuil, 2009 (ed. 2012).
217. Ibid., p. 13–14.
218. Ibid., p. 66.
219. Ibid., p. 266.

luz da paisagem, lembrando de algumas palavras...[220] Para um leitor de Barthes, talvez o momento mais notável desse *reavivar das lágrimas* — como diríamos das chamas reavivadas — diz respeito ao episódio em que é evocada a escuta de um simples canto composto por Fauré, inspirado no poema de Théophile Gautier intitulado "Tristeza". Em 1957, *Mitologias* fustigava violentamente a "arte vocal burguesa" de Gérard Souzay:[221] pura "mitologia musical" quando este queria "cantar essa *horrível tristeza*" "dramatizando a fonética" em um "pleonasmo de intenções [que] abafa a palavra e a música".[222] Mas, no dia 12 de novembro de 1977, Barthes anota simplesmente no seu *Diário de luto* que "ao ouvir Souzay cantar [*em nota*: de quem eu zombava antigamente] 'J'ai dans le coeur une tristesse affreuse',[223] começo a soluçar".[224]

Nessa grande luta com as lágrimas que ele "recolhe" honestamente nas folhas do seu Diário do luto, Roland Barthes vai, entretanto, construir para si mesmo uma posição que permita manter juntas sua recusa da emoção "óbvia" (partilhável) e a atenção autobiográfica com as suas comoções "obtusas" (não partilháveis). Ele vai então se concentrar naquilo que poderíamos chamar de os puncta do seu próprio luto: "momentos brancos — como de insensibilidade" que coexistem com as "emoções atrozes até as lágrimas".[225] Por toda a parte, ele vai reivindicar uma dor "opaca", um luto "sem histeria".[226] E depois, finalmente, ele vai encontrar a palavra que buscava, a palavra que o salva, de certa forma: não é o luto que descreve a comoção de Barthes — o luto é de todo mundo, é compartilhável, ele atrai as condolências e, ainda por cima, é levado

220. Ibid., p. 47, 55, 57, 93, 136, 153, 155, 228, 250.
221. Barítono francês. (1918–2004). [N.T.]
222. Id., *Mythologies*, op. cit., p. 802–803.
223. Sinto no coração uma horrível tristeza.
224. Id., *Journal de deuil*, op. cit., p. 57.
225. Ibid., p. 36 e 39.
226. Ibid., p. 88, 94, 100, 139–140.

pela psicanálise a um "trabalho", palavra horrível — mas sim a dor: "Não dizer Luto. É muito psicanalítico. Não estou de luto. Sinto dor. [...] A emoção (a emotividade) passa, a dor permanece."[227]

A emotividade do luto é corporal, pode provocar histeria em gesticulações lacrimosas e, como tal, é redutível a um simples momento de crise (por isso ela "passa"). Enquanto que a dor é espiritual e ontológica (por isso ela "dura"), interrogando a totalidade do ser através de algo como um "grau zero" do corpo e da linguagem conjugados:

> Sempre (dolorosamente) fiquei surpreso de poder — finalmente — viver com a minha dor, o que não quer dizer que ela seja exatamente *suportável*. Mas — talvez — é porque posso, de um jeito ou de outro (ou seja, com o sentimento de não conseguir), falar dela, colocá-la em uma frase. Minha cultura, meu gosto pela escritura me dá esse poder apotropaico, ou de *integração*: eu *integro* através da linguagem. Minha dor *não pode se exprimir*, mas, no entanto, pode *ser dita*. O próprio fato de que a língua me fornece a palavra *intolerável* permite, imediatamente, uma certa tolerância.[228]

É por isso que, no final das contas, se a emoção faz *mal*, a dor vai se tornar um *bem* para Barthes, o espaço psíquico de um "bem essencial, íntimo" que a escritura torna habitável e até mesmo, em certo sentido, protetor (ou seja, maternal): "Moro na minha dor e isso me faz feliz. Tudo que me impede de morar na minha dor me é insuportável. [...] Nada mais quero, a não ser morar na minha dor."[229]

Ora, esse habitáculo de *comoções* e de *palavras* — mas também de *imagens*, como atesta *A câmara clara* — tem um modelo literário preciso: é, antes do Dante de *Vita nuova*, Marcel Proust que, como lembramos, retirou-se para um "quarto claro-escuro" de escritura para começar seu *Em busca do tempo perdido*, logo depois da morte da mãe, em 1909. Lemos no *Diário de luto* que é

227. Ibid., p. 83 e 113
228. Ibid., p. 187.
229. Ibid., p. 175 e 185–186.

o próprio Proust que "fala de *dor*, e não de *luto*"; Barthes vai então colocar aqui e ali algumas citações de *Em busca do tempo perdido*, evocar a correspondência de Proust — onde já se encontra, notadamente, o binômio "dor-doçura" — e terminar por calcar sua definição da dor sobre uma definição proustiana da beleza.[230] Em uma das suas fichas preparatórias para a escrita de *A câmara clara*, ele vai apoiar uma das suas escolhas cruciais de vocabulário — a escolha arriscada de escrever *Mamãe* ao invés de *minha mãe* — na autoridade literária de Proust: "Digo *Mamãe* como faz o N[arrador] proustiano".[231]

Até mesmo a frase do *incipit* de *A câmara clara* foi escolhida em referência a *Em busca do tempo perdido*. Em uma primeira versão do texto, Barthes começava assim: "Durante muito tempo, interessei-me pela Fotografia...".[232] A versão final começa de maneira um pouco diferente: "Um dia, há muito tempo, deparei-me com uma fotografia..."[233] Como não ver aqui a constância do tema proustiano na obstinação de Barthes em se aventurar pelo modo do *muito tempo-eu*, em que está marcada exatamente a tentativa — que ele quer partilhar com Proust — de uma fenomenologia da subjetividade revelada no elemento da duração reminiscente? Lembramos também como *recomeça*, por articulação "palinódica" interposta, o livro de Roland Barthes, nessa segunda parte inteiramente dedicada à fotografia de sua mãe: "Ora, uma noite de novembro, pouco tempo depois da morte de minha mãe, eu estava arrumando as fotos..."[234] Sabemos que esse "pouco tempo depois" irá se tornar o tempo doloroso de uma *anamnese*, uma outra busca do tempo perdido, o de sua mãe "como nela mesma":

230. Ibid., p. 168-172, 182-183, 189 e 195-196.
231. Apud J.-L. Lebrave, "La genèse de *La Chambre claire*", art. cit., p. 96.
232. Apud J.-L. Lebrave, "La genèse de *La Chambre claire*", art. cit., p. 84.
233. R. Barthes, *La Chambre claire*, op. cit., p. 13 (791).
234. Ibid., p. 99 (841).

> eu havia descoberto essa foto voltando no Tempo. Os gregos entravam na Morte andando de costas: o que eles tinham à sua frente era o passado. Assim também recuei uma vida, não a minha, mas a vida daquela que eu amava. Partindo da sua última imagem, tirada no verão, antes da sua morte (tão cansada, tão nobre, sentada diante da porta da nossa casa, cercada pelos amigos), cheguei, recuando três quartos de século, à imagem de uma criança: olho intensamente para o Soberano Bem da infância, da mãe, da mãe-criança. Na verdade, eu a perdia então duas vezes, no seu cansaço final e na sua primeira foto, para mim a última; mas foi então, também, que tudo oscilava e que, finalmente, eu a encontrava *como nela mesma*...[235]

Não estamos aqui nos limites de uma forma romanesca, ou pelo menos de uma *forma proustiana* do romance? Desde 1976–1977, ano em que ensinou no Collège de France, Roland Barthes havia admitido que uma "presença progressiva de Proust" investia seu pensamento, e isso através da questão do tempo e do romance, e logo da mãe e da morte.[236] Notaremos que, no plano iconográfico, a ilustração da segunda parte de *A câmara clara* também evoca grandes paradigmas proustianos: vemos também ali a "primeira foto" de Niépce (espécie de natureza morta holandesa revisitada pela granulação do tempo), várias imagens de tipo genealógico (entre as quais uma intitulada por Barthes "O tronco") e, principalmente, imagens de mães de antigamente e de filhos, meninos ou rapazes, que olham todos eles diretamente para a objetiva do fotógrafo.[237] Sabemos que, por ocasião de seu último seminário, interrompido pela morte, em 1980, Barthes queria interrogar o "álbum de Proust", coletânea fotográfica que reúne os retratos de jovens e de suas mães, inclusive suas "mães-criança" (como a

235. Ibid., p. 111 (847).

236. Id., *Comment vivre ensemble: simulations romanesques de quelques espaces quotidiens. Notes de cours et de séminaires au Collège de France*, 1976–1977. C. Coste (org.). Paris: Seuil/IMEC, 2002, p. 201–220.

237. Id., *La Chambre claire*, op. cit., p. 108, 132, 137, 149, 158, 163, 170, 173–174 (846, 857, 860, 866, 871, 874, 877, 879, 881).

imagem de Jeanne Pouquet criança, que remete Barthes tanto à "infância de minha mãe", escreve ele, como à personagem proustiana Gilberte).[238]

Foi assim que Barthes, por meio de comoções, palavras e imagens, quis dar conta da sua *dor*, ou seja, da qualidade específica e solitária, absolutamente não genérica e não partilhável, de sua dor física:

> Eu podia dizer, como o Narrador proustiano por ocasião da morte da sua avó: "Eu não insistia apenas em sofrer, mas em respeitar a originalidade do meu sofrimento"; pois essa originalidade era o reflexo daquilo que havia nele de absolutamente irredutível, e por isso mesmo perdido de uma só vez para sempre.[239]

Nessa frase cortada por uma citação, não sabemos mais exatamente se Barthes coloca nesse *nele* seu próprio sofrimento ou o próprio ser da sua mãe morta. O equívoco, porém, é fecundo, talvez até calculado. *A originalidade da comoção,* do sofrimento do "eu", aparece como objeto central da descrição fenomenológica empreendida em *A câmara clara*: "só ela" pode de fato concordar com a insubstituível *singularidade do ser*, essa pessoa querida e perdida, ao mesmo tempo, que reúne "só nela" todo o amável e o fúnebre do texto de Barthes. Tudo aquilo que vai encontrar um eco direto na singularidade do *isso-foi* inerente a cada imagem fotográfica. Se Roland Barthes persistiu no seu desejo de uma ontologia da fotografia, é porque — isso aparece na segunda parte do livro — ele estava procurando isolar na imagem olhada o *ser amado-perdido-fotografado* assim "como nele mesmo", e assim como a comoção da sua perda tornava-se dessa forma, de repente, absolutamente única.

Ora, do mesmo modo como Barthes foi buscar uma palavra latina, *punctum*, para nomear a singularidade do seu olhar, assim

238. Id., *La Préparation du roman,* op. cit., p. 444 e 455-457 (e em geral p. 385-457). Cf. J. Prieur, "Diapositives: Barthes, Proust, Nadar", *R/B. Roland Barthes,* op. cit., p. 113-115.
239. R. Barthes, *La Chambre claire,* op. cit., p. 117-118 (850).

também ele irá buscar uma palavra antiga para fundamentar certa *ideia em geral* da sua *comoção particular*. Essa palavra é antecipada e comentada no curso de 1978–1980 sobre *A preparação do romance*, que se apresenta como uma ampla tentativa de defender a posição da "intensidade individual" até o "ponto mais alto do particular"; uma "declaração de sujeito", em suma, da qual uma frase-manifesto permite justificar o empreendimento — a escritura, o tom, o risco — de *A câmara clara*: "É melhor o Imaginário do Sujeito do que sua censura."[240] E é nesse contexto de "conversão literária"[241] que será antecipada a palavra que representa na ordem da comoção o mesmo papel que o *punctum* representa na ordem do olhar.

É a palavra *pothos*. Palavra providencial e quase mágica, inclusive do ponto de vista da fonética ou, melhor dizendo, da sua posição de metátese: entendamos aqui para além de todo discurso "tético", dogmático — que Barthes procura, evidentemente, nessa época —, mas também a noção linguística que designa esse conjunto das alterações de uma palavra por deslocamentos ou intervenções de fonemas, ou mesmo de letras. *Pothos*, de fato, joga sutilmente com a palavra *pathos*, mas também — que eu saiba, não há nenhum vestígio nos textos de Barthes que permita dizer se isso foi intencional — com a palavra *fotos*,[242] no plural, ou seja, os objetos mais "visíveis" de *A câmera clara*. Em *A preparação do romance*, Barthes evoca primeiramente o *pathos* como uma certa relação geral da percepção com a emoção; depois, ele o subverte, pelo exemplo do *haiku*, da "comoção" japonesa, do *satori zen*, uma maneira de "pulverizá-lo", como ele escreve — ou seja, de torná-lo sutil —, num sentido em que desaparece toda a histeria e em que "polidez e emoção se confundem".[243]

240. Id., *La Préparation du roman*, op. cit., p. 25–27 e 77–79.
241. Ibid., p. 32.
242. Em francês, essa palavra é grafada com *ph*: *photos*. Temos então: *pothos*, *pathos* e *photos*. [N.T.]
243. Ibid., p. 93–101.

O *pothos* seria então o *pathos* "pulverizado", subvertido ou convertido à sutileza: enfim, um *pathos* desvulgarizado, des-histerizado. Ele é definido por Roland Barthes como o "desejo pungente da coisa ausente",[244] fórmula tomada do dicionário grego-francês de Anatole Bailly, com exceção do adjetivo *pungente*, que vem aqui nos confirmar, como se fosse preciso, a ligação implicitamente estabelecida com a noção de *punctum*.[245] O que convém perfeitamente ao projeto barthesiano na palavra *pothos* é que ela designa *ao mesmo tempo o amável e o fúnebre*: de um lado, ela denota o "desejo apaixonado", o amor, a emoção sensual; de outro, denota esse "desejo de uma coisa distante ou ausente" e nos fala então da nostalgia, do lamento até mesmo do luto, já que *pothos* também é o nome de uma flor que era plantada, na Antiguidade grega, sobre os túmulos dos entes "queridos" e "pranteados".[246] Com o *pothos*, estamos no território que Roland Barthes procurava ardentemente há muito tempo, aquele de uma comoção sem *pathos*, ou então de um *pathos* sem patologia, esse *pathos neutralizado* cuja exigência foi apresentada no curso de 1977-1978.[247]

Éric Marty publicou recentemente um longo comentário sobre o *Diário de luto*: ao lhe dar o subtítulo de *A literatura e o direito à morte*, ele lembra, muito a propósito, que a referência ao *Imaginário* de Jean-Paul Sartre — transcrita, como lembramos, na própria dedicatória de *A câmara clara* — não é suficiente para explicar tudo, longe disso, e que a obra de Maurice Blanchot tem sem dúvidas, embora bem mais discretamente, um papel talvez fundador na problemática de Roland Barthes, na própria composição das comoções, das palavras e das imagens.[248] Éric Marty termina seu estudo com a ideia de que o "espaço literá-

244. Ibid., p. 189.

245. A primeira acepção de *pungente* é pontudo, pontiagudo. [N.T.]

246. Na lingua portuguesa, tudo seria resolvido pela palavra *saudade*. [N.T.]

247. Id., *Le Neutre*, op. cit., p. 111.

248. É. Marty, *Roland Barthes: la littérature et le droit à la mort*. Paris: Seuil, 2010. Cf. M. Blanchot, "La littérature et le droit à la mort" (1948), in *La Part du feu*. Paris: Gallimard, 1949, p. 291-331.

rio" barthesiano é constituído por um "movimento de morte e de afastamento da morte" no qual a *emotividade* soube se converter — longe de toda "aflição patética da linguagem" — em *escritura.*[249] Comoções e palavras, então. Mas e as *imagens*? Éric Marty retoma aqui um tema já explorado por ele, o "orfismo" de Roland Barthes: "Em *A câmara clara*, Barthes canta a Mãe, e a criança que ressuscita nela e que ele vai trazer do reino de Hades, graças a uma fotografia, a do Jardim de Inverno, é a imagem de uma Eurídice que o faz sobreviver como Orfeu."[250]

Ora, esse tema nos remete diretamente ao admirável capítulo sobre "O olhar de Orfeu", com o qual Maurice Blanchot prolongou, em *O espaço literário*, toda a parte intitulada "A obra e o espaço da morte".[251] Haveria, a partir dali duas maneiras diferentes — talvez complementares — de comentar *A câmara clara*. A primeira ressalta a operação "que substitui a totalidade da imagem pelo texto da imagem, sua simples descrição", como propõe Éric Marty.[252] E isso explica por que a famosa "Fotografia do Jardim de Inverno" não seria mostrada ao leitor do livro. Preeminência do textual sobre o visual, em suma, o que o próprio Roland Barthes justificava nos seguintes termos, ligados à sua comoção não partilhável diante da imagem:

> Não posso mostrar a Foto do Jardim de Inverno. Ela só existe para mim. Para vocês, ela não seria nada mais do que uma foto indiferente, uma das mil manifestações do "uma pessoa qualquer"; ela não pode constituir em nada o objeto visível de uma ciência; ela não pode fundar uma objetividade, no sentido positivo do termo; no máximo ela poderia interessar pelo seu *studium:* época, roupas, fotogenia; mas, para vocês, não há nela nenhuma ferida.[253]

249. É. Marty, *Roland Barthes: la littérature et le droit à la mort*, op. cit., p. 52 e 59.
250. Ibid., p. 20–21.
251. M. Blanchot, *L'Espace littéraire*, op. cit., p. 103–209 e 225–232.
252. É. Marty, *Roland Barthes: la littérature et le droit à la mort*, op. cit., p. 10.
253. R. Barthes, *La Chambre claire*, op. cit., p. 115 (849).

O próprio Blanchot, no entanto — principalmente quando diz que "escrever começa com o olhar de Orfeu" —,[254] nos incita a tomar a questão no outro sentido. Orfeu sobrevive à perda de Eurídice, e tudo aquilo que ele cantará depois será revelado no elemento do *pothos*, do lamento atormentado. Então, ele cantará — ou escreverá — sua *Vita nova*[255] tendo como fundo um olhar que sabemos ser vindo do Inferno, como podemos ler várias vezes no *Diário de luto* de Roland Barthes.[256] "Integrar minha dor a uma escritura", certamente.[257] E com isso inventar uma imortalidade de ficção para sua Eurídice.[258] Mas a imagem fotográfica continuará a extrapolar essa ficção, essa linguagem, porque só ela tem a marca — luminosa e material — de uma evidência do olhar diante da qual será constantemente colocada a questão da possibilidade de escrevê-la, como se a fotografia fosse esse campo de ruinas onde, com a ajuda da arqueologia ou da anamnese, alguma coisa chamada "literatura" era desafiada nos seus meios e ao mesmo tempo incitada a "nascer":

> Foto do Jardim de Inverno: procuro alucinadamente dizer o sentido evidente.
>
> (Foto: impotência de dizer aquilo que é evidente. Nascimento da literatura).[259]

A fotografia e a escritura parecem então alternar entre si suas respectivas *potências* e *lacunas*. Em *A câmara clara*, Roland Barthes descreve — escreve — extraordinariamente a "Foto do Jardim de Inverno" sem precisar mostrá-la; mas no *Diário de luto*, ele destaca a "presença" física e psíquica dessa imagem sobre sua mesa de tra-

254. M. Blanchot, *L'Espace littéraire*, op. cit., p. 232.
255. R. Barthes, *Vita nova* (1979), in *Œuvres complètes*, op. cit., V, p. 994-1001 (manuscrito) e 1008-1018 (transcrição).
256. Id., *Journal de deuil*, op. cit., p. 84, 143, 213.
257. Ibid., p. 115.
258. Ibid., p. 246.
259. Ibid., p. 180.

balho, "presença" da qual a escritura só poderá fornecer dois adjetivos contraditórios: *intolerável*, de um lado, *santificado*, do outro: algum lugar, portanto, entre o *inferno do olhar* e o *paraíso do ícone:*

> O lugar do quarto onde ela ficou doente, onde ela morreu e onde moro atualmente, na parede onde se apoiava a cabeceira do seu leito, coloquei um ícone — não por fé — e coloco sempre flores sobre uma mesa. Chego a não querer mais viajar para poder estar ali, para que as flores nunca murchem. [...]
>
> Tendo recebido ontem a foto que mandei reproduzir de mam. menina no jardim de inverno de Chennevières, tento colocá-la diante de mim, na minha mesa de trabalho. Mas é excessivo, intolerável, me faz sofrer muito. Essa imagem entra em conflito com todos os pequenos combates vãos, sem nobreza, de minha vida. A imagem é verdadeiramente uma medida, um juiz [eu] compreendo agora como uma foto pode ser santificada...[260]

Essa terá sido essa, então, a derradeira guinada de Roland Barthes na sua tomada de posição em relação — sob o ponto de vista de — às imagens como emoções: um retorno à *Pietà*. Retorno, portanto, a um certo *pathos*, mesmo transfigurado na nobre discrição, na intimidade do *pothos*. O próprio Barthes torna-se, então, a carpideira, a *mater dolorosa* de sua própria mãe. Ele volta — mas longe do olhar dos outros, embora tudo isso tenha sido escrito, ou seja, dirigido — a esse "cenarismo" e a esse "iconografismo" tradicionais que tinha atacado violentamente em Eisenstein, em "O terceiro sentido". Ele vela a mãe, lamenta-se, sonha dolorosamente com uma imagem fotográfica da morte, instala um ícone e flores frescas no quarto vazio (essa *camera lucida*, segundo a acepção latina do adjetivo *lucidus*, que também quer dizer "cheio de pureza espiritual"). A seguir, na lógica sem fim das guinadas fantasmáticas, ele próprio se coloca em posição de ícone, ícone de *Pietà* — no fora-de-campo, por assim dizer, de

260. Ibid., p. 204 e 232.

A câmara clara — ou mesmo o ícone da *Annunziata*, por exemplo quando ele conta, no *Diário de luto*, que um garoto chamado Angel lhe "traz um enorme buquê de lírios e gladíolos amarelos".[261]

Barthes ocupa, então, de agora em diante, esse "lugar da carpideira" cuja posição ele contestara tão duramente, desde *Mitologias* até seu comentário do *Potemkin*, e ainda depois disso. A operação, porém, não é de fácil substituição. Barthes está sim *no lugar das carpideiras*, mas ele está ali em total solidão subjetiva (ali, onde uma multidão vinha chorar por Vakulenchuk) e totalmente em história privada (ali, onde um processo coletivo se formava no cais do porto de Odessa). Enfim, ele se lamenta por si mesmo — comoção do eu — tanto quanto pela bem-amada morta: relação ao mesmo tempo "narcísica e maternal", como ele próprio disse. Enquanto as "carpideiras de Odessa" se lamentavam no elemento *plural e conflituoso* da injustiça e da revolta, Roland Barthes escreverá sua dor no elemento *singular e neutro* de uma escritura meio romanesca, meio teórica.

Mas, de repente, ele neutraliza toda a história: a grande, aquela que extravasa e que não lhe pertence. Ele "pulveriza" *a história* na *sua história* enquanto ela pode ser narrada, e revela, como em Marcel Proust, toda essa *beleza da comoção* que sem dúvida atravessa a escritura de *A câmara clara*. É isso que corresponde nele — em dado momento, ele deve ter atraído para si a "crítica de Brecht", como ele quer imaginar[262] — a uma tomada de posição "estética" reivindicada, diz ele, contra a lei e a violência, ou seja, igualmente contra a ideologia, a política e a história:

> A ideologia: aquilo que se repete e *consiste* (por esse último verbo ela se exclui da ordem do significante). Basta, portanto, que a análise ideológica (ou a contraideologia) se repita e consista (proclamando *ali*

261. Ibid., p. 176.
262. Id., *Roland Barthes par Roland Barthes*, op. cit., p. 632–633.

mesmo sua validade, por um gesto de pura autorização) para que ela própria se torne um objeto ideológico.

O que fazer? Uma solução é possível: a *estética*. [...]

Ele tenta sustentar um discurso que não se enuncia em nome da Lei e/ou da Violência: cuja instância não seja nem política, nem religiosa, nem científica; que seja, de certa forma, o que resta e o suplemento de todos esses enunciados. Como chamaremos esse discurso? *Erótico*, talvez, pois ele está ligado ao gozo; ou talvez ainda: *estético*, se pretendermos fazer, pouco a pouco, uma pequena torsão nessa velha categoria que a afastará de seu fundo regressivo, idealista, e a aproximará do corpo, da deriva.[263]

Poderemos dizer que, em certa época da sua vida, Roland Barthes renunciou à política e à história *comuns* (nos dois sentidos desse adjetivo, o vulgar e o partilhado). Foi talvez isso que Philippe Roger quis chamar de "grau zero do engajamento" em Barthes; o que Claude Coste quis chamar de "o direito ao íntimo"; ou ainda o que Francis Marmande designou como uma "parte mortal" que, no autor de *A câmara clara*, "na melhor das hipóteses, vem da ordem da ficção [e], na pior, vem da renúncia, do abandono, da dor".[264] Barthes não define a política, no seu derradeiro projeto da *Vita nova*, como um puro "raciocínio contestatório sem fim" sobre a história comum dos homens?[265] Ele já não tinha, desde 1967, caracterizado o "discurso da história" como uma formação ideológica onde o inteligível tende a tomar o poder sobre o próprio real?[266]

Poderíamos, sob o ponto de vista da questão colocada aqui, exprimir as coisas de modo um pouco diferente: Barthes quis ser bem-sucedido na tarefa de *dividir a evidência* — "sentido obtuso" contra "sentido óbvio", *punctum* contra *studium*, *pothos* contra

263. Ibid., p. 661 e 680–681.

264. P. Roger, *Roland Barthes, roman*. Paris: Grasset, 1986, p. 245–261. C. Coste, *Roland Barthes moraliste*. Villeneuve-d'Ascq: Presses Universitaires du Septentrion, 1998, p. 161–219. F. Marmande, "Barthes politique", in *Barthes après Barthes: une actualité en questions*, op. cit., p. 211–217.

265. R. Barthes, *Vita nova*, op. cit., p. 1015.

266. Id., "Le discours de l'histoire" (1967), in *Œuvres complètes*, op. cit., II, p. 1262.

pathos etc. —, e essa tarefa, como ele mostrou muito bem, é essencial para todo empreendimento crítico em relação às palavras, às emoções e também às imagens. Feito isso, ele reformulou completamente as divisões conceituais mais antigas, por exemplo, as divisões da evidência visível inerentes ao conceito de sintoma em Freud ou ao de *Pathosformel*, em Warburg. Mas Barthes não soube *dialetizar essa mesma divisão*, ele tentou isolar à força os dois termos dessa divisão — sempre coexistentes, entretanto, em cada palavra, em cada comoção, em cada imagem. Ele não quis ver as singularidades em ação na cena das "carpideiras de Odessa", como também não aceitou ver os estereótipos em ação na descrição do seu próprio luto.

Enfim, Roland Barthes, no fundo, não deixou de colocar o *eu* contra o *nós*. Como, por exemplo, no seminário *Como viver juntos*, o "elogio do um" e do monasticismo, ou então a oposição abrupta que ele estabelece entre a "ascese" de um só e o "afeto" de todos.[267] Como também, em *Fragmentos de um discurso amoroso*, na afirmação unilateral do "intratável" colocado "contra tudo", mas também, de certo modo, "contra todos".[268] É a "casuística do egoísmo" e a sacralização da solidão literária na *Preparação do romance*.[269] Em *A câmara clara*, finalmente, Roland Barthes vai reivindicar essa "emoção que só pertence a mim", assim como se autorizará "minha própria história" contra a história de todos, que ele — uma vez mais — julga "histérica".[270]

Certamente podemos compreender que o amável (o desejo) assim como o fúnebre (o luto) solicitam o sujeito naquilo que ele tem de mais doloroso e de mais emocionado, logo, de mais singular ou mesmo de mais solitário. E, no entanto, ousarei dizer, isso não é simplesmente verdade (não é totalmente verdade).

267. Id., *Comment vivre ensemble*, op. cit., p. 33–42, 49 e 136–138.
268. Id., *Fragments d'un discours amoureux*, op. cit., p. 29 e 51–53.
269. Id., *La Préparation du roman*, op. cit., p. 295–323.
270. Id., *La Chambre claire*, op. cit., p. 102 e 119 (842 e 851).

Não é verdade porque as situações *mais singulares*, mais "intratáveis" (ou seja, "minha vida", naquilo que ela tem de mais crucial: nascimento, amor, morte) são, ao mesmo tempo, as situações *mais genéricas*, mais "partilhadas" (é "a vida" na qual todo mundo nasce, todo mundo ama, todo mundo morre). O próprio Barthes, em dado momento, sentiu bem isso, quando escreveu em uma ficha preparatória de *A câmara clara*: "*Mamãe*: é o *schifter* absoluto: cada um pode dizê-lo [e] isso pertence a todos — como *eu* — e isso pertence só a mim."[271]

Mas, que eu me lembre, ele não aprendeu a lição dessa ficha na redação definitiva de *A câmara clara:* ele só quis escrever o singular da sua experiência, não avançou em nada — apesar do seu "desejo de ontologia" — em direção àquilo que diria respeito à comunidade dos humanos, à "humanidade das lágrimas" como humanidade da sua "partilha".[272] Isso talvez ilustre o que Claudine Haroche chama de "cegueira por delicadeza" ou desatenção pela "neutralização das aparências"; ou o que Anne Vincent Buffault, em *O eclipse da sensibilidade*, pôde chamar de "valor ativo e sutil da indiferença".[273] A obra de Roland Barthes é considerável e indispensável, sem dúvida; mas faltou a ele, se não uma ética do *compreender* diante dos estados de emoção dos outros, pelo menos uma antropologia, quero dizer, uma escritura da emoção no ponto em que aquele que está emocionado está *fora-de-mim*, fora de si, fora do *eu*: nesse momento verdadeiramente fundamental em que *as comoções* fazem explodir as fronteiras do *eu*, em que as *palavras* atravessam o território do *ego*, e em que *as imagens* quebram as barreiras do *eu*.

271. Apud J.-L. Lebrave, "La genèse de *La Chambre claire*", art. cit., p. 96–97.
272. J.-L. Chrétien, *Promesses furtives*. Paris: Minuit, 2004, p. 61–86.
273. C. Haroche, *L'Avenir du sensible: les sens et les sentiments en question*. Paris: PUF, 2008, p. 177–182. A. Vincent-Buffault, *L'Éclipse de la sensibilité: éléments d'une histoire de l'indifférence*. Lyon: Parangon/Vs, 2009, p. 119–135.

APELOS ÀS LÁGRIMAS

Serguei Eisenstein ou o mestre em pedaços

Um homem morreu. À sua volta, mulheres choram sobre seu cadáver (*fig.* 20-21). Não se trata apenas de "dor". Na dor, choramos por nós mesmos. Na dor, a emoção diz *eu*. Mas aqui, nessa cena de *O encouraçado Potemkin* de Eisenstein, é todo um povo que se lamenta. Podemos dizer que é um acontecimento muito "patético" e muito coletivo, ao mesmo tempo. Em determinado momento, o pranto de cada um vai se tornar o canto de todos e, em seguida, um protesto político feito de discursos veementes. E, em seguida, a raiva. Finalmente a revolta, e logo a revolução. Em todo esse processo, a emoção parou de dizer *eu*: ela diz *você*, porque se dirige ao outro; ela diz *ele* ou *ela* porque não fala mais a seu respeito, porque ela *olha* para o outro. Sim, a emoção olha. E ela sabe dizer *nós* porque sabe apresentar a todos — a *eles* e *elas*, a *vocês* também — seu aspecto de acontecimento social e seu fundamental teor antropológico. Antes, portanto, ou para além de toda psicologia do *eu* entristecido. Em vista, talvez, de algo como uma metapsicologia do político.

No cinema de Eisenstein, a política parece totalmente "patética", e o *pathos* parece totalmente político. "O domínio de

Figura 20. Serguei M. Eisenstein, *O encouraçado Potemkin*, 1925. Fotograma (cadáver de Vakulenchuk exposto no porto).

Eisenstein é patético e coletivo",[1] escreveu Léon Moussinac em 1928 — de forma nada depreciativa, diga-se de passagem. Muitos acharam admirável, muitos outros acharam detestável. Nunca ninguém duvidou que Eisenstein foi um *mestre* da arte cinematográfica. Mas que tipo de mestre exatamente? Essa é a questão. Enunciada nos famosos artigos "O terceiro sentido", de 1970, e "Diderot, Brecht, Eisenstein", de 1973, a resposta de Roland Barthes ficou marcada, sabemos disso, e se impõe até hoje como uma evidência: o autor de *Mitologias* construiu para nós a imagem de um mestre da pura "inteligência semântica" constantemente

1. L. Moussinac, *Le Cinéma soviétique*. Paris: Gallimard, 1928, p. 155. Cf. H.-J. Schlegel, "Eisensteins filmische Konstruktion des revolutionären Pathos", préface à S. M. Eisenstein, in *Schriften, II. Panzerkreuzer Potemkin*, ed. e trad. H.-J. Schlegel. Munique: Carl Hanser Verlag, 1973, p. 7–22.

desdobrada para “fulminar a ambiguidade” das imagens.[2] Aquilo que, através do “sentido óbvio” ou da noção de “quadro”, da ideia de “fetiche” ou de “lei”, mostrava-se, na realidade, como uma crítica virulenta à “maestria” em questão, considerada justamente como “mitológica” ou puramente “ideológica”.[3] Ponto de vista que os cinéfilos franceses — principalmente no território da *Cahiers du cinéma* — quase sempre prolongaram, ou radicalizando, ou tentando equilibrá-lo com a admiração que filmes como *A greve* e *O encouraçado Potemkin* ainda suscitam, apesar de tudo.[4]

Eisenstein: um mestre, sem dúvida alguma. Mas um mestre cuja lição hoje já não queremos mais ouvir. Para Roland Barthes, nos anos 1970, o *pathos* eisensteiniano era político demais para ser verdadeiramente comovente. Para Alain Badiou, trinta anos mais tarde, a política eisensteiniana seria demasiado *patética* ou “expressiva”, como ele diz, para ser eficaz e justa.[5] Um olhar ainda mais direto e brutal chegará ao mesmo resultado: é o de Alexandre Soljenítsin, quando, numa página de *Um dia na vida de Ivan Deníssovitch*, ele nega ao cineasta o próprio estatuto de “mestre”, ele que, considerando de modo geral, foi o zeloso “servidor”

2. R. Barthes, “Le troisième sens: notes de recherche sur quelques photogrammes de S. M. Eisenstein” (1970), in *Œuvres complètes*, É. Marty (org.). Paris: Seuil, 2002, III, p. 489.

3. Ibid., p. 485-506. Id., “Diderot, Brecht, Eisenstein” (1973), in *Œuvres complètes*, op. cit., IV, p. 338-344.

4. Cf. J. Narboni, “Le hors-cadre décide de tout”, *Cahiers du cinéma*, n. 271, 1976, p. 14-21 (que evoca *A linha geral*, nos termos lacanianos do “discurso do mestre”). J. Aumont, “Un rêve soviétique”, *Cahiers du cinéma*, n. 271, 1976, p. 26-44. Id., *Montage Eisenstein*. Paris: Albatros, 1979 (edição revista. Paris: Images modernes, 2005), p. 99-137. Jacques Aumont buscaria, entretanto, o “diálogo” entre Eisenstein e Barthes, através das técnicas de êxtase em Inácio de Loyola, em “Barthes, Loyola, Ejzenštejn”, in *Sergej Ejzenštejn: oltre il cinema*, P. Montani (org.). Veneza: Biennale di Venezia/Biblioteca dell’Immagine, 1991, p. 29-41. Cf. também F. Casetti, “I tre Ejzenštejn: sul modo in cui è stato letto Ejzenštejn teorico”, in *Sergej Ejzenštejn: oltre il cinema*, P. Montani (org.). Veneza: Biennale di Venezia/Biblioteca dell’Immagine, 1991, p. 21-28.

5. A. Badiou, “La politique: une dialectique non expressive” (2005), in *La Relation énigmatique entre philosophie et politique*. Meaux: Germina, 2011, p. 67-87.

Figura 21. Serguei M. Eisenstein, *O encouraçado Potemkin*, 1925. Fotograma (carpideira diante do cadáver de Vakulenchuk).

de Stálin. Eis o diálogo narrado por Soljenítsin, num campo de trabalhos forçados da Ásia central soviética:

> César fuma seu cachimbo. Ele está praticamente imprensado contra a mesa. Como está de costas, ele não vê Chulkov.
>
> Diante dele, está sentado o Matrícula X-123, um velho musculoso que pegou vinte anos de desterro. Ele está comendo sua *kacha*.
>
> César fala com ele devagar, soltando baforadas de fumaça.
>
> — Nada disso, chefe, temos que admitir, um mínimo de objetividade exige que reconheçamos o gênio de Eisenstein. Diga lá, *Ivan, o Terrível* não tem a marca do gênio? Lembra da dança das máscaras, da sequência da catedral...
>
> O Matrícula X-123 para a colher, no meio do caminho em direção à boca.
>
> — Um monte de espalhafatos! A arte em dose elevada deixa de ser arte: não se deve substituir o pão cotidiano pelas especiarias. E depois, enfim, a ideia política é infame. Esse defensor da tirania pessoal insulta

a memória de três gerações da *intelligentsia* russa! (Ele engole sua *kacha* de qualquer jeito, sem saborear: não lhe será proveitosa.)

— Não permitiriam que ele tratasse o assunto de outra maneira.

— Ah! Ah! Não *permitiriam*? Então, não venha me falar de gênio. Diga que esse homem é um serviçal, que ele aceitou uma tarefa degradante, mas não diga que ele é gênio: um gênio não adapta suas obras ao gosto dos tiranos.[6]

Eisenstein seria uma espécie de Orfeu moderno: o Orfeu, se podemos dizer assim, das mitologias comunistas. O que quer que tenha feito, ele acabará sempre despedaçado. *Mestre em pedaços*, portanto. Tão repudiado quanto admirado, como bem notou François Albera ao polemizar com os autores da *Cahiers du cinéma* nos anos 1970.[7] "Mestre incômodo", como dirá Jacques Rancière em 1998, para destacar até que ponto Eisenstein continua a nos *pôr à prova* — tanto no plano político quanto no plano estético — por ter "instaurado um novo regime de sensibilidade".[8] *Mestre enterrado*, enfim, como vemos os jovens peões de *Que viva México!* sacrificados nas areias do deserto, e como indicará Jacques Aumont, na edição de 2004 de seu livro *Montagem Eisenstein*:

> A História se repete, e as histórias recomeçam. A história desse cineasta tão famoso e tão pouco conhecido que é preciso sempre tirá-lo do esquecimento, da sua glória, de um vago sentimento de tédio. A história de um cineasta que tinha dificuldade em começar um projeto e lutava para terminá-lo; cujos filmes eram destruídos, refeitos ou deixados de lado; autor para concluir obras-primas que ninguém vê. A história também de um escritor disfarçado de cineasta — autodidata como seu *alter ego*, que gostava de invenções selvagens, inclinado a repetições obsessivas, embora sempre parecendo mudar de projeto; um escritor que zomba do seu leitor em intermináveis desvios, exibindo uma erudição de diletante, aliás, também sem terminar nenhum livro

6. A. Soljenitsyne, *Une journée d'Ivan Denissovitch* (1962), trad. L.; J. Cathala. Paris: Julliard, 1976 (reed. Paris: Robert Laffont, 2010), p. 108–109.

7. F. Albera, "Eisenstein est-il stalinien?", *Dialectiques*, n. 20, 1977, p. 26–39.

8. J. Rancière, "Eisenstein, un centenaire encombrant", *Cahiers du cinéma*, n. 525, 1998, p. 56–58 (desenvolvido em: J. Rancière, *La Fable cinématographique*. Paris: Seuil, 2001, p. 31–41).

— e ainda menos lido do que visto como cineasta. [...] Depois da sua morte, foi considerado por muito tempo o maior cineasta do mundo — mas isso foi ainda para enterrá-lo melhor.[9]

Há, sim, algo de Orfeu em Eisenstein — e também de Dionísio.[10] É uma questão de ritmo, de dança dos corpos, de polissensorialidade; mas também de corte em pedaços, dilacerações ou fragmentações. São figuras que renascem constantemente das suas mortes sucessivas. Nada de fortuito, consequentemente, no fato de que, na sua *Teoria geral da montagem* (infelizmente inédita em francês), Eisenstein tenha chegado a ver na figura de Dionísio o "fenômeno originário" (*Urphänomen*) daquilo que ele considerava o processo crucial da criação e do pensamento, ou seja, a montagem. Em um texto intitulado "Nascimento da montagem", Eisenstein evoca quase imediatamente a figura do deus dançarino: "Dionísio me vem à cabeça. Os mitos e os mistérios de Dionísio. Dionísio em pedaços, e seus membros que se recompõem novamente em um Dionísio transfigurado."[11] Virão, em seguida, alguns exemplos tirados da antropologia antiga e contemporânea: os ritos de devoração lidos em Frazer, os sacrifícios astecas descobertos em Georges Bataille, na época da viagem de 1930 a Paris, as touradas vistas no México no ano seguinte, enfim,

9. J. Aumont, *Montage Eisenstein*, op. cit., p. 8 ("Avant-propos" de 2004).
10. Em *Método* (1932–1948), Eisenstein definirá Orfeu como "a síntese de Apolo e Dionísio". Agradeço a Alessia Cervini por ter colocado à minha disposição o manuscrito, ainda inédito, da sua tradução italiana de *Método*. Uma terceira alegoria desses processos é a de Osíris, deus que foi também desmembrado quando nasceu. Cf. E. Vogman, "Die Osiris-Methode: 'Dialektik der Formen' im Werk Sergej Eisensteins", *Sichtbarkeiten*, n. 1, 2013, p. 39–66.
11. S. M. Eisenstein, *Teoria generale del montaggio* (1935–1937), trad. C. De Coro; F. Lamperini dirigée par P. Montani, Venise, Marsilio, 1985 (ed. 2004), p. 227.

a evocação das *thrénoï*, as lamentações fúnebres dos gregos antigos descritas por Alfred Winterstein no seu livro *Der Ursprung der Tragödie*, de 1926.[12]

A montagem é uma operação dionisíaca: cortamos em pedaços, cortamos na continuidade, assassinamos, num certo sentido, e, no entanto, aquilo começa justamente a se mexer, a dançar, a viver. É um nascimento cruel, um *nascimento por esquartejamentos operatórios*. Em um desenho extraordinário dos anos 1946-1948 — comentado por Antonio Somaini na sua edição (com Naoum Kleiman) de *Notas para uma história geral do cinema* —,[13] descobrimos um estranho casal em meio a dezenas de outros temas espalhados: uma mulher grávida, cujo útero e o feto podemos ver, por ela ser transparente, e uma figura de homem careca — como o próprio Eisenstein era mais ou menos na época — que está sendo golpeado por um enorme cutelo. Chamam a nossa atenção os quatro imensos cortes sobre seu torso. Vemos a faca entre duas mãos abstratas, mas o movimento do braço faz pensar que esse homem está dilacerando a si mesmo, se autossacrificando. Em volta, podem ser lidas palavras escritas em todas as línguas: *gestation*, *danse*, *song*, *music*, *Dythyramb* [sic], *théâtre* (*fig.* 22).

São alguns temas entre outros tantos. Mas eles já resumem bem aquilo que será importante em todo o cinema de Eisenstein: planos curtos, estilhaços, fragmentos, amor pelos gestos humanos, explosões do *pathos*, ritmicidade fundamental, desenvolvimento intelectual... E, além disso, seu modo de trabalhar, tão disperso quanto apegado ao método, tão experimental quanto sinfônico. Eisenstein foi um *cineasta em pedaços*, sabemos disso:

12. Ibid., p. 227-231. Cf. P. Montani, "Il pensiero denso e il principio dionisiaco del montaggio" (1991), *Fuori campo. Studi sul cinema e l'estetica*. Urbino: Quattroventi, 1993, p. 61-79.
13. A. Somaini, "Généalogie, morphologie, anthropologie des images, archéologie des médias", postface à S. M. Eisenstein, in N. Kleiman; A Somaini (orgs.), *Notes pour une histoire générale du cinéma* (1946-1948), trad. C. Perrel. Paris: Association française de Recherche sur l'Histoire du Cinéma, 2013, p. 280-282.

Figura 22. Serguei M. Eisenstein, *Desenho sem título*, cerca de 1946–1948. Lápis sobre papel. Moscou, Arquivos literários e artísticos do Estado © (RGALI).

filmes amputados, quase sempre irremediavelmente, pelas diferentes censuras, ocidentais ou soviética; filmes cruelmente retirados do seu controle (como *Que viva México!*); filmes parcial ou completamente destruídos (*O prado de Bejin*); ou a impressionante filmografia de seus projetos não concluídos ou impossíveis de realizar: *Glass House*, a adaptação e *O capital* de Karl Marx, um filme sobre Bolívar, outro sobre Dom Quixote, uma comédia intitulada *O soldado de chocolate*, uma biografia de Émile Zola, uma monografia sobre a cidade de Moscou, uma crônica da guerra da Espanha, adaptações de Isaac Babel, de Púchkin, de Dostoiévski, e ainda um filme satírico que se chamaria *O mundo do avesso*.[14]

Eisenstein também foi um grande escritor. Mas também foi um *escritor em pedaços*: nenhum dos seus projetos de livro deu certo. Ele divide com Aby Warburg a particularidade de ter criado

14. Cf. A. Somaini, *Ejzenštejn. Il cinema, le arti, il montaggio*. Turim: Einaudi, 2011, p. 436–438.

um *corpus* gigantesco — tanto visual quanto textual —, mas que permaneceu no estado de "corpo despedaçado", se podemos dizer assim. A partir de 1928, ele previne seu leitor que sua escrita só lançará "reflexões picotadas. / Que partem em todas as direções".[15] Cerca de vinte anos depois, nas suas *Memórias*, ele reivindica, ao mesmo tempo se defendendo um pouco, a posição "excêntrica" de Jean-Paul[16] que Hegel tinha julgado severamente: "Ele busca quase sempre obter algum efeito aproximando objetos bizarros que não têm nenhuma ligação entre si, ou cuja relação é incompreensível".[17] Ele lembra que pensar é *montar* pensamentos entre si; montar é *aumentar* as correspondências íntimas entre coisas diferentes; e que essas correspondências, para serem percebidas, para *se espalharem* em todas as direções, exigem toda uma arte da livre associação da digressão, da construção polifônica das referências ou das citações.[18] Há até mesmo — sempre como em Warburg — uma espécie de aura que, segundo os especialistas, escaparia também da biblioteca de Eisenstein, em Moscou, biblioteca classificada de acordo com princípios associativos análogos àqueles do "mestre de Hamburgo". O próprio Eisenstein nos dá essa visão animista:

> Os pássaros vão na direção de certos santos (para Assis).
>
> Os animais selvagens correm na direção de certos personagens legendários (Orfeu).
>
> Os pombos têm um fraco pelos velhinhos da praça São Marcos, em Veneza.

15. S. M. Eisenstein, "A.I. 28 [Attraction intellectuelle 1928]", trad. A. Cattin; V. Posener, *Cinémas, revue d'études cinématographiques*, XI, 2001, n. 2-3, p. 147.
16. Johann Paul Friedrich Richter, conhecido por Jean-Paul. Escritor alemão 1763-1825. [N.T]
17. Id., *Mémoires* (1946), trad. J. Aumont; M. Bokanowski; C. Ibrahimoff. Paris: Julliard, 1989, p. 553.
18. Ibid., p. 554-560 (cf. M. Iampolski, "Theory as Quotation", *October*, n. 88, 1999, p. 51-68. O. Calvarese, "*Le Memorie* di Ejzenštejn, o del montaggio come stile",in F. Pitassio (org.), *La forma della memoria. Memorialistica: estetica, cinema nell'opera di Sergej Ejzenštejn*. Udine: Forum, 2009, p. 77-85).

> Um leão se afeiçoou a Androcles.
>
> Os livros têm um fraco por mim.
>
> Eles correm para mim, vêm na minha direção, se afeiçoam por mim.
>
> Há tantos anos que os amo: grandes e pequenos, grossos e finos, edições raras e algumas porcarias. [...] Gosto tanto deles que, ao final, eles passaram a gostar de mim também.
>
> Os livros, como frutos suculentos, se rompem nas minhas mãos e, como flores encantadoras, abrem suas pétalas para mim, portadores da linha que fecunda os pensamentos. [...]. É assim que, algumas vezes, vejo os cômodos do meu apartamento.
>
> Correntes circulam desde as células da matéria cinzenta do cérebro, atravessando a caixa craniana até as divisórias dos armários, e das divisórias dos armários — até o coração dos livros.
>
> Não é verdade! Não há, em lugar algum, divisórias de armários — guardo meus livros em prateleiras abertas — e, em resposta à corrente dos meus pensamentos, eles se jogam na minha cabeça.
>
> Às vezes, é meu desejo de irradiá-los que é mais forte.
>
> Às vezes, é a força contagiosa das suas lombadas.
>
> Você tem a impressão de ser você mesmo um novo São Sebastião, trespassado pelas flechas que vêm das prateleiras.
>
> Então, aquilo que parece ser uma caixa craniana já não é mais esse pequeno globo ósseo que brilha, refletindo como a mônada de Leibniz, mas são as paredes visíveis do próprio cômodo que tomam esse aspecto, enquanto as fileiras de livros que recobrem sua superfície são apenas estratificações que vão se ampliando no interior da cabeça.[19]

Eisenstein-Orfeu, Eisenstein-Dionísio foi esse grande poeta lírico dos gestos coletivos, esse *pensador dançante* que, na noite de 2 de fevereiro de 1946 — ele acabara de concluir o cansativo trabalho de montagem de *Ivan, o Terrível* —, desabou no meio de uma animada polca, numa festa do Dom Kino, em Moscou, atingido por uma crise cardíaca. Nove meses depois, quando concluía suas seiscentas e cinquenta páginas de *Memórias*, escritas durante a convalescença, e ao mesmo tempo em que *Ivan* era mostrado a Stalin (que o detestou), o cineasta sofreu um segundo infarto. Às seiscentas e cinquenta páginas de *Memórias*, no leito do hospital,

19. Ibid., p. 471–472.

ele acrescentou um "P.S., P.S., P.S." para escrever essas simples palavras: "Inexplicavelmente, sobrevivi."[20] Como poderia ter dito o próprio Dionísio, no momento em que aquele corpo, uma vez recomposto, recomeça a dançar. Mas Eisenstein acabou morrendo no dia 10 de fevereiro de 1948, aos cinquenta anos, quando estava escrevendo o prefácio do livro de Lev Kulechov sobre a realização cinematográfica, uma arte que, quase vinte e cinco anos antes, ele havia executado com ardor em *O encouraçado Potemkin*.

Celebrar o impoder

O encouraçado Potemkin poderia estar para a história do cinema assim como *O nascimento da tragédia* para a filosofia. É um filme sobre o nascimento de um povo revolucionário, análogo, nesse aspecto, e por vários outros aspectos antitéticos, a *O nascimento de uma nação* de D.W. Griffith, filmado cerca de dez anos antes. É um filme sobre o *nascimento*, considerando que todo nascimento se dá na dor. O grande livro de Nietzsche terminava exatamente assim: "Quanto esse povo não teve que sofrer para atingir tanta beleza!"[21] Filme trágico, portanto, dionisíaco: ele não narra uma ascensão ao poder, como logo fará *Outubro*. Narra a simples *potência* de um povo no âmago de seus sofrimentos, de suas emoções, de seu próprio *impoder*. É o impoder das pessoas que podem ser humilhadas, exploradas, assassinadas: no início, um prato de carne estragada e coberta de vermes é imposto a alguns jovens, e, ao final, mulheres, crianças e velhos serão massacrados numa grande escadaria que se cobrirá de sangue. O filme termina, no entanto, numa apoteose: houve muito sofrimento, muito choro, mas isso vai acabar, apesar de tudo, em um grande canto de

20. Ibid., p. 668.
21. F. Nietzsche, *La Naissance de la tragédie* (1872), trad. P. Lacoue-Labarthe, in *Œuvres philosophiques complètes*, I-1,. G. Colli; M. Montinari (orgs.). Paris: Gallimard, 1977, p. 156.

vitória, talvez porque, para além da derrota, alguma coisa tenha mudado radicalmente no espaço histórico e social. É tão paradoxal quanto uma "vitória dos perdedores": a Revolução de 1905, narrada nesse filme, fracassou. Milhares de manifestantes foram mortos, feridos, aprisionados. Os marinheiros do Potemkin terminaram no exílio ou foram fuzilados. E, no entanto, Eisenstein construiu sua obra como uma verdadeira *celebração do impoder*.

Terá sido por isso que Eisenstein nunca deixou de voltar a essa obra, de questionar novamente todas as circunstâncias, durante a vida toda,[22] como se o *Potemkin*, com seu *pathos* extremo de bocas abertas, olhos apertados e corpos extáticos, marcasse, ao mesmo tempo, o nascimento de um pensamento, de um método, cujas extensões ainda eram impensáveis em 1925? É extraordinário que uma *abertura* ou experimentação desse porte tenha conseguido ir tão longe e tão livremente, quando tantas restrições lhe foram impostas por aqueles que encomendaram o filme.[23] Quase poderíamos dizer que, diante da encomenda feita pelo "Comitê de Estado para a celebração do ano de 1905", Eisenstein soube agir com essa espécie de *inconstância decidida*, decisiva, essa mistura de obstinação e entusiasmo que é, quase sempre, a marca das grandes obras. No mês de março de 1925, uma "Comissão do Jubileu" — da qual participavam, entre outros, Kasimir Malevitch, Vsevolod

22. S. M. Eisenstein, *Schriften, II. Panzerkreuzer Potemkin*, op. cit., ou então, entre tantos outros textos, S. M. Eisenstein, *Mémoires*, op. cit., p. 178–207.

23. A literatura sobre *O Encouraçado Potemkin* é, evidentemente, considerável. Algumas monografias importantes: I. G. Rostovstev (org.), *Bronenosets Potemkin*. Moscou: Isskustvo, 1962. G. Sadoul, "*Le Cuirassé Potemkine* raconté d'après son montage et ses sous-titres", *L'Avant-scène cinéma*, n. 111, 1962, p. 13–25. N. Kleiman; K. Levina (orgs.), *Bronenosets Potemkin*. Moscou: Isskustvo, 1969. D. Mayer, *Sergei M. Eisenstein's* Potemkin: *A Shot-by-Shot Presentation*. Nova York: Grossman, 1972. H. Marshall (org.), *The Battleship Potemkin*. Nova York: Avon Books, 1978. B. Amengual, *Le Cuirassé Potemkine: étude critique*. Paris: Nathan, 1992. R. Taylor, *The Battleship Potemkin: The Film Companion*. Londres/Nova York: I. B. Tauris, 2000. Para um calendário preciso dos anos 1925–1926 na vida de Eisenstein, cf. W. Sudendorf, *Sergej M. Eisenstein: Materialen zu Leben und Werk*. Munique: Carl Hanser Verlag, 1975, p. 52–74.

Meyerhold e Valerian Pletniov, o incentivador do *Proletkult*[24] — deu, então, nove meses ao jovem Eisenstein para realizar um filme, no âmbito das comemorações da Revolução de 1905.

O título deveria ser, simplesmente, *O ano de 1905*. O roteiro, apresentado por Eisenstein, fora escrito com Nina Agadjanova-Chutko, uma revolucionária de primeira hora que havia participado dos acontecimentos. Seria um enorme painel dos múltiplos acontecimentos que marcaram aquele ano de episódios revolucionários: guerra russo-japonesa, petição do povo diante do Palácio de Inverno do tzar Nicolau II, "Domingo sangrento" de janeiro, greve geral, assassinato do grão-duque Serguei, criação dos sovietes operários e da União Camponesa pan-russa, motim do *Potemkin*, greve geral de outubro e *Manifesto* pela criação de uma monarquia constitucional, prisão de Trotsky etc. Dois protocolos sucessivos e um artigo da *Kino Gazeta*, de 16 de junho de 1925, fazem parte oficialmente do projeto.[25] Há uma tentativa de convencer Serguei Prokofiev a escrever uma sinfonia para acompanhar a primeira projeção do filme, prevista para acontecer no teatro Bolshoi. Eisenstein se retira para a *datcha* de Malevitch com seu amigo, o escritor Isaac Babel, para apurar o roteiro. São previstos duzentos e cinquenta dias de filmagem, com um elenco de vinte mil pessoas.[26]

Como sempre, a filmagem impõe seus múltiplos imprevistos. Ela começa no início de julho de 1925, nas cercanias de Moscou. Em uma entrevista, Eisenstein enumera os lugares onde, segundo ele, deveriam ser feitas as tomadas: Moscou, Leningrado (São Petersburgo), Odessa, Sebastopol, Krasnodar, Tiflis, Baku, Batumi, Tomsk, Chucha, Zlatust, e ainda outras cidades...

24. "Cultura proletária". Movimento literário surgido na Rússia, em 1917. [N.T.]
25. Traduzidos por H. Marshall (org.), *The Battleship Potemkin*, op. cit., p. 53-59.
26. R. Taylor, *The Battleship Potemkin*, op. cit., p. 1-13.

No final de julho, a trupe vai para Leningrado e depois para Kronstadt, filma detalhes de navios em movimento, alcança a frota de guerra em alto mar. O tempo é terrível. O trabalho atrasa. Por sugestão do diretor de produção, que "garante" que ali faz sol, Eisenstein e seus colaboradores vão para o mar Negro. Os primeiros planos filmados em Odessa ainda pertencem ao projeto de *O ano de 1905*. Entretanto, o tempo corre. A data fatídica de 20 de dezembro se aproxima. Então, na primeira quinzena de setembro, Eisenstein desiste do amplo painel que ele começara a construir. Ele vai se restringir apenas à aventura do *Potemkin*, na qual ele vê a parte que representa o todo, que incorpora a "imagem afetiva do todo".[27]

A partir de então, trata-se de concentrar tudo no momento exemplar do motim do encouraçado Potemkin. Eisenstein escreve, apressadamente, uma nova decupagem, muitas vezes remanejada, de quatrocentos e setenta e um planos. A estrutura geral, em cinco atos — como em uma tragédia clássica — se impõe. Édouard Tissé, genial artesão da imagem eisensteiniana,[28] vem juntar-se à equipe, em Odessa, no dia 23 de setembro, para substituir o operador Alexandre Levitski. Algumas das cenas mais famosas são filmadas: a procissão fúnebre diante do corpo do marinheiro Vakulenchuk, o "lamento das brumas" e, é claro, o grande massacre na escadaria de Odessa (cuja filmagem vai precisar de duas semanas de trabalho, praticamente). Em 22 de outubro, a equipe vai para Sebastopol, onde serão filmados todos os planos "marítimos": os veleiros e o próprio encouraçado, no caso o gêmeo do Potemkin, batizado de Os Doze Apóstolos, ancorado na baía de Sebastopol. Como ele está agora desarmado e em grande parte desmantelado — e serve como depósito de minas —, será preciso refazer, com compensados, todas as superestruturas,

27. B. Amengual, *Le Cuirassé Potemkine*, op. cit., p. 19.
28. Cf. S. M. Eisenstein, *Mémoires*, op. cit., p. 399-403.

os falsos canhões, e, para outros planos, usar uma maquete.[29] Grigori Alexandrov, que foi assistente de Eisenstein na filmagem, insistiu muito no fato de que "houve muita improvisação", não apenas em razão das exigências exteriores, mas também porque o cineasta continuava, como um documentarista de "cinema-verdade", atento a todos os "numerosos testemunhos dos acontecimentos" que ele não parava de encontrar, sobretudo em Odessa.[30]

Em 23 de novembro de 1925, Eisenstein voltou para Moscou e se dedicou, durante apenas quatro semanas, ao enorme trabalho da montagem dos quinze mil metros de *rushes*[31] de onde sairiam, finalmente, os mil oitocentos e cinquenta metros do filme concluído. A projeção inaugural ocorreu no teatro Bolshoi, como previsto, com essa mistura, que se tornou mítica entre os cinéfilos, de trabalho improvisado febrilmente (as últimas bobinas que Eisenstein acabara de montar foram levadas com urgência para o teatro, onde já começara a projeção, por Tissé, na sua motocicleta; a colagem de certos planos foi feita com a saliva do cineasta, na falta de coisa melhor)[32] e de apoteose oficial, com a ideia (por fim não realizada) de que, ao final do filme, a tela deveria realmente se abrir em dois, diante do avanço de um grande encouraçado de papelão, com os marinheiros agitando suas boinas...

Depois dessa faustuosa "estreia" de 21 de dezembro de 1925, a versão final do filme foi para as salas de Moscou, em 18 de janeiro de 1926. Em doze dias, só no Goskino, foram 29.458 espectadores. A fachada da sala de cinema foi decorada com um encouraçado, lanterninhas e outros empregados vestiam-se como marinheiros do *Potemkin*. Cartazes de fevereiro já davam conta de trezentos mil espectadores na Rússia, apesar do número limitado

29. H. Marshall (org.), *The Battleship Potemkin*, op. cit., p. 61–86. J. Leyda; Z. Voynow, *Eisenstein at Work*. Nova York: The Museum of Modern Art/Pantheon Books, 1982, p. 22–24.
30. Apud L. Moussinac, *Serge Eisenstein*. Paris: Seghers, 1964 (ed. complétée, 1968), p. 182.
31. Material bruto filmado. [N.T.]
32. S. M. Eisenstein, *Mémoires*, op. cit., p. 199.

de cópias disponíveis. Em julho de 1926, Douglas Fairbanks esteve em Moscou com Mary Pickford e afirmou aos jornalistas que a visão *de O encouraçado Potemkin* havia sido a "mais poderosa e a mais profunda experiência sua vida", enquanto a atriz se desculpava por nada poder dizer, de tanto havia chorado diante das imagens de Eisenstein.[33] Ora, foi bem no âmago dessa situação de efervescência que Eisenstein começou, talvez, sua difícil carreira de "mestre em pedaços", ao mesmo tempo celebrado e criticado, admirado e coagido ao impoder.

A recepção ocidental de *O encouraçado Potemkin* abriu várias portas, que em outros casos talvez tivessem sido fechadas, nos limites estritos do contexto soviético.[34] Mas o preço a ser pago foi considerável. É preciso não esquecer que o entusiasmo de um certo público ocidental — sobretudo de artistas e intelectuais —, da Alemanha ou da França, para começar, não se distanciava de uma perpétua negociação com a censura: de modo que o próprio *Potemkin* só se tornou um "mestre-filme" ao ser cortado em pedaços, retalhado no próprio exercício da sua apresentação. Em Berlim, o conflito foi violento entre as exigências do Exército — que via no filme uma incitação à desobediência e um real perigo de "bolchevisação" das tropas — e a política cultural liberal da República de Weimar. Quatorze cortes para começar. Múltiplas tentativas de impedir a projeção. Todos os soldados alemães receberam ordens de não ver o filme, enquanto a recepção por parte de Murnau, Fritz Lang, Bertold Brecht e Max Reinhardt foi entusiasmada. As críticas da direita foram tão virulentas — "judeu-soviete" — que a censura teve que realizar novos cortes. Joseph Goebbels, como sabemos, ficou muito impressionado.

33. R. Taylor, *The Battleship Potemkin*, op. cit., p. 67.

34. Ibid., p. 98–127. H. Marshall (org.), *The Battleship Potemkin*, op. cit., p. 115–235.

Logo ele exigiria de Leni Riefenstahl que ela aprendesse as lições propagandistas de uma eficácia visual como aquela.[35]

Na França, a projeção pública de *O encouraçado Potemkin* foi imediatamente proibida, situação que perdurou até os anos 1950... Isso pode parecer espantoso, principalmente quando lemos as palavras fervorosas de todos aqueles que assistiram às primeiras projeções privadas no Cineclube de França (Georges Sadoul, Jean Mitry, Léon Moussinac):

> Quando, num dia daquele outono de 1926, o representante de Sovkino me informou que havia recebido a cópia de um filme recente que fizera muito sucesso em Moscou e me convidou para vê-lo, apressei-me em aceitar com a secreta esperança de finalmente exibir um filme soviético no Cineclube de França.
>
> Quando as imagens do filme de S.M. Eisenstein se desenrolaram para mim, naquela pequena sala de montagem para a qual eu fora convidado, sofri verdadeiramente por não poder compartilhar meu entusiasmo e minha emoção. Só pensei numa coisa: ir correndo anunciar minha descoberta aos membros da direção do Cineclube de França, que se reuniam naquele mesmo dia. Todos acreditaram na minha palavra. Estavam lá René Blum, o presidente, Jacques Feyder, Germaine Dulac, Philippe Hériat, Jean Toulout e alguns outros. Foi decidido que o filme seria apresentado o mais cedo possível, com as devidas precauções para que a polícia não achasse um pretexto para intervir. [...] Era preciso prever manifestações hostis, talvez, pois tratava-se de um filme sobre um episódio da Revolução de 1905. [...] A atmosfera da sala, na medida em que as imagens de violência se desenrolavam sob um silêncio absoluto, ia se tornando memorável. Mesmo aqueles que tinham vindo com a intenção de protestar sentiam-se dominados pela verdade de uma ação transfigurada pelo gênio de Eisenstein. Estupor e entusiasmo acabaram se unindo. Nunca tínhamos visto uma obra tão emocionante e expressiva pela sua unidade. A revelação era total.[36]

35. R. Taylor, *The Battleship Potemkin*, op. cit., p. 98–112. Cf. S. M. Eisenstein, *Mémoires*, op. cit., p. 179.

36. L. Moussinac, *Serge Eisenstein*, op. cit., p. 20–22. Cf. G. Sadoul, "Le plus beau film du monde", *L'Avant-scène cinéma*, n. 111, 1962, p. 9. S. M. Eisenstein, *Mémoires*, op. cit., p. 321–329.

Colette exultava. Marcel L'Herbier propôs que Eisenstein recebesse o prêmio Nobel. Durante esse tempo, o British Board of Film Censors cortava mil duzentos e cinquenta metros de um filme cuja exibição pública estava, de qualquer forma, proibida, apesar das intervenções de George Bernard Shaw ou de Ivor Montagu.[37] Em *O espírito do cinema*, de 1930, Béla Balázs contou como havia procedido a censura sueca: remontando, no final do filme, toda a cena da lona — os marinheiros, sob a lona, ameaçados de fuzilamento —, ela havia conseguido transformar o *Potemkin* numa história de simples motim corretamente reprimido pelo capitão do navio.[38]

As aventuras e desventuras do *Potemkin* não têm fim. Contento-me em lembrar de mais alguns fatos significativos: o negativo original foi vendido para a Alemanha, único país onde as cópias podiam ser feitas com qualidade; ele só voltou para Moscou em 1940, graças às circunstâncias políticas (o Pacto germano-soviético), mas foi destruído em 1941, numa batalha que aconteceu em Tula, a cerca de duzentos quilômetros ao sul de Moscou. Depois da guerra, foi encontrado um duplo (mas censurado) do negativo, em Berlim, sendo que o filme continuou entregue a todo o tipo de manipulação: intertítulos suprimidos pela administração soviética, ritmo das imagens modificado para a fabricação de versões sonorizadas, em 1950 e 1976:

> Para sonorizar um filme mudo, filmado em dezesseis imagens por segundo, é preciso intercalar uma imagem suplementar a cada duas imagens. Isso produziu um movimento brusco (perceptível principalmente nos efeitos de fumaça, ondas etc.), mas que respeitou a cadência muito rigorosa da montagem original. Podemos fazer o teste: projetada a vinte e quatro imagens [por segundo], uma bobina muda do *Potemkin*

37. R. Taylor, *The Battleship Potemkin*, op. cit., p. 112–116.
38. B. Balázs, *L'Esprit du cinéma* (1930), trad. J. Chavy. Paris: Payot, 1977 (ed. 2011), p. 223–224. Id., *Le Cinéma: nature et évolution d'un art nouveau* (1948), trad. J. Chavy. Paris: Payot, 1979 (ed. 2011), p. 136–138.

perde grande parte da sua beleza. Por outro lado, ele foi sonorizado [em 1950] como o duplo negativo alemão, sem restabelecer os cortes feitos em 1926 pela censura berlinense.[39]

Uma nova restauração do filme, feita sob a direção de Enno Patalas em 2005, restituiu ao *Potemkin* um total de mil trezentos e setenta e oito planos, ou seja, quinze a mais que na versão de 1976.[40]

A recepção ocidental do *Potemkin* só nos revela, é evidente, um aspecto parcial da sua história. A recepção russa teve outras implicações, ou seja, foi muito mais conflituosa, alternadamente afetuosa e lógica, ardorosa ou rival, admirativa ou totalmente hostil. Richard Taylor e Herbert Marshall traduziram o essencial, quer se trate de intervenções escritas (nos jornais da época) ou orais, principalmente numa seção pública organizada em 7 de janeiro de 1926 pela Associação Revolucionária de Cinematografia (ARK), na qual se sucederam na tribuna Vsevolod Pudovkin, Lev Kuléchov, Abram Room, Viktor Chklovski e muitos outros, hoje um pouco esquecidos,[41] (principalmente entre os mais agressivos). É que, nessa época, o ambiente artístico na Rússia — que não pretendo restituir aqui —, era tão conflituoso quanto efervescente: *Proletkult* ou "excentricismo", "cine-olho" ou "cine-punho", "síntese das artes" ou não, conteúdos revolucionários ou formas novas, construtivismo ou realismo ... debates nos quais o próprio Eisenstein não podia deixar de estar, juntamente com seu filme.[42]

39. G. Sadoul, "Le plus beau film du monde", art. cit., p. 9. Cf. B. Amengual, *Le Cuirassé Potemkine*, op. cit., p. 13–14. R. Taylor, *The Battleship Potemkin*, op. cit., p. 11–12.

40. Cf. T. Tode, "Un film peut en cacher un autre: à propos des différentes versions du *Cuirassé Potemkine* et de la réapparition de la mise en musique d'Edmund Meisel", trad. C. Bloch, 1895. *Revue de l'Association française de Recherche sur l'Histoire du Cinéma*, n. 47, 2005, p. 39–76.

41. R. Taylor, *The Battleship Potemkin*, op. cit., p. 69–98. H. Marshall (org.), *The Battleship Potemkin*, op. cit., p. 89–113 e 237–352. Cf. J. Leyda, *Kino: histoire du cinéma russe et soviétique* (1960), trad. C.-H. Rochat. Lausane: L'Âge d'homme, 1976, p. 223–256.

42. Cf., principalmente, B. Eisenschitz, *"Le Proletkult, Eisenstein"*, *Cahiers du cinéma*, n. 220–221, 1970, p. 39–44. P. Bertetto (org.), *Teorie del cinema rivoluzionario. Gli anni Venti in URSS: Ejzenštejn, FEKS, Vertov*. Milão: Feltrinelli, 1975. F. Albera, *Eisenstein et le constructivisme russe*. Lausane: L'Âge d'homme, 1990. G. Conio (org.), L'Avant-garde russe et la synthèse des arts. Lausane: L'Âge d'homme, 1990. L. Mally, *Culture of the Future: The Proletkult Movement in Revolutionary Russia*. Berkeley/Los Angeles/Oxford: University of California Press, 1990. V. Strada, "Ejzenštejn e Majakovskij: tra avanguardia e totalitarismo", in *Sergej Ejzenštejn: oltre il cinema*, op. cit., p. 42–47. S. Deisen; B. Grüter, "Panzerkreuzer Potemkin", in . S. Deisen,

As coisas se complicaram ainda mais pela própria situação política que transformaria cada *tomada de forma* eminentemente significativa em *tomada de posição*, portanto, em *tomada de risco* — e isso para toda a vida de Eisenstein. Vejamos um detalhe aparentemente mais banal: a data da projeção inaugural do *Potemkin*. Já citei acima o dia 21 de dezembro de 1925, que é a data "oficial", geralmente registrada. Na realidade, ninguém parece estar de acordo sobre isso: Oksana Bulgakowa antecipa para 7 de novembro, Jey Lada mantém 21 de dezembro, mas Werner Sudendorf e Enno Patalas preferem 24 de dezembro (sem contar Marie Seton que fala de 1º de janeiro de 1926)... Uma indicação dada por Naoum Kleiman a Thomas Tode talvez esclareça as coisas do ponto de vista político: a data oficial de 21 de dezembro teria sido postergada para 24 a fim de que Leon Trotsky pudesse assistir à projeção.[43] Compreendemos então que essa última data possa ter caído no "esquecimento", depois que caiu em desgraça o autor do livro monumental *1905*,[44] que já havia se demitido do Comissariado do Povo para a Guerra, e seria excluído do Partido Comunista em 1927 e deportado para Alma-Ata, antes de ser definitivamente exilado, em 1929.

Quando Eisenstein apresentou seu filme ao público russo, Lenin estava morto havia menos de dois anos. Os conflitos políticos na cúpula do Estado já eram extremamente violentos e, naturalmente, encontravam sua tradução, mais ou menos direta, nos debates "culturais" entre os chamados "vanguardistas" e os chamados "proletários", os partidários das "formas revolucionárias"

B. Grüter; R. Hutzler (orgs.), *Sergej Eisenstein im Kontext der russischen Avantgarde*, 1920–1925. Frankfurt: Deutsches Filmmuseum, 1992, p. 66–97.

43. T. Tode, "Un film peut en cacher un autre", art. cit., p. 39.

44. L. Trotsky, *1905, suivi de Bilan et perspectives* (1906–1909), trad. G. Bloch; M. Parijanine. Paris: Minuit, 1969.

e os das "formas realistas" de conteúdo revolucionário.[45] Um documento capital para entender a política cultural soviética dessa época é a resolução do Comitê Central datada de 18 de junho de 1925: no momento, portanto, em que Eisenstein estava para começar a filmagem de *O encouraçado Potemkin*. Ainda que essa resolução refira-se principalmente ao domínio literário, ela estabelece claramente que a sociedade russa já havia "entrado numa época de revolução cultural", de acordo com a ditadura do proletariado, mas que "ela, [no entanto], ainda não tinha respostas definitivas para todas as questões relativas à forma artística".[46] Essa posição doutrinal ainda aberta — e hesitante — bem poderia designar o espaço no qual, esteticamente falando, Eisenstein pôde mergulhar em 1925, o que praticamente já não era possível a partir dos anos 1930 (como mostram, por exemplo, a censura implacável ao *Prado de Bejin* e, antes disso, desde 1929, os imprevistos da *Linha Geral*).

Isso talvez explique como Eisenstein, em *O encouraçado Potemkin*, conseguiu chegar a essa dialética paradoxal que consiste em *celebrar o impoder*. Celebrar os grandes acontecimentos de 1905, mesmo que reduzidos a um só, mas de modo exemplar, foi sem dúvidas isso que as instâncias oficiais encomendaram inicialmente. E, ao tratar do motim do *Potemkin*, pediam-lhe para *celebrar uma vitória* — vitória alegórica, falsa vitória, se considerarmos estritamente os acontecimentos — e não para "celebrar o impoder". Pediam-lhe um objeto de comemoração, de prestígio e de propaganda. Isso explica o modo como as salas de cinema de Moscou foram ornamentadas para o lançamento do filme — as

45. Cf. B. Amengual, *Le Cuirassé Potemkine*, op. cit., p. 15–18. C. V. James, *Soviet Socialist Realism. Origins and Theory*. Londres: Macmillan, 1973, p. 38–83. S. Fitzpatrick, *The Cultural Front: Power and Culture in Revolutionary Russia*, Ithaca, Cornell University Press, 1992. K. Clark; E. Dobrenko (dir.), *Soviet Culture and Power: A History in Documents, 1917–1953*, trad. M. Schwartz. New Haven/Londres: Yale University Press, 2007, p. 229–248 et 432–458.
46. Apud C. V. James, *Soviet Socialist Realism*, op. cit., p. 116–117.

fachadas foram decoradas com um encouraçado —, o que as tornava muito semelhantes aos carros alegóricos fabricados a partir de 1918 para festejar a Revolução de Outubro ou o 1º de Maio.[47]

A produção de *O encouraçado de Potemkin* não poderia, evidentemente, ser compreendida fora de uma certa situação institucional na qual o cinema era mantido na Rússia àquela época, com suas próprias zonas de possibilidades e de impossibilidades.[48] Mas o filme também se inscreve num contexto mais amplo de *celebrações revolucionárias*, cuja longa tradição, desde 1789, e cujas grandes manifestações de "transferência de sacralidade", como dizia Mona Ouzouf,[49] não eram desconhecidas pelos políticos, tampouco pelos artistas. Eisenstein não apenas pôde ler *O teatro do povo* de Romain Rolland,[50] como também, de modo mais amplo, a própria história do cinema deve ter contado, desde o começo, com essa tradição teatral e comemorativa.[51] O cinema soviético,

47. Cf. V. Tolstoy, I. Bibikova; C. Cooke, *Street Art of the Revolution: Festivals and Celebrations in Russia*, 1918–1933, Londres, Thames and Hudson, 1990, p. 119 et 153.

48. Cf. R. Taylor, *The Politics of the Soviet Cinema, 1917–1929*. Cambridge/Nova York: Cambridge University Press, 1979. J.-L. Passek (org.), *Le Cinéma russe et soviétique*. Paris: Centre Georges Pompidou, 1981. R. Taylor; I. Christie (orgs.), *The Film Factory: Russian and Soviet Cinema in Documents, 1896–1939*. Londres/Nova York: Routledge, 1988 (ed. 1994). Id. (orgs.), *Inside the Film Factory: New Approaches to Russian and Soviet Cinema*. Londres/Nova York: Routledge, 1991. A. Lawton (org.), *The Red Screen: Politics, Society, Art in Soviet Cinema*. Londres/Nova York: Routledge, 1992. M. Tsikounas, *Les Origines du cinéma soviétique: un regard neuf*. Paris: Cerf, 1992. R. Taylor; D. Spring (orgs.), *Stalinism and Soviet Cinema*. Londres/Nova York: Routledge, 1993. P. Kenez, *Cinema and Soviet Society from the Revolution to the Death of Stalin*. Londres/Nova York: I. B. Tauris, 2001. B. Beumers (dir.), *The Cinema of Russia and the Former Soviet Union*. Londres: Wallflower Press, 2007. J. Miller, *Soviet Cinema: Politics and Persuasion under Stalin*. Londres/Nova York: I. B. Tauris, 2010.

49. M. Ozouf, *La Fête révolutionnaire, 1789–1799*. Paris: Gallimard, 1976, p. 317–340. Cf. M. Carlson, Le *Théâtre de la Révolution française* (1966), trad. J.; L. Bréant. Paris: Gallimard, 1970. F. Brown, *Theater and Revolution: The Culture of the French Stage*. Nova York: The Viking Press, 1980, p. 1–131.

50. R. Rolland, *Le Théâtre du peuple* (1903). Bruxelas: Complexe, 2003.

51. Cf. H. El Nouty, *Théâtre et pré-cinéma. Essai sur la problématique du spectacle au* XIX*e siècle*. Paris: Nizet, 1978, p. 35–47 et 271–278.

ao lado de uma produção chamada de "popular" — uma produção de "pequenas histórias" —, caracteriza-se, evidentemente, por suas encenações da "grande história", da qual o *Potemkin* é um exemplo maior: visando, em suma, museificar a história na memória visual dos espectadores.[52] Eisenstein, nesse aspecto, podia se orgulhar ao ver um veterano do motim lembrando-se em público da "cena da lona", que, no entanto, foi totalmente inventada: "A cena ficou no filme, ela se tornou a carne e o sangue da história."[53]

A emoção, a revolta: cena das lágrimas e apelo às armas

Para Eisenstein, "a carne e o sangue da história" não dispensavam a carne das emoções e o sangue da dor sofrida: *pathos*. Não é por acaso que, na filmografia do cineasta, *O encouraçado Potemkin* se situa na junção entre a narrativa de uma simples derrota (o levante reprimido de *A greve*) e de uma simples vitória (o levante bem-sucedido de *Outubro*). Era preciso, portanto, sustentar uma posição dialética, em algum lugar entre a inexatidão histórica de um lado (pois o motim do *Potemkin* foi um fracasso, tratado aqui de forma vitoriosa) e uma certa verdade antropológica, de outro lado (pois, para Eisenstein, a "progressão" revolucionária não funciona sem os necessários movimentos de "regressões" emocionais, exatamente como ele dirá mais tarde). Primeiro, vejamos o que Eisenstein reivindica sobre a "vitória":

> Conhecemos o destino ulterior do encouraçado da história. Ele foi detido em Constança... Depois, foi devolvido ao governo tzarista... Uma parte dos marinheiros conseguiu escapar... Mas Matiuchenko caiu nas mãos dos carrascos tzaristas e foi executado.

52. Cf. D. J. Yougblood, *Movies for the Masses: Popular Cinema and Soviet Society in the 1920s*. Cambridge/Nova York: Cambridge University Press, 1992. E. Dobrenko, *Stalinist Cinema and the Production of History Museum of the Revolution*, trad. S. Young. Edimburgo: Edinburgh University Press, 2008.
53. S. M. Eisenstein, *Mémoires*, op. cit., p. 190.

> Em todo caso, é justo que seja precisamente com uma vitória que termine o destino do herdeiro cinematográfico do encouraçado histórico.
>
> Pois é exatamente assim que a Revolução de 1905, mergulhada em sangue, figura nos anais da história das revoluções, antes de tudo como um acontecimento objetiva e historicamente vitorioso, como grande precursor da Revolução de Outubro.
>
> E então, através dessa imagem de uma derrota tratada como vitória, transparece, em todo seu pateticismo, o papel dos grandes acontecimentos do ano de 1905, entre os quais os acontecimentos históricos do *Potemkin* não são mais do que um episódio parcial no qual se reflete a grandeza do todo.[54]

Em um "plano geral", portanto, a perspectiva de Eisenstein atende muito exatamente às vontades do Estado comanditário: que os acontecimentos de 1905 sejam representados como o primeiro episódio da *tomada de poder* revolucionária, assim como ela será efetivada durante os acontecimentos de 1917. Mas, em um "plano fechado", se podemos dizer assim, *O encouraçado Potemkin* vai ousar nos mostrar o *impoder* diante de uma violência contestada, mas sofrida: primeiramente, como *morre* um só homem que se revolta contra a autoridade de superiores injustos (é a cena da morte de Vakulenchuk no navio); em seguida, como todo um povo se *comove* com essa morte, a ponto de passar para a *comoção* contra a autoridade de todo o governo dos opressores (é a cena da lamentação); e, finalmente, como esse povo *morre*, por sua vez, sob as balas de um exército impessoal e sob os golpes de sabre de um esquadrão de cossacos ferozes (é a cena da escadaria de Odessa). Parece-me significativo que, para tornar esse processo tão claro quanto possível — na sua fatalidade dialética, se podemos dizer assim —, Eisenstein tenha escolhido omitir

54. Ibid., p. 197.

certos aspectos da história, como as negociações entre os marinheiros e as autoridades de Odessa para conseguir que o marinheiro Vakulenchuk tivesse direito a um funeral decente.[55]

A cena da lamentação do *Potemkin* se situa, então, não apenas depois de uma morte, mas *entre duas execuções*, uma individual (um assassinato dirigido) e outra coletiva (um Massacre dos Inocentes). Não poderíamos, portanto, dizer que é uma "cena fraca", pois, pelo contrário, é uma "cena de junção" entre o desalento de um povo que se comove e a formidável potência de um povo que se rebela. Essa cena, filmada em um único dia de setembro de 1925, num cais do porto de Odessa,[56] teve papel considerável na organização de todo o filme: é um *corte dialético*, não apenas no desenrolar da narrativa, mas principalmente na maneira de torná-la compreensível para além dos únicos "acontecimentos" narrados. Em *Natureza não indiferente*, o próprio Eisenstein falará de "cesura" e de "contraposição", como se, na cena de luto do *Potemkin*, "o ponto culminante [coincidisse] com o ponto mais baixo".[57]

Para os críticos preocupados com o aspecto da "reconstituição histórica", essa cena, evidentemente, tem muito pouca importância e algumas vezes é até omitida, como em James Goodwin.[58] Mas ela foi plenamente reconhecida, desde 1926, por Viktor Chklovski — "utilizando a multidão de maneira primitiva, embora extraordinariamente espiritual, Eisenstein sabe se servir brilhantemente do homem parado, de pé, tomado pela dor"—,[59] e depois

55. Cf. R. Hough, *La Mutinerie du cuirassé* Potemkine, *27 juin 1905* (1960), trad. H. Mathieu. Paris: Robert Laffont, 1962 (réed. Paris: Tallandier, 2011), p. 86–89.

56. B. Amengual, *Le Cuirassé Potemkine*, op. cit., p. 20. R. Taylor, *The Battleship Potemkin*, op. cit., p. 9.

57. S. M. Eisenstein, La *Non-indifférente Nature*, I (1945-1947), trad. L.; J. Schnitzer, in *Œuvres*, *II*. Paris: Union Générale d'Éditions, 1976, p. 56, 70–71 et 77.

58. J. Goodwin, *Eisenstein, Cinema, and History*. Urbana/Chicago: University of Illinois Press, 1993, p. 67.

59. V. Chklovski, "Eisenstein" (1926), trad. V. Pozner, in *Textes sur le cinéma*. Lauzane: L'Âge d'homme, 2011, p. 170.

Figura 23. Serguei M. Eisenstein, *O encouraçado Potemkin,* 1925. Fotograma ("Terceiro ato/ Um morto exige justiça").

pelos críticos franceses próximos do cineasta.[60] Léon Moussinac, na sua monografia de 1964, publicou uma fascinante "lista-montagem" encontrada nas coleções da Cinemathèque Royale da Bélgica: podemos compreender ali, de maneira quase estenográfica e "poética", a maneira como Eisenstein quis construir a cena do luto, ainda que certas indicações não tenham sido seguidas na montagem final.[61] O que restou do roteiro, porém, diz respeito à estrutura da obra: a cena do luto ocupa todo o "terceiro ato" de

60. J. Mitry, *S. M. Eisenstein*. Paris: Éditions universitaires, 1955 (reed. Paris: Jean-Pierre Delarge, 1978), p. 104. Cf. também B. Amengual, *Sergueï Mikhaïlovitch Eisenstein*. Lyon: Société d'Études, de Recherches et de Documentation cinématographiques, 1962, p. 21–42. Id., *Le Cuirassé Potemkine*, op. cit., p. 35–36 e 70–74. R. Taylor, *The Battleship Potemkin*, op. cit., p. 29–35. F. Lenz, *Sergej Eisenstein: Montagezeit. Rhythmus, Formdramaturgie, Pathos*. Munique: Wilhelm Fink Verlag, 2008, p. 125–145. A. Somaini, *Ejzenštejn*, op. cit., p. 15.
61. L. Moussinac, *Serge Eisenstein*, op. cit., p. 127–131 (et infra, p. 447–450).

Figura 24. Serguei M. Eisenstein, *O encouraçado Potemkin*, 1925. Fotograma (carpideira diante do cadáver de Vakulenchuk).

uma tragédia dividida em cinco. O intertítulo da introdução, ao estilo de Victor Hugo em *Os miseráveis,* não contém nenhuma ambiguidade sobre o fato de que a *dor* que será mostrada deverá ter o valor — ativo — de *queixa*, ou seja, de justiça exigida: "Terceiro ato / Um morto exige justiça" (*fig. 23*), algumas vezes traduzido por "A morte exige justiça", "O apelo dos mortos", ou até mesmo "O sangue grita por vingança".[62]

Nessa longa cena, portanto, a dor sofrida torna-se ato, ação: um verdadeiro *desafio da dor*. A queixa vai se tornar algo como uma ação na justiça ou um ato de justiça: ele vai *prestar queixa*. A emoção terá valor de confraternização, ao invés de recolhimento, de passividade. Compreendemos aqui que o "povo em lágrimas"

62. J. Leyda, *Kino,* op. cit., p. 230. B. Amengual, *Que Viva Eisenstein!*. Lausane: L'Âge d'homme, 1980, p. 152. Tradução literal: "O morto exige", ou "O morto grita, apela".

não está tão desarmado assim, muito pelo contrário, pois o lamento vai terminar em um verdadeiro *apelo às armas.* E é assim que o filme de Eisenstein — na sua moção própria, sua emoção, seu movimento para a revolta — responde, antecipadamente, às objeções de um Roland Barthes que se fixou em dois ou três fotogramas para melhor atacar a "ausência de polissemia", o "cenarismo" ou os "gestos de ícones e de *pietàs*" no filme...[63] Sem contar a maneira como o próprio cineasta considerou aquilo que, longe de toda a iconografia padrão, aparece no seu filme como uma verdadeira *formulação dialética do pathos.*

Em um texto de 1926, intitulado "Constança (aonde vai *O encouraçado Potemkin?*)", Eisenstein reivindicou com eloquência aquilo que ele chamava de "um efeito *positivo* do *pathos*", um apelo à emoção, como "apelo permanente à atividade":

> Todos os procedimentos da arte passiva, dúvidas, choro, sentimentalismo, lirismo, psicologia, sentimento maternal etc. [...] são arrancados da harmonia da sua ligação tradicional com os efeitos de "evasão", de fuga da realidade e outros efeitos de passivação.[64]

Em um texto de 1938-1939, incluído na antologia *O filme: sua forma, seu sentido*, Eisenstein — bem longe da "pausa do sentido" que Roland Barthes atribui a ele — explicou muito claramente sua *construção antitética* da cena, quando "a raiva explode organicamente [a partir] do tema do luto".[65] Enfim, no importante capítulo "O orgânico e o patético", de *Natureza não indiferente*, o cineasta explicitará as polaridades operatórias nas quais se instala sua *construção emocional*:

63. R. Barthes, "Le troisième sens", art. cit., p. 489.
64. S. M. Eisenstein, "Constantza (où s'en va *Le Cuirassé Potemkine?*)" (1926), trad. J. Aumont, in *Œuvres, I. Au-delà des étoiles.* Paris: Union Générale d'Éditions/Cahiers du cinéma, 1974, p. 35.
65. Id., "De la structure (du film)" (1938-1939), in *Le Film: sa forme, son sens*, trad. A. Panigel. Paris: Christian Bourgois, 1976, p. 194.

> [Em O *encouraçado Potemkin*] cada parte se divide claramente em duas metades quase iguais. Isso se torna particularmente evidente a partir do segundo ato.
>
> A cena com a lona — a revolta.
>
> O luto por Vakulenchuk — a manifestação da raiva.
>
> A confraternização lírica — o tiroteio.
>
> A espera angustiada da frota — o triunfo.
>
> Isso não é tudo. No ponto de "ruptura" de cada parte, existe, em cada caso, uma espécie de pausa — uma espécie de "cesura".
>
> Em um caso — alguns planos de punhos que se fecham, o que permite que o tema do luto do supliciado pule para o tema da raiva (terceira parte). [...] E é preciso notar que a ruptura no interior de cada parte não é uma simples mudança para um estado de espírito diferente, num ritmo diferente, num acontecimento diferente, mas que, a cada vez, trata-se da passagem para o *seu contrário*. Não o contraste, mas, precisamente, *o contrário*, pois, a cada vez, isso dá a imagem do mesmo tema, vista a cada vez pelo ângulo oposto [como na] explosão da raiva brotando organicamente do tema das massas enlutadas.[66]

Queixa de cada um e revolta de todos: os atores da história

Desde o começo, os espectadores *de O encouraçado de Potemkin* ficaram surpresos com a potência dinâmica das *emoções coletivas* mostradas no filme. É como se Eisenstein tivesse introduzido na noção política das "massas" ou dos "povos" — e na representação de sua efetividade histórica — o elemento tão íntimo e corporal das emoções: mostrar em plano fechado, por exemplo, como uma mulher que chora leva a mão até a bochecha (*fig. 21*). Eisenstein se dedicou, no entanto, a revirar as convenções através das quais o cinema — e, antes dele, o teatro — representava tradicionalmente as emoções de um protagonista: como a expressão pura e simples do seu *eu*. Enquanto o plano fechado era utilizado por Griffith, principalmente para isolar o sujeito do grupo social em torno dele (por exemplo, Lilian Gish no meio da

66. Id., *La Non-indifférente Nature, I*, op. cit., p. 54-55.

horrível multidão depravada, em *Órfãs da tempestade*), aqui acontece o inverso: uma mesma composição da imagem permitirá que se veja, em Eisenstein, tanto a *intimidade* de um sentimento de dor, de recolhimento (*fig.* 24) quanto a *coletividade* dessa mesma emoção criando o espaço de um *nós*, ao aproximar os indivíduos uns dos outros (*fig.* 25)

Foi isso o que Viktor Chklovski percebeu, em 1927, ao dizer que *O encouraçado Potemkin* se situava muito além da noção tradicional de ator — muito além até mesmo das polêmicas suscitadas pelo grupo de Dziga Vertov sobre a oposição entre filme "atuado", e filme "não atuado".[67] É o que também escrevia Boris Kazanski no mesmo ano, afirmando que, "na medida em que o homem se serve de 'real' para reproduzir, ele está presente na obra de arte, e o fato de ele ser ator importa pouco".[68] Ainda em 1927, Boris Eikhenbaum escrevia, por sua vez: "Nosso cinema se desenvolve sob o signo de um naturalismo original, fora da fábula como tal e, em boa parte, *fora do ator*."[69] Walter Benjamin, em 1928, vai recolocar a questão mais filosoficamente, numa perspectiva mais ampla, incluindo relações mais gerais do poético e do político na obra fílmica:

> Que existam tendências políticas em cada obra de arte — já que elas são criações históricas da consciência — é uma verdade banal. Mas, da mesma forma que as mais profundas camadas rochosas só se mostram nos pontos de ruptura, a formação profunda da "tendência" também só se apresenta aos olhos nos pontos de ruptura da história da arte [...]. Entre os pontos de ruptura das formações artísticas, um dos mais potentes é o cinema. Com ele nasce, verdadeiramente, *uma nova região da consciência*. Ele é — para dizer numa só palavra — o único prisma em

67. V. Chklovski, "Sergueï Eisenstein et le film non joué" (1927), trad. V. Pozner, in *Textes sur le cinéma*, op. cit., p. 176–178.
68. B. Kazanski, "La nature du cinéma" (1927), trad. J.-C. Peuch, in F. Albera (org.), *Les Formalistes russes et le cinéma: poétique du film*. Paris: Nathan, 1996, p. 113.
69. B. Eikhenbaum, "L'acteur et le "réel" dans le cinéma soviétique (éléments pour un débat)" (1926), trad. R. Gayraud, in F. Albera (org.), *Les Formalistes russes et le cinéma: poétique du film*. Paris: Nathan, 1996, p. 220.

Figura 25. Serguei M. Eisenstein, *O encouraçado Potemkin*, 1925. Fotograma (o povo se reúne em volta da tenda onde está o cadáver).

que se abrem para o homem atual, de maneira clara, significativa, apaixonante, o meio imediato, os lugares onde ele vive, trabalha [...]. A superioridade do cinema revolucionário russo [pode ser vista na] pregnância mortal da frota manobrando, como registrou o *Potemkin* de maneira mais impiedosa. [...] O proletariado é o herói desses espaços [...], mas o proletariado é coletivo, assim como esses espaços são os espaços do coletivo. E é apenas aqui, no coletivo humano, que o cinema pode acabar esse trabalho prismático que ele começou sobre o meio. O *Potemkin* foi marcante justamente porque isso nunca havia sido mostrado tão explicitamente antes. Aqui, pela primeira vez, o movimento de massa toma um caráter plenamente arquitetônico [de modo que] nenhum outro meio poderia restituir esse coletivo animado de movimento, e mais: nenhum outro poderia ainda comunicar tal beleza ao movimento do temor.[70]

70. W. Benjamin, "Discussion sur le cinéma russe et l'art collectiviste en général (réponse à O. A. H. Schmitz)" (1927), trad. B. Eisenschitz, *Cahiers du cinéma*, n. 226–227, 1971, p. 16.

Em 1928, Léon Moussinac podia então escrever que "o domínio de Eisenstein é patético e coletivo",[71] de modo absolutamente indissociável. Em 1931, Jean Cocteau escreveu, em *Ópio*, que "uma das coisas mais bem-sucedidas do *Potemkin* é parecer que não foi dirigido por ninguém, interpretado por ninguém".[72] Jean Mitry, por sua parte, falou de uma "intrusão do elemento social na arte do filme",[73] e Georges Sadoul de um processo no qual Eisenstein teria

> recusado qualquer outro herói que não fosse a massa: não há papel principal no *Potemkin*, sobretudo nas forças populares. Os militantes revolucionários (Vakulenchuk, Matouchenko, Feldman) pouco se destacam da tripulação do Potemkin ou da população de Odessa. Eles emergem, de vez em quando, da massa como seu porta-voz e logo mergulham novamente nela.[74]

É isso que acontece de forma exemplar na cena de lamentação do terceiro ato, tal como a descreve minuciosamente Barthélémy Amengual:

> [Na cena de lamentação do *Potemkin*] a dialética do individual e do coletivo [...] toma a forma de uma circulação da informação, da expansão de um boato, por entre a multidão. É como uma grande frase, picotada, que vai se tornando clara, se compondo, à medida em que as pessoas avançam. A decupagem é a seguinte:
>
> Planos 654 a 662. No quebra-mar, diante do corpo de Vakulenchuk, algumas pessoas — uma, depois duas, depois pequenos grupos — se reúnem. Vemos seu número aumentando, logicamente, progressivamente.
>
> Plano 663: P.G. Uma escadaria estreita e íngreme, em uma cidade do interior (não é a grande escadaria Richelieu, na qual ocorrerá o massacre), vazia, fica repentinamente cheia, por sobreimpressão, e por ela desce uma imensa multidão que se dirige ao porto. O efeito faz "explodir" o realismo da sequência anterior.

71. L. Moussinac, *Le Cinéma soviétique*, op. cit., p. 155.
72. J. Cocteau, *Opium: journal d'une désintoxication* (1930). Paris: Stock, 1983, p. 211.
73. J. Mitry, *S. M. Eisenstein*, op. cit., p. 93.
74. G. Sadoul, "Le plus beau film du monde", art. cit., p. 8.

Figura 26. Serguei M. Eisenstein, *O encouraçado Potemkin*, 1925. Fotograma (o povo convergindo para o cais).

O filme muda de nível. Agora entram em cena o exagero, a desmedida, a amplificação épica. A homenagem de alguns torna-se a homenagem de todos; a manifestação muda de escala. A avalanche humana que começa a descer a escadaria ocupa a colina, atravessa pontes e viadutos, divide-se em rios convergentes, desloca-se (irrealisticamente, "teatralmente") em planos gerais de uma grandeza sufocante, reúne-se em um rio gigantesco que se espalha como um turbilhão em volta da tenda fúnebre. [...]

O auge do artifício, o maior irrealismo (mas quem percebe isso?), está nos planos gerais 676, 677, 678, 680: uma multidão compacta, que poderia ser cortada com a faca, avança desde a extremidade de um quebra-mar (extremidade que Eisenstein deixa sempre fora de campo) e se dirige para o cais, como se estivesse desfilando por uma rua improvável. "Um rio vivo corre no meio do mar", como diz Naoum Kleiman.[75]

75. B. Amengual, *Le Cuirassé Potemkine*, op. cit., p. 70–72.

As emoções, portanto, circulam livremente, no *Potemkin*: desde a aproximação mais delicada dos indivíduos (*fig. 21 e 24*) até a perspectiva, alternadamente realista (*fig. 25*) e fantástica (*fig. 26*), das aglomerações, das procissões ou do pânico das multidões. Será que não é isso que já devemos chamar — enquanto esperamos esclarecer o que recobre filosoficamente esse vocabulário — de uma *abordagem dialética* dos "atores da história"? Máximo de *desvios*, de um lado (não apenas na invenção de certas cenas, mas principalmente na prática onipresente, até mesmo paroxística, da montagem), e máximo de coisas ou de corpos mostrados *sem desvios*. Prática da "tipagem" por um lado (ou seja, a busca iconográfica de fisionomias claramente significativas) e, por outro lado, busca documental dos próprios "atores", ou seja, os veteranos da Revolução de 1905. Foi assim que Constantin Feldman, a despeito dos anos que se passaram, representou no filme de Eisenstein seu próprio papel de militante revolucionário, ele que deixara um testemunho inestimável — evidentemente utilizado pelo cineasta — sobre os acontecimentos de Odessa, dos quais ele foi um dos líderes.[76] Mas, num outro plano totalmente diferente, é a própria mãe de Eisenstein que será figurante do *Potemkin*, assim como também em *Outubro*, mais tarde. Um texto das *Memórias*, escrito em 1945, mostra que o cineasta, vinte anos depois, lembrava-se perfeitamente do nome de seus figurantes.[77] Na mesma época, em *A natureza não indiferente*, ele irá explicar com clareza sua recusa das "estrelas" (as estrelas do cinema burguês, especialmente hollywoodiano) no *Potemkin*:

> A impetuosidade dos meus vinte e seis anos fazia de tudo aquilo uma tarefa prometeica.
>
> Ora, a solução se impunha e nascia quase "matematicamente".

76. C. Feldman, *The Revolt of the "Potemkin"* (1908), trad. C. Garnett. Londres: William Heinemann, 1908.

77. S. M. Eisenstein, *Mémoires*, op. cit., p. 197–199.

Uma intriga mais palpitante do que a norte-americana.

E se rejeitássemos todo tipo de intriga, em geral?

"Estrelas" que ultrapassassem as americano-europeias.

E se fizéssemos algo extraordinário para a época — um filme sem nenhuma "estrela"?

Uma individualidade mais significante do que a individualidade dos cine-heróis consagrados.

E se renunciássemos, de modo geral, à individualidade particular, se construíssemos sobre outra coisa totalmente diferente?

Fazer "tudo ao contrário": abolir a intriga, suprimir as "estrelas" e, na qualidade de "persona dramática" fundamental, lançar a massa para o centro do drama, essa mesma massa que habitualmente serve de pano de fundo para a representação dos atores-indivíduos. [...]

Uma "sucessão" de tipagens corretamente construída, composta de planos fechados isolados, aparecendo só por um instante para o espectador, exige fundamentalmente duas condições:

Primeiro, que a "ressonância" expressiva de determinado rosto seja absolutamente *justa*, como um acorde ou uma nota que não permite a mínima falsidade em um certo contexto.

Segundo, que essa justeza seja expressa com o máximo de evidência e de clareza, de modo que, durante o breve instante da visão, a percepção do espectador possa captar e fixar a imagem de uma certa característica humana bem determinada.

Assim foi construída a "sucessão" dos rostos aflitos em volta do cadáver de Vakulenchuk.

Cada rosto, que aparece no espaço de um instante, traz não só um acorde determinado ou uma nota de tristeza, mas também o signo de um pertencimento social, as associações correspondentes das condições de vida etc. etc. [...]

É assim que vemos, "mergulhando" em determinado rosto e deixando-se penetrar, a contragosto, por todo o drama da vida que cavou no velho rosto esses sulcos de tristeza, esses profundos traços da dor.[78]

No momento em que o *Potemkin* é construído em torno da grande "cine-frase" programática, entrecortada pelos intertítulos, "*Todos*

78. Id., *La Non-indifférente Nature*, II (1945–1947), trad. L. Schnitzer; J. Schnitzer, in *Œuvres*, IV. Paris: Union Générale d'Éditions, 1978, p. 23 e 258–259. Cf. também id., "Au-delà des étoiles" (1940), trad. A. Robel, in *Œuvres*, I. *Au-delà des étoiles*, op. cit., p. 109–110.

por um, um por todos!”,[79] de modo a prolongar a queixa de cada um na revolta de todos, vemos Eisenstein se dar — e nos dar — as *armas para ver* no rosto de cada figurante os traços orgânicos, físicos, carnais, de um estado da alma e, mais ainda, de uma longa história pessoal carregada de experiência. E, mais ainda, de um amplo pertencimento à história dos homens, no exato momento em que essa história conhece seu ponto de ruptura.

Pode uma revolução ser espontânea?

Essa abordagem "patética" do político não deixa — tanto hoje quanto ontem — de colocar inúmeros problemas. A representação patética da revolta de 1905 levanta, ela mesma, grandes questões, começando por esta: o fato de ela ter sido espontânea, isto é, emotiva, é um sinal da sua potência ou da sua impotência? Desse ponto de vista, a organização das imagens *de O encouraçado Potemkin* assume um risco teórico que o cineasta não mais precisará correr em *Outubro* e que se refere à maneira de "figurar a revolução".[80] Eisenstein nunca teve medo de afirmar que não era membro do Partido Comunista; mas também nunca teve medo de se situar como "cineasta revolucionário", em todos os sentidos da palavra — inclusive nos Estados Unidos, por exemplo, quando apareceu no hotel Astor de Nova York usando um macacão de operário, para provocar. Desde 1925, ele opunha com firmeza as "atrações" burguesas e comerciais do cinema ocidental

79. Cf. B. Amengual, *Le Cuirassé Potemkine*, op. cit., p. 74–77.
80. S. M. Eisenstein, "La bataille d'*Octobre*" (1928), trad. A. Robel, in *Œuvres*, I. *Au-delà des étoiles*, op. cit., p. 43–50. Id., "Notre *Octobre*: par-delà le joué et le non joué" (1928), trad. L.; J. Schnitzer, in *Œuvres*, I. *Au-delà des étoiles*, op. cit., p. 177–184. Cf. M.-C. Ropars; P. Sorlin, *Octobre, I. Écriture et idéologie. Analyse filmique*. Paris: Albatros, 1976. M. Lagny; M.-C. Ropars-Wuilleumier; P. Sorlin, *Octobre, II. La révolution figurée. Inscription de l'histoire et du politique dans un film*. Paris: Albatros, 1979.

às "atrações" de seus próprios filmes:[81] emoções que dizem *eu*, de um lado, emoções que dizem *nós*, de outro... Em uma entrevista dada ao jornal francês *Le Monde*, em 1929, ele afirmava que sua principal tarefa era "exprimir os tempos revolucionários".[82]

As coisas podiam, portanto, parecer bem claras. Mas, quando olhamos de perto, elas se revelam muito mais complicadas, não apenas no que diz respeito ao destino posterior do cineasta — se pensarmos nas suas incessantes escaramuças com o poder, na época de Stalin —, mas também no próprio nível do *Potemkin*, que Roland Barthes quis reduzir, igualmente nesse plano, à legibilidade unilateral de um "sentido óbvio": "A estética eisensteiniana não constitui um nível independente: ela faz parte do sentido óbvio, e o sentido óbvio é sempre, em Eisenstein, a revolução."[83] Mas quem poderá dizer, exatamente, o que "é" essa coisa, "a revolução"? Essa palavra é tão óbvia quanto parece? E não terá sido justamente o fato de ter criado uma quantidade de "níveis independentes" no seu cinema que levou Eisenstein a tais imprevistos, naquilo que era sentido, na Rússia, como sua posição tão excêntrica quanto incontornável?

Com *O encouraçado Potemkin*, Eisenstein já teria se desviado duas ou três vezes da crônica do ano de 1905 que lhe havia sido encomendada. Primeiramente, ele desistiu da narrativa do processo revolucionário distribuído ao longo do ano, desde o "Domingo sangrento" de janeiro até a prisão de Trotsky pela polícia tzarista, em 16 de dezembro.[84] Em segundo lugar, ele escolheu um motim

81. S. M. Eisenstein, "La méthode de mise en scène d'un film ouvrier" (1925), trad. A. Robel, in *Œuvres, I. Au-delà des étoiles*, op. cit., p. 25-28.
82. Apud J. Mitry, *S. M. Eisenstein*, op. cit., p. 96 (d'après *Monde*, n. 76, 1929, p. 9).
83. R. Barthes, "Le troisième sens", art. cit., p. 489.
84. Cf. notamment M. Malia, *Comprendre la Révolution russe*. Paris: Seuil, 1980, p. 50-72. R. Pipes, *La Révolution russe* (1990), trad. dirigée par J.-M. Luccioni. Paris: PUF, 1993, p. 3-45. O. Figes, *La Révolution russe, 1891- 1924. La tragédie d'un peuple* (1996), trad. P.-E. Dauzat. Paris: Denoël, 2007 (réed. Paris, Gallimard, 2009), I, p. 332-352.

"ocorrido em Odessa, por ocasião de um movimento de greve geral, mas de forma espontânea, sem ligação com esta, [pois] marinheiros amotinados e operários em greve não tinham relação alguma".[85] Em terceiro lugar, ele construiu a ligação entre o motim dos marinheiros e os grevistas de Odessa acentuando a *junção emotiva* representada pela cena da lamentação, através da qual marinheiros e habitantes de Odessa confraternizam no mesmo *pathos* de desespero e de indignação. É o que Eisenstein chamará, em 1935, de os "fatos acidentais" ou os "detalhes" que, de acordo com sua famosa lógica de sinédoque, ou *pars pro toto*, revelam uma "lógica profundamente escondida" e, aos seus olhos, parecem mais pertinentes que qualquer intriga política.[86]

Cerca de dez anos depois, nas suas *Notas para uma história geral do cinema*, Eisenstein reconhecerá ter passado, na sua relação com a história política,

> da exposição descritiva dos *sintomas dos fenômenos* [..] ao fundamento *humano e emocional* da revolução; daí [surgiu] *Potemkin*, caracterizado por sua espontaneidade, seu levante, sua revolta, e não pela edificação da revolução planejada pelo partido. [...] A intenção do *Potemkin*: [mostrar] como se passou o *levante* concreto de 1905; mas o resultado foi: uma generalização na ênfase revolucionária.[87]

Nada poderia ser mais claro: nesse texto que permaneceu inédito e que, portanto, não foi submetido à censura, Eisenstein nos fala de seu interesse fundamental, estético e político, pela própria "espontaneidade" do levante de 1905. Mas pode uma revolução ser de fato "espontânea"?

85. J. Bushnell, *Mutiny amid Revolution: Russian Soldiers in the Revolution of 1905–1906*, Bloomington, Indiana University Press, 1985, p. 58–65. M. Ferro, *1917: les hommes de la Révolution. Témoignages et documents*. Paris: Omnibus, 2011, p. 175.
86. S. M. Eisenstein, "De l'écran à la vie" (1935), trad. A. Robel, in *Œuvres, I. Au-delà des étoiles, op.* cit., p. 29–31.
87. Id., *Notes pour une histoire générale du cinéma,* op. cit., p. 187–188.

Os espectadores *de O encouraçado Potemkin* lembram às vezes que, no começo do primeiro ato, um curto prólogo precede a visão geral do navio e vemos marinheiros trabalhando a bordo, antes que comece a narrativa propriamente dita. Vemos alguns planos curtos — e repetidos — de ondas violentas que transbordam violentamente um dique (*fig. 56*). Essas imagens dão lugar a um intertítulo, no qual lemos uma citação assinada "Lenin, 1905". Ela foi extraída de um artigo intitulado "O plano da batalha". Transcrevo aqui toda a passagem:

> O governo levou deliberadamente o proletariado à insurreição, provocando, pelo assassinato de pessoas desarmadas, a batalha das barricadas, para poder mergulhar essa insurreição no sangue. O proletariado aproveitará essas lições militares do governo, e já que ele começou a revolução, aprenderá a arte da guerra civil. A revolução é uma guerra. É a única guerra legítima, justa, necessária, a única grande guerra de todas aquelas que a história conhece. Essa guerra é mantida, não pelo interesse de um punhado de dirigentes e exploradores, como todas as outras guerras, mas pelo interesse das massas populares contra os tiranos, pelo interesse de milhões e dezenas de milhões de explorados e de trabalhadores contra o arbítrio e a violência.[88]

Lembremos que nessa época — janeiro de 1905, e até novembro — Lenin, em exílio na Suíça, ainda enviava seus textos políticos para a Rússia. Portanto, ele não participou nem dos primeiros combates, nem mesmo do acontecimento fundamental que foi a criação, em 14 de outubro, do primeiro soviete de São-Petersburgo. Quando lemos o conjunto dos seus escritos relativos ao ano de 1905, compreendemos que sua visão das forças presentes é puramente estratégica: o começo da greve de São-Petersburgo, diz ele, foi "totalmente espontâneo".[89] Mas, ao se generalizar, ela mudou de natureza, de modo que o *levante espontâneo*, diz ele, está

88. V. I. Lénine, "Le plan de la bataille de Pétersbourg" (1905), in *Œuvres complètes*, VII, trad. V. Serge. Paris: Éditions sociales internationales, 1928, p. 109.
89. Id., "La grève de Pétersbourg" (1905), in *Œuvres complètes*, VII, op. cit., p. 96.

prestes a se tornar um "grande conflito de classes", que deve ser organizado, armado, para se transformar em *guerra civil*, estratégica e taticamente executada. "O proletariado se arma e arma o povo", escreve Lenin.[90] É isso que, de fato, será preciso organizar.

É assim que a revolta poderá se transformar em autêntica revolução.[91] Em julho de 1905, Lenin já quer formular os princípios de um verdadeiro "exército revolucionário" convocado para constituir sua própria "direção militar", tendo em vista aquilo que ele chama, para terminar, de um "governo revolucionário".[92] Assim, para Lenin, é natural que a "espontaneidade" de um *levante* só tenha sentido, histórico e político, se ele for organizado por um *governo*. Isso talvez explique por que ele não quis voltar para a Rússia das barricadas e dos motins. Os acontecimentos de 1905 — que, do ponto de vista dele, fracassaram — logicamente ocupam apenas algumas linhas evasivas na famosa obra escrita por Lenin em 1917, *O Estado e a revolução*.[93]

Ora, Eisenstein — que compunha seus intertítulos com a ajuda de Nicolas Asseiev e, principalmente, de Serge Trétiakov[94] — havia pensado seu prólogo, e até mesmo toda sua narrativa, como uma descrição e um elogio do *pathos*, da "espontaneidade" revolucionária. Descobrimos que o intertítulo de Lenin foi, na realidade, uma solução politicamente imposta depois. O intertítulo original, não assinado, era, na realidade, uma citação de Leon Trotsky, cujo texto pôde ser restituído com a restauração do filme, em 2005. Ele foi extraído, com toda a lógica, da volumosa obra publicada por Trotsky em 1909 com o simples título de *1905*.

90. Id., "Le début de la révolution en Russie" (1905), in *Œuvres complètes*, VII, op. cit., p. 101.
91. Id., "Journées révolutionnaires" (1905), in *Œuvres complètes*, VII, op. cit., p. 104–105.
92. Id., "L'armée révolutionnaire et le gouvernement révolutionnaire" (1905), in *Œuvres complètes*, VII, op. cit., p. 441–448.
93. Id., *L'État et la révolution. La doctrine du marxisme sur l'État et les tâches du prolétariat dans la révolution* (1917), trad. anonyme. Paris: La Fabrique, 2012, p. 225.
94. B. Amengual, *Le Cuirassé Potemkine*, op. cit., p. 11.

Mais exatamente, o trecho está no início de um capítulo intitulado "A frota vermelha", que trata, é claro, do motim do Potemkin. Esta é a passagem que teria chamado a atenção de Eisenstein:

> O espírito da revolta planava sobre as terras da Rússia. Uma transformação imensa e misteriosa estava se realizando em inúmeros corações, os entraves do medo se rompiam: o indivíduo que mal teve tempo de tomar consciência de si mesmo dissolvia-se na massa e toda a massa se confundia em um mesmo elã. Liberada dos medos hereditários e dos obstáculos imaginários, essa massa não podia e não queria ver os obstáculos reais. Essa era sua força e sua fraqueza. Ela avançava como uma onda empurrada pela tempestade. Cada dia revelava novos sedimentos e engendrava novas possibilidades, como se uma força gigantesca revirasse a sociedade de cima a baixo. [...] Greves operárias, comícios incessantes, manifestações nas ruas, devastação das propriedades, greves dos policiais e de pequenos prestadores de serviços se sucediam, e vimos, finalmente, as confusões e as revoltas chegarem aos marinheiros e aos soldados. Foi a desagregação total, foi o caos. Ao mesmo tempo, nesse caos, despertava a necessidade de uma nova ordem cujos elementos já estavam se cristalizando. Os comícios que se repetiam regularmente traziam consigo um princípio organizador. Dessas reuniões saíam delegações que, por sua vez, assumiam a forma de representação mais importante. Mas, como a agitação das forças elementares precedia o trabalho da consciência política, a necessidade de agir deixava para trás a febril elaboração organizadora.
>
> Nisso está a fraqueza da revolução, de toda revolução, mas nisso também reside a sua força. Aquele que quer ter influência na revolução deve assumi-la por inteiro. Os táticos não muito racionais que querem tratar a revolução como se fosse um aspargo, separando, segundo a sua vontade, a parte boa da pele, estão condenados à ineficácia. De fato, nenhum acontecimento revolucionário cria condições "racionais" para a utilização de uma tática "racional"; assim, fatalmente, eles ficam de fora e atrás de todos os acontecimentos.[95]

Compreendemos muito bem que a escolha de Eisenstein para o prólogo do *Potemkin* tenha sido, primeiramente, esse texto de Trotsky. Por um lado, ele reúne as opiniões de Lenin sobre o fato

95. L. Trotsky, 1905, op. cit., p. 177-178.

de que "os eventos de 1905 aparecem como o potente prólogo do drama revolucionário de 1917", como ele escreverá em 1922, no prefácio da edição russa do seu livro.[96] Ele também concorda também com Lenin sobre a questão crucial da organização militar: "Organizar [...]; reunir o exército; pegar as armas; essas são as simples e consideráveis deduções que foram impostas ao proletariado pela luta e pela vitória de outubro [de 1905] [...]. O método é brutal, mas a história não conhece outro."[97] Trotsky, contudo, oferece uma visão muito menos negativa, muito menos incisiva, da relação entre *organização e espontaneidade*. O que nos surpreende primeiramente — e não é um detalhe — é a diferença de estilo entre os dois textos: o de Lenin desenvolve um puro *logos* da marcha revolucionária, o de Trotsky não evita o *pathos*: "Uma transformação imensa e misteriosa realizava-se em incontáveis corações"... Não é, portanto, uma questão apenas de *estratégia*, mas sim de *elã* revolucionário, elã comparado a uma "onda empurrada pela tempestade", o que as imagens de Eisenstein vão procurar ilustrar diretamente.

A crítica mordaz de Trotsky dirigida contra os "táticos não muito racionais que pensam tratar a revolução como um aspargo" talvez seja dirigida, mesmo que parcialmente, ao próprio Lenin. Este, em 1905, ficou "de fora e atrás de todos os acontecimentos". Trotsky, por sua vez, sugere um ir e vir mais dialético entre a organização partidária e a energia "patética" das massas coléricas: "Não é só o partido que conduz as massas, são elas que o empurram para a frente."[98] — alusão evidente à criação dos sovietes, esses conselhos operários surgidos "espontaneamente" em 1905 e nos quais Trotsky foi o único, entre todos os grandes teóricos

96. Ibid., p. 7.
97. Ibid., p. 95 e 97.
98. Ibid., p. 233.

marxistas da época, a tomar parte ativa, até mesmo crucial.[99] É muito provável que Eisenstein tenha visto na *confraternização totalmente espontânea e organizada* dos motins do Potemkin alguma coisa muito semelhante à criação dos sovietes de São Petersburgo, fazendo eco ao que diz Trotsky, no seu texto de 1905:

> Foi a desagregação total, o caos. E, ao mesmo tempo, nesse caos, despertava a necessidade de uma nova ordem cujos elementos já estavam se cristalizando. Os comícios que se repetiam regularmente já traziam consigo um princípio de organização [...] [mas] a necessidade de agir deixava para trás a febril elaboração organizadora.

Enfim, Trotsky não se contentou em dizer que a *espontaneidade* de um levante é apenas a *fraqueza* do próprio movimento revolucionário. Ele entendeu que "nisso está sua fraqueza e nisso está sua força", ao mesmo tempo — uma dialética à qual Eisenstein quis, precisamente, dar um rosto, ou mil rostos, ou mil gestos humanos.

Ora, isso tudo recobre, exatamente, o que Joseph Stalin, de sua parte, devia detestar. Não é por acaso que Stalin começou a brigar violentamente com Trotsky, atacando sua análise dos acontecimentos de 1905 — análise que, aos seus olhos, contradizia a noção de "ditadura do proletariado" em benefício da famosa noção de "revolução permanente".[100] Trotsky responderia

99. Ibid., p. 98-105. Id., *Ma vie* (1930), trad. M. Parijanine. Paris: Gallimard, 1953 (ed. 2004), p. 213-226. Cf. V. Serge, *Vie et mort de Léon Trotsky* (1946). Paris: La Découverte, 2003 (ed. 2010), p. 20-23. O. Anweiler, *Les Soviets en Russie*, 1905-1921 (1958), trad. S. Bricianer. Paris: Gallimard, 1972, p. 21-118.

100. J. Stalin, *Doctrine de l'URSS* (1924-1936), trad. anônima. Paris: Flammarion, 1938, p. 90-103. Id., *Les Questions du léninisme* (1924-1939), trad. anônima. Paris: Naim Frashëri, 1970, p. 158-160. Sobre o destino das historiografia soviética dos eventos de 1905, cf. V. Serge, *L'An I de la Révolution russe: les débuts de la dictature du prolétariat*, 1917-1918 (1930). Paris: La Découverte, 1997, p. 45-56. A. Ascher, "Soviet Historians and the Revolution of 1905", in F.-X. Coquin; C. GervaisFrancelle (orgs.), *1905: la première révolution russe*. Paris: Publications de la Sorbonne-Institut d'Études slaves, 1986, p. 475-496. V. Zilli, "L'historiographie soviétique de la révolution de 1905: questions et orientations", in F.-X. Coquin; C. GervaisFrancelle (orgs.), *1905: la première révolution russe*, op. cit., p. 497-513.

posteriormente a esses ataques, do exílio, em duas obras sucessivas que são *A revolução desfigurada* e *A revolução traída*.[101] Certamente não foi como puro "defensor da espontaneidade" que Trotsky, o fundador e organizador histórico do Exército Vermelho, viu-se tão logo questionado pelos stalinistas. Mas não é através de uma simples dicotomia que vamos avançar na questão: o *pathos* para as massas enraivecidas e para os artistas a quem isso possa eventualmente interessar, a *práxis* para as massas organizadas e para os estrategistas que as comandam a partir do seu próprio *logos* da revolução...

A questão é inteiramente antropológica e política. Enquanto Gustav Landauer, em seu *A Revolução*, de 1907, confessava, no último parágrafo, que "ninguém pode dizer, no momento atual [isto é, depois do fracasso das lutas de 1905], se tudo está apenas no começo ou já no final",[102] Rosa Luxemburgo já havia tomado parte, antecipadamente, no debate sobre essa questão da "revolução espontânea". Já em 1903 e 1904, em dois artigos publicados no *Iskra*, da Rússia, e no *Neue Zeit*, da Alemanha, ela contestou radicalmente o centralismo do partido e sua pretensão autoritária de "organizar o proletariado": ao criticar diretamente Lenin, ela afirmava que um "poder central" não poderia ser outra coisa senão um órgão conservador, ou mesmo uma ditadura, e que a "inteligência das massas" valia mais do que toda a "inteligência dos chefes".[103] Em 1906, em *Greve de massa, partido e sindicatos*, ela conclui a partir dos acontecimentos de São Petersburgo:

Sobre o papel ainda mais censurado dos anarquistas em 1905, cf. A. Skirda, *Les Anarchistes russes, les soviets et la Révolution de 1917*. Paris: Paris, 2000, p. 60–65.

101. L. Trotsky, *La Révolution défigurée* (1927–1929), in *De la révolution*, trad. anônima. Paris: Minuit, 1963, p. 101–243. Id., *La Révolution trahie* (1936), i in *De la révolution*, op. cit., p. 441–644.

102. G. Landauer, *La Révolution* (1907), trad. L. Janover; M. Manale. Cabris: Sulliver, 2006, p. 121.

103. R. Luxemburg, "Masses et chefs" (1903–1904), in *Marxisme contre dictature*, trad. anonyme. Paris: Sandre, 2007, p. 35–42. Id., "Centralisme et démocratie" (1904), in *Marxisme contre dictature*, op. cit., p. 16–33.

> As greves, aparentemente caóticas, e a ação revolucionária "não organizada", que seguiram a greve geral de janeiro, tornaram-se o ponto de partida de um precioso trabalho de organização. A história zomba dos burocratas que gostam dos esquemas pré-fabricados.[104]

Para Rosa Luxemburgo, a questão não era mais saber se uma revolução pode ou não ser espontânea, mas, sim, saber *como respeitar sua espontaneidade*, isso dito, ao mesmo tempo, contra Lenin e contra Trotsky: "A condição que implica tacitamente a teoria da ditadura de acordo com Trotsky e Lenin é a seguinte: uma desordem socialista é uma coisa para a qual o partido da revolução tem à mão uma receita pronta",[105] o que contradiz a própria história das revoltas, essas grandes ondas, essas tempestades que ninguém pode de fato prever. Bem mais tarde, Hanna Arendt prestará homenagem a essa visão das coisas: ao escrever que Rosa de Luxemburgo "não viveu o suficiente para ver até que ponto tinha razão",[106] ela considera a emergência dos sovietes em 1905 (semelhante nisso à organização espontânea da Comuna de Paris) o "tesouro perdido da revolução"[107] — tesouro perdido porque foi destruído por seus próprios organizadores, começando pelo próprio Lenin:

> A onda de greves operárias que atingiu a Rússia em 1905 e que culminou na primeira revolução foi inteiramente espontânea, sem intervenção de organizações políticas ou sindicais, que, pelo contrário, nasceram da própria revolução. A explosão da maior parte das revoluções pegou de surpresa os grupos e os partidos pró-revolução tanto quanto os outros, e não existe quase nenhuma que possa ser atribuída às suas atividades. [...] O papel dos revolucionários profissionais geralmente

104. Id., *Grève de masse, parti et syndicats* (1906), trad. I. Petit, in *Œuvres, I*. Paris: François Maspero, 1969, p. 119.
105. Id., "La révolution russe" (1918), trad. C. Weill, in *Œuvres, II*. Paris: François Maspero, 1969, p. 83.
106. H. Arendt, "Rosa Luxemburg, 1871–1919" (1966), trad. B. Cassin, *Vies politiques*. Paris: Gallimard, 1974 (ed. 1997), p. 66.
107. Id., *De la révolution* (1963), trad. M. Berrane; J.-F. Hel-Guedj, in *L'Humaine Condition*, P. Raynaud (ed.). Paris: Gallimard, 2012, p. 559–584.

> consiste não em fazer a revolução, mas em chegar ao poder, uma vez que ela tenha sido deflagrada. [...] Foi assim que, em 1905, [Lenin] pôde exaltar com muita sinceridade "a criatividade revolucionária do povo", que, em plena revolução, havia começado a construir espontaneamente uma estrutura de poder totalmente nova, da mesma forma que, doze anos depois, ele pôde desencadear e sair vencedor da Revolução de Outubro com o slogan: "Todo o poder para os sovietes". Mas, entre as duas revoluções, ele nada fizera para dar uma nova orientação ao seu pensamento e integrar esses novos órgãos a um dos inúmeros programas do partido; o resultado foi que a mesma revolução espontânea os encontrou, seu partido e ele, tão pouco preparados em 1917 quanto estavam em 1905. Quando, por ocasião do levante de Cronstadt, os sovietes finalmente se revoltaram contra a ditadura do partido, e quando a incompatibilidade entre os novos conselhos e o sistema de partido tornou-se manifesta, ele decidiu, quase de imediato, destruir os conselhos, pois eles ameaçavam o monopólio do poder do partido bolchevique.[108]

O levante de Cronstadt, por razões evidentes, surgiria como o impensado por excelência — impensado recente, já que o motim ocorreu apenas quatro anos antes da filmagem — do *Potemkin*. Um porto, marinheiros que se revoltam e se organizam espontaneamente em sovietes, um encouraçado no ancoradouro, um massacre em massa: todos os elementos se recobrem de maneira estranha. Mas essa referência permanece literalmente impossível de ser evocada, ela seria como um corpo estranho, uma verdadeira "doença" no contexto das comemorações do ano de 1905. Freud dizia que, se as representações constituem aquilo que o recalque faz desaparecer da consciência, o mesmo não acontece com os afetos. Ou seja, recalcamos as representações, mas não as emoções. Isso explica porque o ato bifacial, dialético que consiste em *representar emoções* — aquelas ligadas ao *pathos* próprio da revolta, do impoder ou do desespero, diante de uma repressão policial — pode se tornar sintoma, ou retorno do recalcado,

108. Ibid., p. 562–564. Cf. A. Yassour, "Modèles d'organisation révolutionnaire à Pétersbourg en 1905", in *Sur 1905*. Paris: Champ Libre, 1974, p. 201–238.

na abordagem de uma história como a do *Potemkin*. Isso também explica por que a estratégia "patética" ou "espontaneísta" de Eisenstein podia permitir, tanto quanto possível, que ele escapasse às imposições das lições ideológicas do Estado.

Crônica cinematográfica e tragédia, ou a história e o poema

Que não nos enganemos, porém: o lirismo do *Potemkin* não tem, de modo algum, a função de extrair o *pathos* longe da própria história. Não se trata de inventar uma bela humanidade abstrata e fora do tempo. Pelo contrário, esse lirismo é introduzido como uma maneira de revelar o gesto — talvez enfatizado numa gesta — revolucionário de 1905. O filme de Eisenstein não é apenas obra de arte eterna, mas é também um "olho da história" específico. Ele é tanto uma *crônica* quanto um *poema*, um documentário tanto quanto uma tragédia. Evidentemente, no plano artístico, Enseintein recorreu a múltiplas fontes. Na história do cinema, é claro, e, principalmente, em Griffith: estamos pensando em *Intolerância*, em que estão representados a luta de classes e os massacres em massa, assim como em *Órfãs da tempestade*, cuja ação tinha como pano de fundo a tomada da Bastilha e os massacres de setembro de 1792. O modelo das revoluções francesas, aliás, foi muito importante para Eisenstein, não apenas no plano cinematográfico,[109] mas também no plano literário. O autor de *A greve* falou várias vezes da sua paixão por *Os miseráveis* de Victor Hugo. Como poderia ele, ao escrever sua própria cena de luto e de revolta para seu *Potemkin*, não ter pensado no capítulo do romance de Hugo chamado "Um enterro: ocasiões para renascer"? Capítulo que articulava, exatamente, a dor do luto com a raiva de todo o povo por um morto que "exigia justiça":

109. Cf. M. Ferro, "Révoltes, révolutions, cinéma", in *Révoltes, révolutions, cinéma*. Paris: Centre Georges Pompidou, 1989, p. 9-36.

Essa morte [do general Lamarque, que "se colocava entre a esquerda e a extrema esquerda, amado pelo povo"] foi um luto. Como tudo aquilo que é amargo, o luto pode virar revolta. Foi o que aconteceu.[110]

Hugo dedicou páginas inesquecíveis à descrição — "patética", mas também quase microscópica, aqui e, ali, cósmica, equivalente a uma onda gigante, um vagalhão, uma tempestade que desaba — daquilo que foi uma insurreição, um levante, em Paris, 1832.

Nada é mais extraordinário do que o começo fervilhante de uma insurreição. Tudo explode, ao mesmo tempo, por toda a parte. Estava previsto? Sim. Foi preparado? Não. De onde sai isso? Das ruas. De onde cai? Das nuvens. [...]. Tudo que aqui contamos lenta e sucessivamente acontecia ao mesmo tempo em todos os pontos da cidade em meio a um vasto tumulto, como uma tempestade de raios num único trovão. [...] O que tinha realmente tomado a direção da insurreição era uma espécie de impetuosidade desconhecida que estava no ar. A insurreição, bruscamente, havia erguido barricadas com uma das mãos e, com a outra, tomado todos os postos de vigilância. [...]

Há um apocalipse na guerra civil, todas as brumas do desconhecido se misturam a esses selvagens, as revoluções são esfinges, e quem quer que tenha atravessado uma barricada acredita que atravessou um sonho. [...] Ao sair de uma barricada não se sabe mais o que se viu. Se fomos terríveis, ignoramos. Fomos cercados de ideias combatentes que tinham rostos humanos; colocamos a cabeça na luz do futuro. Havia cadáveres pelo chão e fantasmas de pé. As horas eram colossais e pareciam horas eternas. Vivemos na morte. Sombras passaram. O que era aquilo? Vimos mãos onde havia sangue; havia um barulho ensurdecedor, e também um terrível silêncio; havia bocas abertas que gritavam, e outras bocas abertas que se calavam; estávamos no meio da fumaça, no meio da noite, talvez. Acreditávamos ter chegado à humidade sinistra das profundezas desconhecidas; olhamos para algo vermelho que temos nas unhas. Nada mais lembramos.[111]

110. V. Hugo, *Les Misérables* (1845–1862), G. Rosa; A. Rosa (eds.), in *Œuvres complètes. Roman II*. Paris: Robert Laffont, 1985 (ed. 2002), p. 834.
111. Ibid., p. 837, 839–840 e 968–969.

Eisenstein sugeriu, mais de uma vez, até fazer disso um método, uma comparação entre as suas imagens do *Potemkin* e versos poéticos: ele perguntava, por exemplo, como dar, no filme, a imagem concreta — trata-se mais uma vez da cena do luto diante do cadáver de Vakulenchuk — de uma "imagem literária" como por exemplo: "Havia um silêncio de morte suspenso no ar"?[112] É muito significativo, por outro lado, que, no exato momento em que Eisenstein filmava o *Potemkin*, no verão de 1925, o poeta Boris Pasternak, por sua vez, começava a escrever um conjunto de poemas líricos sobre o mesmo tema:

> De repente
> Brilhou o Potemkin
> A revolta eclodiu,
> Vibrante,
> Até o mastro mesena
> Inflou [...]
> Tac, tac, tac...
> As balas dançam sobre o convés,
> Do alto do convés.
> Tac, tac. [...]
> Sobre a água,
> Sobre os fujões:
> Ele ainda está a bordo?
> Salvas no ar, na água.
> "Pois, bem!"
> Quando alguém se queixa, ficas louco?
> Mais salvas.
> E upa! Pulou de bordo.[113]

Diante dessas pequenas frases, podemos acreditar estar lendo uma decupagem da cena do motim ou algo parecido, no segundo ato de *O encouraçado de Potemkin*. Aliás, Pasternak dizia sobre o

112. S. M. Eisenstein, "Le cinéma et la littérature (de l'imagicité)" (1933), trad. A. Zouboff; M. Iampolski, in *Le Mouvement de l'art*, F. Albera; N. Kleiman (eds.). Paris: Cerf, 1986, p. 28.
113. B. Pasternak, *Dix-neuf cent cinq* (1927), trad. H. Henry, in *Œuvres*, M. Aucouturier (ed.). Paris: Gallimard, 1990, p. 262–263.

seu trabalho: "Não é um poema, é simplesmente uma crônica versificada do ano de 1905."[114] A tipografia do pequeno livro quebrava cada verso em várias linhas, como em Vladimir Maiakovski, nos seus "poemas-reportagem".[115] Ou como em Eisenstein, no ritmo ofegante dos planos curtos, entrecortados ou entrechocados. Que o verso poético tenha valor de plano ou que o plano cinematográfico seja pensado como um verso, isso indica, em todo caso, que uma certa relação com a história — no caso, a do ano de 1905 — exigia dos artistas daquela época um gênero que estivesse além da oposição entre a crônica e o poema: "crônica versificada", como diz Pasternak, que também dedicou um longo poema narrativo a Piotr Petrovitch Schmidt, um dos heróis mas famosos da Revolução de 1905: era um oficial, um tenente da marinha, que apoiara os rebeldes, foi julgado em Odessa e depois executado, em março de 1905.[116]

O encouraçado Potemkin de Eisenstein também se parece com uma "crônica versificada". Ou, se preferirmos, com um "poema-documentário". Todo o ritmo, toda a energia lírica que sustentam o filme se apoiam em uma atenção extremamente precisa na pesquisa histórica e na construção dos detalhes do acontecimento. Daí o apelo aos veteranos, às testemunhas oculares, tais como Nina Agadjanova-Chutko e Constantin Feldman, assim como o poeta-dramaturgo Serge Tretiakov e o romancista Isaac Babel. Daí o recurso às fontes iconográficas oriundas de todos os arquivos possíveis. Primeiramente, a iconografia das revoluções francesas

114. Ibid., p. 1622.

115. V. Maiakovski, *L'Universel Reportage* (1915–1926), trad. H. Deluy. Tours: Farrago, 2001.

116. B. Pasternak, "L'enseigne de vaisseau Schmidt" (1927), trad. J.-C. Lanne, in *Œuvres*, op. cit., p. 273–306. Encontraremos o tema do ano 1905 em B. Pasternak, *Le Docteur Jivago* (1946–1955), trad. M. Aucouturier; in *Œuvres*, op. cit., p. 721- 768. Cf. J.-M. Palmier, *Lénine, l'art et la révolution: essai sur la formation de l'esthétique soviétique*. Paris: Payot, 1975 (ed. 2006), p. 352–371. M. Aucouturier, "L'image de la révolution de 1905 dans l'oeuvre de Pasternak", in *1905, la première révolution russe*, op. cit., p. 405–412. C. J. Read, "The 1905 Revolution and the Russian Intelligentsia", in *1905, la première révolution russe*, op. cit., p. 385–396.

Figura 27. Gustave Babin, "A revolta do *Kniaz-Potemkin* e as insurreições de Odessa", *L'Illustration*, 1905, n. 3255, p. 40–41.

do século XIX, pelo lado lírico — de Hugo — mas também pelo teor pessoal de imagens que haviam impressionado Eisenstein quando criança: penso, principalmente, no álbum de Armand Dayot sobre o cerco e a Comuna de Paris, em 1870, álbum cuja página de rosto continha a seguinte inscrição, atribuída a Ernest Lavisse: "Um dia, a imagem renovará o ensino da história."[117]

Além disso, o amigo de infância de Eisenstein, Maxime Strauch, que foi seu assistente no *Potemkin* (e também ator), identificou, numa entrevista, uma outra fonte iconográfica para a elaboração do filme: "Ao procurar uma documentação sobre o

117. S. M. Eisenstein, *Mémoires*, op. cit., p. 69. Cf. A. Dayot, *L'Invasion, le siège, la Commune: 1870–1871*. Paris: Flammarion, 1901. A obra tinha como subtítulo: "D'après des peintures, gravures, photographies, sculptures, médailles, autographes, objets du temps". Cf. A. Ackerman, *Eisenstein et Daumier: des affinités électives*. Paris: Armand Colin, 2013, p. 127–131.

motim na biblioteca Lenin, Eisenstein chegou uma noite brandindo um exemplar da revista francesa *L'Illustration* de 1905..."[118] A cena da lamentação está representada ali em destaque e com todos os elementos da cena filmada: a pequena tenda triangular, o cadáver de Vakulenchuk com a vela acesa e o cartaz sobre o peito, uma velha diante dele e outras duas ajoelhadas, sem contar o orador político já erguendo o braço em sinal de protesto e de apelo à luta(*fig. 27*).[119] A própria existência de uma revista semanal como *L'Illustration* nos mostra como a representação visual da história se modificou desde o começo do século XIX: não apenas a tomada da Bastilha se viu encenada em espetáculos comemorativos, como também os teatros populares não hesitaram em recriar a revolução de 1830, sem contar as seções de projeção das "fantasmagorias", os panoramas[120] e os "teatros de cera", como Tussaud e Grévin...[121]

Parece que Eisenstein ignorou que *O encouraçado Potemkin*, de 1925, já fazia parte de uma tradição cinematográfica que remontava a 1905. Mas ele conta nas suas *Memórias* que "depois da Revolução de 1905 era muito perigoso ir à *datcha*" familiar para as férias de verão.[122] Em 1906, aos oito anos, levaram-no para visitar Paris, essa capital da cultura visual que acabo de evocar e que o fascinou durante a vida toda: teatros, circos, panoramas, o museu Grévin, as catacumbas... E o primeiro filme da sua vida, *As quatrocentas farsas do diabo*, de Georges Méliès, com sua erupção vulcânica, as moças com suas roupas leves e seu esquelético

118. Apud L. Moussinac, *Serge Eisenstein*, op. cit., p. 193.
119. G. Babin, "La révolte du *Kniaz-Potemkine* et les émeutes d'Odessa", *L'Illustration*, n. 3255, 15 jul. 1905, p. 35–41 (o artigo continuava no n. 3256 de 22 jul. 1905).
120. Pinturas panorâmicas em 360 graus, em ambientes fechados, que imergem o espectador no espetáculo. [N.T.]
121. Em 1835, a francesa Marie Tussaud instalou-se em Londres, onde criou um museu com suas figuras de cera, usadas muitas vezes para reconstituir fatos históricos. O museu Grévin, do mesmo tipo, foi criado em Paris, em 1882. [N.T.]
122. S. M. Eisenstein, *Mémoires*, op. cit., p. 70.

cavalo voador.[123] Ora, no seu próprio catálogo de *Tomadas cinematográficas*, Méliès não se limitou às puras fantasias oníricas, ele promoveu um exercício cinematográfico que chamou de "atualidades" e que forma um subgênero dos ditos "temas compostos":

> *Os temas compostos* — Chegamos agora aos temas compostos, ou cenas de gênero. Nessa categoria podemos colocar todos os temas, quaisquer que sejam, nos quais a ação é preparada como no teatro e representada por atores diante do aparelho. As variedades nesse gênero de tomadas são inúmeras, desde cenas cômicas, bufas, burlescas, até os dramas mais sombrios, passando pelas comédias, as cenas do campo, as tomadas chamadas de perseguição, as palhaçadas, as acrobacias; os números de dança graciosos, artísticos ou excêntricos; os balés, as óperas, as peças de teatro, as tomadas religiosas, os temas escabrosos, as poses plásticas, as cenas de guerra, as atualidades; as reproduções dos acontecimentos diários, acidentes, catástrofes; os crimes, os atentados etc., o que mais? Ali, o domínio do cinematógrafo não tem limites.[124]

Em 1905 ou 1906, não havia apenas ilustrações de revistas para difundir na Europa as notícias das insurreições de Odessa e do motim do *Potemkin*: havia também as "atualidades reconstituídas", como eram então chamadas, filmadas nos estúdios dos irmãos Lumière ou de Georges Méliès. Ia-se então ao cinema para ver o caso Dreyfus, os massacres da Macedônia ou as cenas da guerra russo-japonesa. Desde 1900, o *Pathé Journal*, dirigido por Ferdinand Zecca, tinha toda uma produção de "atualidades", que, aliás, eram retransmitidas na imprensa escrita pela revista *L'Illustration*. Não é impossível que Eisenstein, aos oito anos, tenha visto numa sala parisiense o filme de Lucien Nonguet lançado em 1905 e intitulado *Os acontecimentos de Odessa*.[125] É um filme de apenas três minutos e meio, evidentemente perturbador

123. Ibid., p70-73.

124. G. Méliès, "Les vues cinématographiques" (1907), in A. Gaudreault, *Cinéma et attraction: pour une nouvelle histoire du cinématographe*. Paris: CNRS, 2008, p. 201.

125. Cf. G. Sadoul, *Histoire générale du cinéma, II: les pionniers du cinéma, 1897-1909*. Paris: Denoël, 1948 (ed. 1978), p. 301-304. D. Geroult, "Historical Simulation and Popular

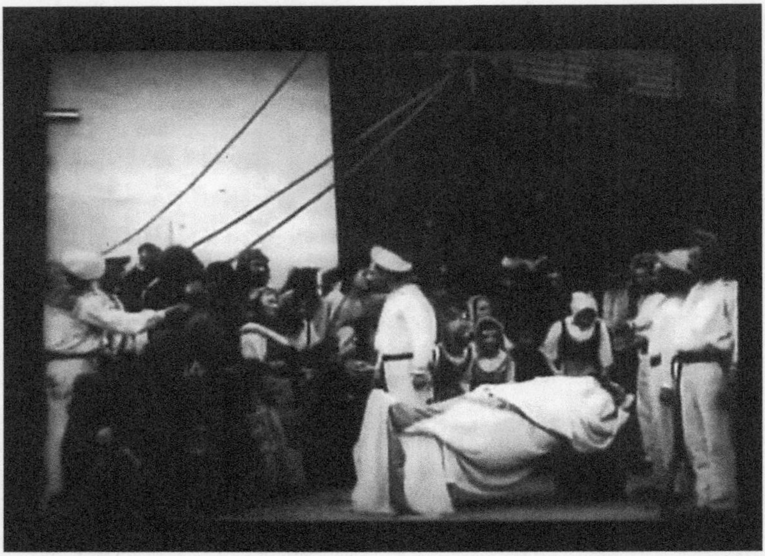

Figura 28. Lucien Nonguet, *Os acontecimentos de Odessa*, 1905. Fotograma (luto em volta do cadáver de Vakulenchuk).

para o espectador da obra-prima moderna que é o *Potemkin* de Eisenstein. Nesse curto intervalo de tempo, podemos ver, em sequência, o porto de Odessa e a chegada do encouraçado, os marinheiros manobrando, a refeição jogada no chão, um rapaz mais irritado do que os outros (Vakulenchuk) sendo assassinado à queima-roupa pelo oficial (Guiliarovski); vemos então vários outros oficiais sendo lançados de bordo (são bonecos de palha); e o filme vai terminar com as salvas de canhão sobre Odessa e o massacre dos civis pelos cossacos. Tudo está ali, até mesmo a cena da lamentação diante do corpo de Vakulenchuk que mostra

Entertainment: The *Potemkin* Mutiny from Reconstructed Newsreel to Black Sea Stunt Men", *The Drama Review*, XXXIII, 1989, n. 2, p. 161–184.

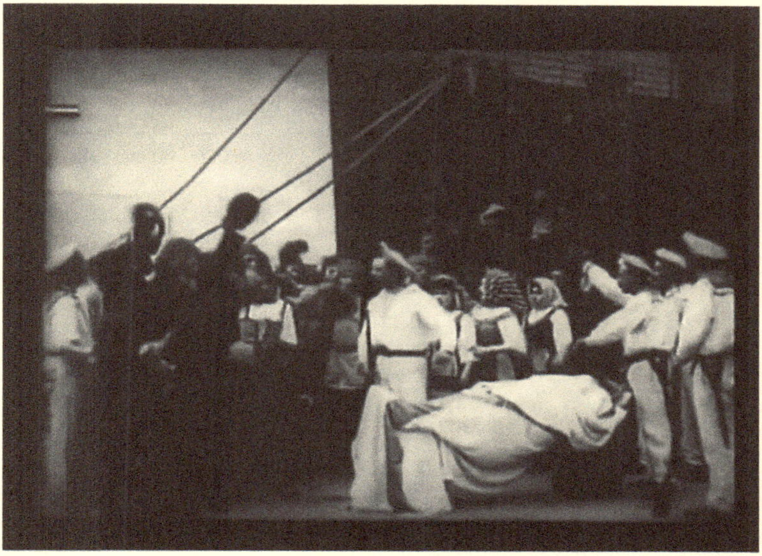

Figura 29. Lucien Nonguet, *Os acontecimentos de Odessa*, 1905. Fotograma (protestos em volta do cadáver de Vakulenchuk).

a passagem — tão rápida que se torna quase cômica — dos gestos religiosos daqueles que se ajoelham desconsolados (*fig. 28*) aos gestos políticos de exaltação revolucionária (*fig. 29*).

Evidentemente, um mundo separa essa curta cena, filmada em 1905 num cenário pintado, da epopeia lírica construída por Eisenstein, vinte anos depois. Georges Sadoul dirá que o filme de 1925 "foi encenado no espírito das atualidades reconstituídas",[126] mas dele foram banidos todos os traços diretamente "teatrais", ainda visíveis em Lucien Nonguet: nenhuma maquiagem em Eisenstein, nenhum figurino feito para a ocasião. *O encouraçado Potemkin* vai incluir até mesmo, entre as imagens dos navios no mar, no final do filme, atualidades autênticas e documentais

126. G. Sadoul, "Le plus beau film du monde", art. cit., p. 8.

datadas da Primeira Guerra Mundial.[127] Se hoje a obra-prima de Eisenstein é uma unanimidade, não podemos esquecer que, no seu lançamento e por vários anos, ela suscitou uma atenção bem mais exigente e polêmica. É verdade que ela não podia satisfazer totalmente nem os poetas metafísicos (por exemplo, um discípulo de Andrei Biély), nem os apoiadores da pura crônica documental (por exemplo, um discípulo de Dziga Vertov).

O historiador inglês Richard Hough aproveitou a ocasião para destacar tudo aquilo que, no desenrolar dos acontecimentos de Odessa, se contrapunha à visão construída por Eisenstein no seu filme — essa visão ou visada propagandista que a partir de então adquiriu "valor de lenda".[128] Mas o próprio Hough, como todo historiador, orienta sua narrativa num sentido claramente hostil à causa dos motins, o que pode ser lido nas inflexões de frases do gênero:

> A matilha [dos amotinados] partiu para a caça, espalhando-se pela ponte principal [...]. Até mesmo os menos entusiasmados, até mesmo os mais ignorantes politicamente gritavam *slogans*: *liberdade, vingança, morte aos tiranos*. [...] As ruas Richelieu e Preobrajenski foram tomadas pelas multidões que urravam.[129]

Hough não deixou de mostrar a diferença entre os objetivos políticos dos marinheiros do Potemkin e a população de Odessa, e de explicitar o destino ulterior do encouraçado, que Eisenstein não havia contado.[130] Mas, no que diz respeito à cena do velório do cadáver de Vakulenchuk, é preciso constatar que a construção dramatúrgica eisensteiniana — muito forte e potente, certamente — não contradiz os testemunhos da época, por exemplo, o de C. S. Smith,

127. B. Amengual, *Le Cuirassé Potemkine*, op. cit., p. 24. R. Taylor, *The Battleship Potemkin*, op. cit., p. 10.
128. R. Hough, *La Mutinerie du cuirassé Potemkine, 27 juin 1905*, op. cit., p. 7.
129. Ibid., p. 30 e 54.
130. Ibid., p. 84 e 181–208.

cônsul geral britânico em Odessa, que, na noite de 28 de junho de 1905, telegrafou esta mensagem ao Foreign Office de Londres:

> Chegada noite passada do encouraçado Potemkin. Tripulação amotinada, um oficial atirou num marinheiro. Todos oficiais assassinados menos três aparentemente simpatizantes. O corpo do marinheiro foi trazido à terra. Incitações à insurreição feitas sobre o cadáver com a multidão gritando: *Liberdade*![131]

Richard Hough também cita o testemunho do marinheiro A.P. Brzhezovsky:

> Era impossível se mexer. Todo mundo queria ver o morto. Muitos se aproximavam, tiravam o chapéu, faziam o sinal da cruz e se inclinavam diante da vítima da crueldade e da tirania. Mulheres choravam e beijavam as mãos do herói popular. Ouviam-se soluços, e havia lágrimas nos olhos dos homens.[132]

Vê-se claramente que muitos militantes de sensibilidades políticas muito diferentes se uniam nessa multidão: seções majoritárias ou minoritárias do partido socialdemocrata, mencheviques, sionistas, bundistas[133] anarquistas... Por fim, Hough mostrou trechos extraídos da revista *Le Moniteur de la flotte*, nos quais se lê a narrativa do funeral de Vakulenchuk propriamente dito, que Eisenstein preferiu não representar.[134]

Ao inventar totalmente a cena da lona, ou ao situar, pelas necessidades da própria filmagem, o massacre de Odessa nos degraus da grande escadaria Richelieu, Eisenstein afirmou-se não apenas como *cineasta da história* — assim como falamos dos "pintores da história" — mas também como *poeta épico*, cantando a grande crônica de 1905 de acordo com suas próprias rimas visuais. Ele transformou suas próprias incoerências diante dos

131. Apud R. Hough, *La Mutinerie du cuirassé Potemkine, 27 juin 1905*, op. cit., p.67.
132. Apud R. Hough, *La Mutinerie du cuirassé Potemkine, 27 juin 1905*, op. cit., p. 74.
133. Pertencente ao Bund, movimento político de operários judeus. [N.T.]
134. Ibid., p. 222–223.

fatos históricos numa potência poética de narração, como, aliás, disse François Albera sobre o filme *Outubro*.[135] É verdade que ele transforma a história em lenda:[136] mas no sentido de que a *lenda* aparece aqui como efeito da leitura histórica, através de imagens interpostas, ou seja, por experiências ou *experimentações* visuais construídas no interior de um processo de *interpretação* da história: "É a forma *artística* da História experimental. Ela deve tudo ao imaginário, mas este foi produzido pela informação. Aí nasce o paradoxo *de O encouraçado Potemkin.*"[137]

O próprio Eisenstein diz a mesma coisa. Na longa passagem das suas *Memórias* dedicada ao *Potemkin*, ele assume que

> sem nos afastar do nosso senso da verdade, podíamos nos deixar levar por todos os caprichos da nossa imaginação, acolhendo qualquer acontecimento que se apresentasse, qualquer cena que não estivesse no roteiro (as escadarias de Odessa), qualquer detalhe que não tivesse sido previsto (a neblina na cena do luto).[138]

Ele conta sua procura por um "encouraçado autêntico": só Os Doze Apóstolos (um navio idêntico ao Potemkin) estava disponível, na baia de Sebastopol. Mas estava desarmado. Então,

> no convés do verdadeiro encouraçado, reunimos as superestruturas do falso encouraçado. Com tábuas, vigas e compensados, e, de acordo com as plantas conservadas no Almirantado, reconstituímos a silhueta

135. F. Albera, "Deux types d'incohérence et leurs enjeux dans *Octobre* d'Eisenstein", *La Licorne*, n. 17, 1990, p. 151–170. Cf. H. Lövgren, "Eisenstein's *October*: On the Cinematic Allegorization of History", in A. La Valley; B. P. Scherr (orgs.), *Eisenstein at 100: A Reconsideration*. New Brunswick (NJ)/Londres: Rutgers University Press, 2001, p. 77–88.
136. M. Ferro, "Légende et histoire: *Le Cuirassé Potemkine*" (1976), in *Cinéma et histoire*. Paris: Gallimard, 1977 (nova edição, 1993), p. 103–105.
137. Id., "Le paradoxe du *Cuirassé Potemkine*" (1989), in *Cinéma et histoire*, op. cit., p. 216. Cf. D. Bordwell, *The Cinema of Eisenstein*, Cambridge (MA)/Londres: Harvard University Press, 1993, p. 61–79. J. Bimbenet, *Film et histoire*. Paris: Armand Colin, 2007, p. 173–175. G. Conio, *Eisenstein: le cinéma comme art total*. Gollion: Infolio, 2007, p. 24 e 103.
138. S. M. Eisenstein, *Mémoires*, op. cit., p. 185.

exata do encouraçado Potemkin. Nisso já existe quase um símbolo do filme: através da base da história autêntica, reconstituir o passado por meio da arte...[139]

Ora, o navio — o lugar da filmagem — está cheio de minas. É perigoso. Mas é assim mesmo, dirá o cineasta, "sob o signo das minas, que o trabalho se desenvolve. Não podemos fumar. Não podemos correr..."[140] Eisenstein contará também a invenção da lona, da escada, e outros aspectos do filme que não estavam previstos no roteiro.[141] Ele dirá como cada cena geral terá que contar com *cada detalhe* — a devastação de um campo de batalha, diz ele, tem que contar com cada osso de cada cadáver"—,[142] e como cada cena particular terá que contar com a superposição harmônica ou memorial de todas as suas *possibilidades associativas*. É assim que

> o luto diante do corpo de Vakulenchuk fazia eco aos incontáveis casos em que o funeral das vítimas da revolução tornou-se uma manifestação inflamada e pretexto para tumultos e repressões atrozes. Na cena sobre o corpo de Vakulenchuk, materializaram-se os sentimentos e o destino daqueles que carregaram nos braços o corpo de Bauman por Moscou.[143]

(Nikolai Bauman era um dirigente operário, amigo de Lenin, morto pela polícia tzarista em 18 de outubro de 1905, em cujo funeral, assim como em Odessa, ocorreu uma grande manifestação de massa que anunciava os levantes de dezembro.)

A relação entre crônica e poema foi frequentemente abordada por Eisenstein, nos planos estético e teórico. Em um texto de 1929, intitulado "Perspectivas", ele questionava essa diferença:

139. Ibid., p. 187.
140. Ibid., p. 188.
141. Ibid., p. 188–195.
142. Ibid., p.155–161.
143. Ibid., p. 197.

Onde está a diferença? Onde está o abismo entre a tragédia e a narrativa do fato? Já que o sentido das duas consiste em fazer com que se erga o conflito interior e, através de uma solução dialética, em fornecer às massas espectadoras uma nova incitação à ação e um novo meio de vida criativa?

Onde está a diferença entre o método perfeito do oratório e o método perfeito do conhecimento?

A nova arte deve colocar um ponto final no dualismo entre as esferas do "sentimento" e da "razão".

Devolver sua sensualidade à ciência.

Sua chama e sua paixão ao processo intelectual.

Mergulhar o processo mental abstrato na efervescência da prática atuante.

Devolver à *fórmula* especulativa todo o esplendor e a riqueza da *forma* sentida carnalmente.[144]

Tempos depois, em *A natureza não indiferente*, Eisenstein procura retomar a questão no mesmo ponto em que ele a havia deixado na cena da lamentação do *Potemkin*: "Vamos dizer que precisamos representar a tristeza na tela. A tristeza 'em geral' não existe. Ela é concreta, temática."[145] Concreta como a composição de um corpo visível, porém emocional como uma disposição da alma. O que quer dizer que *emoção e forma* são inseparáveis numa obra de arte, tema que Eisenstein irá desenvolver no seu famoso texto sobre "O orgânico e o patético"[146] dando o exemplo preciso do *Potemkin*, entre outros, como uma "*crônica* dos acontecimentos que age como um *drama*".[147]

Resumindo, a *crônica* dos acontecimentos não é mais "objetiva" do que o *pathos* dos sentimentos seria unilateralmente "subjetivo". Um não existe sem o outro: há um *pathos* da história assim como há uma objetividade do drama ou da tragédia. Se,

144. Id., "Perspectives" (1929), trad. L.; J. Schnitzer, in *Œuvres, I ? au-delà des étoiles*, op. cit., p. 196.

145. Id., *La Non-indifférente Nature, I*, op. cit., p. 31.

146. Ibid., p. 47–100.

147. Ibid, p. 51. Grifo do autor.

por um lado, Eisenstein convoca Constantin Feldman, a testemunha capital dos acontecimentos de Odessa, inclusive fazendo que ele represente seu próprio papel de tribuno diante do cadáver de Vakulenchuk, por outro, ele deixa de lado um detalhe "documental" que teria sido um obstáculo à clareza "dramática": é que, justamente segundo Feldman, o cadáver do marujo no cais do porto, naquele dia quente de junho de 1905, já estava se decompondo, enegrecido, uma visão horrível.[148] No final da vida, Eisenstein retomará na sua totalidade essa questão da "crônica cinematográfica":

> É a crônica como *forerunner* [precursor] do filme artístico [...]
> Do ponto de vista histórico, é assim que se forma o cinema.
> O começo: *Potemkin* [...]
> Foi assim que fiz explodir do interior a linha (a tradição) da crônica e do documentário [...], repensei-a com uma nova expressão qualitativa.[149]

Mas como "fazer explodir do interior" a forma tradicional da crônica? Um exemplo significativo poderia ser o tratamento do tema judeu no desenrolar da cena de luto do *Potemkin*, da qual ela constitui uma peça essencial, embora passageira (e por isso, desapercebida de inúmeros espectadores do filme). Entre os personagens que cercam a tenda onde jaz o corpo de Vakulenchuk, Eisenstein quis colocar uma jovem mulher morena, de pé, na entrada da tenda (do outro lado está o marinheiro Brzhezovsky, que logo lerá uma proclamação redigida pelos amotinados). Primeiro, nós a vemos numa atitude de recolhimento, de tristeza. As duas velhas com as mãos dobradas sobre o ventre — aquelas que Roland Barthes achou muito "decorativas" e "deploráveis" (*fig. 12*) — estão logo atrás delas, como se fosse o grupo das "Três Marias" na iconografia da lamentação de Cristo. Como Maria Madalena, aliás, a jovem

148. C. Feldman, *The Revolt of the "Potemkin"*, op. cit., p. 76.
149. S. M. Eisenstein, *Notes pour une histoire générale du cinéma*, op. cit., p. 163 e 189.

Figura 30. Fotógrafo anônimo, *Membros do Bund em Odessa diante dos corpos de três vítimas do pogrom de outubro, 1905*. Nova York, Institute for Jewish Research/Bund Archives. Foto DR.

mulher é a única com a cabeça descoberta, os cabelos esvoaçantes, sendo que as duas outras têm um véu como o das viúvas.

No plano seguinte, ela aparece, de repente, dirigindo-se à multidão. Quem é ela? Nas suas notas de "escolha de tipos" para os personagens, retomadas num anúncio para formação do elenco em cartazes nas paredes de Odessa, Eisenstein havia indicado: "Mulher de vinte e sete anos mais ou menos, judia, morena, alta, magra, espiritual".[150] Todos os espectadores russos de 1925 entenderam imediatamente que se tratava de uma militante do Bund, cuja presença no local do velório público de Vakulenchuk foi evocada muito precisamente por Constantin Feldman no seu testemunho.[151] Mas trata-se de quê? De um aspecto histórico e político fundamental dos acontecimentos de Odessa, que Eisenstein quis condensar ao extremo, em apenas alguns planos, talvez porque

150. Apud R. Taylor, *The Battleship Potemkin*, op. cit., p. 6.
151. C. Feldman, *The Revolt of the "Potemkin"*, op. cit., p. 52–53.

Figura 31. Serguei M. Eisenstein, *O encouraçado Potemkin*, 1925. Fotograma (militante do Bund diante do cadáver de Vakulenchuk).

esse aspecto da Revolução de 1905 não entrasse — e é um eufemismo dizer isso — na lógica daqueles que encomendaram o filme.

O cineasta, como sempre, estava muito bem informado. Sobre a cidade de Odessa, e sua população judia em particular, ele tinha ao seu lado uma testemunha de primeira linha na pessoa do amigo Isaac Babel, que ainda lembrava dos acontecimentos de 1905 (ele tinha então onze anos), e que iria contar a vida dos judeus de Odessa em admiráveis narrativas publicadas entre 1916 e 1933, sem contar a famosa coletânea *Cavalaria vermelha*, que Eisenstein pensou em adaptar para o cinema[152] (Babel foi fuzilado

152. I. Babel, *Odessa* (1916–1923), in *Œuvres complètes*, trad. S. Benech. Paris: Le Bruit du temps, 2011, p. 203–220. Id., *Récits d'Odessa* (1921–1924), in *Œuvres complètes*, op. cit., p. 221–258. Id., *Récits odessites* (1921–1933), in *Œuvres complètes*, op. cit., p. 259–305. Id., *Cavalerie rouge* (1926), in *Œuvres complètes*, op. cit., p. 491–633.

Figura 32. Serguei M. Eisenstein, *O encouraçado Potemkin*, 1925. Fotograma (simpatizante das "Centúrias negras").

por ordem de Stalin em janeiro de 1940). O cineasta sabia muito bem que, em 1905, Odessa era, ao mesmo tempo, uma capital cultural, (portanto) uma capital revolucionária e (em razão disso) uma capital cosmopolita. Seus habitantes estavam orgulhosos, dizem, de terem "inventado" o cinema russo. Lá surgiram as primeiras orquestras de jazz. A população judia, graças à tolerância tradicional dessa cidade, fundada por Catarina II em 1794, era de mais de cem mil pessoas. Muitos escritores e artistas viveram nela: Puchkin como exilado, Gogol e depois Gorki passaram longas temporadas, Akhmatova nasceu lá e Kandinsky passou toda a sua infância. Nasceram também em Odessa os grandes escritores de língua iídiche Haim Nahman Bialik e Sholem Aleikkem.

Além disso, Eisenstein sabia muito bem qual tinha sido a estratégia do poder tzarista em relação aos movimentos

Figura 33. Serguei M. Eisenstein, *O encouraçado Potemkin*, 1925.
Fotograma ("Morte aos judeus"!)

revolucionários daqueles anos: o ministro do Interior Viatcheslav Plehve queria desviar a raiva do povo russo para as comunidades judias, de modo a "mergulhar a revolução no sangue judeu", dizia ele cinicamente.[153] É então que surgem, a partir dos mesmos meios políticos — quase sempre ligados à polícia tzarista —, as milícias ultranacionalistas das "Centúrias negras" e, por exemplo, os famosos panfletos antissemitas dos *Protocolos dos sábios de Sião*. Os *pogroms* tornaram-se sistemáticos: em Melitopol, Simferopol, Jitomir e Troianov, em abril de 1905; em Minsk, Brest (na Bielorússia) e Bialystok, em maio e junho; em Ekaterinoslav, Makarevo ou Kertch, em julho; finalmente, em outubro, os grandes *pogroms* de Rostov, Minsk, Simferopol, Orcha

153. Citado por J.-J. Marie, *L'Antisémitisme en Russie, de Catherine II à Poutine*. Paris: Tallandier, 2009, p. 131.

e, principalmente, de Odessa.[154] Mas essa situação só vai desenvolver e radicalizar os movimentos da extrema esquerda judia, começando pelo Bund, organização nascida na clandestinidade em 1897 e cuja participação nos levantes de 1905 foi capital. Enquanto trabalhava no seu *Potemkin*, Eisenstein sabia muito bem aquilo que o Comitê do Estado não queria mais saber há muito tempo: que, em 1905, o Bund contava com cerca de trinta mil militantes, contra oito mil e quinhentos sociais-democratas russos de Lenin, e que suas ações durante a revolução de 1917 foram igualmente decisivas, na vanguarda, por assim dizer, da própria vanguarda bolchevique.[155] Richard Hough sugere que o Bund estava também na origem do movimento de greve iniciado em Odessa, quando o encouraçado Potemkin ancorou, em 1905.[156]

Portanto, é como se a presença dessa jovem mulher morena na cena do filme sobrepusesse ao luto de Vakulenchuk, não apenas o de Bauman, em Moscou, mas também o das vítimas do *pogrom* de Odessa que os membros do Bund pranteavam (*fig.* 30). A partir daí, não surpreende que o discurso inflamado dessa jovem militante (*fig.* 31) leve ao contracampo de um homem "típico" — no sentido de Eisenstein — das Centúrias negras (*fig.* 32). Assim como não tem nada de surpreendente o intertítulo que vem logo a seguir: "Morte aos judeus!" (*fig.* 33).[157]

154. Ibid., p. 131–155. Cf. R. Pipes, *La Révolution russe*, op. cit., p. 41–42. S. Lambroza, "The Pogroms of 1903–1906", in J. D. Klier; S. Lambroza (orgs.), Pogroms: *Anti-Jewish Violence in Modern Russian History*. Cambridge (MA)/Nova York: Cambridge University Press, 1992, p. 195–247 (que contabiliza 657 pogroms entre 1905 e 1906 na Rússia). R. Weinberg, "The Pogrom of 1905 in Odessa: A Case Study", ibid., p. 248–289.

155. A. Brossat; S. Klingberg, *Le Yiddishland révolutionnaire*. Paris: Balland, 1983 (nova ed. Paris: Syllepse, 2009), p. 42–44. H. Minczeles, *Histoire générale du Bund: un mouvement révolutionnaire juif*. Paris: Austral, 1995 (nova ed. Paris: Denoël, 1999), p. 153–177. Cf. id., *Le Mouvement ouvrier juif. Récit des origines*. Paris: Syllepse, 2010.

156. R. Hough, *La Mutinerie du cuirassé Potemkine, 27 juin 1905*, op. cit., p. 49.

157. Literalmente; "Bata nos judeus"!

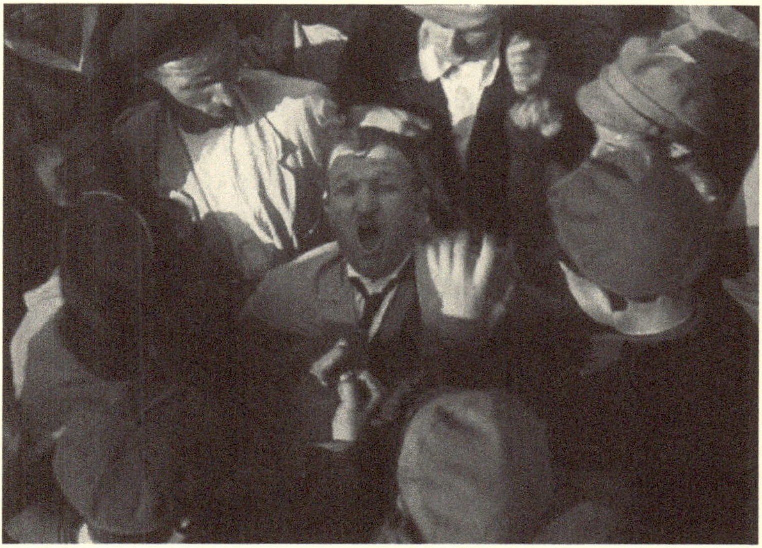

Figura 34. Serguei M. Eisenstein, *O encouraçado Potemkin*, 1925. Fotograma (antissemita sendo linchado).

Em 1950 — com Stalin ainda no poder — o intertítulo permanecerá censurado na nova edição russa do filme, sendo que esse corte torna a cena simplesmente incompreensível. Ele será, aliás, omitido por Georges Sadoul que parece ignorar, consequentemente, o que representa politicamente a "jovem mulher com um xale de seda negra".[158] Quanto ao cineasta, ele foi de uma clareza impecável: se o antissemita logo será linchado pelos habitantes de Odessa, reunidos diante do corpo de Vakulenchuk (*fig.* 34), é simplesmente porque, na visão de Eisenstein, o *pathos* revolucionário — fundado na confraternização dos explorados — não podia tolerar a lógica do bode expiatório que alimentava reacionários e antissemitas de 1905. A cena da lamentação construída

158. G. Sadoul, "*Le Cuirassé Potemkine* raconté d'après son montage et ses sous-titres", art. cit., p. 21-22.

pelo cineasta é, desse ponto de vista, exemplar de um processo em que a *emoção* passa à *insurreição*, no exato momento em que será recusada aos inimigos de classe a possibilidade de fazer acreditar que o inimigo é aquele de outra "raça". Ora, para mostrar isso, seria preciso construir uma montagem que explicitasse essa dialética da forma mais sutil e clara possível.

MONTAGENS DAS AFECÇÕES

"Eisenstein grita pela montagem"

Como sempre, no começo, há um assassinato. E depois, o que vemos em *O encouraçado Potemkin*? Vemos pessoas chorando em volta do morto, que gritam, que se agrupam; depois, que se insurgem juntas; e, por fim, que também morrem, por sua vez. É uma espécie de tragédia. Mas, no cinema, isto só se tornou possível — só podemos vê-lo, na verdade — porque as próprias imagens são dotadas de *pathos*, se agrupam e se insurgem juntas e, depois, acabam desaparecendo diante de nossos olhos. Chamamos isso de *montagem*, ainda que Eisenstein tenha usado, nas suas cartas em francês, a palavra *coupage* (aliás muito significativa).[1] "Atingir o patético pelo movimento",[2] foi esse objetivo que o cineasta se propôs, mas com a condição de explicitar duas coisas: primeiramente, que o patético era visado por ele como pertencente ao *coletivo* ("uma insurreição coletiva, isso não acontece todos os dias",[3] é o que Eisenstein dirá exaltado); em segundo lugar, que o movimento era construído por ele através de um processo de *montagem* de elementos breves, monádicos, ritmados, explosivos.

1. Apud L. Moussinac, *Serge Eisenstein*, op. cit., p. 38 et 44.
2. Apud J. Mitry, *S. M. Eisenstein*, op. cit., p. 131.
3. Apud J. Mitry, *S. M. Eisenstein*, op. cit., p 132.

Todos os filmes de Eisenstein — inclusive, no final, *Ivan, o Terrível* — são crônicas envolvendo a coletividade humana e os conflitos que a atravessam em um momento preciso da história.

Logo vemos que, para Eisenstein, os *fatos* históricos, que pedem uma estética da imagem precisa, dura, documental, nunca prescindem dos *afetos* sociais concomitantes, dos quais só as montagens *formais*, construídas para isso, podem dar conta. "O patético do acontecimento é reforçado, multiplicado pelo patético da construção", escrevia Jean Mitry.[4] Seria preciso até mesmo dizer que o patético eisensteiniano só existe dentro e através dessa forma em construção. O que vemos, na cena da lamentação do *Potemkin*, não é uma fulana qualquer que chora por suas próprias razões diante do cadáver de Vakulenchuk (*fig. 20–21*): é uma montagem cinematográfica que implicou certas escolhas formais — direção dos atores, enquadramentos, figurino, iluminação etc. — para nos levar ao teor antropológico dessa emoção mostrada, ao mesmo tempo, dialeticamente, na sua dimensão singular e na sua dimensão coletiva. Exatamente aquilo que Aby Warburg, na mesma época, chamava de "fórmulas patéticas" (*Pathosformeln*), usadas nas artes visuais em geral. Nesse domínio — da arte, mas também no das sociedades humanas em geral — não existe *pathos* separável das *formas* ou fórmulas capazes de torná-lo significante, transmissível, eficaz.

Abordar as emoções por meio da montagem ou da construção formal não era, portanto, aos olhos de Eisenstein, traí-las ou empobrecê-las. Pelo contrário: como toda montagem começa — e quase sempre acaba — com uma operação de desmontagem, podemos dizer que existe nela uma virtude tão *analítica* quanto *construtiva*, exatamente como o cineasta já dizia desde 1928.[5] De modo que a *forma* não mais será a negação do *fenômeno*, mas exatamente o contrário: será o modo por excelência de torná-lo

4. Ibid., p 125.
5. Ibid., p 125.

sensível, reconhecê-lo e fazê-lo ser conhecido. O cinema como arte da forma — ou seja, da montagem e da composição das forças — seria tudo aquilo que Eisenstein diz, por outro lado, da arte musical de Prokofiev, que teria "o dom de captar, na própria natureza dos fenômenos, o mistério estrutural que exprime no plano das emoções aquilo que constitui essencialmente o caráter geral do fenômeno".[6] Portanto, para começar, estamos repetindo aqui algo já encontrado em outros pensadores daquela época, começando por Aby Warburg e Walter Benjamin: ou seja, a herança de Goethe relativa às ligações estruturais entre o geral e o particular, em todo fenômeno percebido no seu ponto de "salto-origem" (*Ursprung*, segundo Benjamin) ou de "pulo" (*skatchiok*, segundo Eisenstein),[7] ou como "fenômeno originário" (*Urphänomen*, segundo Goethe).[8]

Desse modo, para que possamos ver as pessoas se insurgindo no *Potemkin* é preciso que as próprias formas — as imagens movimentadas pela montagem — se insurjam primeiro, é única maneira de representar a insurreição como um grande "fenômeno originário" coletivo. Aliás, é muito significativo que, em *O encouraçado Potemkin*, seja no momento mesmo do luto que a palavra se torne verdadeiramente coletiva: se na cena precedente subsistia ainda uma contradição entre o coletivo ("Irmãos!...") e o individual ("Em quem você está atirando"?), a cena da lamentação, por meio da multidão que vai aumentando e se reúne em volta do cadáver de Vakulenchuk, vai manifestar sem ambiguidade a amplificação épica da confraternização: "Não te esqueceremos"! Quanto à famosa frase cinematográfica "Todos por um, um por todos!", notavelmente analisada por Barthélémy Amengual,[9] ela

6. S. M. Eisenstein, "A.I. 28 [Attraction intellectuelle 1928]", art. cit., p. 157.

7. Elena Vogman me precisa que Eisenstein também usa, em *Méthode*, a palavra inglesa *shift* (algumas vezes escrita em cirílico) relativa à sua própria noção de *start* ou de "fenômeno originário".

8. Cf. A. Somaini, *Ejzenštejn*, op. cit., p. 321-333.

9. B. Amengual, *Le Cuirassé Potemkine*, op. cit., p. 74-77.

só tem sentido *fenomenal* — no seu valor de descrição, na sua narrativa, na sua lição política — no momento em que encontra sua elaboração *formal* numa montagem que se multiplica, uma verdadeira *insurreição de imagens* na qual todas trabalham ou se "insurgem" para cada uma, e cada uma só se compreende ou se insurge por meio de todas as outras. É assim que, em Eisenstein, a massa aparece em cada indivíduo; e cada indivíduo insurge a massa sem ser negado por ela.[10]

É assim que se constitui, de acordo com o autor do *Potemkin*, a própria noção de "imagem" ou de "imagicidade" (*obraz*) como organismo formal no qual as imagens particulares, ou os "planos" de cinema, vão parecer e vão até mesmo "se manifestar" de acordo com a política do "Todos por um, um por todos!". É para isso que serve a montagem, prática na qual Eisenstein se iniciou em 1924, quando teve que remontar para a distribuição soviética, junto com Esther Shub, esse filme exemplar do "Um contra todos" e do "Todos contra um" que é o *Dr. Mabuse* de Fritz Lang. A montagem não tem valor absoluto nem definição ontológica: trata-se apenas de valores de uso, entre suas *possibilidades*[11] e suas *efetividades* concretas: entre a extensão daquilo que ela pode explorar e a extremidade daquilo que ela produz sensivelmente, por fim. Em cada montagem particular se observa a decisão do montador em relação à "partilha do sensível".[12] Foi isso que Walter Benjamin viu muito bem desde 1927, ao falar do *Potemkin* sob o ângulo de um surgimento — ou insurreição — do teor político nos próprios "pontos de ruptura" da sua construção formal na montagem.[13]

10. Ibid., p. 68.

11. Cf. F. Lenz, *Sergej Eisenstein: Montagezeit*, op. cit. A. Somaini, *Ejzenštejn*, op. cit., p. XIII–XVIII. A. Cervini, "L'immagine-montaggio", *Bianco e nero*, LXXII, 2011, n. 569, p. 13–17.

12. Cf. R. De Gaetano, *La potenza delle immagini. Il cinema, la forma e le forze*. Pisa: ETS, 2012, p. 94–97 (Rancière com Eisenstein).

13. W. Benjamin, "Discussion sur le cinéma russe", art. cit., p. 16. Cf. igualmente W. Benjamin, *Journal de Moscou* (1926–1927), trad. J.-F. Poirier. Paris: L'Arche, 1983, p. 39, 155 e 160.

Nesse sentido, uma montagem será sempre problemática: sempre questionável e sempre aberta à crítica, pois cada maneira de montar imagens aparece como uma escolha de pensamento, caso a caso, uma decisão tomada no estabelecimento de certas relações entre certas coisas... A montagem eisensteiniana geralmente permanece aos olhos dos historiadores como característica de um tempo de vanguarda ligado aos desejos modernistas do "para além do quadro".[14] Mas entre construtivismo e dadaísmo, por exemplo, já não sabemos muito bem se a montagem é primeiramente uma arte da organização ou da desorganização, da composição do *pathos* ou, ao contrário, de sua decomposição. Ela seria o signo da invenção pura, livre, ou, pelo contrário, da manipulação que nos priva de liberdade?[15] É estranho, no entanto, que a montagem eisensteiniana nos anos 1960 e 1970 tenha sido tão brutalmente rebaixada para o lado do "poder persuasivo", do "fanatismo" e do "espírito manipulador", como dizia Christian Metz, que resumia sua crítica com essa simples frase: "Eisenstein grita pela montagem".[16]

Nessa formulação, encontramos os mesmos princípios — contraditórios — que deram também a Roland Barthes a oportunidade de rejeitar a estética da montagem eisensteiniana: excesso

14. Cf. N. Taraboukine, "Du chevalet à la machine" (1923), trad. A. B. Nakov; M. Pétris, in *Le Dernier Tableau*. Paris: Champ libre, 1972, p. 25-84. P. A. Sitney, *Modernist Montage: The Obscurity of Vision in Cinema and Literature*. Nova York/Oxford: Columbia University Press, 1990, p. 38-52. M. Teitelbaum (org.), *Montage and Modern Life*, 1919-1942. Cambridge (MA)/Londres: The MIT Press, 1992. H. Bergius, *Montage und Metamechanik: Dada Berlin, Artistik von Polaritäten*. Berlim: Gebr. Mann Verlag, 2000. H. Möbius, *Montage und Collage: Literatur, bildende Künste, Film, Fotografie, Musik, Theater bis 1933*. Munique: Wilhelm Fink Verlag, 2000, p. 359-395. J. Antoine-Dunne; P. Quigley (orgs.), *The Montage Principle: Eisenstein in New Cultural and Critical Contexts*. Amsterdam/Nova York: Rodopi, 2004. B. Stiegler, *Montagen des Realen. Photographie als Reflexionsmedium und Kulturtechnik*. Munique: Wilhelm Fink Verlag, 2009.

15. Cf. A. Weber, *Idéologies du montage ou l'art de la manipulation*. Paris: L'Harmattan, 1982, p. 29-45.

16. C. Metz, "Le cinéma: langue ou langage?" (1964), *Essais sur la signification au cinéma, I*. Paris: Klincksieck, 1968 (ed. 1983), p. 39-41. Cf. F. Jost, "À quoi sert Eisenstein?", in D. Château; F. Jost; M. Lefebvre (orgs.), *Eisenstein: l'ancien et le nouveau*. Paris: Publications de la Sorbonne, 2001, p. 10-12.

de *pathos* de um lado, portanto, excesso de corpos, de histeria, de gritos. Excesso de *logos* de outro, portanto, excesso de ideias prontas, verdades abstratas, discursos ouvidos. Excesso de afetos (corporais) *e* excesso de ideias (políticas), em suma. Então, onde exatamente se situa Eisenstein? É verdade que ele trabalha sobre as duas coisas ao mesmo tempo. É verdade sim que ele "grita pela montagem". Mas é porque ele precisa do grito (o imprevisto, o não construído) *e* da montagem (o trabalhado, o reconstruído). Pasolini, por sua vez, na mesma época, também não deixou de ter algumas ambivalências em relação a um cineasta cuja potência, de fato, o influenciou tão profundamente. "Os marinheiros do *Potemkin* são seres sem alma, sem corpo, sem sexo, que se deslocam como marionetes 'positivas'. Não basta ter razão e ser um herói para estar vivo", escreveu ele em 1973.[17] Julgamento que parecerá desproporcionado se pensarmos, principalmente, na maneira delicada, quase amorosa, como Eisenstein filma os marinheiros do Potemkin no começo da sua história, deitados sem camisa nas suas redes. Mas não terá sido na cena da lamentação em volta do cadáver de Vakulenchuk que Pasolini encontrou o recurso visual para afirmar, em 1967, que a própria montagem deveria ser compreendida como um ritual de lamentação, quando vemos toda a vida de um morto, como num filme, ser recomposta nos elogios fúnebres dos sobreviventes, reunidos em volta da sua sepultura?[18]

17. P. P. Pasolini, "Contre Eisenstein" (1973), trad. H. Joubert-Laurencin, in *Écrits sur le cinéma: petits dialogues avec les films* (1957–1974). Paris: Cahiers du cinéma, 2000, p. 163.
18. Id., "Observations sur le plan-séquence" (1967), in *L'Expérience hérétique: langue et cinéma*, trad. A. Rocchi Pullberg. Paris: Payot, 1976, p. 211–212. Id., "La peur du naturalisme" (1967), in *L'Expérience hérétique: langue et cinéma*, op. cit., p. 222.

Obraz-glaz: imagens pelos olhos, pelos punhos e pelas bocas abertas

A cena da lamentação construída por Eisenstein no terceiro ato do seu *Potemkin* não é, portanto, a simples "representação", a simples "ilustração" que via Roland Barthes, ao invocar seu "cenarismo" ou seu "iconografismo". É uma montagem de imagens que formam "a imagem" dinâmica — dialética — de uma lamentação como acontecimento limite do processo revolucionário de 1905. Sabemos que Eisenstein utilizou até os últimos recursos da língua russa que distingue *obraz*, a "imagem", e *izobrajéniè*, a "representação". A *obraz* que Eisenstein reivindica não é, portanto, a simples representação de alguma coisa ou de alguém. É a imagem como imagem dialética: como construção de imagens. É o conflito e a composição de pelo menos duas imagens e, se possível, de mil e uma imagens entre si: a dança de todo um povo de imagens. Esse é o resultado de um processo de montagem: crueldade da desmontagem e afeição da remontagem. É a imagem como movimento de ultrapassagem da representação, ou das "representações" que a constituem — esse homem, depois aquelas duas mulheres, depois essa multidão que converge para o porto etc. É a imagem transgredindo os limites da sua própria aparência singular: a maneira como ela atinge afeta — e até mesmo infecta — o todo do sensível e o todo do inteligível ao mesmo tempo. Ao final desse movimento expansivo ou transgressivo, que Eisenstein logo chamará de "êxtase" (*ekstaz*), a *obraz* deverá ser compreendida como um processo estético, por assim dizer, sem fronteiras: daí uma relação filosoficamente estabelecida entre *imagem e pensamento*, principalmente através do conceito de "imagens eidéticas";[19] daí

19. F. Albera, "Introduction" à S. M. Eisenstein, in *Cinématisme: peinture et cinéma*, trad. A. Zouboff. Bruxelas: Complexe, 1980 (nova ed. Dijon: Les Presses du réel, 2009), p. 14–15. Cf. F. Albera, *Notes sur l'esthétique d'Eisenstein*. Lyon: CERT–CIRS–Université Lyon II, 1973, p. 41–87.

uma relação antropologicamente mantida entre *imagem e corpo*, nas múltiplas dimensões sensoriais em que eles se juntam.

Essa noção "extática" da imagem — com sua prática concomitante dos enquadramentos e das montagens, das construções espaciais e dos ritmos — traz pelo menos duas consequências. A primeira diz respeito ao *estatuto do objeto filmado*: segundo essa prática da *obraz*, não poderemos mais falar de "realismo" no sentido habitual do termo. Não apenas a ancoragem de Eisenstein no construtivismo russo — que foi um "desconstrutivismo" da representação naturalista — permanece fundadora de todo o seu cinema, como mostrou François Albera,[20] mas também o ponto de vista "extático" vai levar Eisenstein a uma prática fílmica que ele chamará, em *A natureza não indiferente*, de "hiperobjetividade": pegue um objeto qualquer e coloque-o em "êxtase" ... Como fazer isso? Tornando "imanentes os princípios da sua *patetização* [...]. Resumindo, trata-se de um certo estado psíquico, nem mesmo psicológico, ao qual o autor quer ligar seu tema para produzir uma impressão indelével nos seus espectadores", responde o cineasta.[21] Assim procedia Homero e assim procede Maiakovski, apesar do mundo que os separa.[22] E é assim que o próprio Eisenstein vai proceder para fazer de uma simples centrífuga de leite, num colcoz[23] da União Soviética, uma espécie de aparelho desmedido, ampliado, de energia erótica e cósmica:

> A cena central [de *A linha geral*], mais bem-sucedida e, como sempre, a mais significativa do método empregado, era exatamente a cena em torno da centrífuga [...], na qual se desenrola o intenso jogo entre as esperanças e as dúvidas: o leite "vai ou não vai engrossar", e na qual, no

20. Id., *Eisenstein et le constructivisme russe,* op. cit., p. 111–257. Cf. B. Amengual, *Que Viva Eisenstein!,* op. cit., p. 479–510.
21. S. M. Eisenstein, *La Non-indifférente Nature, I,* op. cit., p. 356–357.
22. Ibid., p. 358.
23. Cooperativa agrícola típica da União Soviética. [N.T.]

final de tudo, na explosão de alegria que acompanha os jatos do creme, a adesão maciça à cooperativa leiteira sobe tumultuosamente.

Eis o exemplo do tema patético, na ausência total de qualquer elemento patético exterior, numa cena construída sobre a manipulação de um aparelho capaz de separar o leite e a nata graças à lei das forças centrífugas e centrípetas.

Eis o ponto em que o problema da "patetização" do material exigia imperiosamente que a cena da aparição da primeira gota de creme de leite, apenas pelos meios da expressividade e da composição, se tornasse tão apaixonante e chocante quanto o episódio do encontro do Potemkin com a frota, a espera dessa primeira gota sob a mesma tensão que a espera diante dos canhões da frota: eles vão atirar ou não? E, finalmente, encontrar os meios plásticos para exprimir as demonstrações de alegria quando o duro "teste da centrífuga" se vê coroado pelo triunfo da técnica.

Porque ali não havia nem a massa dos figurantes correndo escada abaixo sob o tiroteio de Odessa, nem frota.[24]

Parece altamente significativo que Eisenstein, nessas linhas, queira comparar a centrífuga de *A linha geral* e a multidão de manifestantes em *O encouraçado Potemkin.* Isso não quer dizer que as multidões se comportem como máquinas, mas precisamente o contrário: quer dizer que tudo aquilo que se passa entre as mãos, pelos gestos ou no pensamento dos homens — tanto o uso de um objeto técnico quanto uma decisão coletiva de se revoltar — é dotado de uma energia que Eisenstein chama de *pafos* (ou seja, o *pathos*), energia que cabe à imagem (*obraz*) manifestar e construir, situando-a num "plano psíquico, nem mesmo psicológico", ou seja, num *plano de imanência* antropológica. Ora, esse plano não tem nada de um substrato intangível, eterno ou imóvel: é um veículo de movimentos incessantes, um fundamental *princípio de metamorfoses.*

Mais uma vez, a referência às "fenomenalidades originárias" e às "morfogêneses" de Goethe revela-se operatória, referência que, em *A natureza não indiferente*, Eisenstein não vai esquecer de situar numa perspectiva ainda mais ampla, chagando até a buscá-la

24. Ibid., p. 110–111.

nas *Metamorfoses* mítico-poéticas de Ovídio. É extraordinário, então, ver Eisenstein juntar esse tema estrutural da metamorfose ao tema patético do *lamento* fúnebre, ao convocar, entre todos os outros possíveis, o exemplo de Febo, amante desesperado, lamentando-se sobre o cadáver do jovem Jacinto: isso exatamente no momento em que "o sangue... não era mais o sangue", porque "uma flor estava se abrindo naquele lugar", uma flor sobre cujas pétalas "Apolo, em sinal de homenagem, deixou sua marca traçando com os dedos *ai! ai!*"[25] E, algumas linhas adiante, o amante de poesia antiga nos leva de volta ao cinema contemporâneo: "Encontramos algo equivalente na composição do *Potemkin*? Encontramos!"[26] Sim, encontramos, simplesmente porque a composição do *Potemkin* se organiza inteiramente como uma metamorfose estrutural tecida de gestos patéticos: um processo que, portanto, não tem nada a ver com a "verdade imposta" ou com o "quadro imóvel" que via Roland Barthes ao comparar em sua mesa de trabalho aqueles fotogramas publicados na *Cahiers du cinéma*.

A segunda consequência trazida pela maneira como Eisenstein aborda a noção — e a prática — da imagem como *obraz* diz respeito ao *estatuto do gesto filmado*: não é o "quadro" fixo ou a "representação" que via Roland Barthes, mas, justamente, o contrário de um simples *izobrajéniè*,[27] o contrário de um signo visual unívoco. Mais uma vez, é uma metamorfose estrutural na qual se constrói a própria intensidade do *pathos*: daí a importância da problemática do "gesto expressivo" e da "encenação" nos escritos e nos ensinamentos de Eisenstein durante toda

25. Id., *La Non-indifférente Nature*, II, op. cit., p. 120–121 (referência a Ovídio, *Métamorphoses*, X, versos 185–219).
26. Ibid., p. 122.
27. Em russo a palavra *obraz* é do gênero masculino, a palavra *izobrajéniè* do gênero neutro.

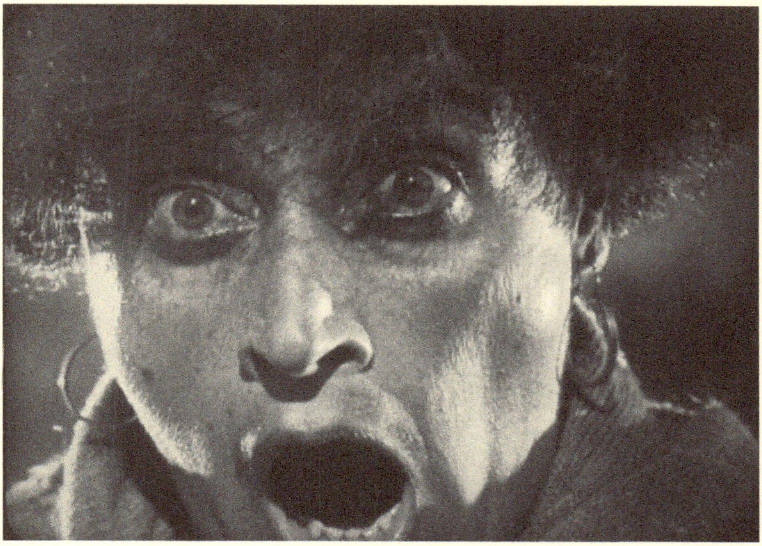

Figura 35. Serguei M. Eisenstein, *O encouraçado Potemkin*, 1925. Fotograma (a mãe cigana).

a sua vida.[28] Nesse relatório nota-se claramente que Eisenstein estava muito orgulhoso de alguma coisa que os espectadores do mundo inteiro veriam, ou seja, a "potência expressiva" de *O encouraçado Potemkin*. Ele se deleita, por exemplo, ao contar, nas suas *Memórias*, como os serviços secretos do exército alemão, ao verem o filme, em 1926, ficaram preocupados com a "potência" da frota soviética, quando essa potência, no final das contas, era apenas uma montagem bem-sucedida que usou os arquivos da marinha britânica por ocasião da Primeira Guerra Mundial:

28. Id., *Il movimento espressivo: scritti sul teatro* (1918–1947), trad. F. Antonini; O. Calvarese; F. Di Cesare. Veneza: Marsilio, 1998. Id., Stili di regia*: narrazione e messa in scena* (1933–1948), trad. L. Bottone; A. Cioni; P. Montani; Veneza: Marsilio, 1993. V. Nijny, *Leçons de mise en scène avec Eisenstein* (1957), trad. J. Aumont. Paris: FEMIS, 1989.

O medo arregala os olhos. E esses olhos muito abertos pelo pavor deixaram escapar na tela essa circunstância em que os fragmentos de planos gerais da frota em movimento são apenas, nem mais nem menos, fragmentos de antigas atualidades sobre as manobras ... da antiga frota de um Estado estrangeiro.[29]

Sim, o medo arregala os olhos: tudo aquilo que ele vê lhe parece literalmente enorme. Mas essa frase, que aqui evoca a relação do espectador com a montagem expressiva do *Potemkin*, nos diz também alguma coisa sobre aquilo que o próprio filme tentava mostrar sobre o medo e seus "olhos arregalados". Não é por acaso que um dos fotogramas mais famosos do *Potemkin* é aquele em que mal percebemos — pois, no filme, isso dura apenas um breve instante — a mãe cigana *vendo seu próprio filho morrer na sua frente*, pisoteado pela multidão descontrolada na escadaria de Odessa. É um rosto "extático", de fato, no sentido de Eisenstein: um rosto extremo do *pathos*, com a boca exageradamente aberta e os olhos arregalados (*fig. 35*). A fama desse fotograma fez dele — junto com o plano fechado da professora com os óculos quebrados, gritando, coberta de sangue — um ícone do filme todo. Porém, basta olhar os planos que se seguem para entender que a expressividade, em Eisenstein, nunca para justamente no ponto em que gostaríamos de fixá-la num quadro: a mulher que segura desesperadamente a cabeça entre as mãos avança em direção à câmera, chegando quase a esbarrar nela, até turvar nossa visão, e Eisenstein trata o desfocamento que resulta disso como a instauração de uma relação de proximidade extrema, ou seja, tátil ou "háptica", entre o olhar e a dor dessa mulher (*fig. 36 e 37*).

Talvez o olhar seja uma questão de olho (*glaz*). Mas, como vemos nesse exemplo, entre tantos outros possíveis, para Eisenstein é também uma questão de sobrancelhas alvoroçadas, de testas proeminentes, de cabelos revoltos e de mãos crispadas pela emoção...

29. S. M. Eisenstein, *Mémoires*, op. cit., p. 199.

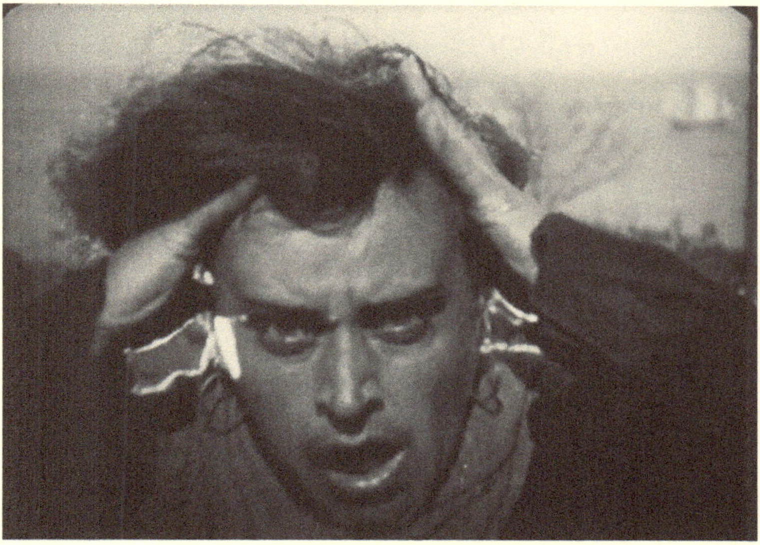

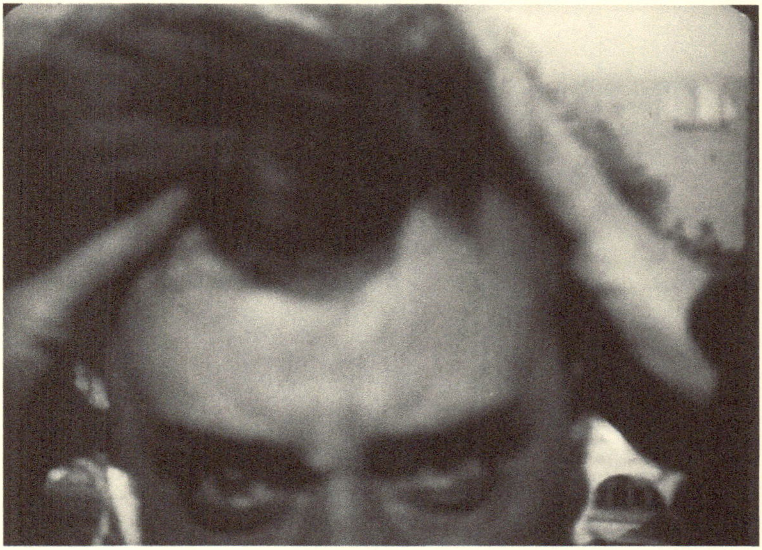

Figura 36–37. Serguei M. Eisenstein, *O encouraçado Potemkin*, 1925. Fotogramas (a mãe cigana).

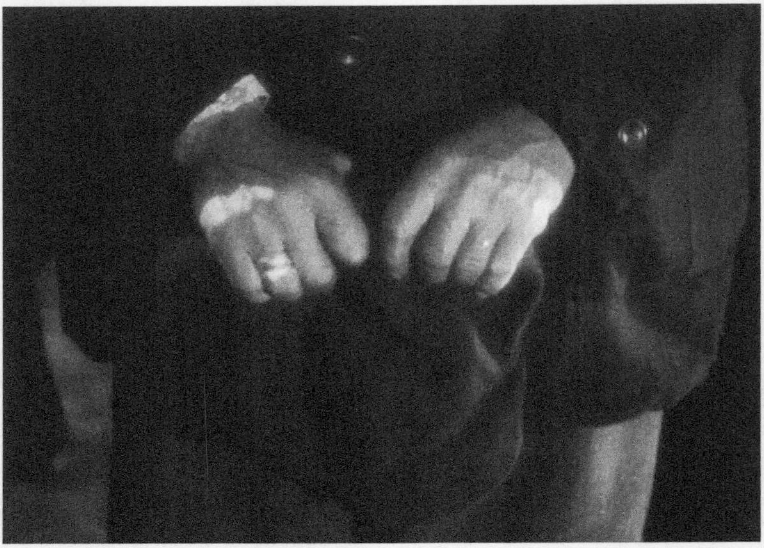

Figura 38. Serguei M. Eisenstein, *O encouraçado Potemkin*, 1925. Fotograma (punhos da piedade).

É também uma questão de punhos (*kulaki*), como mostra admiravelmente a cena de lamentação do *Potemkin*: desde as mãos unidas sobre o peito em sinal de contrição religiosa (*fig.* 38) — já observamos que é uma mímica fiel da gestualidade representada nos ícones do *Ecce Homo*, essa "história repetitiva"? —, até o desenvolvimento dialético da raiva individual (*fig.* 39) e, a seguir, da insurreição de todos (*fig.* 40). Desde o início dos anos 1920, Eisenstein esperava das imagens algo bem diferente do que uma simples questão de óptica: *olhar é um gesto* quando *as imagens nos tocam*. É um ato que envolve a totalidade do nosso corpo e do nosso pensamento — tudo isso reivindicado no plano da prática estética, antes mesmo que a psicologia (de Vygostki, por exemplo) ou a fenomenologia (de Erwin Strauss, por exemplo) teorizem, nos anos

1930, essa fundamental polissensorialidade das imagens que o autor de *A natureza não indiferente* nunca deixará de apresentar, através das perpétuas ligações que ele fará entre as diferentes artes.

Sobre esse assunto, conhecemos a famosa polêmica que opôs o "cine-olho" (*kino-glaz*) de Dziga Vertov ao "cine-punho" (*kino-kulak*) reivindicado por Eisenstein. Desde 1922, Dziga Vertov criticava violentamente os métodos teatrais de Vsevolod Meyerhold, o mesmo com quem Eiseinstein estava justamente formando sua concepção do "gesto expressivo".[30] Vertov recusava qualquer sobrevivência das formas artísticas ligadas ao mundo antigo: "Os modelos 'artísticos' anteriores à revolução estão pendurados em você como ícones",[31] ele provocava. A própria "arte", como forma política obsoleta, podia ser considerada como esse "ícone". De modo que o projeto radical de "cinema-verdade" (*kino-pravda*) visava, antes de tudo, a supressão desse "ópio dos cinedramas burgueses" fabricados na Europa e em Hollywood — mas também na Rússia — para "o emburrecimento de três quartos da humanidade".[32] Até mesmo as atualidades filmadas na União Soviética mostravam, ainda e sempre, "os mesmos desfiles, os mesmos funerais" que fazem, segundo Dziga Vertov, a própria essência da dramatização burguesa da história.[33]

Frases escritas no mesmo ano em que *A greve* de Eisenstein era lançado nas telas russas, com sua mistura de "atuação" e "não atuação" — como, logo depois, no *Potemkin* —, de construção dramática e estilo documentário, de crônica linear e de montagem não linear... Diante dessa posição de certa forma intermediária, Vertov iria se mostrar ainda mais severo: "Os grupos oportunistas recém-formados, que poderíamos qualificar de

30. D. Vertov, "Conseil des Trois" (1923), in *Articles, journaux, projets*, trad. S. Mossé et A. Robel. Paris: Cahiers du cinéma/Union Générale d'Éditions, 1972, p. 32–33.
31. Id., "Appel du 21 janvier 1923", in *Articles, journaux, projets*, op. cit., p. 24.
32. Id., "Ciné-oeil" (1924), in *Articles, journaux, projets*, op. cit., p. 59.
33. Id., "*La kinopravda*" (1924), in *Articles, journaux, projets*, op. cit., p. 62.

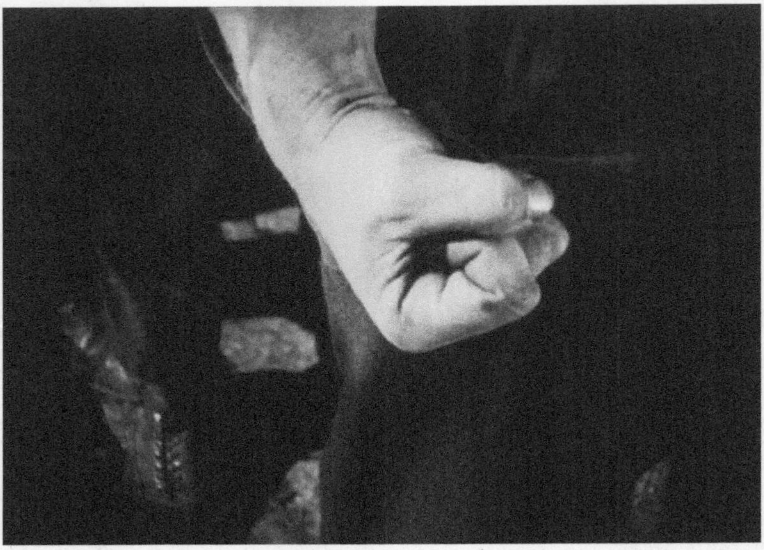

Figura 39. Serguei M. Eisenstein, *O encouraçado Potemkin*, 1925. Fotograma (punho da raiva individual).

Figura 40. Serguei M. Eisenstein, *O encouraçado Potemkin*, 1925. Fotograma (punhos da insurreição coletiva).

'conciliatórios', são bem mais perigosos. Ao copiar nossos procedimentos, eles os transferem para o drama artístico, cujo resultado é reforçar suas posições."[34] Vertov teria visto, portanto, nos filmes de Eisenstein um compromisso oportunista, escandaloso, entre o "cinema-olho" (*kino-glaz*) documentário e a persistência do pior dos esquemas possíveis, ou seja, o "drama" e seu quinhão de construções "patéticas":

> O cine-drama mexe com os nervos. O cine-olho ajuda a ver.
>
> O cine-drama cobre os olhos e o cérebro com um nevoeiro açucarado. O cine-olho faz abrir os olhos, esclarece a visão.
>
> Com o cine-drama, a garganta fica apertada. Com o cine-olho recebemos no rosto o vento fresco da primavera, o ar livre dos campos e das florestas, a imensidão da vida. [...]
>
> Será que vão nos fazer acreditar que somos obrigados, em nome do lucro, a embriagar o proletariado com cine-vodca temperado com pó de propaganda, como se fosse um antídoto?
>
> Podemos suportar muitas coisas [como] o drama artístico e seus criadores, os grandes sacerdotes da arte, mas nem por um minuto, nem por um segundo, podemos fazer disso o objetivo essencial da produção cinematográfica soviética.[35]

Em 1926, Dziga Vertov continua a exprimir o amargor provocado por esse "roubo" do *kino-glaz* por um" grande sacerdote da arte", ocupado em encenar a história por dramatizações interpostas:

> A partir de agora, como mostra a experiência do ano passado, basta apenas que um filme chamado de "artístico" (filme interpretado, filme de atores) se sirva de um único procedimento exterior do cine-olho para que ele chame a atenção (*A greve, Potemkin*) no mundo do cinema.[36]

De modo que, "paralelamente [mas é claro que Vertov quer dizer aqui: contrariamente] à cine-fábrica unificada das caretas [reunião de todas as formas de trabalhos cine-teatrais, de Sabinski a

34. Ibid., p. 66.
35. Id., "Drame artistique et ciné-oeil" (1924), in *Articles, journaux, projets*, op. cit., p. 71-72.
36. Id., "La fabrique des faits" (1926), in *Articles, journaux, projets*, op. cit., p. 83.

Eisenstein], é preciso criar *uma cine-fábrica dos fatos*".[37] Como se o *pathos* fosse apenas uma careta da *práxis*. Como se a "montagem das atrações" reivindicada por Eisenstein, no final das contas, fosse apenas uma "cine-bruxaria", uma "cine-mistificação"[38]. A morte existe, é claro, mas é apenas um fato, e só o fato merece ser filmado: quando Lenin morreu, em 1924, não se tratava, absolutamente, de mostrar o *luto*, a dor da perda, diz Vertov, mas o puro fato do *trabalho* que continuava, para além de uma tristeza instantaneamente "superada":

> Aqui está Lenin vivo e ali está Lenin morto. Superada a tristeza, a consciência do dever obriga sua mulher e sua irmã a continuarem sua tarefa com uma energia aumentada. As camponesas trabalham, e as operárias, e também a montadora que seleciona os negativos da *kinopravda*.[39]

De certa maneira, é interessante que essa polêmica geral sobre os fins e os meios do cinema tenha podido focar *naquilo que os vivos fazem em volta de um morto*, seja Vakulenchuk, interpretado pelo ator profissional Alexandre Antonov, ou o verdadeiro Lenin, em pessoa. Em todo caso, a controvérsia mostra até que ponto a questão da *montagem* abria um largo campo de discussão, ou mesmo de batalha, que colocava em jogo fundamentalmente a maneira de usar — mostrar ou não mostrar, montar ou não montar — as *emoções*.[40] Sabemos que a resposta de Eisenstein a Vertov

37. Ibid., p. 84.
38. Ibid., p. 85.
39. Id., "*La kinopravda*", art. cit., p. 68. Cf. D. Vertov, "*Trois chants sur Lénine et le ciné-oeil*" (1934), in *Articles, journaux, projets*, op. cit., p. 169–174. Id., "Dernière expérience" (1935), in *Articles, journaux, projets*, op. cit., p. 181–184. A questão do *pathos* no filme *Três cantos a Lenin* parece, de fato, ser bem mais aberta do que deixam entender os próprios textos de Vertov. Cf. A. Michelson, "The Kinetic Icon in the Work of Mourning: Prolegomena to the Analysis of a Textual System", *October*, n. 52, 1990, p. 16–39.
40. Os principais textos da controvérsia, entre 1925 e 1928, foram traduzidos em inglês em: Y. Tsivian (org.), *Lines of Resistance: Dziga Vertov and the Twenties*, trad. J. Graffy. Gemona, Le Giornate del Cinema Muto/Cineteca del Friuli, 2004, p. 125–156. Cf. L. Moussinac, *Serge Eisenstein*, op. cit., p. 91. B. Amengual, *Que Viva Eisenstein !*, op. cit., p.

foi veemente — ela pode ser lida em um texto de 1925, intitulado "Sobre a questão de uma abordagem materialista da forma". Toda a sua retórica consiste em aumentar a importância do tema ou, mais exatamente, mostrar a Vertov sua superioridade no plano que era seu, ou seja, sua posição revolucionária, materialista e dialética no domínio do cinema. O *kino-glaz* mostra fatos, é certo. Mas, renunciando a construí-los, ele é apenas "uma *reductio ad absurdum* de métodos técnicos válidos para as atualidades", e é assim que "as pretensões de Vertov, para quem seus métodos teriam sido suficientes para criar um cinema novo", vão de encontro a um obstáculo fundamental, que é sua *falta de dialética*: "Trata-se apenas de um ato de negação" da antiga cinematografia, e não da sua verdadeira ultrapassagem dialética.[41]

Ao recusar a construção de qualquer *expressão*, Dziga Vertov talvez acredite jogar no lixo a totalidade da arte antiga, da arte burguesa. Mas ele não viu que, ao fazer isso, retorna a algo bem mais rudimentar, que é a pura e simples *impressão* diante do mundo visível: um "impressionismo primitivo", dirá Eisenstein.[42] O resultado é que "Vertov tece a trama de um quadro pontilista", tipicamente pequeno-burguês, e que, no fundo, revela apenas "sua impotência formal de produzir o menor efeito".[43] Seria preciso "estenografar" uma cena como a do massacre final de *A greve* ou do *Potemkin*?, pergunta Eisenstein. Certamente não. O que devemos pedir ao cinema não é apenas *ver* ou contemplar, mas sim compreender — "levar consigo" — e, mais ainda, *mover-se* para *agir*:

451–461. F. Albera, *Eisenstein et le constructivisme russe*, op. cit., p. 159–162. P. Dieuzaide, "Apparitions et modèles: Eisenstein et Vertov", *Admiranda, cahiers d'analyse du film et de l'image*, n. 7, 1992, p. 9–13.

41. S. M. Eisenstein, "Sur la question d'une approche matérialiste de la forme" (1925), trad. J. Aumont et B. Eisenschitz, in *Œuvres I. Au-delà des étoiles*, op. cit., p. 150.

42. Ibid., p. 151.

43. Ibid., p. 151–152.

> Não é um *cine-olho* que nos falta, mas um *cine-punho*.
>
> O cinema soviético tem que rachar os crânios! E não é "através do olhar reunido de milhões de olhos que lutaremos contra o mundo burguês" (Vertov) — eles colocarão, imediatamente, milhões de lampiões sob esses milhões de olhos!
>
> Rachar os crânios com um cine-punho, penetrar neles até a vitória final, e agora, diante da ameaça de contaminação da revolução pelo espírito "cotidiano" e pequeno-burguês, rachar ainda mais!
>
> Abram lugar para o cine-punho![44]

A maneira como Eisenstein se exprime parece ser mais *agressiva* e conquistadora — com expressões típicas, como "até a vitória final" — do que ela é na realidade, na *defensiva* de uma posição muito delicada. O ataque de Dziga Vertov tocava, de fato, num ponto nevrálgico da estética eisensteiniana, aquele que o autor de *Método* acabaria reivindicando nos anos 1930 e 1940 — mas cada vez menos publicamente — sob o nome de *regressão*. Por ora, trata-se apenas de atacar para se defender melhor, reivindicar as *armas* da "vitória final" para se justificar por ter olhado tanto as *lágrimas* de umas velhas chorando em volta do corpo de Vakulenchuk. Mas alguma coisa permanecerá crucial para Eisenstein, para além das suas grandes mímicas de adesão ao realismo socialista: é que um filme, para ele, nunca é redutível às imagens ópticas que mostra. Um filme é uma coisa que irrompe no seu mundo, que entra em você, que modifica seu corpo e seus pensamentos da cabeça aos pés. "O papel do filme é incitar o público a 'se servir', e não distraí-lo. Tomá-lo, e não diverti-lo. Dar armas a esse público, e não desperdiçar a energia com a qual ele veio ao cinema", escreve Eisenstein em 1932.[45]

Para isso, porém, é preciso saber como ser violento com o espectador, como incitá-lo, como despertar sua energia. Não se deve poupá-lo do *pathos*. E então, proceder ao "aprofundamento

44. Ibid., p. 153–154.
45. Id., "Allez-y !... Servez-vous !" (1932), in *Le Film: sa forme, son sens*, op. cit., p. 87.

trágico e psicológico do tratamento da situação".[46] Encontrar as boas *formas* que serão, em primeiro lugar, formas "extáticas": isto é, formas *capazes de extrair* de uma estagnação, de uma fronteira, de um limite, de um *status quo*. Será preciso então que os olhos saltem das órbitas e que as testas quase batam nas lentes da câmera. Será preciso que os punhos se fechem de encontro ao peito e se ergam em direção ao céu. Que as bocas que se abriram num grito de dor abram-se agora num canto de emancipação. Eisenstein teve que construir tudo isso, é claro: isto quer dizer também exagerar, aumentar, intensificar, ritmar pelo uso conjugado do enquadramento, da encenação, da iluminação, da montagem. Ele não vai temer nem mesmo a caricatura — arte tão importante para ele, a começar pelas gravuras de Honoré Daumier, que ele venerava —,[47] que supõe ao mesmo tempo uma certa *crueldade do corte* e uma certa *expansão dos limites* onde a representação acabará explodindo na imagem, na *obraz*. Mas como isso é possível?

***Obraz-obrez*: o corte e o plano fechado (vertigens do próximo)**

"Eisenstein grita pela montagem", mas também pelo plano fechado: as duas coisas funcionam juntas. O espectador do *Potemkin* não segue apenas a crônica dos sofrimentos experimentados pelo povo de Odessa e pelos marinheiros do encouraçado amotinado. Ele fica frente a frente, por assim dizer, com a mãe cigana que grita sua dor (*fig.* 35–37). Ele sente dar as mãos às pessoas modestas que, pouco a pouco, vão se rebelando diante daquele "morto que exige justiça" (*fig.* 38–40). Enfim, diante da grande tela da sala de cinema, onde todos esses órgãos — olhos,

46. Ibid., p. 88. Cf. M. Olivero, "Cinema dell'emozione e cinema dell'estasi: il realismo socialista e l'opera di Ejzenštejn", *Fata Morgana, quadrimestrale di cinema e visioni*, IV, 2010, n. 12, p. 63.
47. Cf. A. Ackerman, *Eisenstein et Daumier*, op. cit., p. 71–171.

bocas, testas, punhos — estarão literalmente desproporcionados, maiores do que ele, ele poderá se sentir como que "arrebatado" pelos trágicos planos fechados, cuja função patética Jean Epstein já havia compreendido tão bem em 1921: "Bruscamente, a tela exibe um rosto e o drama me trata com intimidade e se carrega de intensidades imprevistas. Hipnose. Agora, a tragédia é anatômica."[48] Jean Epstein, por sua própria conta, havia notado que os planos fechados do *Potemkin* eram tão breves quanto aproximados, usando o vocabulário da crueldade, dizendo que o "picadinho" dos corpos surge nas operações conjuntas do plano fechado e da montagem:

> Paroxismos intermitentes me emocionam como picadas. Até hoje, nunca vi fotogenia pura durante um minuto inteiro. É preciso então admitir que ela é uma faísca e uma exceção entrecortada. Isso impõe uma decupagem mil vezes mais minuciosa que a dos melhores filmes, mesmo os americanos. Um picadinho.[49]

Do lado dos debates de Vertov, estavam também, é claro, alguns críticos soviéticos que viam nos planos fechados do *Potemkin* apenas uma ode burguesa à psicologia individual, assim como se exprimia Ivan Anisimov, em 1931:

> Homens e mulheres têm ali traços individuais característicos, e são concebidos como elementos de um drama psicológico. [...] As imagens individualizadas da multidão na escadaria são a prova da adesão de Eisenstein ao princípio [burguês] da visão psicológica do indivíduo [...] em oposição à massa.[50]

Victor Chklovski, por sua vez, via as coisas exatamente ao contrário, entendendo as montagens de planos fechados de *O encouraçado Potemkin* como a ferramenta dialética por excelência de uma relação entre "massas" e "indivíduos":

48. J. Epstein, *Bonjour cinéma*. Paris: Sirène, 1921, p. 93.
49. Ibid., p. 94.
50. Apud B. Amengual, *Que Viva Eisenstein !*, op. cit., p. 184.

Ao usar as multidões de modo primitivo, embora extraordinariamente espiritual, Eisenstein sabe brilhantemente se servir do homem parado, de pé, tomado pela dor. Isso o obriga a criar cenas de massa unicamente a partir de primeiros planos ou de planos fechados. [...] O grande mérito da imagem consiste na lógica excepcional dos procedimentos utilizados.[51]

Quanto a Boris Eikhenbaum, desde 1927 ele compreendeu até que ponto esse uso dos planos fechados na arte cinematográfica transformava radicalmente a noção tradicional de *enquadramento* (noção que vem da história da pintura ou da fotografia, mas *kadr*, em russo, também designa o plano de cinema, ou mesmo o fotograma de um filme): "A câmera dinamizou a prova fotográfica, transformou-a de unidade fechada e estática em *enquadramento*, fração ínfima do fluxo em movimento."[52] Resumindo, o enquadramento — seja no sentido puramente espacial de *colocar no quadro*, ou no sentido espaço-temporal de "plano" cinematográfico — seria o *lugar dialético* de um encontro fundamental entre o singular (um punho cerrado, um olho arregalado) e o plural (a multidão inteira que se insurge). O enquadramento seria, portanto, um lugar por excelência para que o indivíduo "entre em êxtase": transborde, seja lançado para fora de si mesmo, como pela ação de uma força centrífuga, e para dentro do povo. E para que o corpo múltiplo do povo, por sua vez, "entre em êxtase": se comprima, se contraia em si mesmo, como pela ação de uma força centrípeta, sobre o corpo de um só homem cerrando os punhos ou de uma mulher abrindo os olhos.

O uso dos planos fechados temporalizados, por meio de uma prática muito precisa da montagem, é o que teria permitido a Eisenstein tornar a imagem "extática". Para isso, era preciso começar encontrando todas as maneiras operatórias de proceder

51. V. Chklovski, "Eisenstein", art. cit., p. 170–171.

52. B. Eikhenbaum, "Problèmes de ciné-stylistique" (1927), trad. V. Posener, in *Les Formalistes russes et le cinéma*, op. cit., p. 38. Cf. também p. 50.

ao *êxtase do enquadramento*. O que permitisse reunir na mesma imagem o sensível e o inteligível, a forma e o conteúdo, o desejo de cada um e a ressonância de todos — e até mesmo, a cada vez, amplificar um pelo outro, como bem viu Jean Mitry:

> Poderíamos dizer que, quanto mais concreto for o plano fechado, maior o risco de ele adquirir uma significação abstrata, e também que, quanto mais o objeto representado for alguém, mesmo insignificante e sem importância, mais considerável se torna a significação que ele adquire. [...] Não é apenas a profundidade humana do tema, seu elã revolucionário, sua ressonância social que constituem o valor de *O encouraçado Potemkin*. Também não é sua perfeição formal, sua concisão, seu ritmo. É uma coisa aumentada, multiplicada pela outra.[53]

Barthélemy Amengual vai observar ainda que a montagem eisensteiniana só atinge seus efeitos de *multiplicação* ou de expansão dos enquadramentos por meio de uma operação concomitante de *pulverização*, que dá à própria imagem cinematográfica seu estatuto paradoxal de “singularidade múltipla”:

> [Eisenstein] opera no instante repetido. É verdade que a pulverização da montagem fragmenta a duração em instantes, mas esses instantes se sucedem, se somam numa duração específica, estética se quisermos, que tanto pode calcar o tempo da angústia quanto o da comunhão.[54]

Êxtase do enquadramento: para Eisenstein, isso quer dizer *abrir a imagem* para o mundo exterior (ao lado da história e da política), mas também *aprofundar a imagem* na direção de alguma coisa como um mundo interior (ao lado do inconsciente e do desejo). Na mesma época em que eram ouvidas ásperas críticas ao uso que ele faz do plano fechado, como um passe de mágica “formalista” e “burguês”, Eisenstein dedicou todo um texto a essa noção, partindo, muito pedagogicamente, de uma tipologia que parece evidente:

53. J. Mitry, *S. M. Eisenstein*, op. cit., p. 77 e 95.
54. B. Amengual, *Que Viva Eisenstein !*, op. cit., p. 166.

Plano aberto, plano médio, plano fechado.

Também sabemos que esses diferentes planos exprimem as diferentes maneiras de ver um fenômeno.

O plano aberto dá a sensação de uma apreensão global do fenômeno.

O plano médio estabelece um contato humano, íntimo, entre o espectador e os personagens na tela: ele tem a sensação de estar no mesmo lugar onde eles estão, no mesmo sofá, em volta da mesma mesa de chá.

E finalmente, com a ajuda do plano fechado (plano detalhe), o espectador penetra na intimidade daquilo que se passa na tela: cílios que batem, mão que treme, ponta dos dedos enfiadas nas rendas dos punhos... No momento exato, tudo isso mostra o homem nos mínimos detalhes em que ele se revela inteiramente, ou se trai. [...]

Aquele que olha o filme em plano médio é, primeiramente, o espectador médio, representante típico daqueles pelos quais vive nosso país: membro das Juventudes Comunistas, costureira, general, aluno da escola Suvorov, operária do metrô, acadêmico, caixa, eletricista, escafandrista, químico, piloto, linotipista, pastor. [...]

Mesmo aceitando nos inclinarmos (onde for preciso) diante de certos filmes "em plano aberto", mesmo ficando apaixonados por eles (onde for possível), como os simples espectadores "em plano médio" — nós permaneceremos "em plano fechado", profissionalmente impiedosos nas nossas exigências em relação aos componentes do filme.[55]

Por que essa exigência em relação a esse "componente" do filme? Porque ele fornecia a ferramenta de base adequada para essa verdadeira "psicotécnica" que Eisenstein visava através da palavra "êxtase" (*ekstaz*). Em *A natureza não indiferente,* o cineasta quis assim estabelecer uma relação fundamental — antropológica — entre a "decomposição ornamental" dos motivos arquitetônicos mexicanos e a experiência psíquica de um êxtase ou de uma vertigem diante das imagens: "Você sente a cabeça girar, literalmente".[56] Nem é preciso dizer que, nesse contexto mexicano, Eisenstein colocava um traço de união entre a experiência vivida com psicotrópicos — na qual o ornamento chega até nós como

55. S. M. Eisenstein, "En gros plan" (1945), trad. L. et J. Schnitzer, in *Œuvres, I. Au-delà des étoiles*, op. cit., p. 263-264 e 269.

56. Id., *La Non-indifférente Nature I*, op. cit., p. 305.

um voraz plano fechado, assim como Walter Benjamin já havia descrito entre 1927 e 1931, e como Henri Michaux logo iria retraçar em todas as variantes possíveis — e o componente "extático" fundamental da imagem como tal: há "um estado extático na origem primeira da imagem", diz Eisenstein.[57] E é justamente o que vem nos lembrar cada *plano fechado no qual o enquadramento entra em êxtase*, ao mesmo tempo saindo de si mesmo e, por assim dizer, entrando em si mesmo, no mais profundo de si mesmo. Como Thomas de Quincey nas suas exaltações de usuário de ópio, que Eisenstein lembra bem a propósito,[58] o espectador de um filme, *diante* de cada plano, deveria se sentir como *dentro* de um espaço de vertigem: *vertigem do diante profundo*, se podemos dizer assim. É um processo que será descrito pelo cineasta como uma "ascensão para lugar nenhum", e como um "avanço ilimitado de diversos detalhes" em que não sabemos mais — como em Piranesi, que serve então de comparação — o que chega "na nossa frente" e o que se retirou de nós, "em profundidade".[59]

Assim são as imagens do *pathos* em *O encouraçado Potemkin*. O grito da mãe cigana (*fig. 35–37*) chega talvez "na nossa frente", mas permanecerá como se estivesse retido na sua própria intensidade ou "profundidade" (para isso contribuem potentemente sua mudez e a escuridão da boca aberta que a exala). Mas, de novo, como isso é possível? Qual foi o "método" usado para mostrar isso, dessa maneira? Eisenstein respondia: "O método é o encaixe e a fratura visíveis."[60] Um grito — como na obra de Edward Munch, citado pelo próprio cineasta como exemplo — se compõe, por mais dionisíaco que seja: ele é obtido primeiramente por um ato de corte, de recorte, de entalhe. Palavra que convinha

57. Ibid., p. 304.
58. Ibid., p. 307.
59. Ibid., p. 313, 315 et 324. Cf. id., "Du cinéma en relief" (1946–1948), trad. A. Zouboff et M. Iampolski, in *Le Mouvement de l'art*, op. cit., p. 97–158.
60. Id., "Ermolova" (1937–1939), trad. A. Zouboff et V. Pozner, in *Cinématisme*, op. cit., p. 224.

perfeitamente a Eisenstein, pois em russo se diz *obrez*, e, portanto, combina perfeitamente com *obraz*, a imagem. Para compor um simples grito no cinema, é preciso primeiramente saber cortar. Cortar no espaço, mas também no tempo: "transgredir os limites do representado nos meios de expressão também — para passar ao domínio dos meios de ação da própria construção."[61]

Aos olhos de Eisenstein, um plano fechado não é redutível a uma simples questão de *ponto de vista*, ainda que todos concordem que "uma barata filmada em plano fechado pareça na tela cem vezes mais assustadora do que uma centena de elefantes filmados num plano geral".[62] É também uma questão de *plano de corte* e, além disso, de *plano de tempo*, se pudermos exprimir assim. Tudo isso pode dar a entender que o plano fechado se desdobra, primeiramente, como um *plano psíquico*. Eisenstein queria

> tentar descobrir onde se escondem os princípios psicológicos e as premissas que poderiam levar o homem a pensar as coisas e a figurá-las, não inteiras, mas em detalhes e em pequenos pedaços: esses detalhes, que chamamos de *planos fechados*, não diminuem a importância da ação, pelo contrário, acentuam ainda mais aquilo que a obra quer mostrar.[63]

O mais importante desses princípios psíquicos será reconhecido pelo cineasta na utilização da sinédoque, da *pars pro toto*, considerada ao mesmo tempo no plano estrutural — linguístico ou retórico — e no plano patético ou emocional:

> Ligo o problema da influência do plano fechado a uma situação geral que faz com que cada elemento estrutural de uma ação afetiva possua habitualmente, sob forma de protótipo, uma ou outra das particularidades de uma estrutura nomeada, pensada, sensível, que se distingue por características que lhe são próprias. [...]

61. Ibid., p. 222.
62. Id., "En gros plan (en guise de préface)" (1940), trad. A. Robel, in *Œuvres, I. Au-delà des étoiles*, op. cit., p. 112.
63. Id., *Dickens et Griffith: genèse du gros plan* (1942–1943), trad. M. Berger. Paris: Stalker, 2007, p. 113–114.

Um dos traços mais marcantes desse pensamento sensível (e, consequentemente, da sua forma regular) apresenta-se sob o nome de *pars pro toto*.

Ele se baseia no fato de que, para um pensamento afetivo dado, difuso e não diferenciado, dá absolutamente no mesmo que ele seja percebido no seu todo ou na sua parte.

A parte é igual ao todo. Consequentemente, a parte é capaz de substituir igualmente o todo. A parte pode tomar o lugar do todo, provocando o mesmo efeito emocional que o todo.

Na arte, encontramos esse fenômeno em todo lugar. Na literatura, é o que chamamos uma sinédoque.

Na pintura e no desenho, é a possibilidade de dizer o todo por linhas e manchas, sem representá-lo completamente.

E no cinema, por fim, é o método do plano fechado, capaz de, em casos famosos, ao tomar o lugar do todo, não apenas "substituí-lo" devidamente, mas de fazer isso com um "colossal" acréscimo do efeito emocional. Era exatamente sobre isso que foi construído o plano fechado que no *Potemkin* mostrava os óculos do médico pendurados no navio, ao invés de mostrar o médico "de corpo inteiro" debatendo-se no fundo do mar.[64]

É possível que Griffith tenha inventado o plano fechado no cinema. Mas, aos olhos de Eisenstein, ainda era uma simples maneira de aproximação óptica do objeto filmado.[65] O que era preciso inventar, para além do *close-up* de Griffith, era uma maneira de "pular" entre os planos — os planos do espaço visível e os planos do próprio filme —, para criar uma dinâmica conflitante, e até mesmo explosiva, a única capaz de fazer justiça à intensificação que a *pars pro toto* comporta psiquicamente. Se os planos fechados estão "destinados a despertar o todo através da imaginação", é preciso então reivindicar, mesmo que isso possa parecer um paradoxo, essa "*arte do recorte* que ora acrescenta detalhes à natureza e dá suas características ao plano fechado, ora os

64. Ibid., p. 114–115.
65. Ibid., p. 215–221.

massacra!".[66] Para Eisenstein, a expressão não vem do tudo-expresso, muito pelo contrário. Só *o corte exprime e intensifica*, na própria operação de um "laconismo" do qual a imaginação tirará toda sua riqueza, seu vulcanismo, sua pirotecnia de imagens: "O laconismo é o meio imposto para incarnar as coisas no cinema: ele determina tudo."[67] Enfim, quanto mais cortes maior será o campo dos possíveis, o campo — imaginário — da expressão:

> Na montagem, não são os detalhes que são adicionados, mas inúmeras representações mentais do objeto ou do fenômeno que emerge desses detalhes, em virtude da lei da *pars pro toto*. É por isso que uma justaposição de montagem não equivale à simples soma dos detalhes, aos quais se adicionam os elementos para formar um todo sumário e estático, mas sim a algo muito mais amplo.[68]

Se o plano fechado consistisse apenas em ver as coisas em detalhe — como Sherlock Holmes interpretando cada coisa através da sua famosa lupa —, haveria apenas um interesse descritivo, quando, na verdade, é a dimensão patética que interessa Eisenstein, do ponto de vista daquilo que ele chama de "dramaturgia do enquadramento."[69] O plano fechado não nos mostra tanto uma coisa *em detalhe*, ele nos mostra uma coisa *à espera* do que vai acontecer, alguma coisa de grave e de crítico. Tudo é temporal em um filme: "Todo signo é um aviso."[70] Os óculos do médico no convés do *Potemkin* nos avisam que ele, o médico, está se afogando no fundo da água, mas também que outros óculos vão aparecer — o da professora na escadaria de Odessa, principalmente — assim

66. Ibid., p. 160-161.
67. Id., "Le cinéma et la littérature (de l'imagicité)" (1933), trad. A. Zouboff; M. Iampolski, in *Le Mouvement de l'art*, op. cit., p. 26.
68. Id., "Pouchkine — monteur" (1939), trad. A. Zouboff; B. Epstein, in *Le Mouvement de l'art*, op. cit., p. 35.
69. Id., *Mémoires*, op. cit., p. 60.
70. Ibid., p. 62.

como outros "signos" da história em curso.[71] O plano fechado, portanto, não mostra ao espectador o detalhe exato das coisas que devem ser vistas: ele é um *objeto visual parcial* que, de repente, nos faz antecipar emocionalmente o todo, "quando o todo se reflete ali de maneira realmente concentrada, como numa gota de água"[72] e de acordo com o paradigma clássico — muito importante de Goethe até Benjamin — do mundo refletido na menor gota de água possível.

Não é, portanto, um simples *close-up* que Eisenstein procura no plano fechado. Seria, isso sim, a *imagem dialética* da parte e do todo, do presente manifesto e do futuro latente, da hipnose fantasmática.[73]e do método objetivante. É um lugar de experimentação tanto visual quanto dramatúrgica, tanto estrutural quanto emocional, como atesta, por exemplo, o ensaio de 1930 sobre o "quadrado dinâmico".[74] É evidentemente um processo indissociável da *montagem* como ferramenta por excelência para a dialetização das imagens. Ora, quem diz montagem diz, mais uma vez, *corte*: o "enquadramento" é um recorte tanto temporal quanto espacial. A maneira como ele é "cortado" também mostra a maneira como ele vai dançar (é o que dizia Béla Baláz do *Potemkin*: "aumento do ritmo pelo enquadramento").[75] Quem diz montagem também diz *conflito* das coisas cortadas entre si (é o que dizia Barthelémy Amengual do *Potemkin*, ao observar que o ritmo ofegante dos planos fechados acaba transformando completamente a própria noção de contracampo).[76] Conflitos no enquadramento e conflitos entre enquadramentos: as análises formais

71. Ibid., p.62 e 196.
72. Ibid., p. 196.
73. Ibid., p. 531–543.
74. Id., *Le Carré dynamique* (1930), trad. M. Laroche; J.-P. Morel. Paris: Nouvelles Éditions Séguier, 1995, p. 209–232.
75. B. Balázs, *Le Cinéma: nature et évolution d'un art nouveau*, op. cit., p. 115- 116.
76. B. Amengual, *Le Cuirassé Potemkine*, op. cit., p. 38–42.

do *Potemkin* são virtualmente infinitas nesse nível.[77] De um lado, "o trágico constitui um bloco"[78] e, de outro, tudo explode em mil pedaços de imagens, em fogos de artifício de formas. Em *fogos de emoção* também. Os planos fechados contribuem tanto para os "processos de compressão" quando para as "explosões patéticas".[79] E Eisenstein acaba encontrando justamente esse paradigma na cena de lamentação do *Potemkin*:

> Provavelmente, muitos ficaram com um nó na garganta, na cena do luto sobre o cadáver de Vakulenchuk. Mas, provavelmente, ninguém entre esses milhões [de espectadores do filme] observou ou reteve um minúsculo fragmento de montagem de algumas células nessa mesma cena.
>
> Não nessa, na verdade, mas na cena na qual o luto se transforma em cólera, e na qual a fúria popular eclode num ato de protesto em volta da tenda.
>
> Uma "explosão", em arte, particularmente uma explosão "patética" dos sentimentos, se constrói exatamente de acordo com a própria fórmula de uma explosão no domínio das substâncias explosivas. Aprendi isso, em outros tempos, na escola de engenharia militar, na aula de "minas".
>
> Tanto aqui quanto lá, começamos aumentando fortemente a pressão. (É claro que os meios são diferentes, e o esquema não é de modo algum geral!) Depois — fazemos explodir o enquadramento que contém a coisa. E o choque faz jorrar miríades de cacos.
>
> O que é interessante é que o efeito não dá certo se não inserirmos entre a compressão e a própria imagem um fragmento indispensável, destinado a "acentuar", e que se espalha para todos os lados "traçando" a explosão com precisão.
>
> Em uma explosão real, esse papel é representado por uma cápsula — o detonador, tão indispensável na parte de trás de um cartucho de fuzil quanto no amarrado de bombas de nitrocelulose colocado perto das estruturas de uma ponte de estrada de ferro.
>
> Há inúmeros desses fragmentos no *Potemkin*.[80]

77. Ibid., p. 45-65.
78. Ibid., p. 41.
79. S. M. Eisenstein, *Mémoires*, op. cit., p. 65.
80. Ibid., p. 201-202. Voltarei mais adiante ao "fragmento de montagem" ao qual Eisenstein faz alusão aqui.

Podemos imaginar, a partir dos diferentes testemunhos que chegaram até nós, como Eisenstein filmou naquele dia de setembro de 1925 sua cena da lamentação num cais do porto de Odessa. Ele fez alguns planos gerais e muitos planos fechados, e usou a *pars pro toto*. Dessa maneira, *dividiu* a cena e *multiplicou* as modalidades pelas quais ela finalmente chegou até nós. Ele desmontou e remontou tudo. Cortou e desmembrou. Recolou onde ainda não fora recolado. Ele pôde, portanto, jogar com o *conflito* entre os planos: mulher *versus* homem, carpideira solitária *versus* grupo de carpideiras, pessoas abatidas *versus* pessoas enraivecidas, movimentos em direção à terra *versus* movimentos em direção ao céu. Gente do povo *versus* burgueses desprezíveis etc. Mas Eisenstein também jogou com todas as *atrações* possíveis na sua montagem: quando a tristeza chama a revolta, quando a velhice se exprime junto à juventude etc.

Conflitos e atrações: essas duas noções — para serem compreendidas sempre na sua dimensão prática, logo, plural — permanecem indissociáveis em Eisenstein, que a partir de 1923 formulou uma verdadeira teoria da "montagem das atrações" (*montaz attrakzionov*)[81]. A palavra *attrakzion* seria tomada em todos os seus componentes de "momentos agressivos", de "cortes na história" contada, e também de apelos recíprocos entre imagens heterogêneas provocando "explosões". Agora compreendemos melhor que as operações contraditórias da montagem — cortar *e* colar, desmembrar *e* remontar — tenham sido tão fundamentais na construção visual e narrativa do *Potemkin*: pois era justamente isso que precisava ser mostrado ao contar o levante de 1905 em Odessa. Mostrar, ou até mesmo "demonstrar", que a palavra de ordem "*Um por todos, todos por um*!" não poderia ser melhor servida senão pelo procedimento, aparentemente tão subjetivo, da

81. Id., "Le montage des attractions" (1923), trad. S. Mossé, in *Œuvres*, I. *Au-delà des étoiles*, op. cit., p. 115–126. O tema será retomado, vinte e cinco anos mais tarde, em toda uma passagem de *Méthode*.

pars pro toto. Assim como os personagens da cena do luto em volta do cadáver de Vakulenchuk, as imagens de todo o filme, como "enquadramentos" movidos por conflitos e atrações, formam essa estranha "manifestação": essa *insurreição de imagens* oposta tanto ao tratamento dominante das massas (como em Cecil B. DeMille) quanto à "estrelização da imagem individualizada" (que em 1926 Enseintein irá criticar em Béla Balázs, numa provocação à "personificação do cinema na imagem individualizada", argumentando que "não é nas imagens que se deve buscar a essência do cinema, mas nas relações entre as imagens").[82] Uma imagem nunca se emancipa sozinha: ela precisa — como na política — do conflito e da atração das outras. Ela precisa do corte e do êxtase, e até mesmo da procissão de Baco, esses "fenômenos originários", dionisíacos, da montagem.

Obraz-sreda: a bruma e o meio (vertigens do distante)

O encouraçado Potemkin é uma grande obra, principalmente no sentido de que ela não para de crescer, de se amplificar, de extravasar. Eisenstein cortou — cortou o mundo visível como a história narrada, cortou os corpos humanos e as frases dos intertítulos —, cortou sua *obraz* sem descanso, em mil pedaços de montagem: conflitos e atrações, inúmeros planos fechados, vertigens do próximo. Isso dividia tudo e também multiplicava. Pois bem, Eisenstein também soube fazer o contrário. Não para contradizer as contradições e voltar para uma unidade fechada, mas sim para dar a seu filme uma espécie de respiração ou um batimento do coração: expirações (quando o ar se expande para fora), depois inspirações (quando o ar se concentra no interior), diástole (quando o coração relaxa), e depois sístole (quando o coração acabou de se contrair).

82. Id., "Béla oublie les ciseaux" (1926), trad. S. Mossé, in *Œuvres*, I. *Au-delà des étoiles*, op. cit., p. 161-162.

Assim, de um lado, Eisenstein filmou a cena de lamentação na perspectiva fragmentada, repetitiva e polarizada daquilo que ele chamava de uma *montagem rítmica*, em que os gestos de cada um respondem dialeticamente aos gestos de todos.[83] Mas é como se ele tivesse duplicado essa abordagem rítmica por uma verdadeira *montagem tonal* ou harmônica dando ao espaço e ao tempo qualidades totalmente novas. Ao fazer isso, comportou-se como um dos seus mestres mais importantes, Leonardo da Vinci: ele consegue fazer coexistir na mesma obra a vertigem do próximo (o detalhe, o átomo) e a vertigem do distante (a atmosfera, o fluxo). Assim como na *Mona Lisa* coexistem, numa autêntica física lucreciana, os fios de uma cabeleira extremamente detalhada junto ao difuso de uma paisagem extremamente nebulosa, assim também no *Potemkin* coexistem a focalização de cada gesto em planos fechados e a imprecisão resultante de toda uma atmosfera filmada em planos gerais.

À *lamentação detalhada* em cada corpo de carpideira responde aquilo que o próprio Eisenstein sugeriu com o belo nome de *lamento das brumas*. E como em todas as histórias de obras visuais prodigiosas, tudo começa com uma pequena historieta na qual o acaso e o risco têm um papel decisivo. Eis a versão contada por Maxime Strauch:

> Uma manhã, durante a realização do *Potemkin*, ao acordar e abrir as janelas que davam para o porto, descobrimos que ele estava tomado pela névoa.
>
> — Impossível filmar nessas condições, declararam os técnicos.
>
> — Eu diria o contrário, declarou Tissé.
>
> — Vocês estão loucos, replicaram os outros técnicos e voltaram para a cama.

83. Cf. B. Amengual, *Le Cuirassé Potemkine*, op. cit., p. 30–31. D. Bordwell, *The Cinema of Eisenstein*, op. cit., p. 66–69.

Então, Eisenstein e Tissé partiram sozinhos e filmaram naquele dia as imagens extraordinárias da terceira parte do *Potemkin*, a do velório dos marinheiros em volta do companheiro morto.[84]

E esta é a narrativa do próprio Eisenstein, nas suas *Memórias*:

Um outro "achado local" foram... as famosas brumas.

Era uma manhã nebulosa no porto. A superfície cintilante da baía parecia coberta de algodão. E se *O lago dos cisnes* se apresentasse não no teatro de Odessa, mas entre os guindastes e os desembarcadouros do porto, poderíamos pensar que o que flutuava sobre as águas eram as roupas das bailarinas, voando para longe, sob a forma de cisnes brancos.

A realidade é mais prosaica: as brumas da baía — é o "desemprego", um dia negro a ser inscrito no calendário da filmagem. [...]

A gaze esgarçada da bruma é atravessada em alguns lugares por poucos raios de sol. A bruma é salpicada de pintas rosas e douradas. E a bruma parece morna e viva. [...]

De qualquer maneira, não há filmagem. Desemprego.

O aluguel de uma barca custa 3 rublos e 50 copeques.

Na companhia de Tissé e de Alenxandrov, sigo de barca pelas águas do porto tomado pela bruma, como num jardim infinito de macieiras floridas.

Três homens num barco, sem contar a câmera.

Nossa câmera, como um cão fiel, está sempre conosco. Como nós, ela esperava descansar hoje.

Mas o incansável frenesi dos três navegadores obriga-a a romper o nevoeiro.

O nevoeiro cola no vidro da objetiva como algodão nos dentes.

A engrenagem do aparelho parece murmurar: "Isso não se faz, ficar filmando essas coisas". Mas esse encontro com o nevoeiro, acontecido por acaso e repensado emocionalmente, a seleção dos detalhes, os contornos dos enquadramentos fornecem o material dos acordes plásticos do luto, cujo entrelaçamento sutil na montagem irá se organizar, mais tarde, já na mesa de edição, numa sinfonia fúnebre em homenagem a Vakulenchuk.

De todo o filme, acabou sendo a tomada mais barata: o aluguel da barca para o passeio pela baía custou ao todo 3 rublos e 50 copeques.[85]

84. Apud L. Moussinac, *Serge Eisenstein*, op. cit., p. 193-194.

85. S. M. Eisenstein, *Mémoires*, op. cit., p. 192-193.

Figura 41. Serguei M. Eisenstein, *O encouraçado Potemkin*, 1925. Fotograma (docas industriais e veleiros antigos).

O próprio Eisenstein, ao chamar essa sequência de "*lamento* das brumas", quis afirmar que o ato de filmar uma paisagem ia bem além de uma simples indicação espacial destinada a informar o espectador sobre o local onde se passa a história que lhe é contada. A paisagem de Odessa na bruma se desdobra aqui como uma espécie de *ressonador psíquico*, através do qual a cena de lamentação vai, por assim dizer, estender-se para todas as dimensões perceptíveis, estéticas ou simbólicas do filme. Não é por acaso que Eisenstein, no seu texto das *Memórias*, tenha falado de uma "bruma morna e viva", como se esse espaço exterior pudesse equivaler, na organização da *obraz*, ao espaço interior de uma alma ou de um corpo humano. Daí o *valor alegórico* que o cineasta atribui imediatamente a essa bruma filmada "por acaso" e que, no entanto, evoca para ele não só o *Lago dos cisnes*, mas as "roupas das

Figura 42. Serguei M. Eisenstein, *O encouraçado Potemkin*, 1925. Fotograma (o mar e a bruma).

bailarinas voando para longe", assim como as antigas ninfas deixando aos pés de Apolo seus drapeados esparsos e nebulosos...

Enfim, Eisenstein filma essa passagem de bruma, contanto que as imagens possam se emancipar de seu puro estatuto descritivo ou "paisagístico". Não se trata aqui de "cor local", no sentido habitual do termo. Vemos, é claro, a linha do horizonte da cidade de Odessa — mas numa atmosfera irreal que já a faz "migrar" para Veneza, por exemplo. Nesses planos de bruma, o cineasta parece buscar, antes de tudo, uma espécie de *migração temporal* cujo efeito seria amplificar psiquicamente — emocional ou simbolicamente — a cena do luto ao redor do corpo de Vakulenchuk. Eisenstein joga aqui com a *anacronia das imagens*: da mesma maneira que as carpideiras no cais fazem coexistir velhos rituais (religiosos) com uma grande urgência (politica), aqui o porto de Odessa na bruma permite reunir, na mesma neblina, as docas industriais do presente e os cordames dos veleiros tradicionais (*fig. 41*) — que, diga-se de passagem, evocam fortemente uma iconografia romântica como a de Caspar David Friedrich. E é assim, de acordo com as palavras do próprio Eisenstein, que a *cena das brumas* virá sustentar, como uma nota grave e contínua, a própria *cena do luto*. Ou mesmo dar a ela um sentido emocional maior, de acordo com uma eficácia que seria, ao mesmo tempo, "orgânica", espacial e "musical":

> O acaso fornece uma solução mais incisiva e mais forte, mas na mesma chave [tonal, musical], e o acidental se integra ao corpo do filme como uma lei orgânica imprescritível.
>
> Nas notas da encenação, há dezenas de páginas indicando a realização do funeral de Vakulenchuk a partir de detalhes do porto movendo-se lentamente.
>
> Mas são os detalhes de um dia de nevoeiro acidental que deslizam sonhadoramente através do porto, sua sonoridade emocional se insere exatamente na concepção original do funeral — e então, essas brumas imprevistas tornaram-se o próprio coração da concepção.[86]

Diante desses planos de bruma e de água onde se dilui o horizonte (*fig. 42*), temos a impressão de que as lágrimas das carpideiras se transformaram alegoricamente no próprio mar. E que a dor do luto, em todo caso, nos é sugerida na sua *profundeza sem limites*. À operação metódica da imagem-corte (*obraz-obrez*), criadora de uma verdadeira "potência do próximo", corresponde aqui uma espécie de "potência do distante" que torna possível uma prática ou uma poética da imagem sem limites. Pois bem, Eisenstein tinha uma palavra para isso: a palavra *sreda*,[87] que quer dizer "meio", em todos os sentidos: aquilo que não está na

86. Ibid., p. 194.

87. Agradeço a Antonio Somaini, que me fez descobrir isso (e que desenvolve os fundamentos teóricos nas suas pesquisas em curso sobre o *médium*), assim como a Elena Vogman, que me descreveu os usos em russo. Ada Ackerman, por sua vez, me assinala

beirada, mas ocupa o centro da apreensão (*Mitte*, em alemão); aquilo que constitui o elemento material, mesmo que diáfano, do visível (o *Medium*, enfim); aquilo que instaura um campo (*Feld*) de percepção: aquilo que retraça o ambiente em que moramos (nosso *Umwelt*, ou mundo circundante); e também o espaço emocional (*Stimmung*) que nos solicita diante de uma imagem. Ao lado da imagem-corte, teremos que contar também com a imagem sem fim, sem limites, a imagem-atmosfera: a *obraz-sreda*.

Essa alternativa à imagem-corte das montagens métricas ou rítmicas em Eisenstein é, mais uma vez, perfeitamente dialética. Ela não procura instaurar um "estilo" visual oposto a um outro, mas desenvolver organicamente um mesmo tema — aqui o luto do povo de Odessa em torno do corpo de Vakulenchuk — segundo uma abordagem desdobrada, dialogada, recíproca. Poderíamos mesmo dizer que a imagem-corte e a imagem-meio concorrem ambas para uma mesma *transgressão das fronteiras* que Eisenstein nunca deixou de usar, e isso em todos os níveis possíveis de sua arte cinematográfica: pratico ou teórico, estético ou político. A imagem-corte nos faz atravessar as fronteiras pelo trabalho do seu deslocamento permanente de um plano ao outro: é, por exemplo, a montagem rítmica lado a lado, o "salto", por assim dizer, de um punho que denota a raiva individual a outros punhos que denotam o levante coletivo (*fig.* 39-40). Quanto à imagem-meio, ela transgride as fronteiras, diluindo-as, tornando-as porosas, até mesmo suprimindo-as totalmente: por exemplo, na montagem tonal que superpõe, no mesmo plano brumoso, formas que denotam temporalidades heterogêneas (*fig.* 41), ou ainda quando as fronteiras espaciais estão simplesmente dissolvidas no infinito de uma pura "atmosfera" (*fig.* 42).

também a palavra *nastroï*, muito usada no século XIX e que também pode conotar a disposição psíquica ou musical de uma imagem.

Não por acaso, essa estética da imagem-meio foi formulada por Eisenstein através do recurso constante ao vocabulário das *outras artes*, como se a problemática do "meio" (*Medium*) fosse a melhor ocasião possível para questionar a autonomia das artes ou a especificidade daquilo que chamamos justamente de *mediums*. Primeiro paradigma desse vocabulário: embora seu filme seja em preto e branco, como dizemos, Eisenstein vai querer falar ostensivamente de seu "*lamento* das brumas" em termos de *colorismo* ou de pictoralismo. Primeiramente, o cinema não é "em preto e branco", mas sim em infinitas possibilidades de cinza.[88] A seguir, cabe à encenação construir aquilo que Eisenstein chama de "meios patéticos", como em *A tempestade* de Shakespeare ou o claro-escuro de um quadro de Rembrandt.[89] No *Potemkin*, ele dirá, "a gama de cinzas atravessava esse filme de um lado ao outro" para criar a espacialidade propícia a um *pathos* determinado.[90]

Então, quando Eisenstein fala da "cor", ele justamente não pretende se referir à "coloração dos objetos", mas sim ao *meio colorido* do qual os objetos — assim como os intervalos entre eles — tirarão sua qualidade sensorial e emocional global.[91] Resumindo, a atenção ao "meio" (*sreda*) tem como efeito dissociar o objeto da sua cor, em benefício de uma *tonalidade* mais atmosférica que Eisenstein diz encontrar, entre mil exemplos possíveis, nas tempestades de El Greco, nos nevoeiros de Whistler, nas chuvas de Hokusaï, ou nas resplandecências do espaço inteiro em Van Gogh.[92] Pensamos tanto em Vuillard e Klimt quanto em Paradjanov ao ler essa indicação extraída de uma aula de

88. S. M. Eisenstein, *Teoria generale del montaggio*, op. cit., p. 163-165.
89. Id., *La Non-indifférente Nature, I*, op. cit., p. 82-86.
90. Id., "Le mouvement de la couleur" (1939-1940), trad. M. Iampolski, in *Le Mouvement de l'art*, op. cit., p 51.
91. Id., "*Extrait d'un cours sur la musique et la couleur dans Ivan le Terrible*" (1947), trad. A. Robel, in *Œuvres, I. Au-delà des étoiles*, op. cit., p. 284-289.
92. Id., *La Non-indifférente Nature, II*, op. cit., p. 66, 71-99 et 283-288.

Eisenstein sobre a música e a cor: "É preciso saber fazer com que o azul-celeste dos papéis de parede ou do tecido dos estofados não seja apenas a cor desses papéis ou tecidos, mas que ele possua, no momento desejado, seu próprio valor emocional."[93] É que a própria cor é movimento — físico e sutil, cósmico, por assim dizer — e não estagnação.[94] Um movimento que pode ser lido principalmente nas *Memórias* e que diz respeito à constituição mais íntima do sujeito psíquico voltado para a *Stimmung* de um espaço e de um momento particulares. É como se na imagem-*sreda* as fronteiras do exterior e do interior, do distante e do próximo, tivessem se tornado completamente porosas, ou como se essas espacialidades tivessem se tornado sensorialmente permutáveis (daí o interesse fundamental de Eisenstein pelos fenômenos de desorientação nas suas composições de planos ou nas suas montagens).

Em *A natureza não indiferente*, o cineasta deu uma outra versão do seu comentário sobre o "lamento das brumas": ele falou de uma relação estabelecida entre a "superfície melancólica do mar" e o "oceano da dor humana", mas também da sua estratégia quanto à "imponderabilidade" ou quanto ao "contorno impreciso do objeto"[95] — situando-se, ao mesmo tempo, num *plano lírico* e num *plano técnico* (quando ele nos explica como obteve as imprecisões do *Potemkin*: "ao tule natural das brumas reais vieram se juntar gazes e tramas colocadas na frente da objetiva para dar imprecisão à profundidade, e isso é retomado pela imprecisão óptica das bordas da imagem, obtida por um sistema de lentes especiais").[96] Na mesma página, ele dirá que "a imprecisão dos contornos dos elementos representados é como um som que vai se perdendo ao longe", a *Ausklang*, ou nota final de uma

93. Id., "Extrait d'un cours sur la musique et la couleur dans *Ivan le Terrible*", art. cit., p. 281.
94. Id., "Extrait d'un cours sur la musique et la couleur dan
95. s *Ivan le Terrible*", art. cit., p. 281.
p. cit., p. 68–69.
96. Ibid., p. 87.

sinfonia.[97] E é assim que, em Eisenstein, o vocabulário da tonalidade passará da cor para a *musicalidade*. É assim que ele falará novamente da sua sequência do *Potemkin* como de uma "sinfonia": "sinfonia fúnebre" nas *Memórias*,[98] "sinfonia dos tons cinzas" ou sinfonia das brumas" em *A natureza não indiferente*:

> Coube ao *Potemkin* apresentar um dos exemplos mais elaborados e mais bem-acabados da paisagem musical. Aqui, a paisagem surgia numa qualidade totalmente nova. Ela era incluída como um componente expressivo na dramaturgia do filme, e a forma pictural da paisagem tinha mudado, tinha se tornado cinematográfica. [...] A sinfonia das brumas no porto de Odessa [...] é uma espécie de "pós-pintura" que se transforma em alguma coisa "pré-música" ou música para os olhos.[99]

Eisenstein dedicou uma grande parte de *A natureza não indiferente*, na sua segunda seção, àquilo que ele chamava de "música da paisagem e o futuro do contraponto da montagem".[100] Trata-se, ele dizia, de um *domínio extático* por excelência: "domínio de saída para fora de si" através da imagem e da montagem cinematográfica. No caso das brumas do *Potemkin*, ele explicava, "é a imagem desembocando na música. É essa *música plástica* interior que essa paisagem emocional carrega, que age no filme como componente musical".[101] Que se chame *melodia* ou ainda *harmonia*, *polifonia* ou mesmo *contraponto*, em todos os casos, como numa forma de fuga, tema e contratema respondem um ao outro o tempo todo — como aqui, os cordames tradicionais diante dos guindastes industriais, ou então os grupos de pássaros diante do infinito do nevoeiro — como uma "música interior" responderia à musicalidade de um ambiente, de um mundo, de uma paisagem. E isso,

97. Ibid., p. 87.
98. Id., *Mémoires*, op. cit., p. 193.
99. Id., *La Non-indifférente Nature*, II, op. cit., p. 50–55. Cf. ibid., p. 349–350.
100. Ibid., p. 47–329.
101. Ibid., p. 47.

mais ainda do que a "musicalidade" em questão, é a musicalidade do *lamento*, do luto, do canto fúnebre.[102]

Ora, um *lamento*, um canto fúnebre é, antes de mais nada, *entrecortado*. Há o ritmo e há o gesto: fala entrecortada, corpo em cadência, como uma coisa só. Eisenstein chegou a escrever em 1947 um texto sobre "A aptidão do gesto para desenhar uma melodia".[103] Ele havia compreendido melhor do que ninguém na sua época as possibilidades de um *medium*, qualquer que fosse, *sair através do ritmo* da sua suposta especificidade. Por isso há algo de cinematográfico nas paisagens chinesas ou japonesas, por isso é possível, tanto para um cineasta quanto para um escultor ou um pintor, produzir algo como uma *prosódia visual*.[104] Estamos agora no caminho de um terceiro paradigma da imagem-*sreda*: depois dos paradigmas do pictoralismo e da musicalidade, temos o da "poeticidade", como já diziam, desde os anos 1920, os teóricos formalistas do OPOIAZ.[105] Em 1929, Eisenstein — que estava muito ocupado organizando uma tipologia dos modos de montagem: "montagem métrica", "montagem rítmica", "montagem tonal", "montagem harmônica" e "montagem intelectual" — escreveu com precisão que seu "lamento das brumas" lhe servia, artisticamente, para passar da história (o assassinato) para a atmosfera (a prostração) e da atmosfera (o luto) para a história (o levante). Uma espécie de ir e vir entre um *modo lírico* e um *modo*

102. Id., "La quatrième dimension au cinéma: note préliminaire" (1929), in *Le Film: sa forme, son sens*, op. cit., p. 58-61. Id., "Polyphonie der Trauer" (1946), trad. F. Lenz; H. H. Diederichs, in *Jenseits der Einstellung: Schriften zur Filmtheorie*. Frankfurt: Suhrkamp Verlag, 2005, p. 387-409. Cf. R. Robertson, *Eisenstein on the Audiovisual: The Montage of Music, Image and Sound in Cinema*, Londres-Nova York, I. B. Tauris, 2009.

103. S. M. Eisenstein, "L'incomparable Galina Sergueïevna [Oulanova]: de l'aptitude du geste à dessiner une mélodie" (1947), trad. A. Zouboff, in *Le Mouvement de l'art*, op. cit., p. 171-177.

104. Id., *La Non-indifférente Nature*, II, op. cit., p. 55-63.

105. Sociedade de estudos da linguagem poética.

trágico, de maneira a transformar a crônica dos acontecimentos de 1905 em poema sinfônico:

> [A montagem tonal] se baseia na ressonância emocional *dominante* de cada um dos pedaços. Um exemplo em *O encouraçado Potemkin*: a sequência do porto de Odessa sob o nevoeiro que precede a manifestação fúnebre coletiva diante do cadáver de Vakulenchuk. Aqui, a montagem foi baseada exclusivamente na *ressonância* emocional de cada plano, ou seja, nas vibrações rítmicas que não suscitam alteração espacial. [...] Essa dominante [...] se manifesta aqui através de ínfimos movimentos: o tremular imperceptível da água; a bruma se dissipando lentamente; e as gaivotas pousando docemente na água.[106]

Entre a pura atmosfera (sensorial) e a simples crônica (factual), há lugar para a poesia: ali onde uma narrativa histórica pode ser escandida, seja nas imagens de um filme ou num canto lírico. Desse ponto de vista, a sequência das brumas de *O encouraçado Potemkin* corresponde exatamente ao que Viktor Chklovski já formulava em 1927 sobre aquilo que poderia ser um *cinema de poesia*: ou seja, um cinema em que a "representação" e sua lei semântica serão contestadas por dois processos concomitantes, ambos usados no filme de Eisenstein. O primeiro é chamado por Chklovski de "geometria dos procedimentos": é por meio dele que "o elemento de composição funciona como um elemento semântico"[107] na sua totalidade, e não apenas como uma simples "roupagem" formal de conteúdos semânticos preexistentes. Assim é o corte e a dança dos planos para a montagem rítmica: assim é para a imagem-*obrez*. O segundo processo destacará, como num outro plano, todos os efeitos de dessemantização ou de "flutuação de sentido": aquilo que Chklovski chama de "polissemia da imagem e o halo que lhe são próprios, sua capacidade de suscitar uma

106. Id., "Méthodes de montage" (1929), in *Le Film: sa forme, son sens*, op. cit., p. 66.
107. V. Chklovski, "Poésie et prose au cinéma" (1927), trad. V. Pozner, in *Textes sur le cinéma*. Lausane: L'Âge d'homme, 2011, p. 59.

multiplicidade de interpretações simultâneas".[108] Assim é então para a imagem-*sreda*, essa "imagem sem intriga", diz Chklovski, que ratificará por último a qualidade de um cinema de poesia[109] (mesmo que ela esteja articulada ao desenvolvimento geral de uma narrativa épica, como ocorre no *Potemkin*).

Para nós, diante das imagens de bruma no porto de Odessa, há uma espécie de flutuação ou uma *suspensão do sentido*. Eisenstein não hesita, aliás, em estender esse momento desprovido de qualquer ação: ele demora, nos faz esperar, quer nos deixar adivinhar ou nos deixar na expectativa. Parece que estamos diante da *formação* — da mesma forma que diríamos de uma nuvem ou de uma tempestade que estão se formando na atmosfera, ameaçadoras — de *um destino* vindouro na narrativa. Como dizia Boris Eikhenbaum, próximo de Chklovski, "o cinema exige do espectador uma técnica particular na arte de adivinhar",[110] o que faria aqui do voo das gaivotas sobre a água algo como uma imagem de "ornitomancia", índice de um advento da tristeza sob o olhar de um adivinho capaz de "ler" o voo dos pássaros e o coração dos homens ao mesmo tempo. Eikhenbaum via também na montagem um gênero de "êxtase" espacial: uma "maneira de passar de um lugar para o outro" sem levar em conta as obrigações da representação realista[111] (e, de fato, nessa sequência, já não sabemos muito bem onde estamos).

Já Boris Kazanski não deixou de observar os efeitos conjugados da "intensidade emocional" e das "tensões gráficas" usadas no *Potemkin*, principalmente, ele dizia, naquilo que se passa em torno do personagem de Vakulenchuk.[112] Um outro teórico formalista, Adrian Piotrovski — que foi dramaturgo e tradutor

108. Ibid., p. 60.
109. Ibid., p. 60.
110. B. Eikhenbaum, "Problèmes de ciné-stylistique", art. cit., p. 45.
111. Ibid., p. 50–51.
112. B. Kazanski, "La nature du cinéma", art. cit., p. 109.

Figura 43. Serguei M. Eisenstein, *O encouraçado Potemkin*, 1925. Fotograma (carpideira enraivecida).

dos trágicos gregos — também viu muito bem como Eisenstein insistiu em combinar nos seus filmes a imagem-corte e a imagem-meio, a montagem narrativa e a montagem poética, a expansão atmosférica e a explosão do acontecimento:

> Nos filmes de Eisenstein o procedimento que mostra objetos ou personagens sem o apoio de uma narração (os enquadramentos do mar, em *O encouraçado Potemkin*, os da fábrica parada, em *A greve*) é combinado ao método da "montagem das atrações". [...] Objetos que têm uma carga emocional [...] são utilizados não apenas isolados, mas também em ligação semântica com elementos que os precedem ou sucedem no tempo.[113]

113. A. Piotrovski, "Vers une théorie des ciné-genres" (1927), trad. V. Pozner, in *Les Formalistes russes et le cinéma*, op. cit., p. 159.

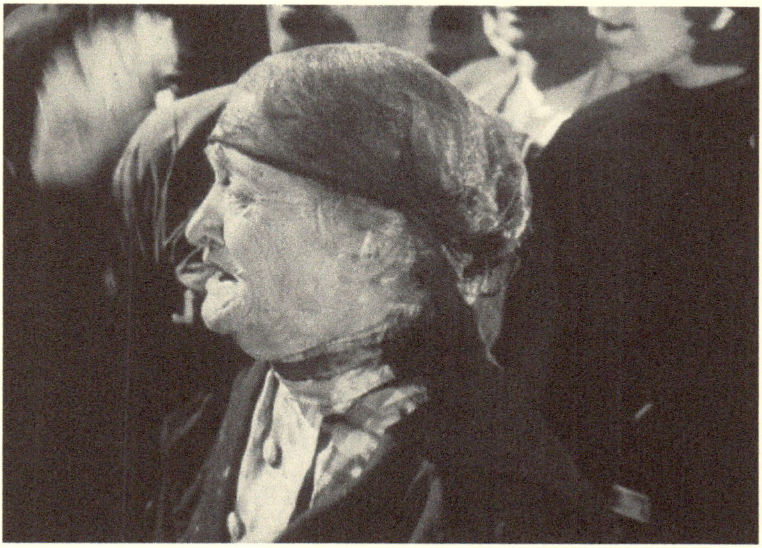

Figura 44. Serguei M. Eisenstein, *O encouraçado Potemkin*, 1925. Fotograma (carpideira enraivecida).

De modo que o *pathos* deixa de ser um simples atributo de tal ou tal personagem: ele se torna a própria maneira como o espaço e o tempo se tornam visíveis para nós.

É por isso — e também porque se trata sempre de montagem, de dialética entre a imagem-corte e a imagem-meio — que o "lamento das brumas" no *Potemkin* mostra uma coisa diferente de um "lirismo de rouxinol",[114] como bem disse Barthélemy Amengual. A repetição lírica dos temas do mar, do nevoeiro, do cordame dos veleiros ou dos pássaros levantando voo, essa repetição criadora de rimas visuais insiste em *anunciar* aqui um conteúdo épico que vai encarnar nas imagens seguintes, nas quais mulheres vão chorar e depois vão ser tomadas por uma raiva santa. Ao mesmo tempo,

114. B. Amengual, *Que Viva Eisenstein!*, op. cit., p. 150-151.

Figura 45. Serguei M. Eisenstein, *O encouraçado Potemkin*, 1925. Fotograma (carpideira enraivecida).

essa repetição apenas *escande* o tema da tristeza sitiada e impessoal que logo se tornará a escansão e o clamor de todo um povo em torno do corpo sem vida do marinheiro Vakulenchuk.

Obraz-otkaz: os corpos sabem dizer não (vertigens do gesto)

Lamentar-se é um gesto. Todo o terceiro ato do *Potemkin* consiste em desenvolver esse gesto, de modo alternadamente épico e lírico, documental e poético, o movimento soberano, desde o impoder prostrado até a revolta unânime. Mas esse gesto é feito de quê? Qual é a natureza do seu desenvolvimento? A resposta — nos termos do próprio Eisenstein — será dialética: primeiro, é preciso saber dizer *não*. Será preciso, até o final, deixar lugar para a "potência do negativo", como Hegel a chamava. Isso significa

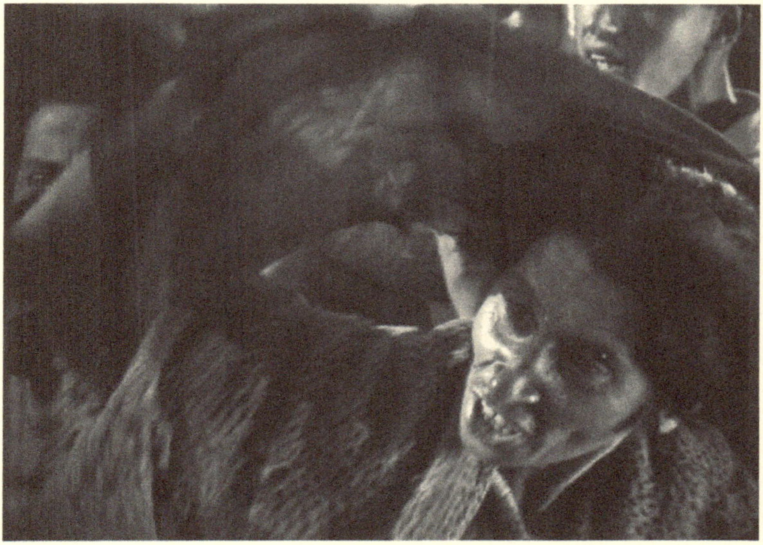

Figura 46. Serguei M. Eisenstein, *O encouraçado Potemkin*, 1925. Fotograma (carpideira enraivecida).

que é preciso saber *dialetizar o tempo* da narrativa fílmica criando, por exemplo, fenômenos de lentidão e de suspense — a cena das brumas é um deles — de modo que, como diz Eisenstein, "a ação seja freada e a tensão atinja seu ponto culminante".[115] Essa maneira de modular o tempo (ou de moldá-lo, talhá-lo, esculpi-lo) não existe, é claro, sem um trabalho correlativo para *dialetizar as imagens* entre si, por meio de montagens interpostas. O cinema de Eisenstein, em geral, se apresenta como uma vasta *dramaturgia dos conflitos* atuando em todos os níveis: conflitos das figuras ou dos movimentos no plano e conflitos entre planos, conflitos físicos e conflitos psíquicos, conflitos gráficos e conflitos de atmosferas, junções implacáveis e falsas junções surpreenden-

115. S. M. Eisenstein, "Un point de jonction imprévu" (1928), in *Le Film: sa forme, son sens*, op. cit., p. 27.

tes... Tudo aquilo que, em 1929, Eisenstein procurou formular na língua filosófica por excelência, o alemão, para esse texto fundamental que é "Dramaturgia da forma fílmica".[116]

Tomando exemplos que nos são agora familiares, basta lembrar que a velha carpideira, considerada por Roland Barthes como uma pura e simples "mensagem de dor" óbvia — a menos que um plano superexposto mostrasse isso a ele de uma forma mais obtusa, na qual a "expressão" daria lugar ao "disfarce" (*fig. 13*) —,[117] essa velha carpideira no filme de Eisenstein *já* se tornou outra coisa: ela já manifestou sua "raiva santa", seu sentimento de revolta, ao ouvir as palavras da jovem militante do Bund. Ela já fez grandes gestos que contradizem exatamente sua dor: gestos de repúdio (*fig. 43*) como o punho erguido (*fig. 44*). Da mesma forma, a própria imagem na qual Roland Barthes só via "ênfase" e "sentido óbvio" fulminando qualquer ambiguidade[118] — essa imagem nada tinha de óbvio, visto que ele pôde, justamente, se enganar sobre a sua significação: não se trata de uma "mensagem de dor" unilateral ou de uma simples "representação da *Pietà*", como ele acreditou, mas de um *movimento de passagem* entre a dor sofrida e seu contrário, a raiva exercida. É um processo dialético do qual um fotograma isolado nunca poderia dar conta. Como se o "sentido óbvio" se formasse não a partir do filme de Eisenstein, mas sim da separação, feita pelo próprio Roland Barthes, de um único fotograma retirado do seu contexto, ou seja,

116. Id., "La dramaturgie du film. Approche dialectique de la forme cinématographique" (1929), trad. R. Michel (publicada inicialmente em *Bifur*, n. 7, 1930, p. 49-60), in *Le Film: sa forme, son sens*, op. cit., p. 47-54, A edição do manuscrito alemão e sua tradução de referência são id., "Stuttgart [dramaturgie de la forme]" (1929), trad. F. Albera, D. Huillet; V. Jezewski, in F. Albera, *Eisenstein et le constructivisme russe*, op. cit., p. 11-109. Tradução retomada com o título "Dramaturgie de la forme filmique" in *Cinématisme: peinture et cinéma*, op. cit., p. 21-42.
117. R. Barthes, "Le troisième sens", art. cit., p. 492.
118. Ibid., p. 489.

da sua montagem. Não é verdade que o sentido de uma imagem, muitas vezes, não vem da própria imagem, mas da maneira como quis isolá-la aquele que procura seu sentido?

Que fazem as carpideiras na cena de lamentação do *Potemkin*? Elas choram, é claro. Mas elas choram dialeticamente: elas choram de tristeza, de resignação religiosa, diante do cadáver de Vakulenchuk, e *depois* elas choram de raiva para contradizer sua própria resignação. Uma dessas carpideiras vai manifestar sua imprecação contra os assassinos do marinheiro erguendo o punho e arrancando seu próprio véu tradicional (*fig.* 45-46); aqui Eisenstein generaliza no corpo todo e no rosto de seus figurantes aquilo que ele havia elaborado "micrologicamente" ao se concentrar nos punhos mostrados contraditoriamente (para baixo e depois para cima), numa sequência que mostrava a piedade religiosa, depois a raiva individual e, por fim, o levante geral dos habitantes de Odessa (*fig.* 38-40). Exatamente como nas "fórmulas patéticas" de Aby Warburg, o mesmo tema *se repete e se contradiz* ao mesmo tempo, por exemplo quando o monóculo da professora reaparece ao final do filme como uma espécie de "objeção patética" ao monóculo do médico mostrado por Eisenstein no começo do filme.

O fundamento dessa estética deve ser procurado talvez na própria noção que Eisenstein criou 1923 de uma *montagem das atrações* no cinema. No final da vida, o cineasta quis prestar homenagem a esse impulso iniciador escrevendo o seguinte: "A ciência conhece os *íons*, os *elétrons*, os *nêutrons*. A arte terá — as *atrações*."[119] E não será por acaso que ele irá lembrar, de repente, que o trabalho do *Potemkin* foi fundador nesse aspecto: "Durante o trabalho do *Potemkin*, experimentamos o verdadeiro *pathos* da criação. Pois bem, um homem que experimentou, mesmo que uma única vez, o autêntico êxtase criativo nunca mais poderá deixar de trabalhar

119. S. M. Eisenstein, *Mémoires*, op. cit., p. 177.

no domínio da arte!".[120] Resumindo, a "atração" seria no domínio artístico algo semelhante ao que é o elétron, por exemplo, no domínio da matéria e da energia: uma partícula elementar, para ser compreendida ora como como a matéria de que os corpos são feitos e ora como um vetor fundamental da energia e do movimento.

O que é uma "atração"? É o processo que nos "puxa para" (*ad-tractio*) alguma coisa. Ele foi usado no domínio da física para falar da eletricidade ou da imantação; em 1688, Newton deu a ela seus títulos de nobreza cosmológica: a atração é universal. Jean-Jaques Rousseau não tardou a fazer um uso psicológico dela, algo como a característica do desejo por excelência (1761). No domínio social, finalmente, a palavra inglesa *attraction* foi transmitida para todas as outras línguas europeias (passou para o francês por volta de 1860) com o sentido de "elemento de um espetáculo de variedades". Alguém conta uma história no teatro. De repente, um ator vem fazer algumas palhaçadas, alguns malabarismos e canta uma canção: isso se chama uma atração. Como se sabe, Eisenstein era fascinado pelo circo, desde a mais tenra infância, e nunca renegou essa paixão. Sua primeira encenação teatral — dois atos dos *Nibelungen* de Friedrich Hebbel — data de 1910; ele tinha então doze anos.

Eisenstein descobriu o teatro de Vsevolod Meyerhold em 1916. Imediatamente, ele estudou a história do "teatro de máscaras". No rastro da Revolução de 1917, ele se alistou como cenógrafo na organização dos trens de propaganda que atravessavam a Rússia para produzir espetáculos. A partir de 1917, encenou *La putta onorata* de Goldoni, assim como o *Hamlet* de Shakespeare, pantomimas em que ele mesmo atuava, e uma dezena de outras peças. Só durante o ano de 1920, podemos contar umas quarenta peças encenadas por Eisenstein, superatividade que parecerá

120. Ibid., p. 178.

extraordinária para nossos critérios atuais.[121] Seus espetáculos mais famosos foram criados no âmbito do *Proletkult* entre 1921 e 1924: *O mexicano*, baseado na narrativa de Jack London, no qual os espectadores assistiam a uma verdadeira luta de boxe num ringue instalado no meio do teatro; e *Máscaras de gás*, espetáculo montado com Sergei Tretiakov numa indústria química, onde, em determinado momento, os atores davam lugar aos verdadeiros operários ocupando seus postos de trabalho.[122] Paralelamente a essa imensa atividade teatral, Eisenstein iniciou-se na montagem cinematográfica com os maiores montadores: Lev Koulechov, cujo ateliê ele frequentou durante o inverno 1922–1923, e Esther Shub, de quem foi assistente em março de 1923 na remontagem do filme *Dr. Mabuse*, de Fritz Lang. Enfim, Eisenstein realizou, sempre no âmbito do *Proletkult* — e tendo Dziga Vertov renunciado a ele —, seu primeiro filme, intitulado *O diário de Glumov*: ele era apresentado como uma "atração" burlesca durante a peça *O homem sábio*, baseado em Alexandre Ostrovski, nesse mesmo mês de março de 1923. E nesse mesmo ano ele também publicou seu primeiro grande manifesto estético, "A montagem das atrações", estética e politicamente próximo de Sergei Tretiakov.[123] O "teatro das atrações", diz ele, é um "teatro de agitação" política, "dinâmico e excêntrico" ao mesmo tempo:

> É atração (do ponto de vista do teatro) todo momento agressivo do teatro, ou seja, todo elemento deste que submeta o espectador a uma ação sensorial ou psicológica verificada através da experiência e calculada

121. J. Leyda; Z. Voynow, *Eisenstein at Work*, op. cit., p. 7–10.

122. S. M. Eisenstein, *Quaderni teatrali e piani di regia* (1919–1925), trad. O. Calvarese; V. Ivanov. Soveria Mannelli: Rubbettino, 2004.

123. Id., "Le montage des attractions", art. cit., p. 115–126. Cf. S. Tretiakov, "Le théâtre des attractions" (1924), trad. anônima, in *Dans le front gauche de l'art*. Paris: François Maspero, 1977, p. 85–92.

matematicamente para produzir no espectador certos choques emocionais que, por sua vez, quando reunidos, condicionam a possibilidade de perceber o aspecto ideológico do espetáculo mostrado.[124]

Parece que estamos aqui em algum lugar entre circo, cálculo matemático e propaganda... E, no entanto, vemos que o *Potemkin* não é muito "circo", não tem nada a ver com um cálculo matemático e funciona de maneira bem menos propagandista do que poderíamos pensar inicialmente (justamente uma questão de "sentido óbvio" e de "sentido obtuso"). Num texto posterior de 1924–1925 — escrito, portanto, no momento em que o projeto *Potemkin* ganhava corpo — Eisenstein tentou explicar seu pensamento sobre a montagem cinematográfica, argumentando que a eficácia de um filme deveria ser "obtida por confronto e acumulação no psiquismo do espectador das associações desejadas para o desenho do filme e excitadas [intensificadas] pelos elementos separados do fato decomposto (praticamente, em 'fragmentos de montagem')".[125] A atração seria então essa energia psíquica que, saída da própria montagem, "provoca as associações" no espírito, no corpo ou nas emoções do espectador.[126] O exemplo dado então será *A greve*, no qual Eisenstein havia procedido a uma verdadeira "montagem das atrações", associando ritmicamente a fuga dos grevistas e o "horror sangrento" dos planos documentais filmados nos abatedouros de Moscou.[127]

O que nos deixa estupefatos hoje é ler tudo isso na mesma página em que Eisenstein reivindica esse tipo de procedimento, situando-o no mesmo plano do... cinema burlesco americano. Qual é a relação entre os "mil e quinhentos mortos ao pé da falésia", montados com as "cabeças arrancadas de touros mortos", em

124. S. M. Eisenstein, "Le montage des attractions", art. cit., p. 117.
125. Id., "Le montage des attractions au cinéma" (1924–1925), trad. A. Robel, in *Œuvres, I. Au-delà des étoiles*, op. cit., p. 129–130.
126. Ibid., p. 130.
127. Ibid., p. 132–134.

A greve, e as gesticulações hilárias, as autênticas "atrações" circenses de um Charlie Chaplin?[128] E o que é que a nossa cena de lamentação tem a ver com isso? Esse estranhamento é extremamente significativo. Por um lado, ele marca uma espécie de articulação do pensamento eisensteiniano que permanece quase sempre ignorado por seus comentaristas. Por outro lado, ele nos remete a nossos próprios pressupostos sobre o que é uma "cena trágica", e sobre as relações seculares estabelecidas entre tragédia e comédia — relações das quais William Marx mostrou recentemente até que ponto sua oposição radical era apenas um fenômeno tardio e acadêmico.[129] Não seria preciso, a partir daí, ver o *Potemkin* como uma grande "montagem de atrações" consciente de que ela vem tanto da "comédia" quanto da "tragédia", tanto da encenação, ao estilo Georges Méliès — através do filme de Lucien Nonguet sobre a reconstituição, praticamente burlesca, dos acontecimentos trágicos de Odessa — quanto do documentário ao estilo Lumière? Enfim, tanto da barraca da feira de atrações quanto da fotografia de guerra do final do século XIX?[130]

Do *Diário de Glumov* até o *Potemkin*, de fato, Eisenstein não deixou de trabalhar sobre a questão das "atrações", e sobre a "excentricidade" do corpo do ator.[131] Ele havia filmado, para sua tragédia do Potemkin, uma verdadeira "cena excêntrica" — na qual

128. Ibid., p. 134.

129. W. Marx, *Le Tombeau d'Œdipe: pour une tragédie sans tragique*. Paris: Minuit, 2012, p. 80–83 ("La tragédie comme spectacle de revue").

130. Cf. A. Gaudreault, *Cinéma et attraction*, op. cit., p. 89–144.

131. S. M. Eisenstein, "Du théâtre au cinéma" (1935), *Le Film: sa forme, son sens*, op. cit., p. 111–126. Id., *Mémoires*, op. cit., p. 181. Cf. I. Pezzini, "L'effetto-affetto secondo Ejzenštejn", *Sergej Ejzenštejn: oltre il cinema*, op. cit., p. 252–262. N. Noussinova (org.), *Leonid Trauberg et l'excentrisme: les débuts de la fabrique de l'acteur excentrique*, 1921–1925, trad. C. Perrel. Louvain-Crisnée: Stuc-Yellow Now, 1993. Id., "Eisenstein excentrique", in *Eisenstein: l'ancien et le nouveau*, op. cit., p. 67–75. O. Bulgakowa, FEKS: *Die Fabrik des Exzentrischen Schauspielers*. Berlim: PotemkinPress, 1996. F. Pitassio, "Sergeï Eisenstein: l'acteur manquant", trad. C. Govoni, *Cinémas, revue d'études cinématographiques*, XI, 2001, n. 2–3, p. 199–224. W. Brückle, "Schauspiel Authentizität: Die Vermittlung 'wahrer' Leidenschaften

víamos as pessoas fugindo pela barraca de um vendedor de flores[132] — e que ele não manteve na montagem final. Se você olhar bem a terrível cena do massacre na escadaria Richelieu, vai se surpreender de ver ali um número considerável de planos fechados de rostos ou de corpos literalmente burlescos. Isso não escapou ao grande perspicaz daquele tempo, Walter Benjamim, quando ele colocou o *Potemkin* no mesmo plano estético, e também político, do cinema burlesco norte-americano:

> Pois o cinema burlesco também é "tendencioso" — de uma maneira menos confessa. Seus intentos são dirigidos contra a técnica. De fato, o cinema só é cômico porque o riso que ele desperta plana acima do abismo do horror. O inverso de uma técnica ridiculamente desencadeada é a pregnância mortal da esquadra em manobra, assim como o *Potemkin* a fixou, da maneira mais impiedosa.[133]

O que dizer? Apenas que o elemento fundamental de uma tal dramaturgia não consiste no *estatuto* iconográfico de uma obra, na significação óbvia, fixada, que se ligaria a ela de uma vez por todas, mas sim no *processo* que essa obra impõe tanto às imagens quanto às suas significações fatalmente plurais. Ora, o elemento fundamental desse mesmo processo foi caracterizado com precisão por Eisenstein: é o momento da junção dialética na qual se focalizam os conflitos e na qual se operam as reviravoltas do sentido. Ele chama isso de *otkaz*, uma palavra simples para dizer *não*. Seria a palavra mais usual para dizer a potência do negativo num processo dialético. Ela quer dizer exatamente a *recusa*, mas também o repúdio, a desistência ou a renúncia: ela quer dizer a *rejeição*, mas também a avaria, a pane, o corte, logo, o *fracasso*.

durch Fotografie und Film der späten Stummfilmzeit", in *Fotografische Leidenschaften*, K. Sykora; L. Derenthal; E. Ruelfs (orgs.). Marbourg: Jonas Verlag, 2006, p. 145-165.

132. J. Leyda; Z. Voynow, *Eisenstein at Work*, op. cit., p. 24.

133. W. Benjamin, "Discussion sur le cinéma russe", art. cit., p. 16.

O uso eisensteiniano da palavra *otkaz* vem de Vsevolod Meyerhold, que foi um mestre, um "segundo pai"[134] para o jovem cenógrafo do começo dos anos 1920. *Otkaz* é um princípio extremamente simples da atuação teatral, segundo Meyerhold, um determinante dialético daquilo que deve ser um *gesto expressivo* no teatro: se você quer se dirigir para um determinado ponto, comece dando um passo para trás. Se você tomar uma decisão, comece marcando um tempo — tão minúsculo quanto possível — de hesitação. Princípio ao mesmo tempo psicológico e coreográfico: cada gesto deve saber dizer *não*, inclusive em relação ao seu próprio movimento. Consideremos um combate (Meyerhold começa pelo exemplo de uma simples bofetada): aquele que bate deve marcar uma leve retração antes de dar o golpe, e aquele que o recebe deve marcar, também paradoxal e brevemente, "uma inclinação para a frente".[135] São essas as potências do negativo contidas no menor gesto. Talvez houvesse algo de severo e rígido na aplicação desse princípio "biomecânico" por Meyerhold, e que Eisenstein saberá fazer variar com mais plasticidade. Mas aquilo que o mestre afirmava das lágrimas, por exemplo, certamente não foi ignorado pelo autor do *Potemkin*:

> Na tragédia, a voz deve ser seca, as lágrimas são inadmissíveis. [...] Para chorar no palco com lágrimas verdadeiras, é preciso sentir uma alegria criadora, uma energia interior, ou seja, exatamente o que é necessário para rir sinceramente. A natureza psicofísica das lágrimas e do riso cênicos é exatamente a mesma.[136]

Meyerhold construiu sistematicamente suas situações de teatro — desde o desenvolvimento geral da narrativa até o menor

134. S. M. Eisenstein, *Mémoires*, op. cit., p. 119.
135. V. Meyerhold, "Le laboratoire biomécanique" (1921-1922), in *Écrits sur le théâtre, II. 1917-1930*, trad. B. Picon-Vallin. Lausane: L'Âge d'homme, 1975 (ed. revista e aumentada, 2009), p. 98.
136. Id., "Réflexions [notées par Alexandre Gladkov]" (1935-1938), in *Écrits sur le théâtre, II*, op. cit., p. 315-316.

detalhe de cada gesto — de acordo com um princípio que supunha ao mesmo tempo a *associação* e a *contradição*. Princípio de montagem, portanto. Princípio de *construção*, pois é verdade que a "associação" em Meyerhold nada tinha a ver com uma fantasia subjetiva qualquer (também nesse plano, Eisenstein saberá tomar mais liberdade subjetiva, até mesmo fantasmática):

> Não se deve pensar que minha tese sobre as associações conduza a um certo subjetivismo na percepção da arte. Um dia, talvez, os fisiólogos, os psicólogos e os filósofos demonstrarão que o domínio das associações está ligado a certos fenômenos comuns (até mesmo sociais, pois, no final das contas, tudo é social) para a maioria das pessoas. A sirene de uma fábrica significa alguma coisa para mim e outra coisa para aqueles que durante a vida toda levantaram da cama ouvindo esse som. Se ele toca no fundo sonoro de uma cena, terá significações diferentes para uns e outros. Isso não é subjetivismo, pertence ao domínio das associações sociais. Sem um fundo comum de associações, qualquer arte seria impossível.[137]

Aquilo que Meyerhold chamava de princípio "biomecânico" do gesto[138] foi conscienciosamente retomado, prolongado e depois modificado por Eisenstein, começando por um texto fundamental de 1923, em colaboração com Sergei Tretiakov, sobre "O movimento expressivo".[139] Nele, o cineasta retoma a intensificação patética consecutiva às associações conflituosas que é preciso saber produzir no interior de cada gesto, por assim dizer. Ele

137. Ibid., p. 364–365.

138. Id., "Le laboratoire biomécanique", art. cit., p. 93–98. Id., "L'acteur du futur et la biomécanique" (1922), in *Écrits sur le théâtre, II*, op. cit., 135–138. Cf. A. H. Law; M. Gordon, *Meyerhold, Eisenstein and Biomechanics: Actor Training in Revolutionary Russia*. Jefferson (NC)/Londres: McFarland, 1996. J. Böchow, *Das Theater Meyerholds und die Biomechanik*. Berlim: Alexander Verlag, 1997 (ed revista e aumentada, 2010).

139. S. M. Eisenstein, "Il movimento espressivo" (1923), trad. F. Antonini; O. Calvarese; F. Di Cesare, *Il movimento espressivo. Scritti sul teatro*, ed. P. Montani. Veneza: Marsilio, 1998, p. 195–218 (não existe tradução francesa até o momento. Para uma tradução [parcial] em inglês, cf. S. M. Eisenstein, "Expressive Movement", trad. A. H. Law, *Millenium Film Journal*, n. 3, 1979, p. 30–38).

fala de um "movimento rítmico primário", pensado — a partir de Schiller e Kleist — sobre a ligação entre *jogo* e *conflito* em toda produção artística, e não deixa de insistir no fato de que a *acentuação* patética de um gesto vem primeiramente na *contradição*, ou seja, a *otkaz* desse mesmo gesto. Já se trata — vinte e cinco anos antes de *Método* — de uma reflexão sobre a ligação paradoxal entre "expressão" e "inibição", ou entre a progressão de um gesto e a necessidade de uma passagem por meio da regressão.[140] Uma fotografia contemporânea, tirada no estúdio de *Máscaras de gás* em 1924, mostra bem essa dialética do gesto expressivo: trata-se de uma cena de assassinato (vemos a faca na mão direita do personagem que domina o outro) e, no entanto, o enlace dos dois corpos evoca algo como uma representação da *Pietà* (a Virgem segurando no colo o corpo enorme do filho morto) (*fig.* 47).

Uma impulsão teórica fundamental é dada nesse texto de 1923. Ela irá ocupar para sempre o espírito de Eisenstein. Consiste em fundamentar toda proposta artística, toda facticidade ou *fato estético* na compreensão de um *fato antropológico* maior ou mais profundo, ou seja, uma regra estruturante no nível da realidade psíquica ou social das sociedades humanas — mesmo que patológica, como no caso da histeria, que interessava muito a Eisenstein. Por isso, já no texto de 1923 confrontam-se as teorias de Rudolf Bode e de Ludwig Klages sobre a expressão corporal, ou ainda as experiências de William James e de Duchenne de Boulogne sobre a lei muscular das emoções.[141] É preciso lembrar que o grande livro de Charles Darwin sobre *A expressão das emoções no homem*

140. Ibid., p. 201-214.
141. Ibid., p. 195-218. Cf. id., *Sulla biomecanica. Azione scenica e movimento* (1922-1940), trad. A. Cervini. Roma: Armando Editore, 2009. M. Gordon; A. H. Law, "Eisenstein's Early Work in Expressive Behavior: The Montage of Movement", *Millenium Film Journal*, n. 3, 1979, p. 25-29. A. Miliakh, "La théorie d'une nouvelle anthropologie de l'acteur et l'article de S. Eisenstein et S. Trétiakov", *Mnémozina*, n. 2, 2006, p. 281-291 (não pude consultar esse artigo indicado por A. Ackerman, *Eisenstein et Daumier*, op. cit., p. 84).

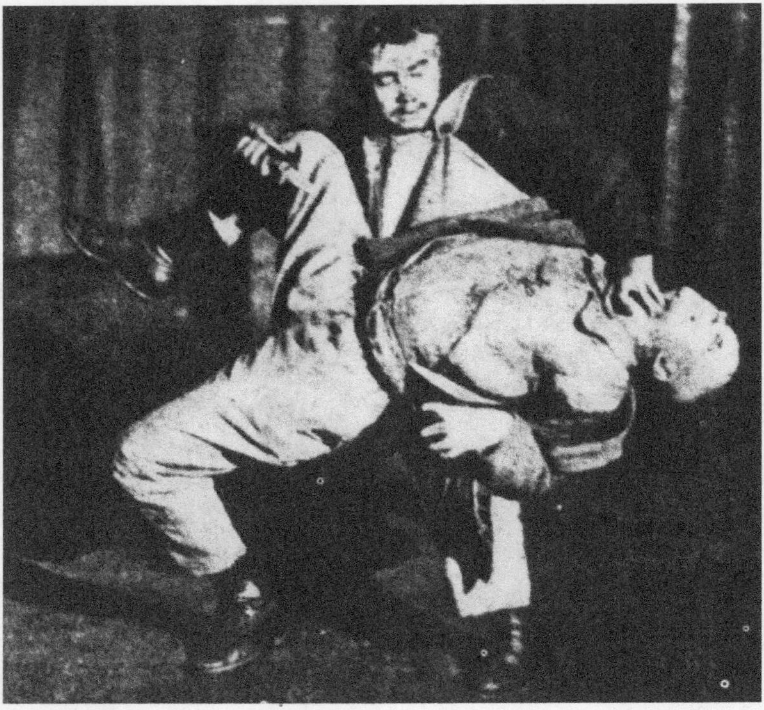

Figura 47. Serguei M. Eisenstein, *Máscaras de gás*, 1924. Fotografia do espetáculo.

e nos animais já colocava o "princípio da antítese" no centro da sua compreensão do gesto expressivo, princípio do qual Sigmund Freud, de um lado, e Aby Warburg, de outro, puderam tirar consideráveis proveitos teóricos.[142] Não surpreende que Eisenstein nunca mais tenha deixado de projetar suas pesquisas artísticas nas duas direções concomitantes, a de uma *antropologia metapsicológica,* inspirada por suas leituras de Freud ou de Lévy-Bruhl, e

142. C. Darwin, *L'Expression des émotions chez l'homme et les animaux* (1872), trad. S. Pozzi; R. Benoit. Paris: Reinwald, 1877, p. 29–30. Cf. G. Didi-Huberman, *L'Image survivante: histoire de l'art et temps des fantômes selon Aby Warburg*. Paris: Minuit, 2002, p. 224–270.

a de uma *experimentação concreta* sobre os fenômenos "patéticos" que o fascinavam tanto.

Ele descobriu a experimentação, notadamente — antes de Alexandre Luria e Lev Vygotski — por ocasião de sua viagem à Alemanha, em 1929, viagem que Oksana Bulgakowa analisou com muita exatidão, seguindo passo a passo a busca de Eisenstein tanto em relação à psicanálise freudiana quanto à psicologia experimental.[143] É nessa época que o cineasta entra em contato com Kurt Lewin e descobre com surpresa — e entusiasmo — que o princípio da *otkaz* vai além de uma simples escolha artística herdada de Meyerhold ou aparentada com o "distanciamento" de Brecht: é um processo inerente às relações mais fundamentais entre *corpo* e *psique* por *gestos* interpostos. Kurt Lewin estava desenvolvendo uma teoria do psiquismo como "sistema dinâmico", feito de "tensões" e de "satisfações" em luta perpétua, de modo que se poderia observar uma dialética da *atração-retração* no menor gesto de uma menina que quer pegar um objeto no chão ou sentar-se numa cadeira — mas em determinado momento retrai seu movimento voluntário. Isso dará origem não apenas a artigos científicos sobre o gesto infantil, mas também a filmes experimentais e considerações mais filosóficas sobre o papel do *conflito* em toda *relação* psicológica e social.[144]

143. O. Bulgakowa, "La conférence berlinoise d'Eisenstein: entre la psychanalyse et la Gestalt-psychologie", *Eisenstein: l'ancien et le nouveau*, op. cit., p. 171–183. Cf. id., *Sergej Eisenstein — Drei Utupien: Architekturentwürfe zur Filmtheorie*. Berlim: Potemkin Press, 1996, p. 87–97.

144. K. Lewin, "Kindlicher Ausdruck", *Zeitschrift für pädagogische Psychologie*, XXVIII, 1927, p. 510–526 (retomado em F. E. Weinert, H. Grundlach (orgs.), *Kurt-Lewin-Werkausgabe*, *VI*. Berna/Stuttgart: Hans Huber-Klett-Cotta, 1982, p. 77–99). Id., "Le conflit dans les modes de pensée aristotélicien et galiléen et dans la psychologie contemporaine" (1931), trad. C. Faucheux; M. Faucheux, *Psychologie dynamique: les relations humaines*. Paris: PUF, 1959, p. 23–64. Cf. P. Kaufmann, *Kurt Lewin: une théorie du champ dans les sciences de l'homme*. Paris: Vrin, 1968, p. 113–158 ("La représentation constructive du conflit"). A. J. Marrow, *Kurt Lewin: sa vie et son œuvre* (1969), trad. H. Costantini; A. Mucchielli. Paris: ESF, 1972, p. 46–52 e 195–206. H. E. Lück, "Der Filmemacher Kurt Lewin",

Compreendemos que a partir daí Eisenstein tenha se sentido plenamente — ou filosoficamente — justificado a usar a imagicidade (*obraz*) do gesto humano apenas em termos de "não" ou de *otkaz*. Ele se admira de que um gesto possa integrar a complexidade de imediato: por exemplo, é tão fácil com um único gesto — e tão difícil com palavras — descrever uma escada em caracol...[145] Mas é também muito importante contrariar os gestos na encenação teatral ou cinematográfica, como dissera Anatole France sobre a escritura do romance: "Contrariem os epítetos!".[146] É também fascinante constatar que, como nos grandes sintomas histéricos, os gestos pintados por El Greco correspondem aos "estados dissociados" descritos por Charcot e, principalmente, compreendidos por Freud em termos de "simultaneidade contraditória", na qual se opõem fantasias inconscientes que dizem *não* umas às outras (*fig. 48*).[147] Para representar uma cena de assassinato, como o episódio de Rogójin em *O idiota* de Dostoievski, será, portanto, necessário considerar uma dialética infinitamente complexa, sutil, no simples fato de querer erguer o braço contra o outro, o que ocupa mais de sessenta páginas no texto de Eisenstein intitulado "Questões de encenação".[148] Enfim, é imprescindível compreender que um único gesto na maioria das vezes é feito de dois gestos que se interpenetram e se contradizem.[149] Sabemos que, no final da vida,

Gruppendynamik, n. 2, 1985, p. 131–141. O. Bulgakowa, "Sergej Eisenstein und Kurt Lewin", in W. Schönpflug (org.), *Kurt Lewin: Person, Werk, Umfeld. Historische Rekonstruktionen und aktuelle Wertungen*. Frankfurt: Peter Lang, 1992 (ed. 2007), p. 155–165.

145. S. M. Eisenstein, "Un point de jonction imprévu", art. cit., p. 23–31.

146. Id., "Le cinéma et la littérature", art. cit., p. 32.

147. Id., "El Greco y el cine" (1937–1941), trad. A. Zouboff, in *Cinématisme*, op. cit., p. 100–102.

148. Id., "Questions de mise en scène: 'mise en jeu' et 'mise en geste' " (1933–1946), trad. A. Zouboff, in *Le Mouvement de l'art*, op. cit., p. 179–243.

149. Id., "L'incomparable Galina Sergueïevna", art. cit., p. 171–177.

em *Método*, Eisenstein voltará a insistir incansavelmente nesses problemas de "movimento expressivo" e sua dialética da *otkaz*.[150]

Ora, o que Eisenstein diz do gesto valerá para a imagem em geral: uma só imagem não será quase sempre feita de pelo menos duas imagens que se interpenetram e se contradizem? A montagem só é tão necessária, no cinema e em outros lugares, porque os desejos na psique e os gestos nos corpos estão em perpétuas relações de *entrelaçamentos conflitantes*. Isso justificava que Eisenstein utilizasse com tanta frequência aquilo que chamou de construções "pela solução inversa".[151] Eis o que justificava a "atração" ou a *otkaz* como "partículas elementares", criando na tela do cinema esse "drama molecular nascido do choque dos fragmentos de montagem"...[152] E eis que, finalmente, a cena de lamentação do *Potemkin* pôde ser construída não como uma cena de "morte", mas, como Eisenstein ousa dizer, de "morte vivificadora".[153] É que as emoções do *Potemkin* deviam ser "opositoras" e não apenas "fusionais":[154] criadoras, por isso, de uma verdadeira *vertigem de imagens*. Tanto é verdade que o "homem recua diante daquilo que o atemoriza, como também muitas vezes ele se sente atraído e se aproxima do objeto do seu temor, como se estivesse enfeitiçado. Assim, a beira do precipício nos 'atrai' ".[155] Foi talvez o que Eisenstein quis com seu *Potemkin*: apenas nos atrair — isso mesmo, nos atrair (*ad-trahere*) — para a beira do precipício aberto pela insurreição de um povo de luto.

150. Cf. M. Tortajada, "Intériorité/plasticité: la théorie de la mise en scène de S. M. Eisenstein", *Cinémas, revue d'études cinématographiques*, XI, 2001, n. 2–3, p. 225–252. A. Cervini, "Dalla biomecanica alla metodologia dell'espressione: introduction à S. M. Eisenstein", in *Sulla biomecanica*, op. cit., p. 17–38. A. Somaini, *Ejzenštejn*, op. cit., p. 3–16. E. Vogman, "*Octave, otkas, ex-stase*: Laboratories of Gesture in Russia in the 1920's (Nikritin, Meyerhold, Eisenstein)", no prelo.

151. S. M. Eisenstein, *La Non-indifférente Nature*, II, op. cit., p. 28.

152. Id., "Pouchkine — monteur", art. cit., p. 42.

153. Id., *La Non-indifférente Nature I*, op. cit., p. 36.

154. Id., *Dickens et Griffith*, op. cit., p. 238–240.

155. Id., *La Non-indifférente Nature II*, op. cit., p. 15.

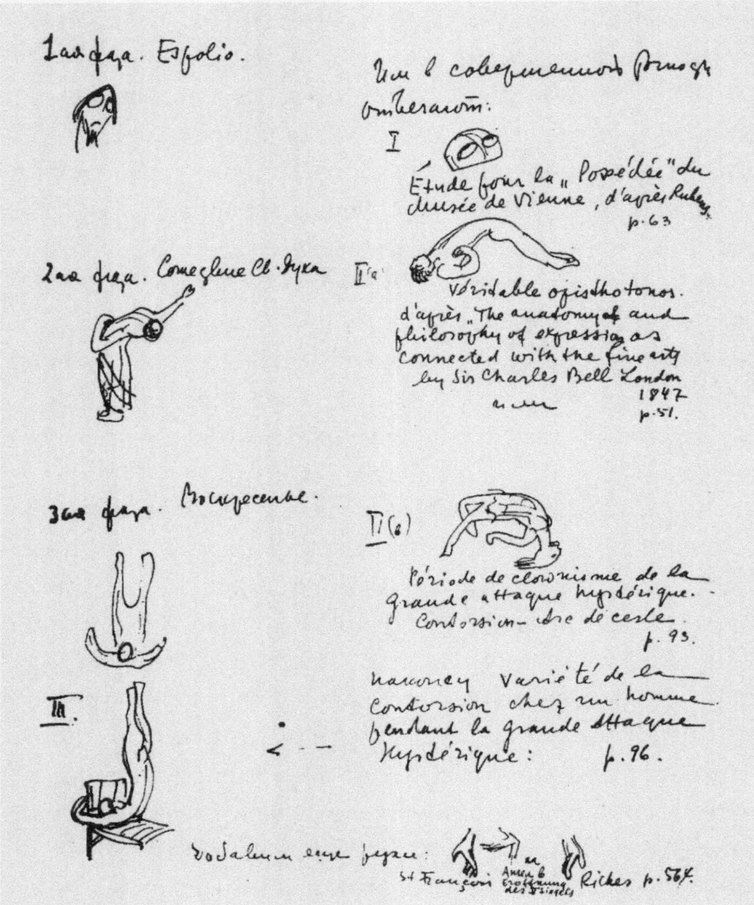

Figura 48. Serguei M. Eisenstein, *El Greco y el cine*, 1937–1941. Desenhos a tinta integrados ao manuscrito.

Obraz-ekstaz: a montagem dialética (vertigens da forma)

Para isso, era preciso que as formas surgissem, se revirassem, nos virassem a cabeça. Evocando os ritmos do jazz, Eisenstein falará mais tarde de um "volteio da forma",[156] como para nos dizer alguma coisa do seu projeto estético mais fundamental. *Volteio* (em russo: *oborot*): é a dança dos conflitos, o movimento por excelência — ou o drama — das voltas e reviravoltas. Essa palavra nos fala do *gesto*: a dança, o rodopio, a pirueta dos corpos. Mas também da oposição que supõe toda "meia-volta". Ela ainda fala da *revolução*, a dos astros no céu ou das sociedades na história, ela fala da *poesia*, pois *volvere* designa, em latim clássico, o ato de discurso que consiste em "desenrolar um período", e é por isso que Dante pôde usar a palavra *volta* — o que os teóricos do *Opoiaz*, contemporâneos de Eisenstein, não ignoravam — para denominar o próprio verso poético (*versus*) como imprevisível retorno das palavras, das rimas ou dos ritmos em um poema.[157] Finalmente, *volteio* fala daquilo que, interiormente, emocionalmente, nos remexe, nos revira, nos revolta. É como um movimento de espiral centrífuga que a cena da lamentação de *O encouraçado Potemkin* me parece representar perfeitamente: através das imagens que se repetem sem parar, o *pathos* vira e revira nos corações, nas almas, nos movimentos de cada um. Ele acaba revirando os corpos. Ele extravasa a dor sentida por meio das lágrimas ou dos gestos. Pois bem, virando e revirando — obstinadamente, ritmicamente — ele sai de repente da sua órbita: fusiona, faz surgir a diferença a partir do coração da repetição, o imprevisto a partir do coração da tradição. Ele faz dançar e se *re-voltar* toda uma sociedade que acabará revolucionando sua própria história.

156. Ibid., p. 17.

157. Dante Alighieri, *De l'éloquence en vulgaire* (1304-1305), II, X, 2, trad. A. Grondeux; R. Imbach; I. Rosier-Catach. Paris: Fayard, 2011, p. 232-233.

É como as ondas contra a falésia: todo mundo já se acostumou há muito tempo a ouvir seu barulho, esquecendo que as ondas, na realidade, atacam a falésia, se revoltam contra ela. Um dia, a falésia vai desmoronar tão repentinamente quanto as ondas foram pacientes nos seus volteios rítmicos. Eisenstein, não há dúvidas, viu na prática da montagem alguma coisa dessa ordem: as imagens vêm e voltam sob nossos olhos, até que alguma coisa, em um dado momento, se rompa no nosso olhar ou se desfaça no nosso pensamento. Não por acaso, Eisenstein havia pensado que seu *Potemkin* poderia terminar com a *tela se rasgando* sob o avanço potente da proa do navio — metaforicamente ou até mesmo fisicamente, como fora previsto para a seção inaugural de 1925 —, assim como a cortina do Templo de Jerusalém se rasgou no momento mais patético da crucificação — o grito de agonia —; assim como o ator e dramaturgo Plancher Valcour, quando soube da tomada da Bastilha, "enfiou a mão na cortina de tule [do teatro] e rasgou-a em dois, gritando *Viva a liberdade*!".[158]

Ora, aquilo que Eisenstein chamou um dia de "volteio da forma", ele já vinha chamando, e nunca deixou de chamar, de "dialética da forma" ou "das formas". Ele nunca negou seu recurso à dialética, mesmo que tenha sido para dar a ela uma significação *deslocada*. Como Jacques Aumont bem observou, o cineasta reivindicou sua dialética sem nunca, ou quase nunca, falar de "materialismo dialético" como seus contemporâneos.[159] Ele praticava a montagem como uma arte das *imagens dialéticas*, uma maneira de pôr a representação à prova da dialética — e das "potências do negativo" —, uma maneira também de pôr a dialética clássica à prova das imagens concretas. Assim como seu contemporâneo Georges Bataille, ele inventou uma dialética *ad hoc*, enfim, uma *dialética heterodoxa*

158. S. M. Eisenstein, "De la structure (du film)", art. cit., p. 210.
159. J. Aumont, "Eisenstein avec Freud: note sur 'Le mal voltairien' ", *Cahiers du cinéma*, n. 226–227, 1971, p. 69.

que substituía a clássica "reconciliação" ou "síntese" dos processos dialéticos por alguma coisa que talvez tivesse a ver com o *teor dos sintomas* da dialética em Bataille,[160] e que ele escolheu chamar de "êxtase" (*ekstaz*) — com algum risco, no contexto soviético.

A dialética das formas em Eisenstein é uma dança, um "volteio" dionisíaco. Ela não visa a *síntese*, mas o êxtase, o que significa que ela não busca a reunião (*sin*) do múltiplo no um, mas sim a saída (*ex*) do um no múltiplo. Ora, o *pathos* designaria justamente essa potência capaz de fazer a representação sair para fora de si mesma, portanto, fazer sair o espectador para fora de si mesmo: "O patético é aquilo que faz o espectador pular da poltrona. Aquilo que o faz mudar de lugar, [...] que o faz *sair de si mesmo*."[161] É isso que se chama, estritamente, de *êxtase*. Segundo Eisenstein, um fenômeno tão elementar quanto o enquadramento de uma imagem numa pintura ou num filme já deveria ser suscetível dessa *colocação vertiginosa das formas*: é o que se passa, por exemplo, nos quadros de El Greco ou nos "desenhos extáticos" de São João da Cruz, de acordo com suas próprias visões do Crucificado.[162] É também o que se passa no uso que poderá ser feito da objetiva de 28 milímetros — o que ocorreu na filmagem de *Que viva México!* —, na ordem de uma verdadeira "perspectiva extática" no cinema.[163]

Essa sobreposição teórica do vocabulário "dialético" e do vocabulário "extático" em Eisenstein certamente suscitou um grande número de perguntas e interpretações entre seus comentaristas. Jean Mitry, por exemplo, via no *Potemkin* uma sequência incessante de polarizações dialéticas levadas a explodir "extaticamente".[164] Barthélemy Amengual não hesitou em dedicar uma

160. G. Didi-Huberman, *La Ressemblance informe, ou le gai savoir visuel selon Georges Bataille*. Paris: Macula, 1995, p. 165-383.

161. S. M. Eisenstein, "De la structure (du film)", art. cit., p. 204.

162. Id., "El Greco y el cine", art. cit., p. 88.

163. Ibid., p. 107.

164. J. Mitry, S. M. *Eisenstein*, op. cit., p. 103-104.

parte inteira da sua monografia sobre o filme à discussão da noção de "ek-stase", quando "a ideia pula de enquadramento em enquadramento, se transforma, se enriquece dialeticamente".[165] Jacques Aumont, por sua vez, falou da dialética eisensteiniana — com uma certa distância crítica — tanto em termos de "espetáculo" quanto de "êxtase".[166] O que Dominique Chateau reconheceu ali foi uma maneira de ser "hipersensível às contradições" das situações concretas.[167]

Gilles Deleuze — que, como sabemos, não gostava da palavra nem da noção filosófica de dialética, fosse ela hegeliana ou marxista — não pôde deixar de admirar a maneira tão heterodoxa como Eisenstein falou da "dialética das formas": à maneira de um *artista*, como também faziam, na mesma época, Raoul Haussmann ou Làszló Moholy-Nagy, Georges Bataille ou Carl Eisenstein, Aby Warburg ou Walter Benjamin...; à maneira *nietzschiana*, até certo ponto, por mais paradoxal que isso pudesse parecer aos olhos dos filósofos clássicos. Deleuze então homenageou a "patetização" e o "extatismo" eisensteinianos da dialética, e talvez não seja por acaso que, longe de Roland Barthes, sua homenagem venha se apoiar justamente na cena de lamentação do *Potemkin*:

> Não existe apenas uma ligação orgânica entre dois instantes, mas um salto patético, no qual o segundo instante adquire uma nova potência, já que o primeiro passou por ele. Da tristeza para a raiva, da dúvida para a certeza, da resignação para a revolta... O patético comporta por sua conta esses dois aspectos: ele é, ao mesmo tempo, a passagem de um

165. B. Amengual, *Le Cuirassé Potemkine*, op. cit., p. 65.

166. J. Aumont, *Montage Eisenstein*, op. cit., p. 82–96 ("Pathos/Extase/Organicité", "La fée dialectique").

167. D. Chateau, "La question de la dialectique dans les théories d'Eisenstein", *Eisenstein: l'ancien et le nouveau*, op. cit., p. 213–231. Cf. D. Bordwell, *The Cinema of Eisenstein*, op. cit., p. 127–134. A. Bohn, *Film und Macht: Zur Kunsttheorie Sergej Eisensteins*, 1930–1948. Munique: Diskurs Film Verlag Schaudig & Ledig, 2003, p. 303–346. A. Cervini, *La ricerca del metodo. Antropologia e storia delle forme in S. M. Ejzenštejn*. Milão/Udine: Mimesis, 2010, p. 25- 55. A. Somaini, *Ejzenštejn*, op. cit., p. 38–79.

termo ao outro, de uma qualidade à outra, e o repentino surgimento da nova qualidade que nasce da passagem realizada.[168]

[...]

E isso é o essencial da revolução de Eisenstein. Ele dá à dialética seu sentido propriamente cinematográfico, ele arranca o ritmo da sua avaliação apenas empírica ou estética, como Griffith, ele tem uma concepção essencialmente dialética do organismo.[169]

Para Deleuze, isso traz todas as consequências de uma certa prática da "imagem-afecção", pelo uso do plano fechado e da relação cinematograficamente estabelecida entre afeto ou *afecção* de um lado, efeito ou *ação* de outro.[170] E é ainda sobre a "linha ascendente da dor" em *O encouraçado Potemkin* que se construirá a "série intensiva" capaz de produzir a "explosão revolucionária" que o filme de Eisenstein quer justamente contar.[171]

Em *A imagem-tempo*, Gilles Deleuze voltará a falar da maneira eisensteiniana — "a montagem se faz por alternâncias, conflitos, resoluções" — de "dar ao tempo sua verdadeira dimensão, assim como ao todo a sua consistência".[172] Será, porém, de certa forma para retirar da dialética de Eisenstein aquilo que ele lhe havia concedido anteriormente em *A imagem-movimento*. Talvez Deleuze não estivesse pronto para levar a cabo sua aversão fundamental à dialética filosófica em geral, e talvez seja por isso que ele acabará descrevendo essa dialética como um simples método para "formar um todo com duas expressões cuja medida comum acabaríamos descobrindo".[173] Ora, isso não significaria ignorar o processo que havia sido reconhecido anteriormente com tanta pertinência, ou seja, esse "repentino surgimento da nova qualidade que nasce da passagem realizada"? A palavra *ekstaz* não tinha sido escolhida por

168. G. Deleuze, *L'Image-mouvement: cinéma 1*. Paris: Minuit, 1983, p. 53–54.
169. Ibid., p. 56.
170. Ibid., p. 125–219.
171. Ibid., p. 128.
172. Id., *L'Image-temps: cinéma 2*. Paris: Minuit, 1985, p. 51.
173. Ibid., p. 310.

Eisenstein justamente para subverter a *medida* comum que toda *síntese* dialética supõe? Não seria uma dialética da *desmedida* e do incomensurável que faz surgir a *obraz* para além de todas as representações reunidas num mesmo enquadramento? E não caberia à *montagem* manter juntas imagens justamente incomensuráveis — e sem solução de síntese —, como são, por exemplo, a multidão de figurantes em plano geral e a cabeça de boi cortada em plano fechado, visíveis ao mesmo tempo na cena final de *A greve*?

Talvez fosse necessária toda uma monografia para avaliar o uso da palavra *dialética* em Eisenstein e, particularmente, quando a palavra *êxtase* se aproxima dela como para tomá-la no sentido contrário, arrepiá-la, ouriçá-la, colocá-la fora de si. Essa monografia, aliás, seria impossível de ser escrita hoje em dia, na medida em que muitos textos de Eisenstein — principalmente textos escritos na esfera privada, fora dos limites da censura ideológica de Stalin — permanecem inéditos. Elena Vogman, que trabalha atualmente com os manuscritos de *Método*, assinalou-me, por exemplo, que nos diários inéditos do cineasta, no final da sua vida, aparece a ideia de que haveria *duas dialéticas*: uma "séria" e idealista (a de Hegel), e outra "materialista" e, eventualmente, tragicômica[174] (a do cinema e da arte em geral). É uma ideia a ser desenvolvida, talvez, mas que já pode ser vista nos diferentes estilos gráficos com os quais Eisenstein procurou consignar suas ideias ao longo da vida. *Estilo construtivo* de um lado: é quando o cineasta procura — principalmente no âmbito de seu ensinamento — dar uma visão abrangente, uma *Übersicht* das questões que o preocupam e que ele sabe bem que são indissociáveis umas das outras, apesar das diferenças.

174. S. M. Eisenstein, *Journaux inédits*, 9/8/1928 (informação de Elena Vogman). [O livro de Elena Vogman *A dança dos valores*, sobre Eisentein e seu projeto de filmar *O Capital*, sairá pela n-1 edições em 2020].

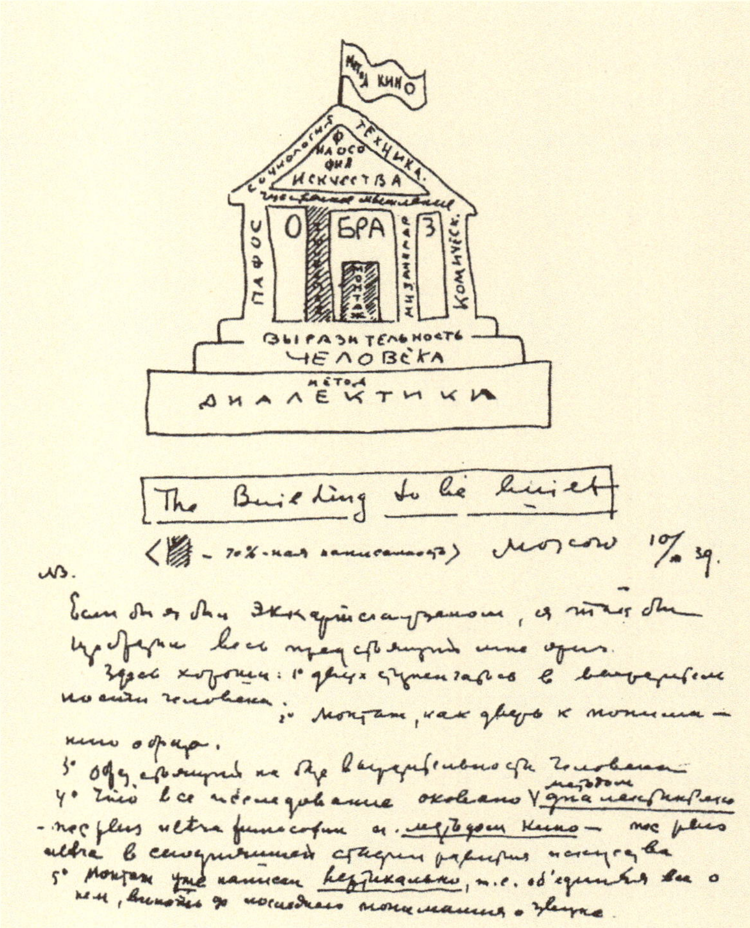

Figura 49. Serguei M. Eisenstein, *The Building to be built* [O edifício que deve ser construído], 1939. Desenho a tinta. Moscou, Arquivos literários e artísticos de Estado ©(RGALI).

Todos os especialistas em Eisenstein conhecem bem o esquema "pedagógico" com o qual ele tentou resumir seu projeto teórico-artístico em 1939 (*fig.* 49). É um desenho em forma de templo grego aparentemente, exceto pela pequena bandeira irônica que flutua no topo — como no topo do *Potemkin*, ou como no topo de uma simples maquete, de um brinquedo teórico, se podemos dizer assim —, com a inscrição "Cine-método". Ele evoca a pequena representação da Acrópole de Atenas que figura no desenho dos anos 1946–1948 (*fig.* 22) para significar a dupla vocação da arte para a *estrutura* (pela base, o frontispício e as colunas) e para o *movimento* (pelas métopas ou os cavalos de mármore correndo, como nas cronofotografias de Marey). Eisenstein designa as fundações dessa construção por essa expressão literalmente "fundamental": "Método dialético". Mas seu terreno de aplicação — bem no alto, no desenho — será definido como aquele, antropológico e imenso, da "Expressividade humana". Chegamos agora à entrada do templo: a porta central é a "Montagem". As quatro colunas são chamadas de "*Pathos*", "Encenação", "Enquadramento" e "Cômico". Tudo aquilo que engloba a grande noção de *Obraz*, a "Imagem". Enfim, o frontispício é constituído de três elementos: "Pensamento sensível", "Sociologia" e "Técnica", no centro dos quais está, a nossa frente, a "Filosofia da arte".[175] Uma fotografia dos anos 1930, feita por ocasião de uma dessas festividades soviéticas com desfiles militares e carros carnavalescos, mostra Eisenstein instalado numa decoração de papelão na qual, sobre três imensos livros abertos, podem ser lidas as palavras "*Pathos*" (*pafos*) e "Êxtase" (*ekstaz*) e também, em alemão, "Movimento expressivo" (*Ausdrucksbewegung*) e "Dramaturgia da forma fílmica" (*Dramaturgie der Filmform*) (*fig.* 50).

175. Cf. J. Aumont, *Montage Eisenstein*, op. cit., p. 258–260. F. Albera, "Présentation: pourquoi Eisenstein *dans le texte?*", *Cinémas, revue d'études cinématographiques*, XI, 2001, n. 2–3, p. 15–16.

Figura 50. Fotógrafo anônimo, *Serguei M. Eisenstein em cima de um carro de Carnaval do* VGIK, 1939.

Há, porém, um outro estilo em Eisenstein: é justamente um *estilo extático*. Um estilo gestual, errático, quase automático, em todo caso, explosivo. Parece destinado a consignar em "tempo real" os movimentos dialéticos imaginados pelo cineasta. Esse estilo evoca o de um sismógrafo que retraçaria, sob as diretivas do mundo, os tremores telúricos mais profundos e mais temíveis. Inúmeros são os exemplos. Penso, espontaneamente, num esquema de 1939 que procura representar a temporalidade "intervalar" da montagem literária em Puchkin (*fig.* 51): é que ele se parece estranhamente com os diagramas de Sigmund Freud sobre os sintomas histéricos, ou com os gráficos de Aby Warburg sobre as "fórmulas patéticas".[176] Penso também — aguardando a hora de evocar o México, auge do momento "extático" em Eisenstein — nos desenhos centrífugos que encontramos um pouco por toda

176. Id., "Pouchkine — monteur", art. cit., p. 40. Cf. G. Didi-Huberman, *L'Image survivante*, op. cit., p. 138, 180–182, 319–325, etc.

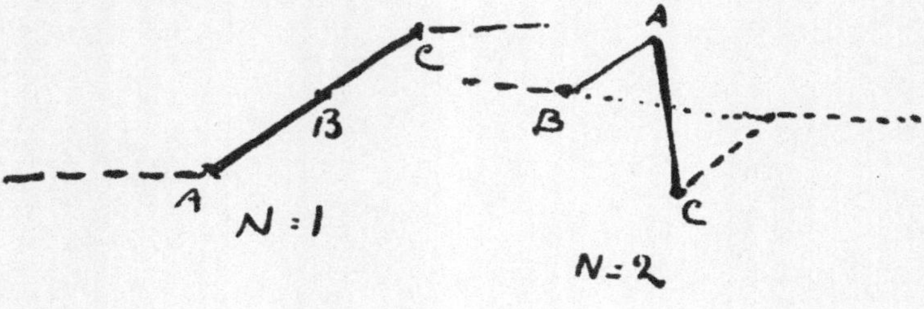

Figura 51. Serguei M. Eisenstein, *Teoria geral da montagem*, 1935–1937. Desenho a tinta integrado ao manuscrito. Moscou, Arquivos literários e artísticos de Estado. ©(RGALI).

a parte na sua *Teoria geral da montagem* para ilustrar a dinâmica turbilionária do trabalho da imagem (*fig.* 52).[177]

É portanto necessário, mas na realidade insuficiente, convocar uma fonte filosófica como a *Dialética da natureza* de Friedrich Engels para compreender o que queria dizer a "dialética das formas" em Eisenstein. Esse grande livro de filosofia materialista foi publicado pela primeira vez — em alemão, assim como a sua tradução russa — no mesmo ano de 1925, quando o cineasta trabalhava no *Potemkin*. Ele queria compreender, num plano fundamental, muitas coisas que diziam respeito diretamente a Eisenstein: o que são as "formas fundamentais do movimento"; como operam as "leis do devir" histórico que afetam os próprios fenômenos naturais; como poderia ser constituída uma verdadeira "ciência da conexão", que poderia compreender a "forma espiral do desenvolvimento, ali mesmo onde os extremos [antagônicos] se tocam".[178] No seu texto fundamental de 1929 intitulado "Dramaturgia da forma fílmica", Eisenstein não deixou de colocar Marx e Engels na lista de premissas filosóficas para sua própria concepção estética:

177. S. M. Eisenstein, *Teoria generale del montaggio*, op. cit., p. 20–22, 75–79, 263–279, etc.
178. F. Engels, *Dialectique de la nature* (1873–1895), trad. E. Bottigelli. Paris: Éditions Sociales, 1968, p. 25, 32, 57 e 75–90.

> O fundamento dessa filosofia é a concepção *dinâmica* das coisas:
> a existência como nascimento constante
> a partir da ação de retorno de duas contradições opostas.
> Síntese que *nasce* na contradição
> entre tese e antítese.
> Na mesma medida, ela também é fundamentalmente importante para
> a concepção justa da arte e de todas as artes.
> No domínio da arte, o princípio dialético da dinâmica ganha corpo no
> *CONFLITO*
> como o princípio fundamental mais essencial da existência de toda obra
> de arte e de todo gênero artístico.
> *Pois a arte é sempre conflito:*
> 1. De acordo com sua missão social
> 2. De acordo com sua essência
> 3. De acordo com sua metodologia.[179]

Estamos aqui no comecinho do texto: Eisenstein acaba de pagar sua dívida com Marx e Engels. Ele cita, logicamente, o processo dialético no sentido canônico da "síntese (*Synthese*) que nasce da contradição entre tese e antítese".[180] A palavra *Síntese* será retomada bem no final do texto para designar aquilo que Eisenstein quer propor aos seus interlocutores de 1929: uma "síntese da arte e da ciência".[181] Nesse ínterim, porém — isto é, no momento em que se trata de falar das coisas concretas que o interessam, ou seja, as imagens —, a noção de síntese parece perder sua consistência operatória e seu prestígio filosófico. Na montagem de *A greve*, massacre representado pelo operários com as cabeças cortadas de bois reais no abatedouro, não é de "síntese" que Eisenstein vai falar, mas sim de "associação concordante" — Freud dirá: *Darstellbarkeit*, "consideração da figurabilidade" ou troca entre representações visuais e representações de palavras, a palavra russa *boynia* designando, de fato, o ato da carnificina e também o lugar

179. S. M. Eisenstein, "Stuttgart [dramaturgie de la forme]", art. cit., p. 57- 58.
180. Ibid., p. 57.
181. Ibid., p. 90.

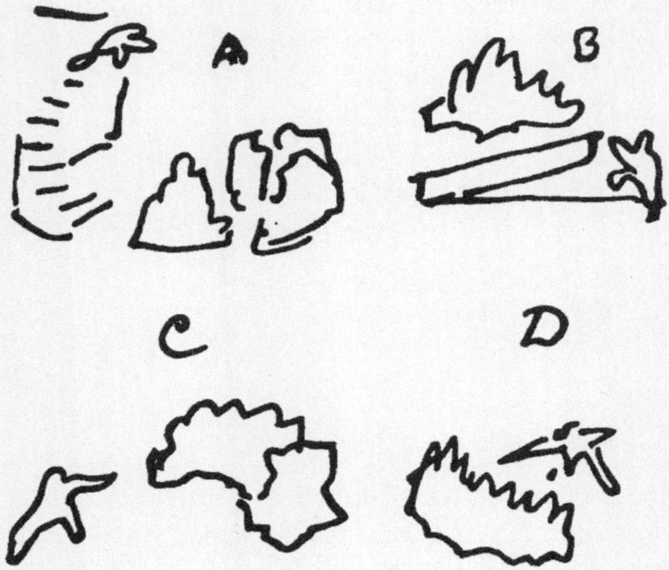

Figura 52. Serguei M. Eisenstein, *Teoria geral da montagem*, 1935–1937. Desenho a tinta integrado ao manuscrito. Moscou, Arquivos literários e artísticos de Estado. ©(RGALI).

do abatedouro —, de "intensificação" e, finalmente, de "dinamização emocional da matéria".[182] Ao evocar a operação da montagem, ele irá privilegiar sistematicamente o "corte" (*Schnitt*) que separa em detrimento da "colagem" que reúne. Aquilo que ele chama de *kadr*, em russo, será espontaneamente traduzido em alemão por *Bildausschnitt*, "termo que o fascinava pela conjunção das palavras *Bild* (imagem), *Schnitt* (montagem em alemão, literalmente corte) e *Ausschnitt* (enquadramento)".[183]

Eisenstein diz, principalmente, que a montagem faz *explodir* o espaço e o tempo mais do que ela *sintetizaria* conteúdos de

182. Ibid., p. 79–84.
183. Ibid., p. 63 (nota de F. Albera).

significação. A própria noção que o cineasta tinha da atividade intelectual tem muito menos a ver com uma faculdade *sintética* do que com um gesto *extático*: "A montagem não é um pensamento composto de pedaços que se sucedem", diz ele, "mas um pensamento que *nasce* do choque entre dois pedaços independentes um do outro e que *explodem* num novo conceito".[184] Esse "novo conceito" possui, portanto, aos olhos dele, as características de um *foguete*[185] — tanto no sentido explosivo, quanto no sentido poético, o de Baudelaire — e não de um esquema, mesmo que fosse transcendental.

Quanto à *expressão* ou *pathos*, ela seria o próprio acontecimento dessa explosão, de modo que o gesto, longe de "resumir" uma emoção, faz literalmente transbordar o seu sentido, fazendo-a entrar em conflito com outras, coloca-a em um *ritmo* e não em uma "síntese"[186]. É isso que faz uma *obraz*, uma imagem montada com outras em um filme: *ela nasce de entrar em conflito* com as outras. Conflito cujas possibilidades formais serão todas deixadas de lado por Eisenstein, desde aquilo que ele chama de conflitos "gráficos" até os conflitos "de planos", desde os conflitos "de volumes" ou "espaciais" até os conflitos de "iluminação" ou "de tempo"...[187] A imagem explode para se formar, *ela se forma para sair de si*, se extasiar e nos extasiar ao mesmo tempo. Por isso Eisenstein pôde recorrer a uma comparação que, convenhamos, não é lá muito conveniente para toda ideia de síntese. É a ideia do *ziguezague* (*fig.* 51):

> Projeção do conflito no espacial. Com a intensidade crescente dos temas, o ziguezague da expressão mímica é propulsado no espaço ao redor, segundo

184. Ibid., p. 64-65.
185. Eisenstein se refere ao poema "Fusées" (Foguetes), de Charles Baudelaire, 1867. [N.T.]
186. Ibid., p. 61.
187. Ibid., p. 73.

a mesma fórmula de distorção. Ziguezague da expressão que nasce da estruturação do espaço pelo homem que se move no espaço.[188]

Produzir a imagem de um gesto no cinema (por exemplo, uma mulher que chora diante de um morto) não será, portanto, nessa óptica, nem simplesmente representá-lo, nem mesmo sintetizá-lo a partir de duas moções contraditórias que seriam sua "tese" e sua "antítese". Mostrar um gesto no cinema é *mostrá-lo para colocá-lo em êxtase*, para além da operação — no entanto crucial — da *otkaz* ou contradição do sentido que esse gesto deve ter em algum momento do seu processo. Eisenstein, como ocorre frequentemente, quis pegar em "Dramaturgia da forma fílmica" o exemplo de uma cena de assassinato (*fig. 47*) para refazer a montagem não cronológica em "fragmentos" destinados a dinamizar — ou mesmo dinamitar — aquilo que ele chama magnificamente de "acumulação livre de matéria associativa" (*in freiem Anhäufen von Assoziationsstoff materialisiert*).[189] Por isso, não ficamos surpresos de encontrar nos papéis do cineasta relativos a essa conferência alemã de 1929 um texto vibrante sobre Valeska Gert, a dançarina menos "sintética" que conheceram as vanguardas artísticas europeias daqueles anos.[190]

Seria preciso então ver o *Potemkin* de forma diferente? Não mais na única perspectiva de uma dialética compreendida como desenvolvimento sintético da história — segundo uma visão marxista que continua sendo, certamente, o "sentido óbvio" e perfeitamente legítimo da sua narrativa —, mas também como um processo de *ekstaz* do devir, estabelecendo uma outra relação bem diferente com a temporalidade? Como pode então o *volteio* de um gesto tão imemorial quanto a lamentação chegar ao "êxtase" nos gestos súbitos da *revolta* e do desejo de libertação política?

188. Ibid., p. 73.
189. Ibid., p. 87.
190. Ibid., p. 108–109.

POLÍTICAS DA SOBREVIVÊNCIA

Êxtases do sujeito emotivo: a montagem como psicotécnica

Um homem morreu e várias mulheres choravam por ele. Como terão feito essas pobres, essas "lastimosas" carpideiras, para mover o mundo apesar de tudo, apesar da prostração pessoal do luto e da estereotipia dos gestos vindos de crenças ancestrais? Como terão feito para colocar essa morte em *êxtase*, deslocá-la, metamorfoseá-la numa dinâmica do *pathos* tornado *práxis*, ou da emoção se tornando — no caso de *O encouraçado Potemkin* — revolta? No mesmo momento em que o filme de Eisenstein aparecia nas telas europeias, Pierre Janet publicava em Paris dois robustos volumes intitulados *Da angústia ao êxtase*, obra-prima na qual, a partir de observações psicopatológicas, ele se questionava sobre o êxtase como caso limite para uma teoria das emoções, compreendida em relação àquilo que ele chamava de "regulações da ação".[1]

A palavra *êxtase*, em Eisenstein, se refere a um processo de deslocamento brutal — até mesmo explosivo — entre regiões físicas ou psíquicas, espaciais ou temporais, normais ou fora das normas, supostamente fechadas umas às outras. O êxtase é, primeiramente, a maneira como um *pathos* pode adquirir, de repente, força de pensamento e depois de ação. Pode ser, reciprocamente,

1. P. Janet, *De l'angoisse à l'extase: études sur les croyances et les sentiments*. Paris: Félix Alcan, 1926 (reed. Paris: Société Pierre Janet-Laboratoire de Psychologie pathologique de la Sorbonne-CNRS, 1975), II, p. 91–354.

a maneira como um *logos* aparece como fora de si mesmo com uma tremenda força emotiva. Em Eisenstein, há uma certeza antropológica inabalável — o que pode ser facilmente compreendido, vindo de um praticante das imagens —, talvez neoaristotélica e antiplatônica em seu fundo, segundo a qual o sensível e o inteligível podem "pular" de um para o outro, ou até mesmo um no outro, através desse movimento que ele quis justamente chamar de "êxtase". As emoções não são para Eisenstein "pensamentos menores": ele quer mostrar, pelo contrário, que o próprio pensamento é "emocional" no seu fundo, o que tem também como consequência um reconhecimento inteiro dos "fundamentos emocionais da forma" em geral.[2] E a imagem, a *obraz*, seria precisamente o veículo privilegiado — que, entretanto, não é "comparável" ou de "pura síntese" — para esse tipo de relação antropológica entre sensível e inteligível, ou entre emoções e noções do pensamento. Até mesmo entre tudo isso e a ação, isto é, a história e a política.

Quanto à *montagem*, ela daria nome à dimensão operatória de todas essas transposições de fronteiras: é o que faz, por exemplo, que numa obra de arte, "do ponto de vista emocional, os conceitos [possam], no entanto, surgir".[3] Assim como um filme é ao mesmo tempo *construção e movimento*, diremos com Eisenstein que uma imagem é sempre *emoção e estrutura* ao mesmo tempo: estruturação da emoção ou patetização da estrutura.

Esse é o segredo do ascendente autenticamente emocional de uma verdadeira composição. Tomando como fonte a *estrutura da emoção humana*, ela apela infalivelmente para a emoção, suscita infalivelmente todo o complexo dos sentimentos de onde ela saiu.[4]

Um filme como O *encouraçado Potemkin* , no espírito de seu realizador, estava bem longe de se limitar a "representar as emoções"

2. S. M. Eisenstein, *Mémoires*, op. cit., p. 625.
3. Id., "Hors-cadre: le principe du cinéma et la culture japonaise (avec une digression sur le montage et le plan)" (1929), *Le Film: sa forme, son sens*, op. cit., p. 36.
4. Id., *La Non-indifférente Nature, I*, op. cit., p. 35.

concomitantes, no corpo dos atores que as interpretam, do drama histórico que se desenrola. Ele queria esgotar a "própria estrutura da emoção humana" para se tornar ele mesmo um vetor "extático" dela. As imagens do *pathos*, num filme como esse, só valem para a operação pela qual o *pathos* das imagens — ou seja, seu próprio ritmo reinventado a cada instante, explodindo na montagem — será capaz de suscitar em cada espectador a experiência e o pensamento conjuntos de uma estrutura antropológica como essa.[5]

O fato de Eisenstein ter pensado a montagem — essa técnica de composição — em termos de *êxtase*, e o êxtase — esse estado psíquico de "saída de si" — em termos de *montagem* nos indica algo fundamental: ou seja, que os dois se encontram no terreno daquilo que devemos chamar de uma *psicotécnica*. Isso quer dizer que a montagem não é um simples "procedimento técnico", assim como o êxtase não seria um simples "estado psíquico". Toda técnica modifica a *psique*, todo estado psíquico pede uma arte ou uma *techne* para desenvolver plenamente sua potência. Conhecemos a inextinguível paixão de Eisenstein por esse tipo de questão: ela teria levado Marie Seton a um entendimento errôneo a respeito de uma tendência "mística" ou "religiosa" no cineasta.[6] O próprio tipo de curiosidade ou de erudição — sejam elas tão dispersas, autodidatas, quanto gigantescas — que Eisenstein demonstra nos seus escritos nos mostra até que ponto ele queria ser um *antropólogo das imagens*, e isso num plano ao mesmo tempo teórico e prático, nunca deixando de estabelecer relações ou criar montagens entre domínios ou épocas completamente diferentes.

5. Cf. E. Morin, *Le Cinéma ou l'homme imaginaire*. Paris: Minuit, 1956, p. 187–188. P. Montani, "'Pathos': l'estetica dell'ultimo Ejzenš- tejn" (1993), *Fuori campo: studi sul cinema e l'estetica*, op. cit., p. 9–44. R. Kloepfer, "La puissance des prémisses anthropologiques dans la théorie du film de Sergueï M. Eisenstein", in *Eisenstein: l'ancien et le nouveau*, op. cit., p. 185–212. V. Sánchez-Biosca, "Eisenstein: une figuration des corps pour le pathétique ?", in *Eisenstein: l'ancien et le nouveau*, op. cit., p. 131–145.

6. M. Seton, *Eisenstein* (1952), trad. L. Lanoix; J. Queval. Paris: Seuil, 1957, p. 163–164, 171, 204–219, etc.

O êxtase? Vamos observá-lo nas estampas japonesas, nas composições picturais de El Greco ou na objetiva de 28 milímetros usada pelo genial operador Édouard Tissé. A montagem? Vejam como ela subentende as experiências místicas de Santo Inácio de Loyola, cujos *Exercícios espirituais* Eisenstein comentará precisamente em termos de "métodos psicotécnicos":[7]

> Inácio de Loyola, que mais tarde seria canonizado "santo", devia ter um método infalível para levar seus adeptos e discípulos a um estado de exaltação suscetível de se tornar, depois, êxtase religioso.
>
> Psicólogo delicado e sutil, ele logo percebeu que esses estados naturais sob o efeito de choques emotivos poderosos requeriam sobretudo um acúmulo de choques semelhantes vividos no real para serem artificial e deliberadamente criados.
>
> O material fornecedor de emoções tão poderosas e vivas impunha-se por si mesmo: tratava-se da "compaixão", no sentido próprio — compaixão pelos "sofrimentos divinos", acrescentando um elemento dramático agudo a uma exaltação religiosa própria da natureza dos "sujeitos".
>
> O processo que levava ao estado de êxtase se decompunha assim em duas fases.
>
> Primeiramente, era preciso constituir uma cadeia de estados concretos e intensamente vividos sobre temas tirados das Sagradas Escrituras.
>
> Em segundo lugar, alcançar, na base do acúmulo e da justaposição desses estados agudos, o indispensável estado de exaltação, já ultrapassando o sujeito e projetando-o naquilo que conhecemos pelo nome de êxtase (*ex-stasis*, "saída de si"). [...]
>
> O mais difícil era conseguir, *por meios artificiais*, viver emoções *naturais*, fortes e sinceras, "sobre um tema imposto".[8]

Nessas linhas, Eisenstein descreve, ao mesmo tempo, um processo de êxtase e uma técnica de montagem. Aquilo que ele chama de "meios artificiais" destinados a servir de veículo às "emoções naturais" nada mais é do que o lugar das próprias imagens, cujo valor operatório fundamental os especialistas de Inácio de Loyola

7. S. M. Eisenstein, "Rodin et Rilke" (1945), trad. M. Zouboff, in *Cinématisme*, op. cit., p. 241.
8. Ibid., p. 241–242.

puderam justamente reconhecer.[9] E se Eisenstein prolonga seu raciocínio — sua reflexão "psicotécnica" — evocando nas mesmas linhas seu contemporâneo, o dramaturgo Stanislavski, é também para nos fazer compreender que esses problemas, mesmo não sendo antigos, não deixam de formar o centro das questões artísticas mais atuais.[10] Sabemos, por outro lado, o quando a pedagogia barroca do visível pôde interessar os modernos pensadores da montagem, como Walter Benjamin e Bertold Brecht.[11] Uma das grandes lições que podemos tirar dessas reflexões é que o cinema — como as artes visuais em geral — também vem de uma psicotécnica. Num texto de janeiro de 1948 intitulado "O lugar do cinema no sistema geral da história da arte", Eisenstein praticamente começa por essas afirmações lapidares:

> O cinema como cópia do aparelho psicológico humano. [...] O cinema como o cinetoscópio técnico mais completo do fenômeno de reflexão da realidade que está na base da formação e da constituição da consciência humana.[12]

Para Eisenstein, o cinema não se contenta em "ver a realidade" na sua natureza técnica de "cinetoscópio" (nome dado ao aparelho de projeção interna de filmes, inventado por Thomas Edison). Ele também vê a *reflexão* da realidade, palavra a ser entendida tanto no seu sentido psíquico quanto no seu sentido óptico. Isso explica por que, por exemplo, as paisagens filmadas do "lamento das brumas" em *O encouraçado Potemkin* (*fig.* 41–42) parecem

9. Cf. P.-A. Fabre, *Ignace de Loyola: le lieu de l'image. Le problème de la composition de lieu dans les pratiques spirituelles et artistiques jésuites de la seconde moitié du XVIe siècle*. Paris: Vrin/Éditions de l'École des Hautes Études en Sciences Sociales, 1992. R. Dekoninck, *Ad Imaginem. Statuts, fonctions et usages de l'image dans la littérature spirituelle jésuite du XVIIe siècle*. Genebra: Droz, 2005. M. Lefebvre, "Rhétorique et imagicité chez Eisenstein: vers une *memoria révolutionnaire*", in *Eisenstein: l'ancien et le nouveau*, op. cit., p. 147–170.

10. S. M. Eisenstein, "Rodin et Rilke", art. cit., p. 244–245.

11. Cf. G. Didi-Huberman, *Quand les images prennent position: l'oeil de l'histoire*, 1. Paris: Minuit, 2009, p. 159–179 e 198–212.

12. S. M. Eisenstein, *Notes pour une histoire générale du cinéma*, op. cit., p. 179–180.

tanto com um *apanhado da situação psíquica* na qual coincidem o espaço exterior da bruma e o sentimento interiormente "refletido" de uma tristeza, "suspensa no ar", como disse e redisse Eisenstein, principalmente em *A natureza não indiferente*.[13] É provável que, por outro lado, o cineasta tenha tido conhecimento do trabalho feito por Hugo Münsterberg, um psicólogo empirista germano-americano próximo de William James e cujo livro *The Photo-Play: A Psychological Study*, publicado em 1916, tratava justamente dos aspectos "psíquicos" da técnica cinematográfica.[14] Não por acaso, a questão da emoção era tão central nesse livro quanto aquela, técnica, do plano fechado, por exemplo: "a representação em imagens das emoções é, necessariamente, o objetivo central do cinematógrafo", afirmava Münsterberg.[15]

O interesse de Eisenstein pelas ciências psicológicas não é lenda. Sua cultura no assunto era imensa. Ele leu Charles Darwin e Charcot, Duchenne de Boulogne e Ludwig Klages; cita frequentemente Wilhelm Wundt, William James ou Heinz Werner; e também acompanhou de perto os trabalhos dos "psicólogos da forma" alemães, Wolfgang Köhler, Kurt Koffka e Max Werheimer; ele se apaixonou por Sigmund Freud (tentou até mesmo encontrá-lo) e pela psicanálise (chegando a praticá-la como analisando); discutiu longamente sobre o gesto expressivo com Kurt Lewin, em Berlim; seguiu de perto e por muitos anos os grandes psicólogos russos Ivan Pavlov e, principalmente, Alexandre Luria e Lev Vygostki. Do ponto de vista das doutrinas em jogo, essa pode parecer "uma combinação extremamente estranha e eclética", como observou Mikhaïl Iampolski.[16] Mas, justamente, não era

13. Id., *La Non-indifférente Nature, I*, op. cit., p. 32–33.
14. H. Münsterberg, *Psychologie du cinématographe* (1916), trad. B. Genton. Saint-Vincent de Mercuze: De l'Incidence, 2010.
15. Ibid., p. 92–103.
16. M. Iampolski, "Theory as Quotation", art. cit., p. 52.

o aspecto doutrinal que interessava a Eisenstein: tudo isso parecerá menos "estranho e eclético" se nos perguntarmos *o que procurava* o cineasta nesse material psicológico.

Para descobrir, deveríamos, se possível, proceder de maneira centrífuga, começando pelos russos que cercavam o cineasta. Primeiro, há o celebérrimo Alexandre Luria: Eisenstein o conheceu em 1928, colaborou com ele, quando este abriu um laboratório de psicologia no interior do próprio VGIK (o Instituto Nacional de Cinematografia de Moscou), e esteve com ele mais assiduamente ainda de 1940 a 1947.[17] Em 1931, o cineasta foi convidado por Luria a ir ao Uzbequistão discutir questões de "pensamento pré-lógico" com Wolfgang Köhler, Jean Piaget e Kurt Lewin.[18] Mas se Luria fascinava o cineasta com o "mundo estilhaçado" das doenças da memória e sua noção concomitante do espírito humano,[19] é sobretudo à obra de Lev Vygotski que devemos dirigir mais precisamente nossas questões de *pathos* e de *práxis*, de emoções e de gestos sociais. Lembremos, antes de tudo, que os anos 1920 foram marcados na Rússia — num meio de psicólogos ligados tanto à fenomenologia e à psicanálise quanto à psicologia experimental — por um interesse apaixonado, geral, pelos problemas conjugados de teoria

17. F. Albera, "'Quel héritage renions-nous ?' Eisenstein dans l'historiographie du cinéma", in S. M. Eisenstein, *Notes pour une histoire générale du cinéma*, op. cit., p. 232.

18. A. Somaini, *Ejzenštejn*, op. cit., p. 213. Cf. A. R. Luria; M. Cole; K. Levitin, *The Autobiography of Alexander Luria: A Dialogue with the Making of Mind.* Mahwah (NJ)/Londres: Lawrence Erlbaum Associates, 1979 (ed. 2006), p. 207. E. D. Homskaya, *Alexander Romanovich Luria: A Scientific Biography*, trad. D. Krotova. Nova York: Kluwer Academic-Plenum Publishers, 2001, p. 15-24. L. Mecacci, "Ejzenštejn e Lurija", *Bianco e nero*, LXXII, 2011, p. 101-105.

19. A. R. Luria, *L'Homme dont le monde volait en éclats* (1965-1972), trad. F. Mariengof; N. Rausch de Traubenberg. Paris: Seuil, 1995.

estética e de teoria das emoções.[20] Ora, nessa configuração epistemológica, Lev Vygotski ocupa o posto de personalidade central.

Pouco antes da Revolução de 1917, Vygotski tinha estudado filosofia, história e direito em Moscou, apesar do *numerus clausus* imposto então aos jovens judeus. Já em 1915 — ou seja, aos dezenove anos — ele se apaixonara também pelo teatro e escreveu um ensaio sobre o *Hamlet* de Shakespeare. Lançou-se com entusiasmo na atividade revolucionária, tornou-se membro do Exército Vermelho, ensinou literatura nas fábricas, história da arte no Conservatório, lógica e psicologia no Instituto Pedagógico e continuou escrevendo sobre arte e teatro. Também era próximo dos poetas "acmeistas"[21] Mandelstam ou Akhmatova, tanto quanto de Maiakovski ou Khlebnikov. Dialogava com pesquisadores como Mikhail Bakhtin ou o linguista Alexandre Potebnia e, certamente, com seus colegas Luria e Pavlov. Lia Hegel, Espinosa, Freud e Piaget. Nada do que foi publicado em todas as línguas no domínio da psicologia parece ter-lhe escapado. Apesar da tuberculose contraída em 1919, teve intensa atividade nos âmbitos da filosofia, psicologia e pedagogia. Quando morreu, em 1934, deixou uma obra considerável de cerca de cento e oitenta livros e artigos, muitos dos quais inéditos. Depois de sua morte, seu pensamento foi considerado "antiproletário" e "antimarxista" pelo poder stalinista.[22]

Numa vasta "pesquisa metodológica" publicada em 1927 sob o título *A significação histórica da crise em psicologia*, Vygotski tentou primeiramente empreender em seu domínio de estudo aquilo que Edmund Husserl iria desenvolver nove anos depois sob o tí-

20. G. Witte, "Die Emotionen der Kunst. Zur psychologischen Ästhetik in der frühen Sowjetunion", in A. A. Hansen-Löve; B. Obermayr; G. Witte (orgs.), *Form und Wirkung. Phänomenologische und empirische Kunstwissenschaft in der Sowjetunion der 1920er Jahre*. Munique: Wilhelm Fink Verlag, 2013, p. 343–384.

21. Movimento literário modernista russo. Do grego *akme*, que significa auge, clímax. [N.T.]

22. Cf. J.-P. Bronckart (dir.), *Vygotski aujourd'hui*. Neuchâtel/Paris: Delachaux & Niestlé, 1985. A. Rivière, *La Psychologie de Vygotski*, trad. C. Moro; C. Rodríguez. Liège: Mardaga, 1990.

tulo (agora famoso) de *A crise das ciências europeias*.[23] Tratava-se de tomar conhecimento oficialmente de uma reviravolta maior nas relações entre sujeito e objeto, ou seja, nas próprias condições em que poderia ser refundado um conhecimento do homem. Passando em revista as teorias do psiquismo, Vygotski conclamava uma abordagem renovada da consciência: ela não é um "Estado no Estado" assim como também não se dissolveria no conceito ou no signo; ela é profundamente desconhecida dos próprios psicólogos, tanto pelas doutrinas puramente "idealistas" quanto pelo empirismo "materialista" clássico. Resumindo, ela não se reduz nem a uma espiritualidade por demais obscura, nem à excessiva materialidade redutora de um mecanismo neurofisológico do tipo reflexo.[24] Seria preciso, portanto, segundo Vygotski, redefinir inteiramente as "tarefas de uma psicologia materialista" — levando em conta principalmente os resultados da fenomenologia husserliana e da psicanálise freudiana, que ele levava a sério.[25]

O que faltava à psicologia existente, segundo Vygotski, era uma teoria do sujeito que fosse ao mesmo tempo *dialética, técnica e estética* (para não dizer *extática*). Ora, a junção fundamental de todas essas dimensões não era outra coisa, aos olhos dele — assim como aos de Eisenstein — senão o *pathos* ou a emoção. Vygotski escreveu entre 1931 e 1934 uma magistral *Teoria das emoções* que concorda em muitos pontos com tudo aquilo que Eisenstein buscava na sua própria prática do *pathos* cinematográfico. Essa teoria é *dialética*, primeiramente, porque ela só coloca a questão das

23. L. S. Vygotski, *La Signification historique de la crise en psychologie: recherche méthodologique* (1927), trad. C. Barras; J. Barberis. Paris: La Dispute, 2010. Cf. E. Husserl, *La Crise des sciences européennes et la phénoménologie transcendantale* (1936), trad. G. Granel. Paris: Gallimard, 1976.

24. L. S. Vygotski, "La conscience comme problème de la psychologie du comportement" (1925), trad. F. Sève, in *Conscience, inconscient, émotions*. Paris: La Dispute, 2003, p. 61–94. Cf. Y. Clot, "Vygotski, la conscience comme liaison", in *Conscience, inconscient, émotions*, op. cit., p. 7–59.

25. L. S. Vygotski, *La Signification historique de la crise en psychologie*, op. cit., p. 235–277.

emoções para deslocar melhor a centralidade do "eu" consciente: para Vygotski, portanto, as emoções não dizem *eu*. Ele já havia citado com prazer o célebre aforismo de Lichtenberg: "Deveríamos dizer 'ele pensa' [ou 'isso pensa'] como dizemos 'chove'."[26, 27] Se, como acredita Vygotski, a emoção constitui um "fenômeno fundamental da natureza humana", então parece perfeitamente abusivo colocar esse fenômeno sob a autoridade de um único *eu*. Dialetizar as emoções, para começar, será enviá-las a seu meio de aparição *histórico e social*[28] (ou ainda *cultural*, como dirá, na mesma época, Aby Warburg sobre as "fórmulas patéticas"). O que não quer dizer reduzi-las a uma esfera de controle social — como Stalin logo vai querer.[29]

Um saber dialético das emoções? Será também um saber que buscaria menos definir teoricamente o que *é* uma emoção do que descrever concretamente, historicamente — até mesmo politicamente — como ela *se torna*. A emoção não é, ela se torna: essa é sua natureza dialética. Uma pura investigação sobre as relações entre o corpo e o espírito nunca será o bastante para pensar o fenômeno das emoções humanas: é preciso, além disso, um ponto de vista sobre a história delas. Ou seja, sobre seu desenvolvimento dialético, na medida em que ele coloca em conflitos, em tensões, e mesmo em explosões, os múltiplos fatores que se interpenetram nas emoções. Vygotski não se satisfez com uma doutrina do psiquismo reduzido à mente, nem com nenhuma outra que o reduzisse ao corpo: aliás, é por isso que o inconsciente freudiano, que lhe teria

26. Ibid., p. 186.
27. Em português, o verbo *chover* dispensa o sujeito. Em francês o sujeito *il* (il pleut) é obrigatório. [N.T.]
28. Cf. A. Rivière, *La Psychologie de Vygotski*, op. cit., p. 49-56. J.-Y. Rochex, "L'oeuvre de Vygotski: fondements pour une psychologie historico-culturelle", *Revue française de pédagogie*, n. 120, 1997, p. 105-147. C. Kölb, *Die Psychologie der kulturhistorischen Schule: Vygotskij, Lurija, Leont'ev*. Göttingen: Vandenhoeck & Ruprecht, 2006, p. 25-65.
29. Cf. A. Massucco Costa, *La Psychologie soviétique* (1977), trad. G. Crescenzi. Paris: Payot, 1977, p. 7-17.

servido de junção teórica fundamental, foi criticado, por sua vez.[30] Ao longo das quatrocentas páginas da sua *Teoria das emoções*, assim como de seu artigo sintético sobre "As emoções e seu desenvolvimento na criança", ele tomará posição ao lado de Espinosa contra Descartes, e ao lado de Freud contra Pavlov. Ele rejeitará sucessivamente o "naturalismo" de William James e a "metafísica" de Henri Bergson, o "experimentalismo" de Walter Cannon e a teoria "simpática" de Max Scheler.[31] Ele rejeitará firmemente a alternativa do mecanismo e do espiritualismo, procurando repensar a própria noção de conflito ou de contradição dialética.[32]

Assim, *a emoção se torna*. O fato de seu devir ser "dialético" significa que tanto nela quanto nele existem movimentos que se enfrentam. Não é por acaso que Vygotski presta homenagem a Freud por "ter mostrado a extraordinária dinâmica da vida psíquica".[33] Na sua época, ele havia prefaciado com Alexandre Luria a tradução russa desse texto freudiano fundamental que é *Além do princípio do prazer*, no qual, como sabemos, afirma-se a hipótese de movimentos contrários entre pulsão de vida e pulsão de morte.[34] Um reflexo não se torna, ele não se desenvolve: Pavlov e James estão portanto errados, com sua mecanística eles levam, mesmo

30. L. S. Vygotski, "Psychisme, conscience, inconscient" (1930), trad. F. Sève, in *Conscience, inconscient, émotions*, op. cit., p. 95–121.

31. Id., *Théorie des émotions: étude historico-psychologique* (1931–1934), trad. N. Zavialoff; C. Saunier. Paris: L'Harmattan, 1998. Id., "Les émotions et leur développement chez l'enfant" (1932), trad. G. Fernandez, in *Théorie des émotions*, op. cit., p. 123–153.

32. Id., *Théorie des émotions*, op. cit., p. 371. Cf. L. Sève, "Quelles contradictions ? À propos de Piaget, Vygotski et Marx", in Y. Clot (org.), *Avec Vygotski*. Paris: La Dispute, 1999 (ed. 2002), p. 245–264.

33. L. S. Vygotski, *Théorie des émotions*, op. cit., p. 351–352. Id., "Les émotions et leur développement chez l'enfant", art. cit., p. 141.

34. Id.; A. Luria, "Introduction to the Russian Translation of Freud's *Beyond the Pleasure Principle*" (1925), trad. T. Prout; R. van der Veer, in R. van der Veer; J. Valsiner (orgs.), *The Vygotsky Reader*. Oxford: Basil Blackwell, 1994, p. 10–18. Cf. B. Doray, "Vygotski avec Freud: l'espace d'un dialogue ?", in *Avec Vygotski*, op. cit., p. 73–75.

que eticamente, a uma "concepção fatalista das emoções".[35] Ora, *a emoção se desenvolve*, e é surpreendente — ou então, completamente lógico — ver Vygotski dar como exemplo "a mãe que chora pelo filho morto": de acordo com uma teoria do reflexo emocional, ela deveria automaticamente submergir na prostração, isto é, "uma fadiga e uma atonia dos músculos", mas ela pode muito bem — acontece com frequência — manifestar, ao mesmo tempo, uma autêntica emoção "de revolta e indignação".[36]

A emoção é, portanto, "pática" — como diz, por exemplo, Ludwig Binswanger, que cita algumas vezes Vygotski —, mas não é "passiva": *a emoção faz alguma coisa*, e é nisso que também é preciso compreendê-la no plano da *práxis*, e até mesmo da *techne*: "A emoção não pode representar o papel passivo de epifenômeno. Ela tem que fazer alguma coisa."[37] O que ela faz, então? Primeiro, ela *se move*: "Os processos emocionais não são sedentários na nossa vida, mas sim nômades; eles não têm lugar fixo para sempre."[38] Em seguida, seu nomadismo essencial — que evocará de forma poderosa, para o historiador da arte, as "migrações" (*Wanderungen*) de imagens e de "fórmulas patéticas" estudadas na mesma época por Aby Warburg — torna-a suscetível de combinações, de associações, de montagens. Portanto, *a emoção é montada* com outras emoções, o que Vygotski irá desenvolver apoiando-se principalmente nos trabalhos de Kurt Lewin:

> Lewin mostrou como um estado emocional se transforma em outro, como as vivências emocionais se substituem umas às outras, como uma emoção não resolvida, que não foi levada a termo, continua existindo, quase sempre em estado latente. Ele mostrou como o afeto se insere em qualquer estrutura à qual ele esteja ligado. A ideia essencial de Lewin é que podemos encontrar reações emocionais, afetivas, de forma

35. L. S. Vygotski, *Théorie des émotions*, op. cit., p. 345 e 349.
36. Ibid., p. 359-360.
37. Ibid., p. 259.
38. Id., "Les émotions et leur développement chez l'enfant", art. cit., p. 145.

isolada, como elementos da vida psíquica à parte, que só mais tarde se combinam aos outros elementos.[39]

Não existe, portanto, emoção "pura" na sua essência ou na sua temporalidade: uma emoção está sempre associada a alguma outra coisa, e é isso que explica sua fundamental vocação para a montagem — e não é isso exatamente o que dizia Eisenstein, por sua vez, das imagens em geral? Ao famoso *dictum* de Freud: "A psique é extensão, nada sabe a respeito", seria preciso acrescentar que essa extensão é desenvolvimento, caminho, migração, processo nômade...[40] Em todo caso, compreenderemos que, se a emoção vem de alguma coisa como uma *techne*, é também porque a obra de arte, aos olhos de Vygotski, era o melhor destino psíquico nesse nomadismo das emoções: quando a emoção produz alguma coisa, e não "apenas uma coisa qualquer". Por isso, era tão importante que Vygotski tivesse escrito — em 1925, ele tinha então vinte e nove anos e nessa época estava sendo filmado *O encouraçado Potemkin* — essa monumental *Psicologia da arte*, cujo manuscrito Eisenstein pôde obter graças a Alexandre Luria e do qual anotou diversas passagens.[41] Logo, não temos dúvidas de que, ao ler a obra de Vygotski, Eisenstein encontrou um grande número de preocupações e hipóteses que poderiam ser suas.

Assim como Eisenstein, Vygotski começa recusando a alternativa estúpida — mas profundamente ancorada nos espíritos, ainda hoje — de uma arte completamente "pura", ou completamente "determinada". Não há lugar para idealizar uma arte sonhada como redenção de toda realidade, nem para diminui-la,

39. Ibid., p.148-149.

40. S. Freud, "Résultats, idées, problèmes" (1938), trad. J. Altounian; A. Bourguignon; P. Cotet; A. Rauzy, *Résultats, idées, problèmes, II. 1921-1938*. Paris: PUF, 1985, p. 288. Cf. A. Schneuwly, "Le développement du concept de développement chez Vygotski", in *Avec Vygotski*, op. cit., p. 291-304.

41. L. S. Vygotski, *Psychologie de l'art* (1925), trad. F. Sève. Paris: La Dispute, 2005 (as anotações de Eisenstein aparecem, nessa edição, nas páginas 149- 150, 156, 172, 203 e 327).

vendo nela apenas um reflexo mecânico dessa mesma realidade (social ou econômica, por exemplo). Nem o idealismo obscuro, portanto, nem o materialismo brutal.[42] Por outro lado, as obras não têm uma simples relação de representação com as emoções: a emoção age porque ela mesma já é trabalho de montagem, porque ela sabe nos *cortar* em pedaços, nos "quebrar" e nos fazer *dançar* ao mesmo tempo. Sua migração é psíquica e cultural ao mesmo tempo, de modo que o ponto de vista de Vygotski nos permite, à sua maneira, juntar as lições de Freud e Warburg. A arte, diz Vygotski, é uma "técnica social dos sentimentos" na qual o *pathos* é visto como *práxis* em si — e não como simples meio, mais ou menos adaptado à práxis, em geral —, e até mesmo como um *ethos* social de igual valor:

> Freud faz a observação muito espirituosa de que um homem apavorado diante do perigo tem medo e foge. Mas o que é útil, diz ele, é que ele foge, e não que ele tenha medo. Na arte, é justamente o contrário: o que é útil é o medo em si, é a descarga em si do indivíduo que cria a possibilidade de uma fuga ou de um ataque apropriados. [...] É por isso que, quando a arte realiza uma catarse e arrasta nesse fogo purificador as reviravoltas mais íntimas e mais vitais da alma individual, sua ação é uma ação social. As coisas não se passam como diz a teoria do contágio [em Tolstói]: o sentimento que nasce em um único indivíduo atinge todos os outros, torna-se social; é exatamente o inverso que é verdadeiro. A recriação dos sentimentos fora de nós efetua-se graças ao sentimento social que é objetivado, projetado fora de nós, materializado e fixado nos objetos exteriores da arte, que se tornaram as ferramentas da sociedade.[43]

O fato de a arte ser *techne*, "técnica social dos sentimentos", quer dizer que ela também é *trabalho*, tanto no sentido psíquico (freudiano, antes de tudo), quanto no sentido material (marxista, antes de tudo). Entre os dois, escreve Vygostski, temos que compreender que

42. Ibid., p. 23-45.
43. Ibid., p. 345 e 347.

a arte é dupla, e como devemos fazer para perceber isso e considerar, ao mesmo tempo, o verdadeiro estado das coisas e o intervalo existente em relação a ela. O que mostra que a arte é o centro de todos os processos biológicos e sociais do indivíduo na sociedade, que ela é um meio de colocar o homem em equilíbrio com o mundo, nos instantes mais críticos e mais graves da vida.[44]

Na obra de arte, *a emoção trabalha*, portanto: ela trabalha *para tomar uma forma*, que Vygotski vai procurar compreender num sentido radicalmente antropológico, para além dos únicos "procedimentos" introduzidos por Viktor Chklovski e a escola formalista.[45] Mas esse trabalho — como dizemos de uma mulher no parto — também é sofrimento, luta, debate íntimo ou óbvio: trata-se de *dar nascimento a um ritmo no próprio cerne dos conflitos agitados*. Trata-se de fazer dançar os conflitos: Dionísio mais uma vez. Ou então, a dialética compreendida, mas de maneira tão heterodoxa quanto em Eisenstein:

> [As emoções na arte são sempre] orientadas em sentido contrário, e da fábula à tragédia a lei da reação estética é a mesma: *ela comporta um afeto que se desenvolve em duas direções opostas e que, no seu ponto culminante, é reduzido a nada, numa espécie de curto-circuito.* [...] A contradição [é, portanto,] a propriedade mais fundamental da forma artística e do material, e nós descobrimos, esse é o resultado do nosso estudo, que a parte mais central e determinante da reação estética é a predominância da contradição afetiva [...]. [Isso coloca em jogo] o ritmo como fato artístico complexo, que concorda inteiramente com a contradição que apresentamos como sendo a base da reação artística.[46]

É assim que *a emoção faz sentido* até na maneira de se comportar nas contradições da língua — mas também das imagens, dos sons ou das situações teatrais, cinematográficas etc. — para extrair daí algo como um ritmo. A língua russa, por exemplo, possui duas

44. Ibid., p. 360-361.
45. Ibid., p. 60-61 e 79-102.
46. Ibid., p. 297 e 301-302 (e em geral p. 273-332).

palavras diferentes para a lua: "A palavra *luna* designa algo de volúvel, inconstante, temperamental (alusão às fases da lua), enquanto a palavra *mesjac* significa algo que serve para medir (alusão à medida do tempo segundo as fases)."[47] Pois bem, a diferença entre essas duas palavras é "puramente psicológica", diz Vygotski: a escolha de uma *forma* arrastará no seu rastro o desenvolvimento de um *pathos* particular, ele mesmo suscetível de se desenvolver, de se dividir, de entrar em conflito com um outro. É o que vai aparecer constantemente no último grande livro de Vygotski, *Pensamento e linguagem*, no qual o papel das *imagens* nunca será ignorado pela noção de "significação" pensada pelo psicólogo, ali ainda em termos de "contradições" e de "desenvolvimentos" dialéticos.[48] Segundo Vygotski, é uma imagem visual da "cabeça" (*caput*) que imediatamente aparece no uso da palavra russa *kapusta*, "o repolho".[49]

Isso também quer dizer que, para Vygotski, emoção e imaginação são inseparáveis uma da outra — "o sentimento e a imaginação não são dois processos separados, mas um único e mesmo processo, e temos o direito de considerar a imaginação como a expressão central da reação emocional" —,[50] e ambas são inseparáveis tanto da linguagem, quanto do pensamento. Resumindo, *a emoção pensa* com imagens, ou porque ela pensa com imagens. Vygotski coloca a atividade artística na categoria de um autêntico conhecimento do homem, apesar de recusar energicamente todo

47. Ibid., p, 51.

48. Id., *Pensée et langage* (1934), trad. F. Sève. Paris: La Dispute, 1997 (ed. revista, 2005), p. 415-500. Cf. Y. Clot, "De Vygotski à Léontiev *via* Bakhtine", in *Avec Vygotski*, op. cit., p. 191-211. F. François, "Mot et dialogue chez Vygotski et Bakhtine", in *Avec Vygotski*, op. cit., p. 213-230. L. Scheller, "Vygotski, Mandelstam et les mots de l'émotion", in Y. Clot (org.), *Vygotski maintenant*. Paris: La Dispute, 2012, p. 369- 383.

49. L. S. Vygotski, *Histoire du développement des fonctions psychiques supérieures* (1928-1931), trad. F. Sève. Paris: La Dispute, 2014, p. 322.

50. Id., *Psychologie de l'art*, op. cit., p. 290 (cf. aussi p. 55).

intelectualismo.[51] A arte é uma "emoção inteligente", diz ele: e é antes de tudo porque nela a imaginação é central.[52] Aliás, ele escreve em *Pensamento e linguagem*, "aquele que, desde o início, separou pensamento e afeto eliminou para sempre a possibilidade de explicar as causas do próprio pensamento".[53]

O isomorfismo que Eisenstein reivindicava entre a *obraz* cinematográfica e o "aparelho psicológico humano" pode a partir de agora ser compreendido sobre a base dessa configuração teórica. Quando o cineasta fala aqui de "dramaturgia do *pathos*" e ali de "montagem intelectual", não devemos, de forma alguma, reproduzir os velhos estereótipos filosóficos: não vamos acreditar que haveria entre as duas coisas uma diferença de natureza ou até mesmo de estatuto. Que uma se contentaria em "gritar", enquanto a outra conseguiria "pensar". Na obra de Vygotski sobre *As funções psíquicas superiores*, encontramos diversos desenvolvimentos de uma noção que Eisenstein usa algumas vezes, a de *imagens eidéticas* (ela também aparece em Luria). Compreendemos que, para Vygostski, não se trata nunca de conceber a atividade do pensamento como uma "ultrapassagem dialética" do afeto ou uma "síntese" coerente de imagens, desprovidas de sentido em si mesmas. Deve-se até mesmo dizer o contrário: nas imagens eidéticas, *o pensamento se desdobra em imagens*, atua por meio delas, e não apesar delas. Como isso é possível? A resposta de Vygotski cabe na descrição de dois processos que confirmam justamente aqueles que, aos olhos de Eisenstein, conferem a potência "psicotécnica" do cinema: o *movimento* e a *montagem* (portanto, nem síntese, nem adição).

> Partindo das observações sobre os eidéticos, tem-se que a mobilidade das imagens é extremamente grande. [...] Os conceitos não se formam,

51. Ibid., p. 49–78.

52. Ibid., p. 293.

53. Id., *Pensée et langage*, op. cit., p. 61. Cf. J.-Y. Rochex, "Vygotski et Wallon: pour une pensée dialectique des rapports entre pensée et affect", in *Avec Vygotski*, op. cit., p. 121–139.

portanto, de maneira simplesmente mecânica, nosso cérebro não tira uma foto coletiva [como Galton] na qual, por exemplo, a imagem de um cachorro se sobreporia a uma outra imagem de cachorro, de modo que obteríamos como resultado uma espécie de "cachorro coletivo". Na realidade, o conceito se forma por meio de uma reelaboração das imagens, [...] não por uma simples mistura, mas por uma modificação complexa daquilo que se passa fora da transformação de uma imagem em fator de movimento ou em fator de composição dotada de sentido.[54]

E é assim que a emoção se torna, se desenvolve, se move, se monta. É assim que ela trabalha e age, que ela imagina e pensa. Pensamento não de um *eu penso*, mas sim de um *isso pensa*, se for verdade que a emoção não diz *eu*. Pensamento que brota do corpo e do inconsciente: não por acaso, a epígrafe escolhida por Vygotski para sua *Psicologia da arte* foi tirada do grande texto de Espinosa sobre as emoções (*De affectibus*) no qual se perguntava "o que pode um corpo?", porque "ninguém o havia determinado até então".[55] Para responder a esse tipo de pergunta, será talvez necessária toda uma teoria do psíquico — mas também, da parte de Eisenstein, uma *psicotécnica* atenta às emoções e aos corpos através dos gestos humanos. Essa psicotécnica chamada cinema.

Êxtases do sujeito desejante: conflito e dominante (lilases, ventres, drapeados)

O cinema como psicotécnica? Tudo ali é psíquico, de fato, ao mesmo tempo em que tudo é metodicamente equipado. Os equipamentos — a câmera com suas regulagens de objetivas ou de enquadramentos, a mesa de montagem, o projetor etc. — parecem ser manipulados apenas para dar forma a uma potência das

54. L. S. Vygotski, *Histoire du développement des fonctions psychiques supérieures*, op. cit., p. 452 e 462.
55. Id., *Psychologie de l'art*, op. cit., p. 13. Cf. Spinoza, *Éthique* (1677), III, 2, scolie, trad. B. Pautrat. Paris: Seuil, 1988 (ed. 1999), p. 209.

imagens que solicita e envolve toda a nossa consciência e todo o nosso inconsciente, nem que seja apenas porque um elo misterioso se estabelece, tanto no espectador quanto no cineasta, *entre memória e desejo*. Pois essa é justamente a maneira como Eisenstein fala, com muita frequência, do seu próprio trabalho, da sua própria "técnica". Sua "História do plano fechado", escrita em 1946 e vertida nas suas *Memórias*, começa assim, com alguma coisa que evoca a famosa "lembrança de infância" de Leonardo da Vinci, cuja interpretação, feita por Freud, o havia literalmente perturbado na juventude:

> Um galho de lilases
> Brancos, flores dobradas,
> Na luxuriante verdura das folhas,
> Envolto em um fulgurante raio de sol
> Irrompe no meu quarto pela janela.
> Balança na beirada da janela.
> E entra no mundo das minhas impressões de infância:
> Primeira lembrança.
> Um plano fechado!
> O plano fechado dos lilases balançando acima do meu berço é minha primeira impressão da infância. [...]
> Minha primeira impressão consciente — um plano fechado.
> Assim despertava minha consciência sob um galho de lilases [...] onde um pequeno detalhe, no primeiro plano, é tomado em uma escala tal que domina toda a profundidade.[56]

Por um lado, portanto, essa lembrança visual de Eisenstein *já* nos fala de uma forma cinematográfica, o plano fechado, que encontrará seu modo de existência técnica na noção de enquadramento, mas também na de montagem: o que bem mostrado pelas reflexões do artigo "Fora de quadro", de 1929, combinações de esquemas extraordinários inspirados na arte do Extremo Oriente quando ele enquadra e reenquadra ramos de árvores japonesas

56. S. M. Eisenstein, *Mémoires*, op. cit., p. 531-532.

que talvez sejam lilases (*fig. 53*).[57] Por outro lado, a construção de um plano fechado de cinema nos fala *ainda* de uma forma psíquica elementar: o que fica claro quando o próprio Eisenstein liga o uso da objetiva "extática" — a famosa 28 milímetros — a esse modo como um galho de lilases "dominava toda a profundidade" da sua visão de infância.[58] Entre o *ainda* da memória e o *já* do desejo, o plano fechado cinematográfico adquire, aos olhos de Eisenstein, essa potência paradoxal de não ser "nem sonho, nem realidade", ou os dois ao mesmo tempo, talvez "na fronteira desses dois estados" — o psíquico e o realista — como se a *obraz* nomeasse justamente a possibilidade experimental desse estado intermediário (a fronteira entre o sonho e a realidade perpetuamente transgredida, atravessada de ziguezagues imaginativos).

Ainda em 1929 — desta vez em sua famosa conferência alemã sobre a "Dramaturgia da forma fílmica" —, Eisenstein dirá que "a *obraz*, ou a imagicidade, está em toda a parte e só nossa ignorância nos impede de reconhecê-la como tal".[59] A palavra *ignorância* vale aqui pela expressão *não-saber*, como logo dirá Georges Bataille, e mais ainda pela palavra *inconsciente*. Oksana Bulgakowa pôde restituir com precisão que, com a viagem de 1929 à Alemanha, toda a paixão de Eisenstein pela psicanálise freudiana tomaria um novo rumo. Temos aqui alguns elementos sobre a origem dessa paixão:

> Em 1918, quando era um jovem soldado do Exército Vermelho, ele vai passar umas férias curtas em casa e, no bonde, lê a pequena brochura *Leonardo da Vinci e uma lembrança da sua infância*, de Sigmund Freud. Eisenstein compara a influência produzida por essa leitura a

57. Id., "Hors-cadre", art. cit., p. 33–36 (a edição francesa não tem esses esquemas, mas eles estão na edição italiana de Id., *Il montaggio*, trad. dirigida por P. Montani. Veneza: Marsilio, 1986, p. 14–15).
58. Id., *Mémoires*, op. cit., p. 533.
59. Id., "Stuttgart", art. cit., p. 94. François Albera precisa em uma nota que estaria aqui a primeira ocorrência, em Eisenstein, do conceito de imagicidade.

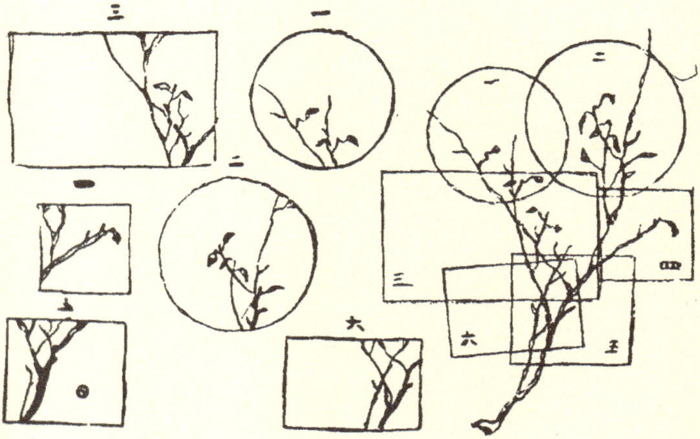

Figura 53. Serguei M. Eisenstein, *Fora de quadro*, 1929. Desenho a tinta integrado ao manuscrito. Moscou, Arquivos literários e artísticos de Estado. ©(RGALI).

uma explosão, e a descreve como uma espécie de ejaculação intelectual. Absorvido pelo pensamento de Freud, ele não se deu conta de que a garrafa de leite que levava tinha vazado, molhando suas calças e deixando manchas brancas. Nessa época, ele "devora" todos os livros de psicanálise que pode encontrar — em alemão ou em russo, língua na qual já estavam traduzidos cerca de cinquenta textos de Freud. Ele também lê a revista *Imago* e, mais tarde, os trabalhos de Otto Rank, Wilhelm Stekel e *Os tipos psicológicos* de Carl Gustav Jung. Ao encontrar Stephan Zweig, em setembro de 1928, em Moscou, pede a ele que arranje um encontro com Freud, por ocasião da viagem à Europa com a qual ele sonha há um ano. Zweig, que já havia colocado o patriarca vienense em contato com artistas europeus como Romain Rolland e Dalí, promete a Eisenstein que vai fazer isso. Eisenstein também escreve uma carta para o mestre, que Zweig é encarregado de transmitir pessoalmente a Freud.[60]

Também sabemos que Eisenstein recorreu várias vezes ao tratamento psicanalítico: em 1923, na Rússia, com Aron Zalkind, discípulo de Alfred Adler; em Hollywood, com o doutor Reynolds,

60. O. Bulgakowa, "La conférence berlinoise d'Eisenstein", art. cit., p. 171.

que era também o psicanalista de Charlie Chaplin; de volta à União Soviética, Eisenstein tentou tratar sua profunda depressão, de 1935 a 1937, com Iouri Kanabikh, que praticava a hipnose.[61] Enquanto isso, a Sociedade Psicanalítica Russa fora dissolvida por ordem de Stalin. No mesmo momento (1929) em que o cineasta estava na Alemanha fazendo uma conferência sobre sua teoria do "movimento expressivo", no Instituto Psicanalítico de Berlim, diante de Karl Abraham, Hanns Sachs e Kurt Lewin, a campanha de difamação oficial da psicanálise na Rússia estava no auge.[62] o que nunca dissuadiu Eisenstein de prosseguir suas leituras freudianas ou de estabelecer correspondência com Wilhelm Reich, que o interessava tanto por seu marxismo quanto por suas ideias sobre a sexualidade como vetor de "combate cultural" (*Kulturkampf*), e pela sua teoria do orgasmo, na qual o cineasta via uma variante da sua própria noção de *ekstaz*.[63]

O fato de um simples galho de lilases poder ser investido formal e psiquicamente apenas pelo seu enquadramento vem confirmar, em todo caso, as relações profundas entre o cinema e o inconsciente. Se os psicanalistas alemães convidaram Eisenstein para lhes falar sobre o gesto patético — e sobre o filme *O encouraçado Potemkin*, a respeito do qual Hanns Sachs escreveria um ensaio —,[64] é porque eles já estavam convencidos dessa relação, como atesta o envolvimento de Karl Abraham e de Hanns Sachs no filme de Pabst *Mistérios de uma alma*,[65] de 1926. De sua parte,

61. Ibid., p. 172.

62. Ibid., p. 172–173.

63. S. M. Eisenstein; W. Reich, "Correspondance" (1934), trad. F. Albera, *Cahiers du cinéma*, n. 289, 1978, p. 4–11. Cf. W. Reich, "Matérialisme dialectique et psychanalyse" (1929), trad. M. Tenine; A. Oberhuber; R. Poulin, in *Sexualité, marxisme et psychanalyse*. Ville Mont-Royal (Québec): M Éditeur, 2012, p. 59–144 (publicado em alemão e em russo). Id., *Die Sexualität im Kulturkampf. Zur sozialistichen Umstrukturierung des Menschen*. Copenhague: Sexpol-Verlag, 1936.

64. H. Sachs, "Zur Psychologie des Film", *Psychoanalytische Bewegung*, 1929, n. 2, p. 123–129.

65. Cf. P. Lacoste, *L'Étrange Cas du professeur M. Psychanalyse à l'écran*. Paris: Gallimard, 1990.

além dos trabalhos de Freud, Eisenstein também conhecia os de Otto Rank e Hanns Sachs sobre as relações entre a arte e a psicanálise.[66] Quando, naquele mesmo ano de 1929, Eisenstein resolve se questionar sobre a dimensão temporal das imagens, ele certamente irá colocar a montagem no primeiro plano da sua reflexão, mas será para falar da sua dupla constituição como processo de *contradição* e também daquilo que ele chama — musicalmente — de *dominante*: o "fenômeno expressivo" de uma imagem, diz ele em suma, acontece quando o elemento de *desejo* se coloca em "êxtase" a partir de uma estrutura de *conflito* perpetuamente reconsiderada (não suscetível de uma síntese definitiva):

> Os signos dominantes de dois planos unidos provocam entre eles determinada relação conflitante que produz determinado efeito expressivo. [...]. Mesmo que tenhamos uma sequência de dois planos:
> Um velho de cabelos brancos
> Uma velha de cabelos brancos
> Um cavalo branco
> Um teto coberto de neve
> Ainda estamos longe de prever o que vai vencer: a brancura ou a velhice.[67]

O galho de lilases brancos enquadrado na lembrança de infância de Eisenstein — e já formalizado no painel japonês que, na verdade, ficava acima da sua cama, como se, para o cineasta, um enquadramento estivesse mais próximo de um painel oriental do que de uma janela perspectivista de Leon Battista Alberti — está, portanto, suspenso entre uma dominante e uma contradição, um desejo e um conflito. Ele faz do enquadramento algo como um *templum* divinatório, ou seja, um espaço de expectativa: alguma coisa para entrever o tempo. Eisenstein explicou bem a relação

66. O. Rank; H. Sachs, *Psychanalyse et sciences humaines* (1913), trad. D. Guérineau. Paris: PUF, 1980, p. 113-130 (título original: *Die Bedeutung der Psychoanalyse für die Geisteswissenschaften*).
67. S. M. Eisenstein, "La quatrième dimension au cinéma", art. cit., p. 56-57.

fundamental que unia a questão do plano fechado — essa sinédoque do tudo, *pars pro toto* — com aquela da imagem como "aviso" ou "*sintoma*" numa passagem das *Memórias* em que a cor branca ainda tem um papel — será por acaso? — crucial:

> Se for preciso lamentar, lamentemo-nos. Um pouco antes, eu me lamentava a propósito de um gato preto.
>
> Mas a coisa é bem mais grave.
>
> Não é apenas a aranha da manhã, do acaso ou da noite, o encontro com um caixão ou com um cavalo branco, dos quais eu mesmo farei um signo ou um aviso (uma cigana também alertou Puchkin — "teme o branco" — e a forma militar de Georges d'Anthès [que matou Puchkin num duelo, todo vestido de branco] revelou-se ainda assim branca!) que perturbam minha vida tranquila — é *cada* acontecimento, por mais banal que seja, que se transforma infalivelmente em generalização, no sentido múltiplo. [...]
>
> Um botão solto — e já me sinto em farrapos.
>
> Um nome esquecido — e já me parece que começam o "declínio das faculdades" e as perdas de memória etc.
>
> É provavelmente ridículo da minha parte.
>
> Viver com isso é terrivelmente inquietante.
>
> E, na minha vida professional, isso determinou: a arte de escolher, entre todos os detalhes possíveis, exatamente o detalhe através do qual uma generalização será especialmente bem conotada; a habilidade de escolher a parte que forçará a imagem do todo a nascer com a maior acuidade no seu contexto.[68]

"Viver com isso é terrivelmente inquietante", é o que diz Eisenstein da imagem que surge psiquicamente como sintoma de algum mal vindouro: como "aviso". Ser cineasta não seria então simplesmente dispor de meios técnicos — artísticos — para *desfazer essa inquietude refazendo-a*, dominando as regras do seu jogo, do seu destino? Ser cineasta não seria reverter a angústia veiculada pelas imagens da memória para *tirar proveito delas* e, com

68. *Id.*, *Mémoires*, op. cit., p. 62.

isso, "*extatizá-las*" em imagens de *desejo*? Sujeito também a *marcar o olhar* do seu espectador, por sua vez? Escreve Eisenstein:

> Na minha própria memória de espectador está marcado a ferro e a fogo o menor vestígio da menor imagem. E estou pronto a acreditar na absurda crença de que a imagem do carrasco pode ficar impressa como uma foto na retina da vítima.[69]

De modo que o galho de lilases quase participa, segundo a lógica da *obraz*, como "memória-aviso" não apenas de uma *Lembrança de infância*, como em Freud, mas também do *Trauma do nascimento*, como em Rank — livro que Eisenstein leu com paixão.[70]

Viktor Chklovski, em 1927, observava que, nos filmes de Eisenstein, a concepção do roteiro e a direção dos atores souberam ultrapassar todos os "esquemas familiares" do "idílio pequeno-burguês" ou do melodrama norte-americano: "Nossa época não é mais a da família".[71] O próprio Eisenstein ironizou por várias vezes um cinema "familiarista" ou "popular" incapaz de outra coisa a não ser colocar a história — a verdadeira, não a de papai, mamãe, a empregada (a amante) e eu, mas a dos movimentos de massas e das lutas de classes — como um pano de fundo, um simples papel de parede decorativo (o que, diga-se de passagem, ainda é verdade para uma grande parte da produção hollywoodiana contemporânea). Mas, ao mesmo tempo, o autor do *Potemkin* retirara das suas leituras psicanalíticas — e da sua própria experiência — uma atenção particular para aquilo que Lacan logo iria chamar de "complexos familiares". Chklovski observa com humor: "Eisenstein diz que, se pedirmos hoje a um

69. Ibid., p. 41.
70. O. Rank, *Le Traumatisme de la naissance: influence de la vie prénatale sur l'évolution de la vie psychique individuelle et collective* (1924), trad. S. Jankélévitch. Paris: Payot, 1928 (ed. revista, 1976).
71. V. Chklovski, "Sergueï Eisenstein et le film non joué", art. cit., p. 177.

roteirista para mostrar a guerra de sete pontos de vista diferentes, ele terá que inventar uma família com sete irmãos."[72]

Eisenstein era filho único, e nunca deixou de falar — nem nas suas *Memórias* nem em outro lugar — da estrutura da família à qual ele pertencia: "O garotinho de Riga que eu era, apesar de tudo, continua a ter doze anos. Essa é a minha infelicidade. Mas minha felicidade talvez esteja também aí."[73] Para contar sua própria "psicotécnica", seus desejos ou a *dominante* das suas escolhas de vida, Eisenstein nunca hesita em lembrar os *conflitos* que as constituíram. De forma onipresente aparece, então, a polaridade do branco e do vermelho. Branco funesto, primeiro: assim como aquele Georges d'Anthès que matou Puchkin num duelo, vestido de branco, o pai de Eisenstein, Mikhail Ossipovitch, era um *branco*. Ou seja, um contrarrevolucionário. Quanto à mãe, Julia Ivanovna — que o levava ao circo e ao cinema, que lhe dava os romances de Hugo, de Zola e livros ilustrados sobre a Comuna de Paris, pelos quais ele era louco —, ela era imaginada como uma *vermelha*. O cineasta dará a ela o papel de uma simpatizante dos revolucionários em *O encouraçado Potemkin*.

Os pais de Eisenstein se separaram em 1909, e nas *Memórias* — embora "ninguém tenha nada com isso"[74] — há um pequeno capítulo ironicamente intitulado "Capítulo sobre o *Divorce of Pop and Mom*".[75] Eisenstein se alistará no Exército Vermelho em 1918, deixando o pai do lado dos "brancos", como que para poder melhor "matar" nele tudo aquilo a que o cineasta se opunha, tanto do lado da imaginação quanto da política:

72. Ibid., p. 178.
73. S. M. Eisenstein, *Mémoires*, op. cit., p. 48.
74. Ibid., p. 100.
75. Ibid., p. 98–102.

> A razão que me colocou do lado do protesto social nasceu em mim, não dos infortúnios da injustiça social, não do interior das faltas materiais, não dos ziguezagues da luta pela existência, mas direta e inteiramente desse protótipo de toda tirania social que é a tirania do pai na família, resquício da tirania do chefe da tribo na família primitiva.[76]

É ainda contra o paradigma paterno — autoridade, estase — que Eisenstein irá reivindicar o excentrismo e o êxtase: ou seja, um levante do devir e da mobilidade (cinema das experiências) contra todas as forças da imobilidade e da permanência[77] (estátuas dos comandantes). Eisenstein chegará a colocar sua paixão pela atividade pedagógica na conta de uma mesma luta contra o lado paterno:

> Dizer tudo/ Não esconder nada. Não fazer mistério de nada/ E logo surge uma pergunta: será que justamente essa palavra de ordem [pedagógica], essa orientação, essa prática — já velha atualmente — não são minha mais forte resistência a papai?! / A papai que me escondia "mistérios", que não me iniciava neles, que me deixava "titubear" e "me virar sozinho" no que diz respeito aos mistérios da natureza.[78]

Dessa maneira, a imensa curiosidade demonstrada por Eisenstein — curiosidade epistêmica e sexual ao mesmo tempo, da qual a leitura da *Lembrança da infância de Leonardo da Vinci* o havia convencido — também será considerada como uma espécie de levante contra o pai.[79]

Diante desse conflito contra *o dominante*, haverá concordância com — e mesmo a entrada em — *a dominante*: musical, poética, maternal, feminina. É a Musa por excelência do desejo artístico, aquela que faz de toda a imagem (*obraz*) uma dinâmica, um jogo recomeçado o tempo todo, uma tropologia infinita: metonímias (as sinédoques dos planos fechados) ou metáforas (as

76. Ibid., p. 108.
77. Ibid., p. 109.
78. Ibid., p. 117.
79. Ibid., p. 98-108.

condensações que Freud chamava *Verdichtungen*, palavra muito próxima de *Dichtung*, a poesia, como Eisenstein não deixou de assinalar).[80] E também as trocas entre formas verbais e formas visuais que Freud chamava de processos do *Darstellbarkeit* (como no caso da palavra *boynia*, que sustentava a extraordinária montagem de *A greve*). E ainda essa forma capital entre todas, elevada aos píncaros pelos grandes poetas do romantismo alemão, até que Freud lhe dedicasse um livro inteiro: o *Witz*, ou chiste, do qual Eisenstein encontrou tantos exemplos na caricatura do século XIX (por exemplo, a "montagem" entre os vagões de um trem e uma dentadura, do inglês George Horatio Derby).[81]

É característico que Eisenstein, sem deixar de lado os fundamentos do seu pensamento *dialético*, tenha compreendido no *Witz* — a partir de Jean-Paul e dos românticos alemães explicitamente citados naquele momento — um processo de montagem que "compara grandezas *incomensuráveis* e busca suas similitudes formando então relações não conceituais, mas *concretas*".[82] Por outro lado, o *Witz* irá criar uma *bifurcação* — da forma, do sentido, do *pathos* —, como nesse exemplo de montagem em que acreditamos tratar-se de puro Kuleshov[83] antes de cair das nuvens (é uma história de família manifesta) ou morrer de rir:

> Tome, por exemplo, um túmulo, coloque-o em justaposição com a imagem de uma mulher de luto que chora ao lado dele, e cada um vai deduzir imediatamente: é uma *viúva*. É exatamente no automatismo dessa nossa percepção que Ambrose Bierce[84] achou todo o efeito de uma das suas histórias — rápidas — fantásticas, "A viúva inconsolável":
>
> *Uma mulher coberta por um véu negro soluçava sobre um túmulo.*

80. Id., "Stuttgart", art. cit., p. 94–95.
81. Id., *Dickens et Griffith*, op. cit., p. 92–94.
82. Ibid., p. 230. Grifo do autor.
83. Cineasta que criou uma montagem intercalando um plano neutro do rosto de um ator com três outras imagens que levam o espectador a crer que ele muda de expressão. [N.T.]
84. Jornalista americano (1842–1913) autor de histórias humorísticas. [N.T.]

— Console-se, senhora — diz-lhe um desconhecido emocionado. — As bondades do Céu são infinitas. Haverá certamente, em algum lugar do mundo, um outro homem como seu marido, com quem a senhora ainda poderá ser feliz!

— Houve esse homem — ela gemeu. — Houve sim... mas esse é justamente seu túmulo![85]

Com frequência, antes de nos divertirmos com as coisas, são elas que se divertem às nossas custas. Eisenstein não se diverte muito quando coloca em duas breves frases um dos episódios mais contundentes da sua infância: "Depois, mamãe, desesperada, se despediu / Depois, mamãe foi embora."[86] Quanto ao galho de lilases paradisíaco — mas já enquadrado, já estendido sobre a tela do painel japonês —, ele irá se prolongar em *outras imagens de dominante feminina*, outras imagens que nos falam de outro lugar e de drapeados ao vento:

> Lembro das lascas de madeira tingidas de vermelho-papoula que recobriam os caminhos, e as pedras cobertas de giz branco ao longo deles.
>
> Lembro ainda da vizinha.
>
> Bem graciosa, com seus cabelos negros repartidos.
>
> Mas lembro, principalmente, do seu quimono japonês esvoaçando, levemente colorido de azul e rosa (troféu de guerra? — seu esposo, de fato, também estava na guerra). A impressão de conjunto que isso dava, era uma cabecinha no alto e, de resto, alguns tecidos esvoaçantes.
>
> Principalmente as mangas. As mangas, lembro-me bem delas.[87]

Haverá ainda, nas *Memórias*, aquela "fada de luvas negras" que "flutua acima de mim desde meus tenros anos".[88] Ela se parece muito com a cantora de cabaré pintada em 1878 por Edgard Degas, um dos pintores favoritos de Eisenstein. Mas ela retornará na vida real de Eisenstein em Paris, em 1930, na pessoa de Yvette Guilbert, evocada pelo cineasta como "fantasmas que vêm da

85. Id., "Montage 1938" (1938), *Le Film: sa forme, son sens*, op. cit., p. 214.
86. Id., *Mémoires*, op. cit., p. 101.
87. Ibid., p. 67.
88. Ibid., p. 316–317.

Figura 54. Valentin Sérov, *Maria Ermolova*, 1905. Moscou, Galeria Tretiakov.

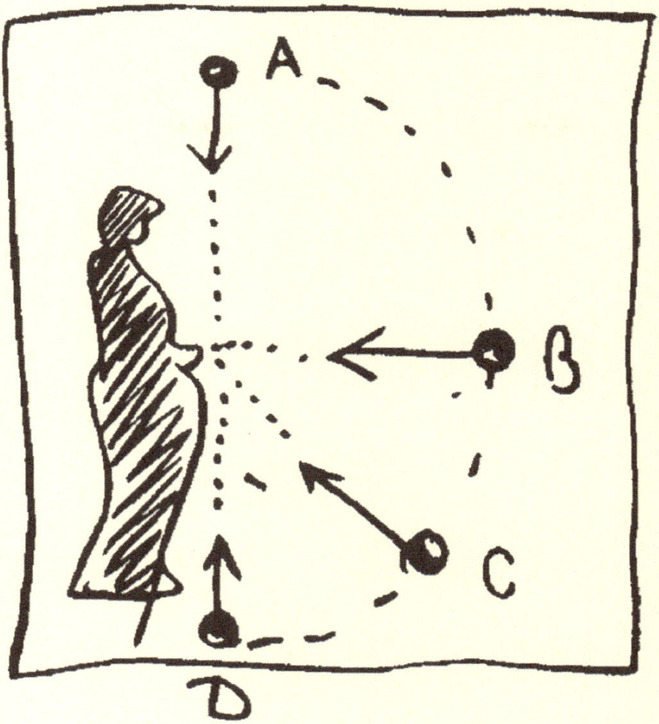

Figura 55. Serguei M. Eisenstein, *Ermolova*, 1937–1939. Desenho a tinta integrado ao manuscrito. Moscou, Arquivos literários e artísticos de Estado. ©(RGALI).

infância e que nos são caros / Visões vagas / habitualmente femininas".[89] Significativamente, nessa narrativa surgirá "um pequeno volume... de Sacher-Masoch",[90] como para situar, sexualmente falando, *a dominante* em questão. Igualmente próxima dessa imagem estará a da atriz Ermolova, a cujo retrato — feito

89. Ibid., p. 316.
90. Ibid., p. 319.

pelo pintor russo Valentin Serov — Eisenstein dedicará um longo texto, escrito entre 1937 e 1939. De fato, é uma mulher bem "dominante" mostrada pelo quadro, construído sob um ponto de vista de *contra-plongée* e com uma organização de enquadramentos que o cineasta irá analisar em todos os detalhes (*fig.* 54).

A questão — cinematográfica, quer dizer, ao mesmo tempo técnica e fantasmática — poderia ser expressa assim: como filmar em torno de uma mulher? *Como filmar a dominante?* Eisenstein começa compondo uma montagem textual muito interessante entre as palavras entusiasmadas de Constantin Stanislavski sobre a grande atriz russa — "ela é símbolo de feminilidade, de beleza, de força, de patético, [...] ela sabia como nenhuma outra revelar e mostrar *das ewig weibliche* [o eterno feminino]" — e o julgamento hostil de Ivan Axionov, que dizia: "Ela sempre representou projetando a barriga para frente".[91] Pois bem, para esquematizar sua abordagem de "recortes" e de "montagens" sobre o retrato de Ermolova, Eisenstein vai produzir um pequeno desenho no qual distinguimos quatro pontos de vista determinados por ele, todos focados nessa "barriga que se projeta para frente" e que, graficamente, parece ser um apêndice fálico da senhora — leitura tendenciosa daquilo que era apresentado no quadro de Sérov sob a forma das mãos da atriz colocadas sobre o ventre (*fig.* 55).

Mas como abordar a própria barriga nessa imagem (*fig.* 54)? A senhora Ermolova está toda vestida de preto. Sua barriga — seu antro escuro, entre preto e vermelho —, como por um efeito de *totus pro parte*, parece coincidir com o conjunto desse corpo vestido que, no entanto, tem a cor de um buraco, de um espaço-caverna, cor da intimidade mais cega. O motivo fálico, como qualquer outro aliás, não terá, portanto, a última palavra: a *dominante* só existe no elemento do *conflito* do qual ela queria se destacar e se "*colocar em êxtase*", por assim dizer. É o *conflito* — já claramente

91. Id., "Ermolova", art. cit., p. 208.

representado no desenho das *Notas para uma história geral do cinema (fig. 22)* — entre aquilo que em toda a arte da montagem *corta* e *une*, ferida e sutura, enquadramento que delimita e atmosfera que envolve... Como se toda imagem estivesse estendida entre sua fatalidade de nascer na ferida e um desejo de retornar ao âmago materno, aquilo que os antigos teólogos chamavam justamente de *uterus* e *inchoatio formarum*, a matriz que engendra as formas.

Sabemos que com suas leituras psicanalíticas, em particular as de Otto Rank, Eisenstein desenvolveu profundamente a discussão em torno daquilo que ele chamava de MLB, abreviação da palavra alemã *Mutterleib*, onde *Leib* designa ao mesmo tempo o corpo em geral e — pela troca do todo pela parte, mas uma parte bem particular, pois é nela justamente que se forma o todo de um corpo — o ventre materno: o "seio", o âmago. Uma passagem das *Memórias*, omitida na primeira edição, intitulava-se "Experiência pré-natal".[92] E consiste em toda uma iconografia que será então usada por Eisenstein nesse capítulo: nudez feminina (as *Banhistas* de Degas, por exemplo), figuras flutuantes num meio fluido (a *Madona Sistina* de Rafael, por exemplo), espaços onde as massas se levantam (desde o *Juízo Final* de Michelangelo, até a *Revolta* de Daumier), biomorfismo animal (os moluscos filmados por Jean Painlevé) etc.[93] Mas também muitos exemplos tirados da arquitetura — quando domina o problema da inclusão-exclusão — e da literatura, como em Dostoievski ou Gogol (*O casaco*)[94]. E

92. Id., "Pré-natal expérience [sic]" (1946-1947), in MLB: *plongée dans le sein maternel*, trad. G. Conio. Paris: Hoëbeke, 1999, p. 26-27.

93. Id., "Rêve de vol plané" (1946), in MLB, op. cit., p. 48-64. Id., "*Les Baigneuses* de Degas" (1948), in MLB, op. cit., p. 65-84.

94. Id., "Montage et architecture" (1940), trad. E. Rolland, in *Cinématisme*, op. cit., p. 43-62. Id., "MLB et *Ivan le Terrible*: comparaison avec *L'Idiot* de Dostoïevski" (1947), in MLB, op. cit., p. 28-47.

isso até as produções norte-americanas do desenho impresso ou do desenho animado, em Saul Steinberg ou Walt Disney.[95]

Tensões insolúveis da *dominante* e do *conflito*: por um lado, vemos Eisenstein buscar a *mulher fetal*, como ele diz, quase brincando com as palavras alemãs (*Urmutter*, a mãe original) e inglesas (*woman* como montagem de *womb*, útero, e *man*, homem).[96] Por outro lado, se ele não encontra a *mulher fatal* — temível —, pelo menos encontra essa fatalidade: "Depois da saída da matriz, o conflito continua".[97] Frase simples e extraordinária ao mesmo tempo. E o que dizer, a não ser que as imagens são incansavelmente dialéticas, e a dialética incansavelmente não resolvida? Todo nascimento não é um drama entre um *continente* e um *corte*? Assim também é a *obraz* segundo Eisenstein, mas que ele afirma ler também a cada página do *Ulysses* de Joyce, em que o *contínuo* e a *dissociação* não param de trocar suas respectivas potências, afirma ele.[98] É como uma perpétua fuga[99] ou uma tourada,[100] em que coexistem a mais selvagem das violências e a mais precisa das geometrias, como se fosse possível representar, na arte, ao mesmo tempo a *dualidade* conflitante e a *duplicidade* ambivalente: de onde as longas especulações eisensteinianas sobre "O par e o ímpar" e "O desdobramento do único", nos quais estão, lado a lado, os jogos matemáticos e os ícones russos, o erotismo extremo-oriental (*Ying-Yang*) e os deslocamentos cubistas do espaço.[101]

95. Id., *La Non-indifférente Nature, I*, op. cit., p. 395–424. Id., *Walt Disney* (1932–1946), trad. A. Cabaret. Belval/Estrasburgo: Circé, 2013. Cf. J.-P. Esquenazi, "*Ivan le Terrible* est-il un dessin animé ? Eisenstein, Disney et la plasmaticité", in *Eisenstein: l'ancien et le nouveau*, op. cit., p. 103–118.
96. S. M. Eisenstein, "*Les Baigneuses* de Degas", art. cit., p. 70 ("la femme en position fœtale") e 77–78.
97. Id., "MLB et *Ivan le Terrible*", art. cit., p. 47.
98. Id., *La Non-indifférente Nature, II*, op. cit., p. 106–107.
99. Ibid., p. 142–173.
100. Ibid., p. 288–295.
101. Id., "Pair — Impair" (1940), in *Cinématisme*, op. cit., p. 155–183. Id., "Le dédoublement de l'unique" (1940), ibid., p. 185–205.

Mesmo que as reflexões a que faço aqui referência datem principalmente dos anos 1940, é possível vê-las em ação nas próprias montagens de *O encouraçado Potemkin*. Esse filme conta muito bem a passagem de um *conflito* (a carne estragada, isto é, a luta de classes) para uma *dominante* (o desejo revolucionário), e dessa dominante para um *conflito* mais grave (o massacre em massa na escadaria de Odessa) que apela, por sua vez, para uma *dominante* mais ampla (*Outubro*, que, aliás, ainda não será o final dessa história — longe disso). Em um texto de 1929 intitulado "Perspectivas", no qual Eisenstein tentava tirar as lições teóricas do *Potemkin* como "dialética [entre] tragédia e narrativa",[102] ele afirmou que o "ato dinâmico" da *obraz* consiste justamente em "conter" e a fazer "ter com" todas as diferenças de formas e de conteúdo, de conflitos e dominantes.[103]

No fundo, o *Potemkin* — o filme — corresponde à imagem de seu principal protagonista: uma grande nave, uma máquina de guerra que singra os mares. O barco só existe em relação ao elemento físico no qual ele se move, traça seu caminho: o mar, a água calma ou agitada. Essa é sua condição de meio, de *sreda*. Mas ele também só existe através da sua ação que é, no mínimo, "singrar os mares": sua condição de corte, de *obrez*. Por um lado, portanto, Eisenstein, exalta o meio — em particular a água, essa "felicidade do peixe", num apólogo chinês que ele gosta de citar —,[104] por outro, ele falará como falaria a própria proa do Potemkin:

> Olho à minha frente.
> E talvez seja justamente de lá que vem minha segunda tendência.
> Remexer. Remexer. Remexer.

102. Id., "Perspectives", art. cit., p. 196.
103. Ibid., p. 189.
104. Id., *La Non-indifférente Nature*, II, op. cit., p. 265.

> Penetrar, me embrenhar, me infiltrar em cada interstício de um problema, tentando ir cada vez mais fundo, chegar cada vez mais perto do coração.
> Sem esperar nenhuma ajuda.
> Mas aquilo que foi encontrado não deve ser escondido: mostrá-lo em plena luz, [...] revelar até o fim.[105]

Não é de surpreender, portanto, que a dramaturgia figurativa do *Potemkin* esteja inteiramente estendida em um arco que vai de uma primeira imagem de uma onda chegando à praia (*fig.* 56) à última imagem, que nos mostra a proa do navio cortando visualmente o próprio espaço da tela (*fig.* 57). Exagerando um pouco, Eisenstein havia previsto "que a última imagem do filme — a proa do encouraçado em *travelling* frontal — vinha cindir... a superfície da tela: a tela devia se rasgar em dois",[106] como se o autor do *Potemkin* tivesse sonhado, por um instante, ser uma espécie de Moisés do cinematógrafo. De qualquer forma, lembramos que toda essa última sequência é dominada, é o caso de dizer, pela famosa bandeira vermelha içada no alto do navio pelo "soviet" dos marinheiros. Aliás, esse foi um dos grandes feitos do Potemkin histórico: ante da rendição final, a bandeira vermelha ficou onze dias flutuando no navio.[107] Para a cópia inicial do filme de Eisenstein, a imagem da bandeira flutuando ao vento foi colorizada à mão, segundo a antiga técnica do cinema de Méliès (técnica fantasmagórica, portanto, usada aqui pela necessidade de uma precisão cromática de ordem documental).

Que caminho percorrido desde o painel dos galhos dos lilases brancos! Eis que a partir de agora vemos uma bandeira vermelha que flutua ao vento, e que a tela da representação tende a se rasgar pressionada pelos conflitos políticos como se fossem dominantes patéticas. Seria apaixonante seguir com precisão, no

105. Id., *Mémoires*, op. cit., p. 125.
106. Id., *La Non-indifférente Nature, I*, op. cit., p. 92.
107. V. Serge, *L'An I de la Révolution russe*, op. cit., p. 50.

Figura 56. Serguei M. Eisenstein, *O encouraçado Potemkin*, 1925.
Fotograma (onda).

transcorrer de *O encouraçado Potemkin*, o destino desses tecidos que Aby Warburg, na mesma época, reconhecia justamente como uma ferramenta figural por excelência do *pathos* enquanto este seja capaz de se dissociar de um simples personagem, de se movimentar, de se deslocar e de investir, através disso, todo o espaço da figuração e da narração.[108] Desde as redes maternais do dormitório, no compartimento de carga, até a grande lona mostrada, no convés do navio, como uma ameaça de morte; desde as velas dos antigos navios no porto invadido pela bruma, até a tenda funerária de Vakulenchuk e os xales de luto logo arrancados pela raiva (como a camisa que um belo rapaz rasga no próprio corpo); desde as velas dos barquinhos, na magnífica cena de confraternização,

108. Cf. G. Didi-Huberman, *L'Image survivante*, op. cit., p. 249–270. Id., *Ninfa moderna: essai sur le drapé tombé*. Paris: Gallimard, 2002.

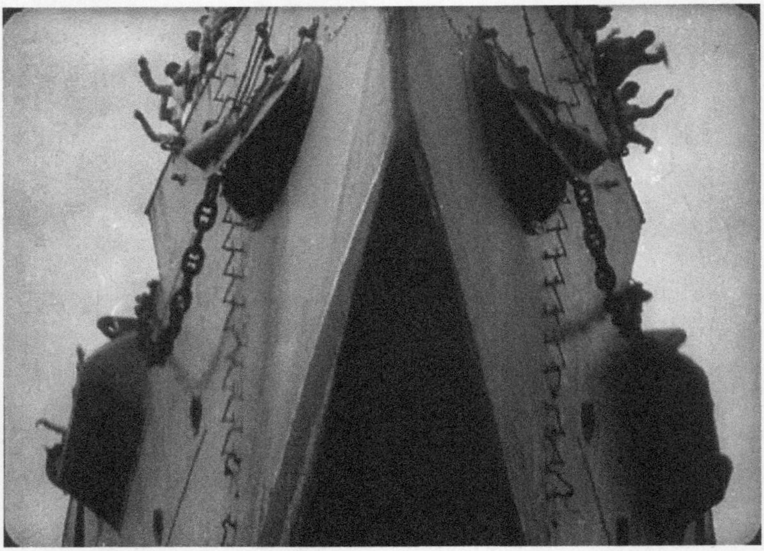

Figura 57. Serguei M. Eisenstein, *O encouraçado Potemkin*, 1925. Fotograma (proa).

até os vestidos das mulheres manchados de sangue na escadaria de Odessa — é todo o processo de *êxtase* que entra em ação, assim como observou Barthélémy Amengual: "A estrutura *ek-statique* [...] é apenas uma hipóstase do conflito [...]. Sempre o progresso pela travessia do contrário." Mas o máximo de impacto emocional será atingido quando a saída para fora de si, ultrapassando os limites individuais, afetar o meio. Então, o meio estará ele mesmo "em estado de transe". Um modelo para Eisenstein aqui é

O Rei Lear, cujo frenesi ganha a natureza, torna-se tempestade, acontecimento cósmico. A lona branca explode em dezenas de velas (os *yaliks* [barquinhos]), em milhares de boinas brancas (a confraternização com a esquadra), e depois se reconstitui, *um*, no nível superior, na bandeira da revolução.[109]

109. B. Amengual, *Le Cuirassé Potemkine*, op. cit., p. 65–66.

Figura 58. Serguei M. Eisenstein, *Eh! Da pureza cinematográfica*, 1934. Desenhos a tinta e fotogramas integrados ao manuscrito.

Bem longe do detalhe apenas dissociado que Roland Barthes isolava no lenço "digno de pena", mas "grotesco" da carpideira de Odessa, Eisenstein se dedicou a construir a rede complexa de seus "acessórios em movimento" — o *bewegtes Beiwerk*, como dizia Aby Warburg — segundo uma dinâmica completamente diferente, na qual a dissociação (o conflito) tinha igualmente estatuto de meio (de dominante) e, portanto, de ritmicidade formal. É uma dinâmica que o cineasta vai querer com frequência "demonstrar" analisando, plano por plano, a montagem patética das velas dos barcos e dos gestos expressivos na cena de confraternização dos habitantes de Odessa com os marinheiros do Potemkin (*fig.* 58).[110] Ele poderá, então, no interior dessa ritmicidade próxima do inconsciente, falar de uma "microdramaturgia" da montagem capaz de se desenvolver como um verdadeiro princípio de metamorfose: "mulher transformada em vela" ou "vela transformada em mulher"...[111] O que o incitará, como sempre, a fazer novas associações de imagens, como por exemplo com a célebre *Liberdade guiando o povo*, de Delacroix, na qual o drapeado da mulher *se levanta eroticamente* — desde a parte inferior do vestido até a bandeira republicana empunhada para o alto — numa equivalência audaciosa com o próprio meio, ou seja, o *levante político* da revolução de julho de 1830... Associação apropriada para chamar a atenção do cineasta para os *fenômenos de sobrevivência*, quando a "fórmula patética" de uma *Vitória* da Antiguidade vem investir a urgência de um fenômeno político de nossa Modernidade.

Êxtases do sujeito imaginante: a dialética regressiva

Eisenstein não dividia apenas com a iconologia de Aby Warburg — entendida como uma vasta "ciência cultural" (*Kulturwissenschaft*) das imagens, dos gestos e, portanto, das emoções — uma atenção de primeiro plano às "fórmulas patéticas" (*Pathosformeln*) e às mobilidades essenciais ou "migrações" (*Wanderungen*) das imagens. Ele também sabia que tudo isso supõe uma temporalidade

110. S. M. Eisenstein, "De la pureté cinématographique" (1934), *Le Film: sa forme, son sens*, op. cit., p. 97–109 (há uma tradução mais confiável nos *Cahiers du cinéma*, n. 210, 1969, p. 6–15). Id., "Quelques mots sur la composition plastique et audio-visuelle" (1945), trad. A. Zouboff, in *Cinématisme*, op. cit., p. 139–151.
111. Id., "Quelques mots sur la composition plastique et audio-visuelle", art. cit., p. 143.

à qual os historiadores em geral são relutantes, e que os antropólogos compreendem muito melhor: uma temporalidade da "sobrevivência" (*Nachleben*). Há cerca de vinte anos, tentando analisar as consequências teóricas da participação de Eisenstein na revista *Documents* em 1930, tentei relacionar as problemáticas abordadas pelo cineasta com as de Georges Bataille e Aby Warburg: tratava-se de compreender o que é uma "dialética concreta" de formas visuais, uma "dialética extática" de formas intensas e, finalmente, uma "dialética de sintomas" de formas patéticas.[112] Apesar das reservas expressadas por Annette Michelson,[113] hoje em dia, depois dos trabalhos de Daniele Dottorini, Sylvia Sasse e Antônio Somaini —[114] esse campo, entretanto, é vasto, *Método* e os *Diários inéditos* talvez nos reservem novas descobertas —,[115] parece que as relações entre a teoria das imagens de Warburg e as reflexões ensensteinianas ainda podem ser estreitadas, pelo menos a nível do vocabulário, visto que "fórmulas patéticas" (*formuli pafosa*), "migrações" (*migrazii* ou *peregrinationii*) e "sobrevivências" (*perejitki*) fazem parte do sistema nocional de Eisenstein. A hipótese sobre a ligação entre *ornamento* e *transtorno psíquico*, por exemplo, será menos estranha em Eisenstein se lembrarmos

112. G. Didi-Huberman, *La Ressemblance informe*, op. cit., p. 280-383. Id., *L'Image survivante*, op. cit., p. 271-505.

113. A. Michelson, "Eisenstein at 100: Recent Reception and Coming Attractions", *October*, n. 88, 1999, p. 69-85.

114. D. Dottorini, "*Nachleben.* Tempo, storia e memoria delle immagini", in *La forma della memoria*, op. cit., p. 147-157. S. Sasse, "Pathos und Antipathos. Pathosformeln bei Sergej Eisenstein und Aby Warburg", in C. Zumbuch (org.), *Pathos. Zur Geschichte einer problematischen Kategorie*. Berlim: Akademie Verlag, 2010, p. 171-190. A. Somaini, *Ejzenštejn*, op. cit., p. 350-381.

115. Por exemplo, essa citação de Eisenstein da *Histoire de l'œil*, de Georges Bataille, no manuscrito de *Método*, assinalado por Elena Vogman, no âmbito do colóquio *Interpositions: montage des images et production du sens*, dir. A. Beyer; A. Mengoni; A. von Schöning (Paris, Institut National d'Histoire de l'ArtEikones Bildkritik-Centre Allemand d'Histoire de l'Art) em fevereiro, 2011. Nesse sentido é igualmente importante o dossiê reunido por François Albera intitulado "Eisenstein dans le texte", em *Cinémas, revue d'études cinématographiques*, XI, 2001, n. 2-3.

que uma psicologia do ornamento estava no centro da estética alemã da época, principalmente no próprio Warburg, por intermédio de seu mestre Karl Lamprecht, sem contar os trabalhos clássicos de Robert Vischer, Heinrich Wölfflin ou Aloïs Riegl.[116]

Pois bem, todas essas noções, porque elas se originam em problemas de intensificação das formas, também se apoiam — apoio comum em Warburg e Eisenstein — na estética das intensidades de Friedrich Nietzsche: *O nascimento da tragédia* nunca está distante quando Warburg fala das carpideiras bacantes, de Donatello, ou quando Eisenstein encena suas próprias carpideiras bacantes em *O encouraçado Potemkin*. Assim, não é por acaso que a questão das sobrevivências vai aparecer com particular clareza no capítulo da *Teoria geral da montagem* do cineasta dedicado a Dionísio, como sendo o "nascimento", e mesmo o "fenômeno original" (*Urphänomen*) da montagem. Tudo parte de um sacrifício e de uma fragmentação, tudo consegue, no entanto, fazer com que floresçam as formas e dancem as sobrevivências. Entre as duas coisas: uma espécie de *êxtase do corte*. Tudo isso desenvolvido, como sempre, por uma explosão de exemplos, entre os quais: Osíris e Laocoonte; os sacrifícios astecas (de cuja existência Eisenstein tomou conhecimento antes de sua viagem ao México, num artigo de Georges Bataille, e no contato com etnólogos parisienses do museu do Trocadéro); a tourada e a refeição totêmica; o *thrènos* dos antigos Gregos, ou seja, a lamentação fúnebre diante do corpo do defunto.... E, é claro, o destino do próprio Dionísio, cujas "sobrevivências" Eisenstein irá encontrar em Lessing, Balzac ou Walt Whitman...[117]

116. S. M. Eisenstein, *Mémoires*, op. cit., p. 57-59. Cf. K. Lamprecht, *Moderne Geschichtswissenschaft*. Freiburg: Heyfelder, 1905 (2. ed., Berlim: Weidmann, 1909). A. Pinotti, *Il corpo dello stile. Storia dell'arte come storia dell'estetica a partire di Semper, Riegl, Wölfflin*. Milão: Mimesis, 2001.
117. S. M. Eisenstein, *Teoria generale del montaggio*, op. cit., p. 226-231.

Nessas páginas, vê-se, claramente, que a noção de montagem foi considerada por Eisenstein num plano bem mais profundo — que ele logo chamará de *Grundproblem* — do que aquele de uma pura e simples história do cinema, ou mesmo das artes em geral. O que deve ser compreendido é a "sobrevivência" ou a "revivescência" de fenômenos imemoriais de ordem antropológica, relativos ao corpo humano, a seus gestos emotivos — Eisenstein fala então de uma "memória emocional" que age sobre um imenso arco temporal —, à própria construção do pensamento, do conhecimento e, por fim, às modalidades políticas do viver-junto.[118] "Vemos assim que o princípio cinematográfico da montagem não caiu do céu, mas desencadeou-se no próprio interior e a partir das profundezas da cultura humana" na sua longa duração, afirma Eisenstein.[119] E assim como Warburg via em certos gestos contemporâneos — o de uma jogadora de golfe, por exemplo — a sobrevivência de gestos típicos das Mênades matando Orfeu,[120] assim também Eisenstein verá no ator excêntrico, contemporâneo, a sobrevivência de uma antiguidade dionisíaca.[121] Ou então, no jovem morto selvagemente pelas burguesas com golpes de guarda-chuva — em *Outubro* — uma sobrevivência do próprio Orfeu massacrado pelas Mênades (*fig. 61-62*)...[122]

As três noções mais fundamentais, talvez, da *Kulturwissenschaft* de Warburg — fórmulas patéticas, migrações, sobrevivências — aparecem bem no âmago da antropologia eisensteiniana das imagens. Observemos imediatamente a que ponto essa perspectiva poderia se chocar com o dogma soviético. Migrações culturais e

118. Ibid., p. 169-178. Cf. P. Montani, "Il pensiero denso e il principio dionisiaco del montaggio", art. cit., p. 61-79. E. Vogman, "Die Osiris-Methode", art. cit., p. 39-66.
119. S. M. Eisenstein, *Teoria generale del montaggio*, op. cit., p. 140.
120. A. Warburg, *Der Bilderatlas Mnemosyne* (1927-1929), *Gesammelte Schriften*, II-1, ed. M. Warnke; C. Brink. Berlim: Akademie Verlag, 2000 (2. ed. revista, 2003), p. 128-129.
121. Cf. O. Bulgakowa, FEKS. *Die Fabrik des Exzentrischen Schauspielers*, op. cit., p. 22-32 ("Proletarische Dionysien").
122. S. M. Eisenstein, *Mémoires*, op. cit., p. 72-73.

sobrevivências da Antiguidade? Como conciliá-las com o nacionalismo de Stalin e a ideologia unilateral do progresso socialista? Os gestos patéticos? O próprio Stalin considerará a questão como retrógrada, nula e sem efeito:

> A importância da linguagem dita dos gestos é insignificante, por causa da sua extrema pobreza e de seu caráter limitado. Propriamente falando, não é uma linguagem, nem mesmo um *ersatz* de linguagem [...]. Não podemos comparar a linguagem dos gestos com a linguagem fonética, assim como não podemos comparar a pá de madeira primitiva com o moderno trator de esteira.[123]

Por sua vez, Eisenstein nunca desistiu de *procurar do lado da origem*: de modo a entrever, não a "fonte" fatalmente perdida das coisas, mas seus "recursos", por assim dizer, ou seja, seus recomeços, suas voltas, suas sobrevivências. Ele buscava "fenômenos originários", ou seja, fenômenos nos quais o "salto" (*Sprung*) extático podia ter valor de "origem" (*Ursprung*), o nascimento ou a revivescência de algo imemorial. Por isso ele se informava sobre todas as formas de imagens ou linguagens populares.[124] Ele era apaixonado pelo circo e por rituais carnavalescos, de modo que o paralelismo com a obra de Mikhail Bakhtin se impõe aqui como uma evidência: Bakhtin, nos anos 1920, procurara — como Eisenstein, Vygotski e tantos outros — ultrapassar as oposições clássicas entre forma e conteúdo; ele construiu uma filosofia do ato, no cruzamento, dizia ele, "da unidade objetiva do domínio cultural e da singularidade não reprodutível da vida vivida" (um ritual de luto não responde exatamente a essa definição?); ele se perguntara sobre o estatuto do personagem na narrativa literária e tinha tentado unir o marxismo ao ponto de vista freudiano; ele via seu domínio — a literatura — como um campo de convergência de toda

123. J. Staline, *Le Marxisme et les problèmes de linguistique* (1950), trad. anônima. Pequim: Éditions en langues étrangères, 1974, p. 45.
124. Apud L. Moussinac, *Serge Eisenstein*, op. cit., p. 36-37.

a espessura histórica e antropológica dos gestos humanos; daí seus trabalhos posteriores, ignorados no início e que logo depois se tornaram clássicos, sobre Rabelais e a cultura carnavalesca.[125]

Em todo caso, esse é um tipo de pesquisa que não teme atravessar o visível, colocar a mão na terra das coisas, mexer aquilo que no tempo presente é feito de tempos esquecidos. Eram uma arqueologia, uma genealogia, uma metapsicologia, consideradas como o gesto indispensável a qualquer invenção do novo, a qualquer alegria revolucionária. Ela pareceu escandalosa e imperdoável — e não apenas para as doutrinas stalinistas — porque não deixava nada no lugar e tornava impossíveis as hierarquias, por exemplo, as hierarquias de noções tais como "popular/erudito", "antigo/moderno", "sensível/inteligível" etc. Desde 1928, Eisenstein fazia essa ponte audaciosa entre o *emocional e o intelectual*, arguindo dialeticamente visto que, "como sempre, os extremos se tocam. De um lado a indiferenciação arcaica da excitação dos sentidos [...]; de outro, a ponta extrema do desenvolvimento da montagem-pensamento".[126] É verdade que Eisenstein quis encenar *O capital* de Karl Marx: mas era com ferramentas sensoriais saídas do "monólogo interior" de Molly Bloom no *Ulysses* de

125. M. Bakhtine, "L'auteur et le héros" (1920–1930), trad. A. Aucouturier, in *Esthétique de la création verbale*. Paris: Gallimard, 1964, p. 25–210. Id., "Le problème du contenu, du matériau et de la forme dans l'oeuvre littéraire" (1924), trad. D. Olivier, in *Esthétique et théorie du roman*. Paris: Gallimard, 1978 (ed. 2011), p. 21–82. Id., *Pour une philosophie de l'acte* (1924), trad. G. Capogna Bardet. Lausane: L'Âge d'homme, 2003. Id., *Écrits sur le freudisme* (1925–1927), trad. G. Verret. Lausane: L'Âge d'homme, 1980. Id., *Le Marxisme et la philosophie du langage: essai d'application de la méthode sociologique en linguistique* (1929), trad. M. Yaguello. Paris: Minuit, 1977. Id., "Formes du temps et du chronotope dans le roman (essai de poétique historique)" (1937–1938), trad. D. Olivier, in *Esthétique et théorie du roman*, op. cit., p. 235–398. Id., *L'œuvre de François Rabelais et la culture populaire au Moyen Âge et sous la Renaissance* (1965), trad. A. Robel. Paris: Gallimard, 1970. Cf. T. Todorov, *Mikhaïl Bakhtine: le principe dialogique*. Paris: Seuil, 1981, p. 42–48 e 145–172. D. J. Haynes, *Bakhtin and the Visual Arts*. Cambridge/Nova York: Cambridge University Press, 1995.

126. S. M. Eisenstein, "Un point de jonction imprévu", art. cit., p. 31. Id., "A.I. 28 [Attraction intellectuelle 1928]", art. cit., p. 158.

Joyce... Isso é tão verdadeiro, ele dizia com humor, quanto "não existe *Begriff* [conceito][127] absoluto"[128].

O que fazer com um artista desses, que se coloca tão alto no pensamento conceitual, mas nunca hesita em "afetá-lo de afetos" — "infectá-lo", dirá aquele que não quiser admiti-lo? Fazer mulheres velhas chorarem diante do cadáver de Vakulenchuk não seria fazer regredir a dialética revolucionária? Dois acontecimentos permitem compreender melhor essa *tendência à regressão*, porque eles a determinaram e, portanto, agravaram. Por um lado, contribuíram muito para estender essa maneira de pensar até uma amplitude teórica considerável; por outro, contribuíram, posteriormente, para muitas infelicidades ou aborrecimentos na vida do cineasta. Estou falando das suas duas grandes viagens, à Europa ocidental (1929–1930) e ao México (1930–1931). Na Alemanha, Eisenstein esteve, certamente, num território de "progresso" — sobretudo no que diz respeito à indústria cinematográfica e às vanguardas artísticas —, mas também num meio propício para formular algo como uma *teoria da regressão*: daí a importância dos seus contatos com a psicologia experimental, por exemplo, os estudos de Kurt Lewin sobre os gestos expressivos infantis e, principalmente, com a psicanálise freudiana, que o solicitava tão profundamente.[129] Todas as noções psicanalíticas relativas à regressão — latência, compulsão de repetição, *Rückbildung*, formação de sintoma, retorno do recalcado... pareciam, de fato, diretamente ligadas à prática das imagens como ele a entendia.

127. No original, o autor coloca o parêntese (*griffes!*), garras em francês, fazendo um jogo de palavras com Begriff. [N.T.]

128. Id., "Lettres à Léon Moussinac" (1928–1931), *Cinémas, revue d'études cinématographiques*, XI, 2001, n. 2–3, p. 161.

129. O. Bulgakowa, "La conférence berlinoise d'Eisenstein", art. cit., p. 171–183. O. Bulgakowa (org.), *Eisenstein und Deutschland: Texte, Dokumente, Briefe*. Berlim: Akademie der Künste-Henschel Verlag, 1998.

Na França, Eisenstein descobriu alguma coisa que o aproximava um pouco mais de uma *prática da regressão* pelas imagens. Ele encontrou os surrealistas — o grupo de André Breton, Salvador Dali etc. — e começou opondo firmemente a eles sua própria prática de "cinematografia intelectual": já que "eles fazem exatamente o contrário do que é preciso fazer", dizia ele.[130] E, principalmente, eles se comportavam como típicos burgueses, esses "esnobes marxistas de salão" que ele detestava.[131] As experiências, no entanto, iriam se suceder num ritmo inesperado, de modo que sua posição inicial — *grosso modo*, a posição expressa em sua conferência na Sorbonne, em 17 de fevereiro de 1930[132] — transformou-se de forma singular, de um lado pelo contato com a escola etnológica francesa, de outro, pela descoberta de práticas estéticas heterodoxas que muito o fascinaram. Retorno ao *pathos* e ao êxtase, portanto, num ângulo mais global e social do que nunca:

> Uma excursão a Reims.
> Duas viagens a Chartres.
> Amiens.
> Minhas visitas privadas a lojas de editoras católicas.
> Estou interessado pelo problema do êxtase religioso como problema parcial do *pathos*.
> No meu hotel, no guarda-roupas, alternando com os livros de Lévy-Bruhl sobre o pensamento primitivo, estão: *São João da Cruz* (o santo espanhol), as obras de Santa Teresa, a *Manresa*, manual de exercícios espirituais de Santo Inácio de Loyola [...], e junto com Tual fomos recentemente a Lisieux ver o templo de mau gosto da "santinha" canonizada há pouco — Santa Teresa de Lisieux. [...]
> Mas Lisieux é muito pouco para mim.
> Morrendo de vontade de ir a Lourdes.

130. S. M. Eisenstein, *Mémoires*, op. cit., p. 219.
131. Ibid., p. 264.
132. Id., "Les principes du nouveau cinéma russe" (1930), *La Revue du cinéma*, II, 1930, no 9, p. 16-27.

> Estou muito interessado nas manifestações de êxtase de massa como psicose de uma multidão...[133]

Temos aqui, citado por Eisenstein, todo o material psicológico e sociológico reunido por Jean-Martin Charcot em *A fé que cura*, por Pierre Janet em *Da angústia ao êxtase*, por Lucien Lévy-Bruhl em *A mentalidade primitiva*, por Robert Hertz nas suas *Misturas de sociologia religiosa e folclore*, e ainda por Marcel Mauss, nos seus trabalhos sobre o sacrifício, as "técnicas do corpo" ou a "expressão obrigatória dos sentimentos". Não é por acaso que o encontro de Eisenstein com a revista *Documents* pôde se inscrever na esfera intelectual do trabalho de Mauss evocado por Georges Henri Rivière, Michel Leiris, e pelo próprio Georges Bataille. Foi nesse contexto ao mesmo tempo "artístico" e "etnográfico" — dois subtítulos da revista *Documents* — que Eisenstein discutiu com aquilo que ele chamava de "a ala 'esquerda' (democrática) dos surrealistas que se separaram do grupo de Breton", acrescentando nas suas *Memórias*: "Estou ligado a eles".[134] Como poderia a prática sistemática do *êxtase dos documentos* em Georges Bataille e seus cúmplices — mas também em outros fotógrafos ou cineastas encontrados por Eisenstein, como Germaine Krull ou Joris Ivens — não interessar ao cineasta ou, pelo menos, confirmar sua pergunta feita aos fenômenos concomitantes da imagem, do afeto e da regressão?

Será, porém, no México que Eisenstein vai encontrar aquilo que ele verdadeiramente procurava junto ao "êxtase" e à "regressão". Poderíamos até dizer que, no México, ele esteve em contato direto com a possível coexistência — que paraíso! Que anacronismo! — de *regressão e revolução*. Lembremos que, quando Eisenstein chegou ao México, em dezembro de 1930, a revolução, começada em 1910 e cheia de reviravoltas, tinha encontrado seu

133. Id., *Mémoires*, op. cit., p. 234-235.

134. Ibid., p. 238. Cf. *Mémoires*, op. cit., p. 266 (sobre o panfleto *Un cadavre* dirigido contra André Breton).

estatuto político na Constituição de 1917 e na fundação, em 1929, do Partido Revolucionário Institucional, que se manteria na presidência do país durante os sessenta anos seguintes. Talvez seja a partir da experiência mexicana, de certa forma, que poderemos compreender até o fim a "regressão" constituída pela cena das carpideiras diante do cadáver de Vakulenchuk, em *O encouraçado Potemkin*.

Depois de uma viagem bastante catastrófica aos Estados Unidos, que resultou na rescisão do contrato com a Paramount,[135] Eisenstein escapou para o México, que o "salvou" pela riqueza e intensidade do seu mundo natural e cultural, estético e histórico, afetivo e político. "O México foi para mim a época mais extática da criação, da percepção emocionada da dialética, da percepção do 'devir' no país que me cercava", escreverá o cineasta em 1946.[136] O que exatamente ele quer dizer nessa frase? Duas maneiras, penso eu, de colocar em jogo — e também em perigo — o próprio método dialético: primeiro, a "percepção emocionada da dialética" remete a um certo esquema de *pensamento emocional* do qual não desaparecem nem a intensidade, nem a emoção, nem o rigor do pensamento; em seguida, a "percepção do devir" remete a um certo esquema de *temporalidade anacrônica* do qual não desaparecem os desejos voltados para o futuro, nem as sobrevivências que carregam o imemorial.

Eisenstein percebeu o México, não como um território unilateralmente dado na sua cultura própria, mas como uma vertiginosa *montagem temporal de heterogeneidades* — históricas, sociais, religiosas, artísticas, políticas — que, certamente, o fascinou até o "êxtase", como ele mesmo diria. Em 1931, ele escreveu que no México "viviam lado a lado modos de vida e relações sociais que corres-

135. Ibid., p. 329–364. Cf. I. Montagu, *With Eisenstein in Hollywood* (1967). Berlim: Seven Seas, 1968.
136. S. M. Eisenstein, "Rêve de vol plané", art. cit., p. 64.

pondem a etapas muito diversas do seu desenvolvimento".[137] É exatamente isso que teria sentido para a maioria dos grandes viajantes dessas paragens, de D.H. Lawrence a Antonin Artaud — mas, para começar, de Edward B. Taylor, que formulou ali sua primeira teoria dos *survivals*, a Aby Warburg, que, desde o Novo México, experimentou sua própria hipótese do *Nachleben*.[138] Sabemos que Eisenstein, durante esse período, aproveitou não apenas os escritos enciclopédicos de James Georges Frazer, mas também, e principalmente, o estudo muito específico e notavelmente ilustrado de Anita Brenner sobre as ligações entre a pintura revolucionária do México contemporâneo — de artistas que o cineasta encontrou, como David Alfaro Siqueiros, José Clemente Orozco ou Diego Rivera — e, por outro lado, as sobrevivências pré-colombianas muito presentes em toda a sociedade mexicana, apesar da cristianização forçada pelos conquistadores.[139]

A experiência mexicana não teria tido a importância atribuída por Eisenstein se tivesse sido apenas uma "regressão a si mesmo" e a alguns elementos psíquicos, infantis ou eróticos, mesmo que eles apareçam aqui e ali nas *Memórias*, em algum lugar entre os rituais ortodoxos de Novgorod e os rituais católicos do México, ou ainda entre a culpabilidade sexual ocidental e uma suposta inocência sexual dos índios.[140] O que conta parece ser a dialética exuberante que faz toda uma sociedade *atuar entre o vivo e o morto*: "Quando

137. Id., "Notes pour *Que Viva Mexico !*" (1931), trad. B. Du Crest, in *Les Écrits mexicains*, S. Bernas (ed.). Paris: L'Harmattan, 2001, p. 159.

138. E. B. Tylor, *Anahuac: Or Mexico and the Mexicans, Ancient and Modern*. Londres: Green, Longman & Roberts, 1861. Id., *Primitive Culture: researches into the Development of Mythology, Philosophy, Religion, Art, and Custom*. Londres: Murray, 1871. A. Warburg, *Le Rituel du serpent: récit d'un voyage en pays pueblo* (1923), trad. S. Muller. Paris: Macula, 2003 (ed. 2011).

139. S. M. Eisenstein, "Postface au scénario du film *Que Viva Mexico !*" (1947), trad. B. Du Crest, in *Les Écrits mexicains*, op. cit., p. 131–144. Cf. A. Brenner, *Idols Behind Altars. Modern Mexican Art and Its Cultural Roots*. Nova York: Payson & Clarke, 1929.

140. Id., *Mémoires*, op. cit., p. 132–138, 207–210 e 553–577. Cf. M. Seton, *Eisenstein*, op. cit., p. 196–230. D. Fernandez, *Eisenstein*. Paris: Grasset, 1975 (ed. revista, 2004), p. 171–201 (que tentou uma interpretação psicobiográfica de Eisenstein tão pouco conclusiva quanto a de Seton).

conheci o México, ele se mostrou em toda a diversidade das suas contradições [...]. Os corpos respiram ritmicamente, em uníssono, e poderíamos dizer que é a própria terra que respira. [...] México doce e lírico, mas também cruel."[141]. E mais exatamente:

> no México, como em nenhum outro lugar, o curso da vida e o da morte cruzam seus caminhos de maneira tão colorida,
>
> quer seja nas imagens trágicas da morte pisoteando a vida,
>
> nas imagens suntuosas da vida triunfando sobre a morte,
>
> na inelutável agonia daquilo que é biologicamente limitado,
>
> na imensidão daquilo que é socialmente eterno, engendrado pelas construções do futuro erguidas sobre o sangue sacrificado de um presente destruído.
>
> O jogo da vida e da morte, seu antagonismo [...].
>
> Todos brincam de morto.[142]

Pois bem, entre o vivo e o morto, abre-se — culturalmente, através de imagens, através de crenças e gestos interpostos — o *reino das sobrevivências*. É isso que exploram continuamente os admiráveis planos de *Que viva México!*. Mesmo que esse filme tenha sido tirado de Eisenstein, que, consequentemente, não tenha podido montá-lo — ele achou que fosse morrer —, diante dessas imagens, é como se estivéssemos diante de uma das suas maiores obras-primas.[143] Ele levava o mais longe possível a dialética entre tragédia lírica e crônica documental, inaugurada em *A greve* e no *Potemkin*:

141. S. M. Eisenstein, *Mémoires*, op. cit., p. 544-545.

142. Ibid., p. 544-545.

143. Id., *Que Viva Mexico !* (1931), ed. E. Lindgren, Londres, Viking Press, 1961. Id., "*Que Viva Mexico !* [roteiro]" (1931-1934), trad. [de l'américain] S. Bernas, *Les Écrits mexicains*, op. cit., p. 89-124. Cf. H. M. Geduld; R. Gottesman (dir.), Sergei Eisenstein and Upton Sinclair: *The Making and Unmaking of "Que Viva Mexico !"*, Londres, Thames and Hudson, 1970. I. Karetnikova; L. Steinmetz, *Mexico According to Eisenstein*, Albuquerque, University of Nex Mexico Press, 1991. Agradeço enormemente a João Mario Grilo que me falou de certos documentos relativos a *Que viva México!* que ele pôde consultar nos arquivos de Upton Sinclair pertencentes à Lilly Library da Universidade de Indiana (Bloomington): encontram-se ali mais de 1500 fotografias, documentários ou filmagens, utilizados por Eisenstein na elaboração do seu filme.

Esse filme, de grande tensão dramática, é também um panorama do México social, cultural, cotidiano, étnico. A maior parte das cenas documentais foi mostrada pela primeira vez no cinema, e apresenta, sem falar do resto, um enorme interesse cultural. Filmamos quase sessenta e cinco mil metros de película, prevista para ser utilizada no filme principal e numa série de filmes culturais.[144]

Por que "filmes culturais"? Para satisfazer aos amadores ocidentais de filmes de arte? Certamente não. Ao percorrer as imagens de *Que viva México!* e ao ler o roteiro do filme, compreendemos rapidamente que Eisenstein sentia não só uma simples admiração diante da exuberância, da complexidade e do caráter sempre mestiço da cultura mexicana, mas tratava-se também de uma visão dialética da história. Portanto, de uma visão política: é como se a experiência mexicana tivesse sido revelada ao cineasta por seu objeto de interesse mais profundo, o de uma política das *sobrevivências*. No próprio filme, é por causa de uma sobrevivência aristocrática e colonial que Sebastián tem que apresentar sua futura esposa ao proprietário da *hacienda*, na qual ele trabalha duro, para ser violentada; mas é em virtude de uma sobrevivência bem mais ancestral que o jovem vai querer vingar a noiva. O malogro dessa vingança — assim como a revolta dos grevistas em *A greve*, e como o levante do povo de Odessa no *Potemkin* — levará a um outro desenvolvimento do conflito. É o que deveria ser encenado no último episódio — não filmado, para desespero de Eisenstein — no qual seria contado como as *mulheres em lágrimas* (Maria desesperada sobre o corpo de Sebastián) tornam-se as *soldaderas* da revolução mexicana, ou seja, *mulheres em armas* finalmente vitoriosas sobre todos os proprietários de *haciendas*.[145]

Esse movimento dialético talvez tenha orientado Eisenstein nas suas assíduas reflexões sobre as tradições religiosas. Serão

144. S. M. Eisenstein, "Notes pour *Que viva Mexico !*", art. cit., p. 160.
145. Id., "*Que Viva Mexico !* [roteiro]", art. cit., p. 114-121.

elas, unilateralmente, freios para o movimento revolucionário, meras condutas de alienação, o *antigo* que deve desaparecer sem deixar rastros no *novo*? Não será preciso lembrar que a Revolução de 1905 na Rússia começou com uma procissão conduzida pelo sacerdote Gapone, com ícones e estandartes, e que sua "nulidade política", como disse Leon Trotski, não impediu sua influência considerável sobre o proletariado russo e a sequência dos levantes?[146] Não será preciso lembrar das perguntas que se faziam os primeiros revolucionários russos no lugar das tradições culturais, como atesta essa passagem de Alexandre Bogdanov, em 1918:

> A religiosidade dos operários é uma maneira de reforçar sua submissão. Mas, em seguida, há toda a riqueza artística da experiência popular cristalizada em todos os tipos de lendas e escritos sagrados, quadros de uma vida diferente e original, harmoniosa à sua maneira, ampliando o horizonte do homem. [...] Vale a pena, para a classe operária, pegar [ou perder] a herança religiosa?[147]

Em todo o caso, vemos que o estatuto dos rituais tecidos de sobrevivências em *Que viva México!*, desde as procissões pagãs-cristãs até a tourada, passando pelo carnaval dos mortos, permite uma releitura mais antropológica da cena da lamentação em *O encouraçado Potemkin*, sem contar as cenas rituais — e até mesmo extáticas — em *A linha geral*, depois em *O prado de Bejin* e, mais tarde ainda, em *Alexandre Nevski* e *Ivã o Terrível*. A cólera vingativa que se segue à cena do luto no porto de Odessa não narra exatamente — ou não apenas — a substituição de um rito ancestral por um comportamento político: há muito tempo os etnólogos descreveram a dialética de abatimento e imprecação (portanto, a significação política) inerente aos ritos funerários mais primitivos.[148] Vemos

146. L. Trotsky, 1905, op. cit., p. 72–80.
147. A. Bogdanov, "L'art et la classe ouvrière" (1918), trad. B. Grinbaum, in *La Science, l'art et la classe ouvrière*. Paris: François Maspero, 1977, p. 249–250.
148. É. Durkheim, *Les Formes élémentaires de la vie religieuse* (1912). Paris: PUF, 1960 (ed. 1990), p. 562–563 e 572–574.

isso em cada tragédia , ou em quase todas elas. Talvez por isso, Eisenstein compreendesse tão bem o valor da *revolta* contida nos *lamentos* mexicanos, e mesmo no *canto jondo* cigano-andaluz.[149]

A pergunta que surge então pode ser formulada assim: de que maneira a *regressão* a uma "origem" — ou o imemorial de uma sobrevivência, um sintoma de tempos esquecidos — pode ter função de abertura, de *êxtase*, de explosão, de novidade, de excesso? Como pode um retorno da memória trazer um desejo quanto ao futuro? Mais do que uma "síntese das artes" — como nos foi possível dizer ao aproximarmos o pensamento de Eisenstein e o de Pavel Florensky sobre as liturgias ortodoxas do ícone —,[150] não seria em termos de *transgressão* que deveríamos colocar a questão das sobrevivências do sagrado no presente dos próprios gestos políticos, como fez Georges Bataille?[151] A transgressão vanguardista não passa com frequência por uma memória e até por uma reatualização do arcaico? Mesmo que Eisenstein ignorasse os trabalhos de Aby Warburg sobre o papel das *sobrevivências na própria modernidade* — por exemplo, em sua análise magistral de O *almoço na relva*, de Édouard Manet —,[152] ele integrou as hipóteses metapsicológicas de Freud, de Vygotski e até mesmo

149. S. M. Eisenstein, *La Non-indifférente Nature, II*, op. cit., p. 99. Id., "Synchronisation des sens: le montage vertical" (1940), in *Le Film: sa forme, son sens*, op. cit., p. 275–276. Id., "El Greco y el cine", art. cit., p. 116–117.

150. P.Florensky, "La liturgie comme synthèse des arts"(1918),trad. F.Lohest, in *La Perspective inversée, l'iconostase et autres écrits sur l'art*. Lausane: L'Âge d'homme, 1992, p. 54–62. Cf. R. Bartlett, "The Circle and the Line: Eisenstein, Florensky, and Russian Orthodoxy", in *Eisenstein at 100*, op. cit., p. 65–76.

151. Cf. B. Amengual, *Sergueï Mikhaïlovitch Eisenstein*, op. cit., p. 85–89. Id., *Que Viva Eisenstein !*, op. cit., p. 267–277 e 511–526. A. Bohn, *Film und Macht*, op. cit., p. 218–270. A. Nesbet, *Savage Junctures: Sergei Eisenstein and the Shape of Thinking*. Londres/Nova York: I. B. Tauris, 2003 (ed. 2007), p. 116–156. M. Salazkina, *In Excess: Sergei Eisenstein's Mexico*. Chicago/Londres: The University of Chicago Press, 2009. A. Somaini, *Ejzenštejn*, op. cit., p. 113–186.

152. A. Warburg, "*Le Déjeuner sur l'herbe* de Manet.: la fonction préfiguratrice des divinités élémentaires païennes pour l'évolution du sentiment moderne de la nature" (1929), trad. S. Zilberfarb, in *Écrits, I. Miroirs de faille, à Rome avec Giordano Bruno et Édouard Manet, 1928–1929*. Dijon/Paris: Les Presses du réel L'Écarquillé, 2011, p. 125–137.

de Luria sobre a *atualidade do arcaico* nas esferas mais refinadas da vida adulta.[153] Tendo discutido com Kurt Lewin, ele conhecia muito bem o papel formador que este atribuía aos movimentos de regressão ou de "retrogressão" no desenvolvimento psíquico.[154] Portanto, uma política das sobrevivências está presente em Eisenstein — e é de política que é preciso falar para compreender a coexistência nele do *revolucionário* que ele será a vida inteira e do arqueólogo das imagens atento aos destinos psíquicos, inconscientes, da regressão.[155]

Não sei se nessa "política das sobrevivências", Eisenstein teria demonstrado uma obstinação cega, uma inocência temerária ou uma tática permanente. Ou, simplesmente, uma grande coragem teórica. Pois foi uma grande luta que ele nunca "ganhou". Ela o fez perder dois dos seus filmes mais queridos, *Que viva México!* (do qual restam apenas alguns *rushes* não montados por ele) e *O prado de Bejin* (do qual não resta nada, a não ser alguns fotogramas). Durante esse tempo, ele sofreu um verdadeiro julgamento de intenção, que foi chamado por Jean e Luda Schnitzer de "a

153. A. R. Luria; L. S. Vygotski, *Ape, Primitive Man, and Child: Essays in the History of Behavior* (1930), trad. E. Rossiter. Orlando/Helsinki/Moscou: Paul M. Deutsch Press, 1992. B. Doray, "Approche de la question du défaut et du "primitif" chez Vygotski", in *Vygotski maintenant*, op. cit., p. 351–367. Sobre o interesse de Eisenstein pelos trabalhos do linguista e arqueólogo Nikolaï Marr, cf. E. Vogman, "Nikolai Marr, *On the Origin of Language*", in A. Ackerman; L. Asenjuk (orgs.), *Reading with Eisenstein*. Montréal: Caboose, 2014.

154. K. Lewin, "Régression, rétrogression et développement" (1941), trad. C. Faucheux; M. Faucheux, in *Psychologie dynamique*, op. cit., p. 92–135.

155. S. Freud, *Conférences d'introduction à la psychanalyse* (1916–1917), trad. F. Cambon. Paris: Gallimard, 1999, p. 431–453 ("Points de vue sur l'évolution et la régression"). Cf. M. Balint, *Les Voies de la régression* (1959), trad. M. Viliker; J. Dupont. Paris: Payot, 1972 (ed. 1981). P. Fédida, *Par où commence le corps humain: retour sur la régression*. Paris: PUF, 2000.

batalha de Hernani[156] do cinema soviético".[157] No dia 8 de janeiro de 1935, realizou-se, em Moscou, o primeiro "Congresso dos operários criadores [cineastas] da União das Repúblicas Socialistas Soviéticas", que Eisenstein foi encarregado de abrir publicamente. Escreve Léon Moussinac:

> Na realidade, foi principalmente uma espécie de processo contra Eisenstein. Ele sabia quais seriam as críticas que lhe poderiam ser feitas e as compreendia. Respondeu, portanto, com a maior dignidade, com uma explicação que não deixou de lado nenhum detalhe. Foram três dias de discussão, durante os quais ele ficou aparentemente calmo. Mas não pôde deixar de sentir uma profunda humilhação ao ser encarregado de entregar as recompensas aos cineastas soviéticos numa seção solene, no teatro Bolshoi, quando ele mesmo estava colocado na última categoria.[158]

Leonid Trauberg contou como foi que, na hora da entrega das medalhas — tenhamos em mente que não se tratava apenas de medalhas, mas, mais concreta e cruelmente, do apoio ou da hostilidade do próprio Stalin —, a mão de Eisenstein, que ele segurava afetuosamente na sua, tornou-se completamente gelada, numa sala que parecia inteiramente "arrepiada" (de medo? de vergonha?).[159]

O cineasta tinha, porém, que tomar a palavra. Seu discurso, intitulado "A forma do filme: novos problemas", é extraordinário, se levarmos em conta o contexto no qual foi pronunciado.[160] Eisenstein não abre mão de nada. Pelo contrário, ele afirma, ele assume totalmente sua posição de heterodoxia retornando, por

156. Houve muitas polêmicas e manifestações em torno das apresentações da peça *Hernani*, drama romântico de Victor Hugo, em 1830. Tais polêmicas ficaram conhecidas como Batalha de Hernani. [N.T.]

157. J. Schnitzer; L. Schnitzer, *Histoire du cinéma soviétique*, 1919–1940. Paris: Pygmalion-Gérard Watelet, 1979, p. 331–353.

158. L. Moussinac, *Serge Eisenstein*, op. cit., p. 72.

159. Apud R. Taylor, "Il contesto politico dell'estetica di Ejzenštejn", in *Sergej Ejzenštejn: oltre il cinema*, op. cit., p. 51.

160. S. M. Eisenstein, "La forme du film: nouveaux problèmes" (1935), *Le Film: sa forme, son sens*, op. cit., p. 127–177.

assim dizer, a uma ortodoxia mais fundamental que é justamente a da dialética. Ao heroísmo stalinista ele responde em primeiro lugar (ao lado de Marx) dizendo que só os povos agem sobre a história, razão pela qual não havia "herói" em *O encouraçado Potemkin*, a não ser o próprio navio ou a comunidade das pessoas revoltadas; e em segundo lugar (ao lado de Joyce), lembrando sua teoria do "*pathos* do pensamento", a partir de uma fórmula como o "monólogo interior".[161] O monólogo interior! Não é ele a forma obsoleta e burguesa por excelência? Eisenstein responde que é uma *sobrevivência* — encontrada principalmente no "imenso tesouro do folclore", diz ele —,[162] e que por isso pode ter um papel dialético na nossa própria *atualidade*... Contanto que, é claro, seja aceito o *momento regressivo* de todo processo estético ou de todo "progresso" artístico. Por essa razão, ao realismo socialista conquistador, o cineasta ousará responder com algo como um "realismo mágico" vindo das regiões mais "perdidas", ou perdedoras, da história humana.

E aqui está também nosso artista-filósofo que, diante do muro dos doutrinadores soviéticos, ousará responder às suas acusações de intelectualismo e de formalismo com um vibrante apelo ao "pensamento sensorial", ou "pensamento-em-formação", ou "pensamento pré-lógico" — Lévy-Bruhl apoiando Eisenstein, e Engels apoiando (de forma muito pouco ortodoxa) Lévy-Bruhl.[163] Mas, dirá o cineasta, essa é "a dialética das obras de arte":

> O elemento afetivo da obra de arte repousa no fato de que um duplo processo se desenvolve nela simultaneamente: um impetuoso elã progressivo, de acordo com as direções dos mais altos escalões explícitos de consciência — e, simultaneamente, por meio da estrutura formal, um mergulho nas camadas mais profundas do pensamento sensorial. Os polos opostos dessas duas correntes criam uma notável tensão entre

161. Ibid., p. 133–137 e 149–150.
162. Ibid., p. 150.
163. Ibid., p. 153–162.

a unidade da forma e do fundo, sem a qual, e fora da qual, não existem obras de arte autênticas. [...] Se deixarmos triunfar um ou outro desses elementos, a obra de arte ficará inacabada.[164]

Todo homem que caminha deveria aceitar que seu caminho possa ser, de repente, um caminho de volta. Diante de seus interlocutores cada vez mais agressivos — "Não espero que S.M. Eisenstein nos conte histórias sobre as mulheres polinésias, isto está muito distante de nós", "Se eu soubesse tanto quanto ele, eu realmente morreria (*risos e aplausos*) [...], mas espero que S.M. Eisenstein não continue a dar voltas" —,[165] o cineasta vai continuar defendendo sua heterodoxia dialética e sua presunção estética da regressão. A continuação dessa história foi uma progressiva retirada para a esfera privada, mesmo que Eisenstein nunca tenha parado de publicar artigos e de lecionar. Mas o grande manuscrito de *Método*, que deveria apresentar todo o leque das suas hipóteses teóricas, só teve liberdade de tom e de ideias no terreno da não-publicação e da não-publicidade, ou seja, da clandestinidade.[166]

Método é um manuscrito de 2.459 folhas, frente e verso, que não tenho o propósito nem a competência de analisar aqui, mas do qual devemos saber que reúne quase tudo aquilo que Eisenstein pôde elaborar depois da sua crucial experiência mexicana. Ele se parece com os manuscritos erráticos de Aby Warburg, na época da elaboração do atlas *Mnemosine*. E, como eles, estava inacabado por ocasião da morte do autor. Onde Warburg falou de *Grundbegriffe* nos seus manuscritos, Eisenstein vai falar de *Grundproblem*. Ora, esse "problema de fundo" não é outro senão a misteriosa dialética entre "regressão e progressão" — esse "tambor rítmico" — no qual

164. Ibid., p. 162–163.
165. Ibid., p. 167.
166. Id., *Metod — Die Methode* (1932–1948), ed. O. Bulgakowa. Berlim: PotemkinPress, 2008. Cf. N. Kleiman, "*Grundproblem e le peripezie del Metodo*", in *Sergej Ejzenštejn: oltre il cinema*, op. cit., p. 277–290. O. Bulgakowa, "Comment éditer Eisenstein ? Problème de *Méthode*", trad. E. Ovtcharenko, *Cinémas, revue d'études cinématographiques*, XI, 2001, n. 2–3, p. 27–67.

se desdobra a potência "mágica" das imagens, entre afetos e conceitos, explosões pulsionais e construções intelectuais, retornos do imemorial e decisões referentes ao futuro. Trata-se, portanto — como em Warburg, mais uma vez —, de uma pesquisa sobre as imagens, no sentido mais amplo possível, numa área geográfica ou histórica tão vasta quanto possível, mas no ponto crucial, incandescente, "extático", da sua maior *necessidade antropológica*.[167]

E para terminar, é ali que Eisenstein nos exige tanto através do seu "método" paradoxal. Não basta sublinhar a "miscelânea" das suas referências, como dizia Jacques Aumont, nem se perguntar, como David Bordwell, se ele teria ou não rompido de verdade com a abordagem marxista.[168] O que permanece em suspenso, e por isso mesmo é ainda mais notável, é sua maneira tão pertinente — e tão difícil! — de querer segurar as duas pontas da dialética e da imagem, ou seja, da *não-síntese*. Antonio Somaini, na sua apresentação das *Notas para uma história geral do cinema*, cita um texto escrito na época de *Método*, evidentemente não publicado durante a vida do cineasta, marcada pelo insucesso ao se fazer ouvir, o que nunca impede Eisenstein de ser irônico: "Eles nunca me perdoarão a ideia da arte como 'regressão' [...]. Que a arte seja então... *síntese*".[169] O que significa dizer: eles não podem compreender que uma *dialética das imagens* não produza justamente síntese, nem "grau superior", mas, pelo contrário, um retorno a alguma

167. Cf. R. Kloepfer, "La puissance des prémisses anthropologiques dans la théorie du film de Sergueï M. Eisenstein", art. cit., p. 185-212. A. Bohn, *Film und Macht*, op. cit., p. 25-160. A. Cervini, "Per una filosofia della memoria: una lettura di *Metod* fra scienze naturali e storiche", in *La forma della memoria*, op. cit., p. 109-119. Id., *La ricerca del metodo*, op. cit. O. Bulgakowa, "Il cinema come giocattolo filosofico, magia contemporanea e necessità antropologica", trad. A. Roberti, *Bianco e nero*, LXXII, 2011, n. 569, p. 107-119. S. Tedesco, "Ejzenš- tejn e i paradigmi antropologici novecenteschi", *Bianco e nero*, LXXII, 2011, n. 569, p. 95-99. A. Somaini, *Ejzenštejn*, op. cit., p. 216-261.

168. J. Aumont, *Montage Eisenstein*, op. cit., p. 29. D. Bordwell, "Eisenstein's Epistemological Shift", *Screen*, XV, 1974, n 4, p. 29-46.

169. Apud A. Somaini, "Généalogie, morphologie, anthropologie des images", art. cit., p. 252.

coisa de mais pobre, de mais frágil, porém de mais fundamental. "A síntese é perigosa", já dizia Eisenstein em 1931.[170] E a atividade artística será justamente um lugar possível para evitar isso e afrontar outros perigos mais vitais, mais antigos ou mais "mortais".

Êxtases do sujeito estético: a dialética agressiva

Eisenstein faz parte desses grandes artistas para quem, justamente, a arte *não* representava *tudo*: nem "o tudo" da sua vida, em particular, nem "a síntese" de todas as coisas da vida, em geral. A arte só é grande quando não se toma ela própria pelo umbigo — essa coisinha — do mundo. É significativo que quando Eisenstein se pergunta, nas suas *Notas para uma história geral do cinema,* sobre "o lugar do cinema no sistema geral das artes", ele não precisa mais repetir a lição modernista ou progressista de sempre, que seria afirmar vitoriosamente o cinema como a "síntese das artes" que o precederam na história. Ele sem dúvidas parte dessa ideia — que caracterizava todas as vanguardas dos anos 1920 e 1930 —, mas ela é justamente o ponto de partida. Para isso, como vimos, ele escolhe colocar a técnica do cinema no plano de um modelo do "aparelho psicológico humano":[171] uma maneira de permanecer no plano mais amplo de uma antropologia e não no território acadêmico de uma história progressista ou de uma *paragonagem* entre as diferentes artes visuais. Parece que ele se contenta em acumular exemplos, e isso se dá em todos os sentidos, não apenas na desordem e na "miscelânea", mas também pela vontade — perfeitamente legítima e *metódica* — de retirar as imagens de toda hierarquia de meios, estilos ou épocas: é por isso que Nicéphore Niépce[172] está próximo do ato cotidiano

170. S. M. Eisenstein, "Prometheus (expérience)" (1931), trad. F. Albera; A. Zouboff, in *Cinématisme,* op. cit., p. 136.
171. Id., *Notes pour une histoire générale du cinéma*, op. cit., p. 179.
172. Inventor francês responsável pelas primeiras fotografias (1755–1833). [N.T.]

de "se refletir num espelho" e Leonardo da Vinci da "impressão das mãos nas cavernas".[173]

É inútil entrar na questão, muito debatida, de saber se as produções da vanguarda russa, inclusive de Eisenstein, vinham de uma "síntese das artes" ou de uma relação muito mais impura de "hibridações", como sustentou Pietro Montani com muitos argumentos pertinentes.[174] É a estratégia de transversalidade, perpetuamente mantida por Eisenstein, que logo chama a atenção do leitor dos seus textos.[175] Sua noção da história da arte parece resultar de uma montagem tão rápida, intensa e extática quanto sua maneira de filmar a história de uma greve ou de uma revolução política: de fato, ele não para de colocar em contato as obras mais heterogêneas, segundo um princípio que não é nem de dedução histórica (como em Panofsky), nem de álbum estilístico (como em Malraux), nem mesmo de atlas problemático (como em Warburg). Temos a impressão de que ele procura fazer explodir os determinismos formais e cronológicos numa prática de *montagens anacrônicas* capazes de encarnar sua própria noção dialética — "regressiva-progressiva" — das imagens.[176]

Isso explica por que Eisenstein liga a arte gótica à noção de alucinação, compara *La Derelitta* de Botticelli com um plano fechado de cinema, vê El Greco sob o ângulo da montagem, admira Piranese por sua "técnica da explosão", glorifica Rodin por sua arte de "sair do enquadramento", sem falar de Daumier, Menzel ou Degas, da arte japonesa, de Picasso, de Orozco e de tantos ou-

173. Ibid., p. 181–183.

174. P. Montani, "Il futurismo russo e l'avanguardia cinematografica sovietica: un'estetica dell'ibridazione" (1986), *Fuori campo*, op. cit., p. 81–102. Id., "Sintesi delle arti o amicizia tra le arti ? Una nota in margine alla *Storia generale del cinema* secondo Ejzenštejn", *Bianco e nero*, LXXII, 2011, n. 569, p. 7–11. Cf. G. Conio, *L'Avant-garde russe et la synthèse des arts*, op. cit. D. Thomä, *Totalität und Mitleid. Richard Wagner, Sergej Eisenstein und unsere ethisch-ästhetische Moderne*. Frankfurt: Suhrkamp Verlag, 2006.

175. Cf. E. G. Grossi, *L'ottava arte. Itinerari di letturai*. Pisa: ETS, 1989.

176. Cf. A. Somaini, "Montaggio e anacronismo", *Aut aut*, n. 348, 2010, p. 84–100.

tros.[177] Sem contar a literatura — Tolstói, Puchkin e Dostoievski, Diderot e Baudelaire, Hugo, Balzac e Zola, Dickens e Joyce —, cuja permanência nos escritos de Eisenstein confirma sua intuição, mais uma vez próxima de Warburg, de que as "fórmulas patéticas" ou os procedimentos de montagem, por não serem ideias gerais acima de todo material, são dotadas dessa essencial *capacidade de migração* que as faz atravessar tanto o tempo quanto o espaço.[178] Pensar El Greco com o *canto jondo*, Griffith com Dickens ou Rodin com Rilke não será uma maneira de falar de uma "verticalidade", ou mesmo de uma "transversalidade" da montagem como procedimento "transmedial", como mostrou Antonio Somaini nos seus trabalhos recentes?[179]

O método é êxtase. Isso quer dizer *transgredir*: extrair do meio alguma coisa que não esperávamos dele — mas também, imediatamente, fazê-lo sofrer a violência mesma dessa extração. Por exemplo, não filmar coisas "na bruma", mas a própria bruma com sua tristeza atmosférica fundamental (*fig.* 42); ou então, filmar o desespero de uma mãe, correndo o risco de seu grito se chocar contra a objetiva da câmera (*fig.* 37). É o que Viktor Chklovski compreendeu muito bem quando falou da "poeticidade" fundamental

177. S. M. Eisenstein, *La Non-indifférente Nature*, I, op. cit., p. 271–353. Id., *Dickens et Griffith*, op. cit., p. 148–160. Id., "El Greco y el cine", art. cit., p. 65–126. Id., "Prometheus (expérience)", art. cit., p. 130. Cf. P. Montani, "La soglia invalicabile della rappresentazione: sul rapporto pittura-cinema in Ejzenš- tejn", in *Fuori campo*, op. cit., p. 45–59. O. Calabrese, "L'estasi semiotica di Ejzenš- tejn", in *Sergej Ejzenštejn: oltre il cinema*, op. cit., p. 244–251.
178. S. M. Eisenstein, "Allez-y !... Servez-vous !", art. cit., p. 75–96. Id., "Le cinéma et la littérature", art. cit., p. 21–33. Id., "Léon Tolstoï, *Anna Karénine*: les courses" (1937), trad. A. Zouboff; B. Epstein, in *Le Mouvement de l'art*, op. cit., p. 45–50. Id., "Pouchkine — monteur", art. cit., p. 35–43. Id., "Pouchkine et le cinéma" (1939), trad. L. Schnitzer; J. Schnitzer, in *Œuvres, I. Au-delà des étoiles*, op. cit., p. 253–262. Id., "Diderot a parlé de cinéma" (1943), trad. A. Zouboff; B. Epstein, *Le Mouvement de l'art*, op. cit., p. 77–96. Id., *La Non-indifférente Nature, I*, op. cit., p. 141–249. Id., *Dickens et Griffith*, op. cit.
179. Id., "Synchronisation des sens. Le montage vertical", art. cit., p. 253–277. Cf. A. Somaini, *Ejzenštejn*, op. cit., p. 382–400. Id., "Généalogie, morphologie, anthropologie des images", art. cit., p. 237–291.

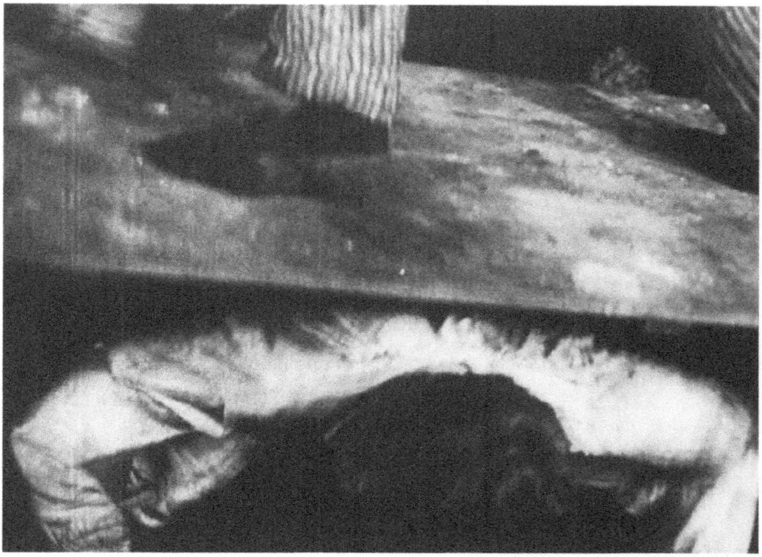

Figura 59. Serguei M. Eisenstein, *A greve*, 1924. Fotograma (homem esmagado).

do *Potemkin* sob o ângulo de uma dialética capaz de representar ao mesmo tempo um *método* específico — que Chklovski chamava de "lógica dos procedimentos" — e seu próprio *êxtase* ou "excentricidade".[180] E, como mostrou Leonid Heller, isso era válido ainda que Chklovski continuasse teoricamente a insistir sobre a autonomia do meio, ali onde Eisenstein, por sua vez, não temia nenhuma experiência "intermedial",[181] o que é comprovado por suas idas e vindas constantes entre teatro e cinema, cinema e desenho, desenho e literatura, literatura e teoria etc.

O método é êxtase ainda em outro sentido: no sentido de uma *agressão* generalizada. Walter Benjamin não foi o único a

180. V. Chklovski, "Eisenstein", art. cit., p. 168–171. Id., "Poésie et prose au cinéma", art. cit., p. 58–60. Id., *Leur présent* (1927), trad. V. Pozner, in *Textes sur le cinéma*, op. cit., p. 112–115.
181. L. Heller, "Cinéma, cinématisme et ciné-littérature en Russie", *Cinémas, revue d'études cinématographiques*, XI, 2001, n. 2–3, p. 181–188.

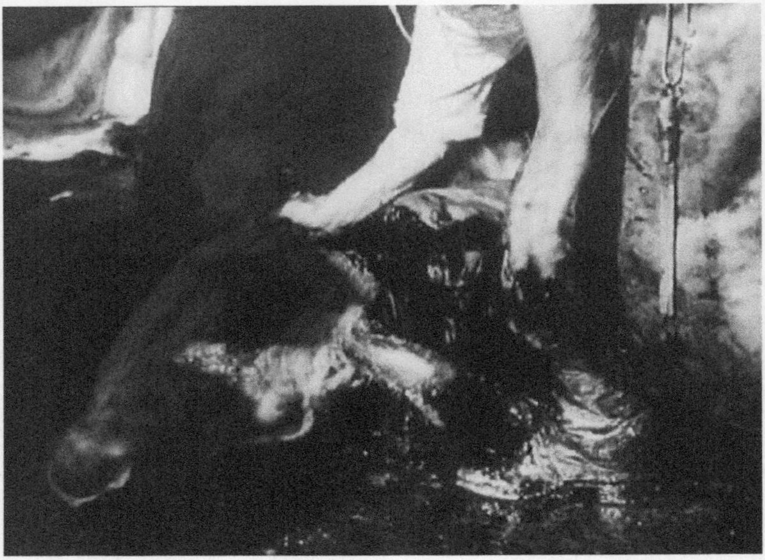

Figura 60. Serguei M. Eisenstein, *A greve*, 1924. Fotograma (boi degolado).

constatar — mas ele o disse melhor que muitos outros — que *O encouraçado Potemkin* é fascinante, quase alucinante, por sua capacidade de nos colocar diante de um "abismo do horror", mostrando de sua maneira perfeitamente "impiedosa" o massacre das populações civis na escadaria de Odessa: impiedosa, sim, mas conseguindo como ninguém fizera antes dele "comunicar tamanha beleza a um movimento de horror".[182] É um filme no qual a própria matança foi calculada, assim como todo o resto, "como o arco de uma ponte", escreve ainda Benjamin.[183] Nesse mesmo *método*, consequentemente, estão embutidas ao mesmo tempo toda a *precisão* e toda a *violência* do estilo de montagem eisensteiniano, esse êxtase da agressão que se chama *crueldade*. Crueldade que se

182. W. Benjamin, "Discussion sur le cinéma russe", art. cit., p. 16.
183. Ibid., p. 17.

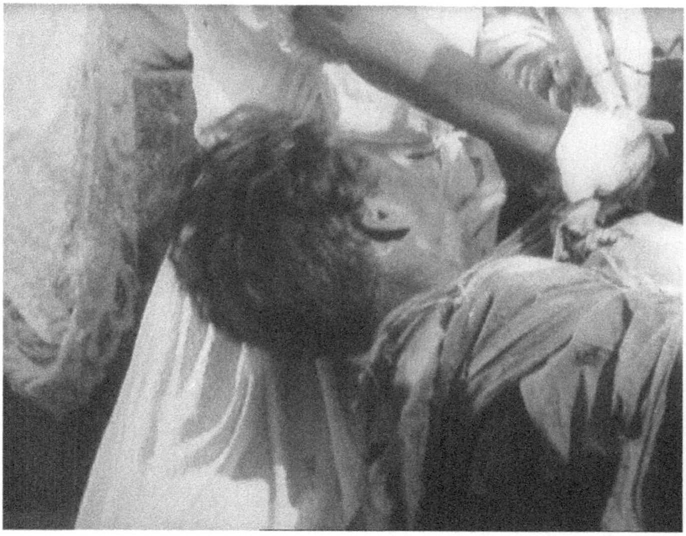

Figura 61. Serguei M. Eisenstein, *Outubro*, 1927–1928. Fotograma (jovem revolucionário morto a golpes de guarda-chuva).

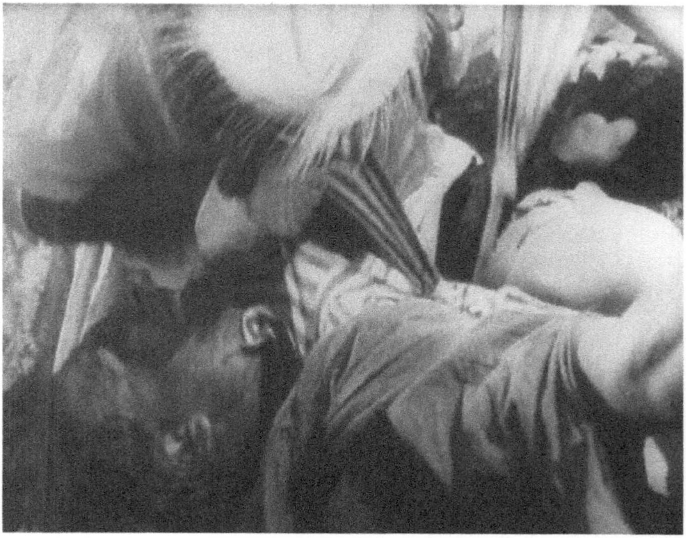

Figura 62. Serguei M. Eisenstein, *Outubro*, 1927–1928. Fotograma (jovem revolucionário morto a golpes de guarda-chuva).

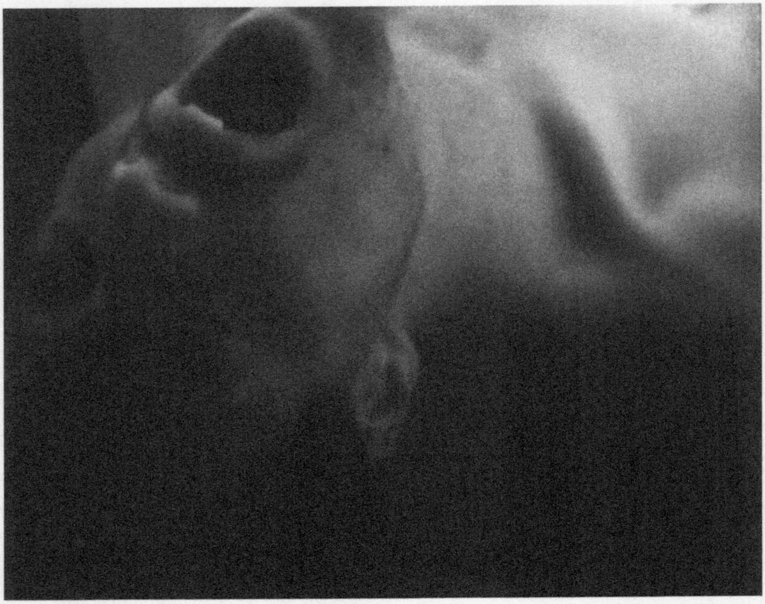

Figura 63. Serguei M. Eisenstein, *Que viva Mexico!*, 1931. Fotograma (suplício de Sebastián).

exerce em todos os sentidos: sobre os personagens representados — ensanguentados, desfigurados — e também, reciprocamente, sobre o próprio espectador, que sofre de volta todo o horror.

"Beleza dada ao movimento do horror", portanto. Mas também: horror que cai sobre todos os signos da beleza. Olhemos as carpideiras de Odessa: elas não são "belas" (terá sido isso que incomodou Roland Barthes, diante do seu aspecto tão "deplorável"?). Não são atrizes profissionais e, por essa razão, talvez, a expressão de dor que Eisenstein lhes pede as desfigura um pouco, enfeia seus traços, assim como quando elas fazem o movimento de raiva. Tudo aquilo que deveria ser elevado, Eisenstein esmaga cruelmente, porque ele aposta — como Goya antes dele e como Picasso depois dele — que desse horror vai surgir um novo gênero de beleza. O que ele espera de todos esses rostos em parte desfigurados (*fig. 33–35 e 43–46*) não é nada mais do que a intensidade do *pathos*, essa forma vital que, desde Winckelmann, Lessing e suas perguntas sobre o *Laocoonte*, coloca uma questão a todos os filósofos da arte e da beleza.

Portanto, é pelo viés de uma *dialética agressiva* que Eisenstein irá proceder aquilo que poderíamos chamar de seu "êxtase do sujeito estético": quando o *pathos* esmaga ou, ao contrário, leva as formas até as deformações, até as desproporções mais extremas (e é por isso que permanece legítimo explorar as analogias de procedimentos entre Eisenstein e Georges Bataille). Esmaga-se e degola-se em *A greve* (*fig. 63–64*). Um Orfeu revolucionário é assassinado por mênades burguesas com gestos de uma crueldade extrema, a golpes de guarda-chuva, em *Outubro* (*fig. 61–62*). Sebastián, enterrado até a cintura, sofrerá um suplício atroz em *Que viva México!* (*fig. 63–64*). É também nessa época que Eisenstein dará o título de *Crueldade* (*fig. 65*) a um desenho que parece diretamente inspirado na fotografia do "Suplício dos cem pedaços", imagem publicada em 1923, no clássico *Tratado de psicologia* de George Dumas, e que em 1925 serviu a Georges Bataille de suporte crucial para seu próprio "êxtase" do sujeito estético.[184]

O fato de Eisenstein, no seu desenho, ter exagerado a crueldade com duas imagens sexuais do pênis cortado e do empalamento nos dá uma visão mais exata da estratégia psíquica usada na sua considerável produção gráfica mexicana:[185] há uma *dialética do desejo* perpetuamente tensa entre o extremo da ligação

184. G. Bataille, *L'Expérience intérieure* (1943), in *Œuvres complètes*, V. Paris: Gallimard, 1973, p. 139–140.

185. Cf. J. Aumont, B. Eisenschitz; J. Narboni (orgs.), *S. M. Eisenstein: esquisses et dessins*. Paris: L'Étoile/Cahiers du cinéma, 1978. G. Ackerman; J.-C. Marcadé, *S. M. Eisenstein: dessins secrets*. Paris: Seuil, 1999. N. Kleiman; M. Sesti (orgs.), *Ejzenštejn: la musica del corpo*. Roma: Fondazione Musica per Roma, 2004. A. Ackerman, "Les représentations graphiques de la corrida par Eisenstein", *Revue des études slaves*, LXXVIII, 2007, n. 1, p. 33–49. A. Somaini, *Ejzenštejn*, op. cit., p. 140–186. E. Vogman, "Sergej Eisenstein: Die Ermordung

(o “mergulho no ventre”) e o extremo do corte (a crueldade mutiladora exercida sobre a imagem do corpo). Os desenhos são para o próprio cineasta como as sismografias ou os “estenogramas visuais”, como ele dizia, de um movimento que oscilava sempre entre o “devaneio” de um meio erótico (*sreda*, em suma) e a “acuidade” ou crueldade de um corte (*obrez*).[186] Como Eisenstein afirmou que “desenho e dança saem da mesma pulsão” e que “as linhas do seu desenho podem ser lidas como os traços de uma dança”;[187] compreendemos que a “variabilidade do método”[188] concomitante dependa, para ele, além do elemento do desejo, de uma verdadeira *dialética do gesto*, ao mesmo tempo figurada (na folha de papel) e encenada (pela mão e o lápis).

Por isso, muitos dos seus desenhos mexicanos são representações de atos ou *gestos de sexo ou de morte*, dos quais se desprende uma mistura surpreendente de crueldade e de humor. Há assassinatos em série, orgias, cenas de prostituição, touradas fortemente sexualizadas; faz-se amor nos caixões; heterossexualidade e homossexualidade — masculina ou feminina —, tudo está misturado; há cenas muito sádicas, há também desenhos intitulados *Sacher Masoch* ou *Prazeres masoquistas*; há muitas imagens de felações e sodomias, como um desenho muito engraçado intitulado *Una alternativa muj complicata* [sic], na qual vemos um grande touro sodomizar o toureiro, que, por sua vez, sodomiza um touro menor que, por sua vez, sodomiza um pequeno toureiro...[189]

É algo surpreendente, a meio caminho entre Walt Disney e o Marquês de Sade, ou então entre Daumier e Antonin Artaud:

des König Duncan (Geometrismus und Naturalismus)” [traduction, commentaire et dessins], *Sichtbarkeiten*, n. 3, 2014, p. 147–169.

186. S. M. Eisenstein, *Mémoires*, op. cit., p. 624–625.

187. Ibid., p. 91.

188. Ibid., p. 97.

189. G. Ackerman; J.-C. Marcadé, *S. M. Eisenstein: dessins secrets*, op. cit., pl. 16, 53–54, 72, 143–144, etc.

Figura 64. Serguei M. Eisenstein, *Que viva Mexico!*, 1931.
Fotograma (Maria se lamentando sobre o corpo de Sebastián).

quero dizer, entre os exageros do *Witz*, da caricatura ou do desenho animado, e a encenação fantasmática, dolorosa, de todas as agressões possíveis ao corpo humano. Foi ao descobrir esse aspecto bem pouco oficial de Eisenstein que os críticos puderam orientar suas interpretações, desde os anos 1970, ao lado de Freud, Sade ou Artaud.[190]

190. Cf. P. Bonitzer, "Les machines e(x)tatiques (macroscopie et signification)", *Cahiers du cinéma*, n. 271, 1976, p. 22–25. Id., "La nature d'Eisenstein", préface à *Œuvres, II. La Non-indifférente Nature, I*, op. cit., p. 7–13. J. Aumont, *Montage Eisenstein*, op. cit., p. 38–40. R. Carasco, *Hors-cadre Eisenstein*. Paris: Macula, 1979, p. 31–50. B. Amengual, *Que Viva Eisenstein !*, op. cit., p. 439–450. H. Lövgren, "Trauma and Ecstasy: Aesthetic Compounds in Dr. Eisenstein's Laboratory", in L. Kleberg; H. Lövgren (orgs.), *Eisenstein Revisited: A Collection of Essays*. Estocolmo: Almqvist & Wiksell International, 1987, p. 93–111 (retomado em I. Christie; D. Elliott (orgs.), *Eisenstein at Ninety*. Oxford/Londres: Museum of

Figura 65. Serguei M. Eisenstein, *Crueldade*, 1931. Desenho a lápis de cor. Moscou, Arquivos Literários e Artísticos do Estado. ©(RGALI).

François Albera questionou os valores do uso da linha gráfica em Eisenstein: ele vê ali uma ferramenta dialética que permite, ao mesmo tempo, o jogo da *deformação* — eventualmente cruel, entregue aos poderes do inconsciente —, e outro de uma *construção* orientada para a tomada de consciência, a lucidez, a teoria — bem mais metódico, ou talvez melódico.[191] Esse duplo movimento é fundamental. Podemos encontrar exemplos dele nas diversas representações gráficas que Eisenstein forjou da sua própria noção de *ekstaz* ou *extasis*: vemos aqui um personagem com pernas e braços abertos, como o famoso *Homo ad circulum*[192] de Leonardo da Vinci e, ao mesmo tempo, como o personagem muito mais inquietante do *Acéfalo*;[193] e ali, pelo contrário, descobrimos uma cabeça de criança no cruzamento de braços de uma mulher e de um homem;[194] Léon Moussinac mostrou uma terceira versão (há certamente outras) na qual Eisenstein representou a si mesmo com os membros estendidos, puxados por quatro cavalos, como no horrível suplício medieval.[195]

A crueldade ou a "dialética agressiva" desenham, portanto, um *pathos* onipresente em Eisenstein, que conta, aqui e ali nas suas *Memórias*, a que ponto ele foi "marcado a ferro e fogo"[196] pelas mil e uma imagens da violência na história. Assim virá a lembrança ardente do livro ilustrado por Armand Dayot sobre a Comuna de Paris:

Modern Art-British Film Institute, 1988, p. 101–116). V. Tacquin, "La déformation extatique", *Admiranda, cahiers d'analyse du film et de l'image*, n. 7, 1992, p. 14–23. M. Milliard, "L'autre image: le graphique et le filmique", ibid., p. 46–57.

191. F. Albera, "Eisenstein dans la ligne. Eisenstein et la question graphique", *Eisenstein: l'ancien et le nouveau*, op. cit., p. 77–102.

192. Homem Vitruviano. [N.T.]

193. Cf. G. Didi-Huberman, *La Ressemblance informe*, op. cit., p. 317.

194. Cf. A. Somaini, *Ejzenštejn*, op. cit., fig. 55.

195. Cf. L. Moussinac, *Serge Eisenstein*, op. cit., p. 161.

196. S. M. Eisenstein, *Mémoires*, op. cit., p. 41.

> Por algum tipo de milagre, o "garotinho impressionável" encontra no escritório do pai [...] uma edição francesa ricamente ilustrada de *O ano de 1871 e a Comuna de Paris*.
>
> É precisamente na minha tenra idade que começo a me apaixonar pelas revoluções e, precisamente, pelas revoluções francesas. Por causa, é claro, de seu romantismo fundamental. Seu pitoresco. Seu caráter insólito.
>
> Avidamente, vou mergulhando num livro depois do outro. A guilhotina cativa a imaginação. Me surpreendo com as fotografias da coluna Vendôme caída. Me apaixono pelas caricaturas de André Gill e de Honoré Daumier. [...]
>
> Dos quadros da Comuna de Paris, o que ficou na minha memória com mais precisão foi a cena nos campos de concentração do governo de Versailles, onde as mulheres furam com seus guarda-chuvas os olhos dos insurrectos prisioneiros.
>
> A imagem desses guarda-chuvas não me deu descanso até que, "apesar do bom senso" eu a coloquei na cena do massacre do jovem operário, durante a revolução de julho de 1917 (fig. 61–62).[197]

Eisenstein não esconde o caráter sexual, extremamente perturbador, dessas experiências de *imagens agressivas* que, ao mesmo tempo, documentam a violência da história e de certa forma repercutem essa violência sobre o espectador. Ainda nas *Memórias*, encontramos uma lembrança da cena da castração do "estuprador e explorador Maigrat", em *Germinal* — cena com a qual Zola consegue "saturar sua obra de *pathos* revolucionário", diz Eisenstein —,[198] e uma lembrança das primeiras experiências de "fotomontagem", com imagens de prostitutas ou de suplícios inspirados em Octave Mirbeau.[199] Sobre essas crueldades contempladas, escreve Eisenstein, "torna-se difícil saber quem marcou quem".[200] Assim como, no massacre final do *Potemkin*, a crueldade infligida às vítimas de certa forma volta-se, visualmente, contra nós (fig.

197. Ibid., p. 69 e 72–73.
198. Ibid., p. 565–566.
199. Ibid., p. 127–129.
200. Ibid., p. 131. Cf. id., "De la pureté cinématographique", art. cit., p. 102–104.

35-37), no momento exato em que estamos acompanhando a cólera das "Fúrias" de Odessa (fig. 43-46).

Pois bem, desejar sofrer a violência de uma imagem — para desejar, eventualmente, mais tarde, colocá-la em cena e *mostrá-la* a outros espectadores — não era para Eisenstein apenas se embrenhar num puro e simples exercício do *pathos* da violência. A partir do momento em que a questão da *forma* é assumida cabalmente, diz ele,não estamos mais em território de empatia ou, dito de outra maneira, de propaganda: a propaganda era para ele a arte de fazer o "realismo" passar pela "realidade", quando aquilo que ele reivindica é de outra ordem — um "novo realismo", ele dirá.[201] É então que a "dialética agressiva" se desloca no plano do *logos* revolucionário, ou seja, de um conhecimento da história. Sobre o *Potemkin* e seus outros filmes dos anos 1920, Eisenstein pôde dizer que "quando você olha a tela, você tem a deliciosa impressão que seus olhos são apanhados por pinças",[202] expressão que poderia levar a pensar mais uma vez em Georges Bataille. Mas essa sensação visual, quase tátil, não deriva simplesmente de uma postura masoquista: receber nos olhos a pressão aguda da pinça é também ativar seu próprio pensamento. A transgressão, em Eisenstein — como, aliás, em Bataille —, não é só uma questão de emoções violentas, mas também de saber e de verdades violentas.

Existirá, portanto, um *método* da crueldade tanto quanto um *pathos* da crueldade. Por que um método? Porque a curiosidade pela violência diz alguma coisa sobre a nossa vontade de *saber apesar de tudo*: saber construído *sobre* a violência, apesar do caos da violência, *contra* a violência. Conhecimento que encontra seu "êxtase" no exercício de ver e *rever as imagens* dessa mesma violência. Sabemos que, mais de uma vez, Eisenstein evocou

201. Id., "Dans l'intérêt de la forme" (1932), trad. L.; J. Schnitzer, in *Œuvres, I. Au-delà des étoiles*, op. cit., p. 233-241.

202. Id., "De la pureté cinématographique", art. cit., p. 99.

a figura de São Sebastião, cuja mistura de sofrimento e beleza fascinava-o muito: muitas vezes ele mesmo se sentiu não só como um Dionísio em pedaços, mas também como um São Sebastião crivado de flechas. Na sua última carta a Léon Moussinac, datada de 13 de janeiro de 1947, ele diz ter perdido "forma humana" na doença e, apressadamente, pede a ele que lhe envie o livro de Victor Kraehling sobre *São Sebastião na arte*.[203] Ao mesmo tempo, porém, Einsenstein, o diretor — de *A greve* até *Ivan, o Terrível* —, vai se colocar constantemente em posição de observar tudo isso "por trás do arqueiro, por trás do carrasco", se podemos dizer assim, de modo a saber com exatidão como se exerce a crueldade dos homens sobre os outros homens. Por isso, evidentemente, boa parte das suas lições de direção dizem respeito ao *saber dos gestos violentos*, como quando ele disseca os gestos descritos por Dostoievski no episódio de Rogójin, em *O idiota*, ou no assassinato de Aliona Ivanovna, em *Crime e castigo*.[204]

Ser artista, para Eisenstein, não seria nada mais do que *representar essa violência* fundamental: conhecê-la para dominá-la, e trabalhar para mudar constantemente sua direção — inclusive contra a própria arte —, como para zombar dela. O cineasta vai procurar fazer disso um destino pessoal, ancorado na "moral do brinquedo", como Baudelaire disse sobre a sua infância:

> Toda criança certinha faz três coisas: quebra objetos, abre as bonecas ou os relógios para saber o que têm dentro, atormenta os animais. Das moscas, por exemplo, elas fazem, se não elefantes, pelo menos cachorrinhos. Para isso tiram as duas patas do meio (ainda restam quatro). Arrancam as asas: a mosca não pode voar e corre com as quatro patas.
>
> Assim se comportam as crianças certinhas. As boas.

203. Apud L. Moussinac, *Serge Eisenstein*, op. cit., p. 83–84.
204. S. M. Eisenstein, "Questions de mise en scène: 'mise en jeu' et 'mise en geste'" (1933–1946), trad. A. Zouboff, in *Le Mouvement de l'art*, op. cit., p. 179- 243. Id.; V. Nijny, *Leçons de mise en scène* (1957), trad. J. Aumont. Paris: FEMIS, 1989, p. 131–186.

Eu era uma criança má. Na minha juventude não fiz nem a primeira, nem a segunda, nem a terceira dessas coisas. Não tenho na minha consciência o menor relógio desmontado, a menor mosca martirizada, o menor vaso quebrado de propósito... E isso, é claro, é muito ruim.

Pois é provável que seja justamente por isso que fui forçado a me tornar diretor de cinema.

Efetivamente, as crianças boazinhas de que estou falando satisfazem os pruridos da sua curiosidade, sua crueldade primitiva e sua agressiva afirmação de si graças aos passatempos anódinos que enumerei.

O prurido passa com a infância. E, quando chegam à idade madura, nenhum deles pensa em fazer nada parecido. O garoto "bonzinho" é completamente diferente do moleque comum.

Na sua infância, ele não mutila bonecas, não quebra a louça e não atormenta os animais. Mas, tão logo cresce, é justamente atraído por esse tipo de distrações.

Ele procura febrilmente um campo de aplicação onde possa manifestar seus anseios com o mínimo de perigo.

E, no final de tudo, não pode deixar de ser diretor, pois assim será fácil realizar todas essas possibilidades negligenciadas na infância.

Os relógios que eu não desmontei no momento certo tornaram-se em mim uma paixão por vasculhar os recônditos e as molas dos "mecanismos da criação".

As louças que não quebrei naquele tempo viraram desrespeito com autoridades e tradições.

A crueldade que não pôde ser exercida sobre as moscas, as libélulas e as rãs colocou cores vivas na escolha da minha temática, do meu método e das minhas crenças de diretor de cinema.

E, efetivamente, nos meus filmes, multidões são fuziladas, operários agrícolas são amarrados e enterrados até o pescoço, têm seus crânios esmagados por cascos de cavalos (*Que viva México!*), crianças são pisoteadas nas escadarias de Odessa, jogadas dos telhados (*A greve*), mortas pelos próprios pais (*O prado de Bejin*), lançadas sobre uma fogueira (*Alexandre Nevski*); na tela, corre sangue de touro de verdade (*A greve*) ou outros sucedâneos sangrentos (*Potemkin*); em certos filmes, touros são envenenados (*A linha geral*), em outros são as tzarinas (*Ivan, o Terrível*); um cavalo fuzilado fica pendurado numa ponte que se abre (*Outubro*), e flechas penetram os corpos amarrados a uma paliçada em Kazan sitiada.[205]

205. Id., *Mémoires*, op. cit., p. 51-52.

> Assim será, no cinema, o intercâmbio entre as duas noções próximas — em russo — de "arma" (*oroujié*), para destruir simplesmente ou para vencer, e "ferramenta" (*oroudié*), para simplesmente servir ou para construir:[206]

Aqui a arte se eleva até a consciência de si como um dos aspectos da violência,

> uma ferramenta terrível da potência quando se faz "mau" uso dela, e uma arma destrutiva abrindo o caminho da ideia vitoriosa.[207]

E não vamos acreditar que tudo isso tenha sido escrito *retrospectivamente*, como se na redação de suas *Memórias*, entre 1940 e 1946, Eisenstein se deixasse levar por uma reinterpretação mais ou menos "autoanalítica" de seu trabalho anterior. É extraordinário constatar que, pelo contrário, esse ponto de vista tinha sido elaborado muito tempo antes, *prospectivamente* ou, pelo menos, no mesmo momento dos primeiros grandes filmes: assim, no próprio ano de 1925, quando trabalhava ardentemente na realização de *O encouraçado Potemkin*, Eisenstein encontrou tempo para escrever um longo artigo sobre a "dialética agressiva" inerente à própria potência das suas imagens.

Esse texto parece ter dois títulos, e muito distintos. Um está de acordo com a fraseologia da época: "Ensaio de definição da carência ideológica no domínio da forma". O outro surpreende pelo seu anticonformismo: "*Raio e álcool*", o que será compreendido, na sequência do texto, como uma crítica ácida de dois filmes, lançados em 1924-1925, *O raio da morte*, de Lev Kulechov, e *Corrida para o álcool*, de Abram Room.[208] O título "condizente"

206. Ibid., p. 53.
207. Ibid., p. 54. Cf. S. M. Eisenstein, *Mémoires*, op. cit., p. 1974-175.
208. Id., "*Rayon et Gnôle* [essai de définition de la carence idéologique dans le domaine de la forme]" (1925), trad. V. Posener, *Cinémas, revue d'études cinématographiques*, XI, 2001, n. 2-3, p. 73-108.

não irá esconder por muito tempo a posição muito singular de Eisenstein em relação à "linha" estética dominante:

> Estou convicto de que é errônea a ideia compartilhada, infelizmente pela maioria dos camaradas do Partido, segundo a qual poderíamos, aqui também, nos limitar à honestidade técnica — servindo o dito conteúdo político da melhor forma possível. [Ideia] segundo a qual a avaliação do aspecto formal desse gênero de trabalho se reduziria finalmente a isso. Nas questões de ideologia, o aspecto formal não é menos independente e autodeterminante do que o conteúdo.[209]

A questão da forma compromete tudo, ela é inseparável do conteúdo. Mas isso também quer dizer que o "conteúdo da forma", se pudermos falar assim, vem de uma dialética e não de um estatuto unilateral: não é outra coisa senão uma *dialética do manifesto e do latente.* Devemos, é claro, formular questões de ideologia para a forma: contanto que não ignoremos a dinâmica inconsciente. Eisenstein contesta toda posição idealista: ele contesta nesse sentido de que criamos "com a alma", como ainda acreditam certos artistas soviéticos em volta dele.[210] Longe, porém, de resolver a questão com qualquer "saber absoluto", ele abre a grande porta do inconsciente, apoiado por Freud, Rank e Sachs: "É preciso ver que estamos lidando com uma parte de inconsciente [...] e mostrar uma grande clareza objetiva nas questões do papel do inconsciente em geral e de seu próprio 'caso' pessoal, em particular."[211]

É então que Eisenstein — tanto no plano de uma observação "objetiva", quanto de uma reflexão de seu caso "pessoal" — vai colocar a *polaridade sadomasoquista* como eixo fundamental dessa dialética. Ela pode ser observada, segundo ele, em certas obras-primas de Griffith, de Stroheim (com sua constante encenação da agressão social) ou de Chaplin (com seu constante

209. Ibid., p. 74.
210. Ibid., p. 73-76.
211. Ibid., p. 76.

questionamento da humilhação social).[212] É claro, diz ele, que tal polaridade está *sublimada nas formas artísticas*, de acordo com uma ideia tirada da psicanálise freudiana, mas também das ideias de Lev Vygotski — por exemplo, a ideia da arte como "técnica social dos sentimentos" ou a ideia do "defeito" psíquico como suscetível a metamorfoses — que uma alusão de Eisenstein parece designar com precisão.[213] Mas, aos olhos do cineasta, a sublimação não poderia ser uma cômoda síntese reconciliadora. Ela não acalma em nada a violência psíquica, pelo contrário, dá a ela um dinâmica e uma intensidade particulares:

> a superação que acompanha a sublimação desenvolve um excesso de energia que aumenta consideravelmente as manifestações de vontade e de organização — qualidade principal de um diretor de cinema — e, ainda por cima, comunica a ele essa paixão e essa avidez particular de captar a vida [na sua própria violência] [...].
>
> O aspecto formal das obras deles [Griffith e Stroheim] caracteriza-se por uma forma manifesta de sadismo sublimado, o que as torna incomparáveis pelo efeito desconcertante que elas produzem.
>
> A crueldade e a implacabilidade — o sadismo é a principal neurose indispensável a um diretor, em geral: sob aquilo que é sublimado pelo sadismo, o cineasta é comparável ao cirurgião e ... ao açougueiro.[214]

Não se deve, portanto, temer nem a representação da "feminilidade da dor passiva" (poderíamos pensar nas próprias carpideiras de Odessa, mas Eisenstein, no seu texto, dá o exemplo ... das estampas eróticas de Aubrey Beardsley), nem a da crueldade agressiva, como lemos com frequência em Dostoievski, citado aqui pelo cineasta.[215] Por outro lado, o que irá produzir os efeitos mais nefastos nesse plano fantasmático será a fixação ou a imobilização dessa dialética: ou seja, sua fetichização, aquilo mesmo que Eisenstein

212. Ibid., p. 82–88.
213. Ibid., p. 105.
214. Ibid., p. 80 e 83.
215. Ibid., p. 85.

critica no filme *O raio da morte*, de Kouléchov.[216] Imobilizar a dialética regressiva não seria mais questionar os movimentos da história, mas simplesmente fazer da violência uma instituição plenipotenciária. A intensidade patética das formas, enquanto movimento dialético, deve, portanto, ser constantemente extirpada, de um lado, da *fixação formal* do "fetichismo" e, de outro lado, da *dissolução formal* e inorgânica que o cineasta vai encontrar, por exemplo, em *A corrida para o álcool*, de Abram Room.[217] Tudo isso para que nem a regressão, nem a agressão, nem a transgressão, possam faltar à necessária dialética das imagens carregadas de *pathos*.

Êxtases do sujeito histórico: sublevar os tempos

Em *O encouraçado de Potemkin*, as carpideiras de Odessa sofrem e padecem. Este é o sentido preciso da palavra *pathos*. Isso significa que, "sofrendo" e "sendo passivas",[218] elas não são as "atrizes" da história? Certamente não. Como compreender, então, sua ascensão à *práxis* que suporia essa qualidade de atrizes ou de agentes? Como compreender que elas também *fazem a história* e tomam parte ativa nas metamorfoses do devir, principalmente do devir político? A resposta de Eisenstein está, mais uma vez, na palavra *montagem*: é preciso, diz ele, uma certa maneira de praticar a montagem, uma certa maneira de montar ou *remontar no tempo*. Em 1924-1925 — portanto, no momento em que o projeto do *Potemkin* estava sendo realizado —, o cineasta escrevia que "o tempo [...] não representa aqui apenas o papel de triste

216. Ibid., p. 88-94.
217. Ibid., p. 94-103. Cf. M. Iampolski, "Federstrich quer durch die Einstellung. Raumeffekt als sado-masochistische Semantik", in *Eisenstein und Deutschland*, op. cit., p. 165-170. Id., "La sublimation comme formation de la forme: notes sur un article inédit d'Eisenstein", trad. E. Outcharenko, *Cinémas, revue d'études cinématographiques*, XI, 2001, n. 2-3, p. 111-143.
218. Lembrando a existência, em francês, de dois verbos: *souffrir* (*pathos*) e *subir* (forma passiva). [N.T.]

condição técnica, mas também de condição necessária para a implantação fundamental das associações".[219]

Isso quer dizer que o tempo não é, de forma alguma, um quadro fixo e *a priori* para as imagens em movimento do cinematógrafo — e talvez fosse por isso que Eisenstein gostava de repetir que, decididamente, ele não era kantiano — mas, pelo contrário, ele é a complexa resultante das suas relações dialéticas. O tempo não é dado, ele é construído na montagem, que, aliás, não se contenta em construí-lo, mas multiplica-o literalmente, ergue-o, "coloca-o em êxtase", em suma. Não apenas o "problema do tempo no interior do filme" é inseparável do "problema da composição",[220] como também essa composição deve saber ela mesma *explodir* para que o tempo se torne um *êxtase* da simples história cronológica: o *Potemkin* conta, na verdade, uma história bem precisa, mas o *pathos* cria ali justamente essas "explosões" ou "êxtases" que colocam "o tempo fora dos eixos" ou das suas ligações, como afirma o célebre dito shakespeariano que Eisenstein gosta de citar,[221] antes de prosseguir nos seguintes termos:

> O jogo "com o tempo" me apaixona de verdade, e há muito. É certo que aqui, sobre um outro terreno social, são outras impulsões, outras condições que deram origem a esses arrebatamentos.
>
> Visto da nossa terra soviética, na frente do desenvolvimento social atingido pela humanidade, o que nos apaixona ali é outra coisa: não é a imagem de uma desintegração, mas a imagem de uma coerência dos tempos. A imagem da circulação do sangue através das épocas, das suas ligações, das paisagens de uma à outra, uma imagem de coerência e de harmonia.
>
> Foi em *O velho e o novo* que me interessei particularmente por isso pela primeira vez. Deveria ser um filme que encarnasse as notáveis palavras de Lenin sobre as cinco estruturas históricas que coexistem na Rússia.
>
> Isso não foi mostrado no filme. A exposição, em vários planos, do entrelaçamento do velho e do novo no campo hoje em dia não deu em

219. S. M. Eisenstein, "Le montage des attractions au cinéma", art. cit., p. 144.
220. Id., *Mémoires*, op. cit., p. 592.
221. Ibid., p. 595.

> nada. Mas a ideia em si era tão atraente que, ainda no México, o que me seduziu antes de tudo foi essa particularidade de que lá a história é substituída pela ... geografia. Que as viagens no espaço por esse país surpreendentemente colorido são ao mesmo tempo como viagens no tempo — através dos séculos da história. Pois não são quilômetros que separam os diversos estados mexicanos, mas épocas e estruturas históricas: de um fascismo próspero, em pleno desenvolvimento, estágio mais "moderno" do capitalismo, até as profundezas mais longínquas da Antiguidade, de acordo com estruturas sociais e costumes que ainda não se soltaram dos períodos asteca, tolteca, ou dos antigos Maias.[222]

Esse texto, publicado em 1939 na revista *Iskousstvo Kino*, traz evidentemente a marca das coerções relativas a todo discurso público da era stalinista: é preciso dizer obrigatoriamente que a "terra soviética" está "na frente do desenvolvimento social da humanidade"; que *O velho e o novo* só tinha sentido como obra de arte, para ilustrar uma única frase de Lenin; e que sua censura por Stalin era pertinente, em suma... Mas, falando do México — cujas imagens, que ele havia filmado em 1931, não podiam ser vistas por ninguém, na época —, Eisenstein não pode impedir que essa "coerência dos tempos", postulada pela dialética do progresso socialista, exploda do interior: as temporalidades heterogêneas são estritamente coexistentes, de modo que o "novo" não substitui nem ultrapassa o "velho". O que talvez tenha fascinado Eisenstein no México é o fato de as *condições reais* da sociedade terem exatamente a mesma aparência das *composições épicas* — poéticas e anacrônicas — que o cineasta havia experimentado em *A greve* ou em *O encouraçado Potemkin*.

Ora, o que continua sendo capaz de colocar a história em "êxtase" não é nada além do advento do próprio *pathos*: e isso "pela proximidade das ardentes emoções do povo contemporâneo, o povo herdeiro, assim como o povo — seu ancestral —

222. Ibid., p. 596-597.

experimentava o mesmo ardor"...[223] Assim, quando um velho começa a cantar uma "canção antiga" — um *lamento* mexicano ou um *cante jondo* andaluz —, é toda uma espessura temporal, lírica ou épica, que consegue, a partir do cerne do tempo presente, "destacar-se ao máximo de uma simples crônica dos acontecimentos".[224] O fato de os gestos das carpideiras de Odessa carregarem as marcas de ritos antigos não as torna nem obsoletas, nem velhuscas, nem "decorativas", como dizia Roland Barthes com certo desprezo. Isso indica, na verdade, que Eisenstein, naquele momento, constrói ou *remonta o tempo* do processo que lhe interessa: é quando a compaixão individual pelo marinheiro assassinado (*fig. 21*) se transforma em "rito expiatório" coletivo (*fig. 24–26*), depois em comício político (*fig. 31*) que vai desencadear um furor geral (*fig. 38–40 e 43–46*) e, finalmente, a revolta propriamente dita do povo de Odessa confraternizando com os marinheiros do encouraçado (*fig. 58*).

O fato de todo esse processo de *pathos* ser exemplarmente *carregado pelo corpo das mulheres* evidentemente não tem nada de fortuito. Ainda ali, ele corresponde a uma intuição antropológica fundamental em Eisenstein, sustentada, no caso do *Potemkin*, por um modelo iconográfico mariano que recruza, de certa forma, a "tipagem" sociológica dos personagens: Maria-proletária, Maria-viúva, Maria-cigana, Maria-militante, Maria-professora, Maria-jovem mãe burguesa etc. Qual o objetivo de toda essa encenação das mulheres no *Potemkin*? Provavelmente, a tentativa de transformar o impoder mais profundo do *pathos* na *práxis* mais poderosa possível, que se chama revolução. Ao mesmo tempo em que a revolução *faz nascer* os novos tempos. Para isso, Eisenstein teve que proceder ao encadeamento narrativo e lírico do *luto de toda a*

223. Ibid., p. 598.
224. Ibid., p. 598–599.

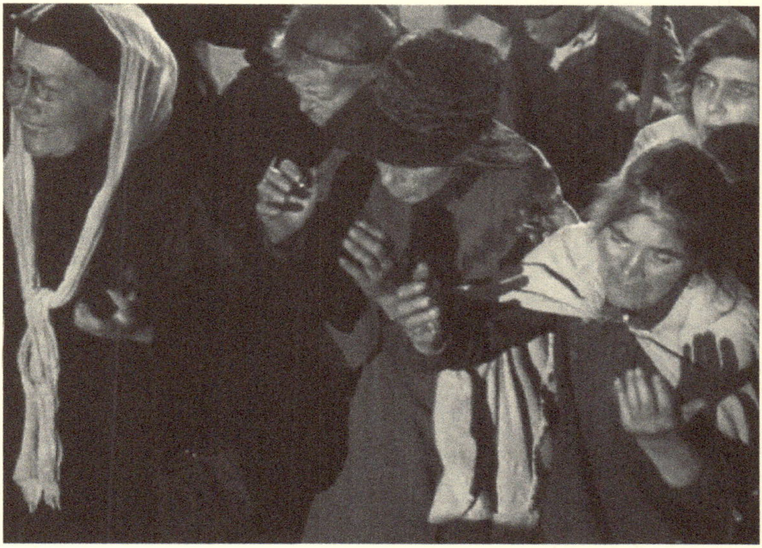

Figura 66. Serguei M. Eisenstein, *O encouraçado Potemkin*, 1925.
Fotograma (mulheres sob o fogo do massacre).

fecundidade (as mulheres chorando um filho morto) com uma paradoxal ou "extática" *fecundidade do luto* (as mulheres dão à luz, apesar de tudo, alguma coisa que será vida, recomeço, liberdade).

Sabemos que essas mulheres logo vão pagar com a vida essa transformação: depois de terem chorado coletivamente o morto, no cais do porto de Odessa, elas vão morrer coletivamente na grande escadaria Richelieu (*fig. 66*). A câmera de Eisenstein irá se aproximar, entretanto, de cada uma dessas mulheres: assim, a jovem mãe burguesa parece nos trazer a singularidade absoluta da sua morte, seu rosto e seu grito solitários no espaço (*fig. 67*). Veremos até, em plano fechado, suas duas mãos crispadas sobre o ventre: e veremos que a fivela do cinto, manchada de sangue sobre o ventre da jovem moribunda, tem uma figura de cisne, símbolo pagão de fecundidade reinvestido pelo cristianismo para se

Figura 67. Serguei M. Eisenstein, *O encouraçado Potemkin*, 1925. Fotograma (morte da jovem mãe).

associar à Virgem, e também ao pelicano crístico, que alimenta seus filhos com seu próprio sangue sacrificial (*fig. 68*). No exato momento em que o *pathos* está no seu apogeu, portanto, os tempos se misturam, a cronologia explode, o anacronismo está no seu auge: símbolos pagãos com rituais ortodoxos e posturas revolucionárias, gestos da mais antiga memória com gestos dos desejos urgentes para se libertar do jugo presente.

Se o *pathos* das carpideiras de Odessa surge assim, como uma montagem de tempos heterogêneos, o que dizer então da própria montagem cinematográfica como dialética das imagens na organização particular do *Potemkin*? Não poderíamos dizer das próprias imagens que elas também são *as carpideiras da história*? Em todo caso, é assim que se torna possível compreender certas declarações de Eisenstein sobre a antropologia inerente à sua prática de

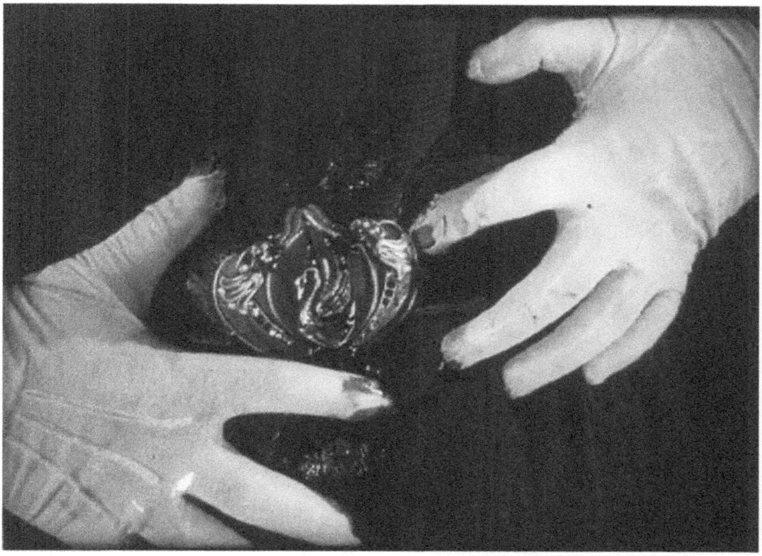

Figura 68. Serguei M. Eisenstein, *O encouraçado Potemkin*, 1925. Fotograma (morte da jovem mãe).

cinema. Se ele fala em determinado momento de "supra-historicidade" da arte — dando como exemplos Dante e Maiakovski —,[225] não será para sugerir uma "eternidade da arte", sua indiferença em relação à história. Será, ao contrário, para afirmar que o presente histórico está sempre tecido de passados múltiplos e até mesmo de coisas imemoriais ou inconscientes, assim como as curiosidades históricas de um artista — por que Alexandre Nevski? Por que Ivan, o Terrível? — são sempre tecidas de inquietudes quanto ao presente político: há uma certa maneira de "chorar" os *pogroms* fascistas na trama de *Alexandre Nevski*, assim como há toda a angústia diante da Segunda Guerra Mundial em *Ivan, o Terrível*.[226]

225. Id., *La Non-indifférente Nature, I*, op. cit., p. 383-393.

226. Id., "Mon thème, le patriotisme" (1939), trad. A. Robel, in *Œuvres, I. Au-delà des étoiles*, op. cit., p. 73-78. Id., "*Ivan le Terrible*: un film sur la Renaissance russe au XVIe siècle" (1942),

Se tivéssemos que falar novamente da "montagem das atrações" sob um novo ângulo, deveríamos dizer que, numa dada montagem, o presente e o passado — ou melhor, os passados, pois eles são heterogêneos e numerosos — atraem-se reciprocamente e vão se projetar juntos em alguma coisa que Léon Moussinac, ao ver o *Potemkin*, chamava em 1928 de uma capacidade "profética" das imagens: "O cinema *é*, profeticamente, porque ele anuncia alguma coisa. Mais ou menos sozinho, ele é capaz de nos lembrar uma emoção ligada ao patético de hoje."[227] Mas o "patético de hoje" nunca é unilateralmente "de hoje": como *pathos*, ele vasculha sempre fontes inconscientes, escondidas, antigas, que ele faz jorrar, como a lava fervente no interior da Terra jorra pela boca de um vulcão. Esse é, mais uma vez, o *anacronismo* de Eisenstein: por um lado porque ele olha uma revolução (a russa, por exemplo) com o "olho do primitivo" e, por outro lado, porque ele olha os indígenas (mexicanos, por exemplo) numa perspectiva em que a "tradição" saberá tomar um valor revolucionário.[228]

O que Eisenstein dizia de Prokofiev convém perfeitamente ao próprio Eisenstein: é um "ultramoderno das origens".[229] Extravagância que nem os apoiadores da tradição, nem os do modernismo nunca lhe perdoaram verdadeiramente: "Não criticamos Eisenstein por causa dos ideais que ele queria que compartilhássemos", escreve Jacques Rancière. "Nós o criticamos porque ele toma ao contrário nossa pretensa modernidade."[230] E

trad. A. Robel, in *Œuvres, I. Au-delà des étoiles*, op. cit., p. 87–96. Cf. A. Somaini, *Ejzenštejn*, op. cit., p. 262–309.

227. L. Moussinac, *Le Cinéma soviétique*, op. cit., p. 13.

228. Cf. B. Amengual, *Que Viva Eisenstein !*, op. cit., p. 262. A. L. Corritore, "La Rivoluzione con gli occhi di un primitivo: *Ottobre* di Sergej Ejzenštejn", in *La forma della memoria*, op. cit., p. 161–176.

229. S. M. Eisenstein, "P-R-K-F-V", art. cit., p. 164. Cf. R. Kloepfer, "La puissance des prémisses anthropologiques dans la théorie du film de Sergueï M. Eisenstein", art. cit., p. 185.

230. J. Rancière, "La folie Eisenstein", art. cit., p. 40.

ele o faz principalmente situando sua própria prática da montagem no nível de uma "sobrevivência" (*perejitok*, palavra normalmente investida de um valor pejorativo de obsolescência) que perpetua a marca das mais antigas práticas da imagem, suas "*basic laws*", como ele escreve, em inglês, no seu manuscrito das *Notas para uma história geral do cinema*.[231] A imagem como tal, segundo Eisenstein, seria, de qualquer maneira, um *operador de sobrevivência*, na medida em que sua função principal pode ser resumida àquilo que ele chama de uma "mumificação dinâmica".[232] Entendamos: um fóssil do movimento — da vida em movimento — que seria ele mesmo capaz de movimento. Isso vai dos ditirambos ou das tragédias dionisíacas até o cinematógrafo, passando pela máscara funerária, o *imago* antigo, a poesia épica, os mistérios religiosos, os vitrais das catedrais, as pinturas de retábulos, as iluminuras medievais ou as gravuras satíricas, os museus de cera, a fotografia e não sei mais o quê, os exemplos não param de jorrar da verve do cineasta.[233]

Pois bem, o paradoxo contido numa expressão como "mumificação dinâmica" só pode corresponder a uma realidade interessante — e esse será ainda o nervo da argumentação eisensteiniana — se entrarmos numa *prática da montagem* consequente: "fixar o processo"[234] só possui interesse verdadeiro se essa mesma *fixação* for *processo*. Assim é a montagem, que não é apenas um procedimento artificial de recomposição das imagens e do tempo, mas também, segundo Eisenstein, um "realce máximo das leis fundamentais do ser":

> Montagem e contraponto
> O realce máximo das leis fundamentais do ser.

231. S. M. Eisenstein, *Notes pour une histoire générale du cinéma*, op. cit., p. 30.
232. Ibid., p. 37.
233. Ibid., p. 37–119.
234. Ibid., p. 27.

A montagem como unidade na diversidade.
A universalidade do método:
Através da arte.
Através da sociologia [...].
Através da ciência (verdade, segundo Marx).
Através de todos os fenômenos naturais (biologia: os vermes).
Através da pré-ciência: Osíris, Baco, o Fênix — desmembramento e novamente divisão e depois reconstituição em um *new level.* [...].
Espetáculo *cult* — e as festas dionisíacas e os Mistérios — são ... filmes "históricos".
Eles são profundamente contemporâneos.[235]

Por essa razão, reciprocamente, podemos ver hoje em *O encouraçado Potemkin* esse "filme histórico" por excelência, algo como "uma festa dionisíaca" ou um "mistério", tanto quanto uma crônica dos acontecimentos de 1905 em Odessa. Filme revolucionário e filme "profundamente antigo", portanto, na medida em que ele nos mostra, a partir da morte de Vakulenchuk, como todo um povo esfacelado, desamparado, será, a partir da tristeza e do rito de um luto coletivo, reconstituído, "remontado" e sublevado no gesto da emancipação.

Êxtases do sujeito político: as revoluções anacrônicas

Que fazem as carpideiras de Odessa antes de explodir de raiva e de agir, em *O encouraçado Potemkin*? Elas fazem um sacrifício de acordo com um rito muito antigo de luto e de memória: ao se lamentar, elas *celebram um morto*. Acontece que, segundo Eisenstein, essa também é a função que as imagens assumem na sociedade: as *Notas para uma história geral do cinema*, diz ele, são escritas para tornar claras as "fundações comemorativas das origens da arte":

235. Ibid., p. 26 e 104. Cf. A. Somaini, *Ejzenštejn*, op. cit., p. 310–349. Id., "'Come sempre, cominciamo dagli antenati': il problema dell'attualità del passato negli scritti di Ejzenštejn", *Bianco e nero*, LXXII, 2011, n. 569, p. 27–33. Id., "Généalogie, morphologie, anthropologie des images", art. cit., p. 237–291.

“O ato de celebração como *nux* [centro] de todas as artes representativas.”[236] No nosso caso, é notável que *celebração e revolução* estejam tão intimamente articuladas, não apenas no plano da narrativa (os acontecimentos de Odessa desencadeados a partir do morto “celebrado”), mas também no plano do próprio filme (que passará de uma comemoração em 1925 da Revolução de 1905 para um ato revolucionário, inaugural, na história do cinema) — e ainda no plano muito geral daquilo que Einsenstein acabará considerando como sua visão antropológica das imagens a longo prazo.

De comemoração a revolução — ou de memória a desejo de emancipação —, é todo o “êxtase político” do sujeito que se manifesta na construção eisensteiniana: de *pathos* a *práxis*, era preciso que velhas pudessem celebrar um morto, ouvir as palavras de uma jovem politizada (*fig. 31*) e, finalmente, explodir de raiva (*fig. 43-46*) para passar à ação. Pois bem, esse processo não remete ao modelo dialético padrão, que veria o *pathos* das carpideiras conhecer seu momento de antítese no *logos* do discurso político e sua pura ultrapassagem para a *práxis* revolucionária. O fato de a dialética eisensteiniana ser uma “dialética sem síntese” está perfeitamente ilustrado na sobrevivência e no constante redesdobramento do *pathos* em cada momento desse processo. O *pathos* apodera-se, é claro, das carpideiras diante do corpo de Vakulenchuk; mas ele também incendeia o discurso da jovem militante, de Matiuchenko ou de Constantin Feldman; sem contar a própria ação revolucionária que, de luta a confraternização, e de desespero a exaltação, imprime seu ritmo e seu estilo a cada gesto efetuado.

Poderíamos afirmar, portanto, que *O encouraçado Potemkin* usa esse “êxtase” do sujeito político a partir das próprias emoções consideradas como junções dialéticas eficazes a cada momento da história que é contada. O *pathos* não é apenas uma etapa “regressiva” no caminho do progresso revolucionário: é um

236. S. M. Eisenstein, *Notes pour une histoire générale du cinéma*, op. cit., p. 40 e 101.

componente do próprio gesto revolucionário, como Eisenstein não deixa de lembrar, principalmente quando ele fala do modelo de 1789 e do seu papel na construção emocional do *Potemkin*: "E onde buscar esses testemunhos senão na época da Revolução Francesa, quando, como disse Marx, o patético parecia percorrer os menores recônditos da vida cotidiana?"[237] Para que o espectador do seu filme "pulasse da poltrona" ou "saísse de si mesmo",[238] era preciso que Eisenstein encenasse e remontasse o *processo de "êxtase" patético* através do qual algumas velhas enlutadas pudessem "pular para fora da sua tristeza" e "sair de si mesmas" na energia da insurreição, que é também a energia das suas emoções:

> Tivemos a oportunidade de conhecer formas bem mais elevadas do patético, formas bem mais elevadas do êxtase [...]: tivemos a oportunidade de participar, coletivamente dos instantes cruciais dos maiores pontos decisivos da história do homem e de vivê-los emocionalmente.
>
> Esse sentimento de viver um momento da história é o ponto mais alto do que é patético, e a sensação de ser indissociável desse processo. A sensação de andar no mesmo passo da história. A sensação de participar dela coletivamente.
>
> Esse é o patético na vida.
>
> Esse é também seu reflexo na metodologia da arte patética.[239]

O que Eisenstein quer dizer aqui, exatamente, é que o "êxtase" do sujeito político só acontece *quando a emoção deixa de dizer* eu. Se um filme encenar exatamente isso, ele poderá nos conduzir à bela formulação de Jacques Rancière sobre as relações entre estética e política: a "partilha do sensível"[240] — dependendo, porém, daquilo que Rancière atribui ao *sensível*, é preciso estendê-lo a tudo que Eisenstein chamava de *pathos*: ou seja, um "sensível" que não seria apenas "sensorialidade"(o olho e aquilo que ele vê),

237. Id., *La Non-indifférente Nature, II*, op. cit., p. 41–42.
238. Id., *La Non-indifférente Nature, I*, op. cit., p. 79.
239. Ibid., p. 96–97.
240. J. Rancière, *Le Partage du sensible: esthétique et politique*. Paris: La Fabrique, 2000.

Figura 69. Serguei M. Eisenstein, *O encouraçado Potemkin*, 1925. Fotograma (morte da criança).

mas também "sensibilidade", isto é "sentimento" (o olho e aquilo que o comove, como dizia Merleau-Ponty).[241] Não se trata, evidentemente, de "coletivizar a emoção" à força, "sintetizá-la" a qualquer preço, no sentido em que ela deveria ser unânime como "emoção de massa". Eisenstein soube o tempo todo administrar essa frágil dialética — e isso porque ele leu Freud, acho eu, mas é um ponto que permanece, sujeito a divergências na crítica eisensteiniana — do *ser singular plural*:[242] entre plano fechado e plano geral, ponto de vista da *pars* e ponto de vista da *totalitas*.

É evidente que nunca houve em Eisenstein o tipo de desprezo — ou de medo — pelas multidões que encontrávamos, por exem-

241. M. Merleau-Ponty, *L'Œil et l'esprit*. Paris: Gallimard, 1964, p. 26.

242. J.-L. Nancy, *Être singulier pluriel*. Paris: Galilée, 1977 (ed. aumentada, 2013). Cf. O. Bulgakowa, "Eisenstein, Fritz Lang und der Körper der Masse", in *Eisenstein und Deutschland*, op. cit., p. 143–156.

plo, em um Gustave Le Bon;[243] mas também nuca houve esse triunfalismo das massas que encontraremos em todos os grandes dirigentes soviéticos. E isso pela simples razão de que, de *A greve* até *O encouraçado Potemkin*, Eisenstein soube mostrar o devir político de um povo a partir do momento em que este, longe de se humilhar expondo seu maior impoder, pôde encontrar nessa mesma exposição o princípio da sua potência histórica. Esse impoder não desaparece nunca no *Potemkin*; poderíamos até dizer que ele progride, que, de certa forma, ele se realiza no destino de cada uma das mulheres em cena, desde o grande luto do porto de Odessa ao massacre da escadaria Richelieu, até o clímax que é a morte da criança (*fig.* 60–70) e a caminhada da mãe subindo as escadas, no sentido contrário da multidão, enfrentando a tropa inexorável (*fig.* 71). Barthélemy Amengual, que publicou uma decupagem muito precisa dessa sequência, escreve que se trata do "momento mais patético do filme", exatamente o que Eisenstein já havia observado em *A natureza não indiferente*, ao insistir especialmente na composição em contrastes dos ritmos presentes: o passo implacável da tropa descendo a escadaria, a corrida desvairada da multidão em fuga, e o "movimento lento e solene da figura da mãe que sobe com o filho morto nos braços".[244]

"Momento mais patético" do *Potemkin*, talvez. Mas é justamente porque o *pathos* se transforma ali em um "êxtase" da *práxis* política: andar contra a corrente, enfrentar lenta e solenemente as forças da violência e da dominação, encontrar-se cara a cara com o inimigo. É um momento ao qual poderíamos associar não apenas *A mãe* de Pudovkin ou a *Mãe Coragem* de Brecht, mas também todas as figuras femininas de nossas tragédias clássicas,[245] sem contar,

243. G. Le Bon, *Psychologie des foules* (1895). Paris: PUF, 1963 (ed. 2013).
244. S. M. Eisenstein, *La Non-indifférente Nature, I*, op. cit., p. 87. Cf. B. Amengual, *Le Cuirassé Potemkine*, op. cit., p. 84 (decupagem e análise p. 84- 99).
245. Cf. N. Loraux, *Façons tragiques de tuer une femme*. Paris: Hachette, 1985. Id., *Les Mères en deuil*. Paris: Seuil, 1990.

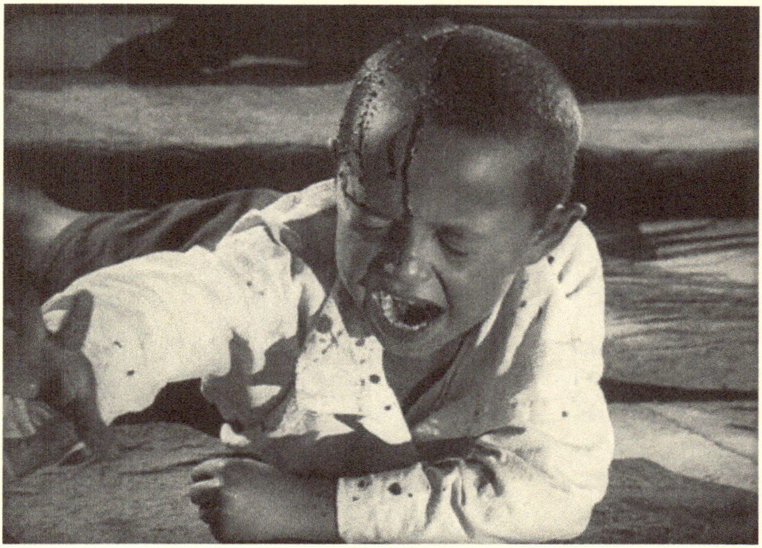

Figura 70. Serguei M. Eisenstein, *O encouraçado Potemkin*, 1925. Fotograma (morte da criança).

por outro lado, todas as mulheres contemporâneas que vimos engajadas no impoder e na luta, da China ao Irã, ou da Argentina à Síria. Sabemos que a mãe cigana do *Potemkin* também irá morrer, por sua vez, sob o fogo da tropa, como Vakulenchuk no começo do filme. Como imagem, porém, ela vai sobreviver: não será esquecida, será celebrada por sua vez para inspirar novos desejos, novas lutas, quando uma *soldadera* no México ou uma *passionaria* na Espanha reproduzirem seus gestos, suas "fórmulas de *pathos*".

Como bom dramaturgo e antropólogo perspicaz, Eisenstein sabia muito bem que com a morte da criança nos degraus da escadaria de Odessa, ele "tocava" naquilo que talvez "toque" mais profundamente a alma dos seus espectadores, quiçá a sua própria. É nessas imagens de sofrimento que ocorre a passagem para o extremo limite dessa "dialética agressiva" do cinema

Figura 71. Serguei M. Eisenstein, *O encouraçado Potemkin*, 1925. Fotograma (a mãe e a criança diante da tropa).

eisensteiniano cujos aspectos sadomasoquistas estão relacionados com a fantasia típica da criança espancada, analisada por Freud.[246] Lembremos que o garotinho que morre na escadaria de Odessa tem mais ou menos a mesma idade de Eisenstein tinha em 1905: nas suas *Memórias*, o cineasta falará, aliás, da "orgia de impressões cruéis e terríveis" que o assaltavam em relação ao fato de que "sua infância se passou em Riga, sob o calor dos acontecimentos de 1905".[247] A crueldade fundamental do *Potemkin* consistiria então em fundar o nascimento de uma revolução sobre a morte de uma criança e a dor da mãe — mas, a despeito de

246. S. Freud, "'Un enfant est battu'. Contribution à la connaissance de la genèses des perversions sexuelles", trad. D. Guérineau, in *Névrose, psychose et perversion*. Paris: PUF, 1973 (ed. 1978), p. 219–243.
247. S. M. Eisenstein, *Mémoires*, op. cit., p. 131.

tudo, sobre a potência dessa mãe cigana, que ao mesmo tempo *se lamenta e se revolta* diante do exército que se aproxima (*fig.* 71).

Então, é como se as mães estivessem incumbidas de parir até no *pathos* do luto. Não é por acaso que o famoso texto de Gershom Scholem sobre as lamentações dos profetas bíblicos — texto escrito em 1917 — falava exatamente dessa ligação entre a lamentação pelo nascimento e nascimento pela lamentação:

> Nesse canto, tudo retorna segundo círculos cada vez mais amplos: a maldição queixosa, a questão queixosa [...]. A lamentação sobre o fato de ter nascido é eterna. Ser significa ser fonte de lamentação. Origem e limite, como no nascimento no âmago da esfera da vida, se encontram na esfera da linguagem no âmago da queixa [...]. Essa lamentação deve ser considerada como justificativa desta outra: o grito daquelas que parem.[248]

Grito reconduzido nas queixas rituais que, por suas escansões repetitivas, lhe dão forma e, por isso mesmo, o transformam em alguma coisa que Scholem não hesitava em nomear: a arte, a poesia.

Quanto a Eisenstein, o "garotinho de Riga", tudo deve ter começado por volta de 1905, e recomeçado em 1917, quando a revolução bolchevique permitiu que ele "se tornasse um *vermelho*", que "nascesse para as imagens" e se tornasse delas um mestre incontestável. Mas o *Potemkin* é *nascimento e tragédia* ao mesmo tempo: tragédia de um nascimento e nascimento de uma tragédia. Em 1940, as notas de *Método* chamarão isso de "*start*": "O começo como gesto (*gest*) original, [...] como *nux* do desenvolvimento dialético" (e é então que Eisenstein, no seu manuscrito, observa mais uma vez: "*Potemkin*", mas também ... "como o fim".[249] Por que o fim? Porque o nascimento — de alguém, de alguma coisa — que é o momento mais extraordinário que podemos ver, nunca

248. G. Scholem, *Sur Jonas, la lamentation et le judaïsme* (1917-1919), trad. M. de Launay. Paris: Hermann, 2011, p. 63-64.
249. S. M. Eisenstein, *Méthode*, 23 de julho 1940 (comunicado por Elena Vogman).

dura muito tempo, não é feito para isso. O que Barthes não viu nas carpideiras de Odessa é que elas estavam apenas nascendo (como sujeitos políticos de direito) e que logo iriam morrer por isso.

Para Eisenstein, o começo era 1905. Depois, foi 1917. E depois foi o fim, infelizmente. Já em 22 de novembro de 1928, o cineasta enviava essas terríveis palavras — em francês — a Leon Moussinac, que ele sabia ser um ardoroso comunista:

> [...] abrirei também para você, sinceramente, os ... "esgotos" da minha alma, sombria e trágica! [...] Cuidado com óculos cor-de-rosa!
>
> Aqui também não é um domingo perpétuo!
>
> E não devemos ter ilusões sobre isso.
>
> É que estou com medo, muito medo. E... os fatos estão do meu lado.
>
> É que deixamos de ser contestadores. Estamos nos tornando capelães!
>
> Tenho a impressão de que o grande vento de 1917 que lançava nosso cinema começa a se dispersar.
>
> Estamos nos tornando espessos. Clássicos ... "Artísticos"!
>
> As feridas sangrentas suturadas — não há mais ocasiões de lançar gritos agudos que rasguem as tradições peliculares!
>
> Bolo de creme, ao invés de ódio desnudado!
>
> Ver isso em Paris faz mal a você, mas sentir o cheiro da podridão reacionária no nosso "Eldorado cinematográfico"... é bem pior!
>
> Estamos perdendo os dentes. Deixando de lutar. Estamos nos tornando investidores. Grandes investidores e muito, muito pequenos! [...]
>
> Vejo com horror a chegada da nossa "vanguarda" (pouco a pouco), uma academia cheia de pose, de maneiras, ainda de toga vermelha, mas amarrotada com cuidado por cima do fraque estético e tradicional de corte perfeito e impecável.
>
> Nossa cinematografia começa a parecer com o maneirismo de um Ingres ao lado de um esboço de Daumier! [...] Sufocante! [...]
>
> E o pior — essa é a tendência daqueles para quem trabalhamos![250]

250. Apud L. Moussinac, *Serge Eisenstein*, op. cit., p. 122–124.

O ano de 1928, de fato, marca os começos institucionais de uma "revolução cultural soviética"[251] da qual Eisenstein pôde escapar por conta das suas viagens ao Ocidente, mas que ele considerará concluída, isto é, bem duramente "encerrada", em 1932. Segundo Marc Ferro, foi desde 1924, com a morte de Lenin, que o poder soviético instaurou uma nova relação, muito mais coercitiva, com artistas e escritores.[252] De qualquer maneira, o "sufocamento" evocado por Eisenstein na carta não era uma mentira. Já nos anos 1930, em Paris, Boris Souvarine irá contar essa *Tragédia das letras russas*, na qual, diga-se de passagem, o caso de Maxime Gorki lembra o de Eisenstein.[253] O cineasta nunca mais deixou de se deslocar, como podia, entre as ameaças daqueles "para quem trabalhamos", como ele diz na carta para Leon Moussinac. Pensemos na ordem que lhe foi dada de voltar urgentemente do México — ele nem havia terminado a filmagem — no momento em que se começava a suspeitar que ele poderia ser um agente pró-americano, ou mesmo um ideólogo trotskista. Pensemos no "processo" de 1935 e naquele, ainda mais violento, que acabou proibindo, em 1937, *O prado de Bejin*[254] — a espera dos tormentos da recepção hostil, por parte de Stalin, de *Ivan, o Terrível*.[255]

Na sua desesperada tentativa de se fazer compreender por seus colegas artistas, em 1935, Eisenstein lembrava mais uma vez sua ligação com o *pathos* como virtude revolucionária

251. Cf. S. Fitzpatrick (org.), *Cultural Revolution in Russia*, 1928–1931, Bloomington/Londres: Indiana University Press, 1978.
252. M. Ferro, "URSS: le cinéaste dans la cité" (1989), in *Cinéma et histoire*, op. cit., p. 191–208.
253. B. Souvarine, *Tragédie des lettres russes* (1937–1965), ed. J.-L. Panné. Paris: Pierre-Guillaume de Roux, 2014, p. 209–220.
254. Cf. É. Schmulevitch, *Un "procès de Moscou" au cinéma*: Le Pré de Béjine *d'Eisenstein*. Paris: L'Harmattan, 2008.
255. Cf. M. Seton, *Eisenstein*, op. cit., p. 286–405. O. Bulgakowa, *Sergei Eisenstein: A Biography*, trad. A. Dwyer. Berlim/San Francisco: Potemkin Press, 2001, p. 210–233. J.-L. Leutrat, *Échos* d'Ivan le Terrible. *L'éclair de l'art, les foudres du pouvoir*. Bruxelas: Éditions De Boeck Université, 2006.

Figura 72. Chris Marker, *O fundo do ar é vermelho*, 1977.
Fotograma (manifestação nos anos 1960).

fundamental, na época do *Potemkin*: "Era o patético da Revolução. Era o patético do revolucionariamente novo. Era o ódio da cultura burguesa. E um orgulho diabólico e a sede de 'dar uma surra' na burguesia também no *front* cinematográfico." Mas ele concluía melancolicamente, já entregando as armas a seus adversários: "Período único que não se repetirá."[256] A partir desse momento, foi fácil para a *Nomenklatura* cultural destruir o mestre dionisíaco do cinema soviético. No seu artigo virulento, publicado no *Pravda* em março de 1937, Boris Chumiatski, o "ministro do cinema" da União Soviética, anunciava a proibição de *O prado de Bejin*, questionando o escândalo que constituía, a seus olhos, a "verdadeira bacanal de destruição" encenada por Eisenstein, com

256. S. M. Eisenstein, "Du théâtre au cinéma", art. cit., p. 113.

suas conotações "de tipo bíblico e mitológico" em um colcoz:[257] fatal anacronismo, de fato.[258] No mesmo ano, o velho camarada do cineasta Sergei Tretiakov foi condenado à morte, assim como logo seriam dois outros amigos próximos, Isaac Babel (fuzilado em Moscou, em 27 de janeiro de 1940) e Vsevolod Meyerhold (torturado em 1939 e executado em 2 de fevereiro de 1940).

Eisenstein, que nasceu com — e pela — Revolução Russa, ficou arrasado com a traição daquilo que essa revolução tinha de mais precioso, de mais intenso. Ele não sobreviveu a isso. Morreu pouco depois de completar cinquenta anos. Porém, por mais que sua obra tenha sido despedaçada e desfigurada, suas admiráveis imagens sobrevivem até hoje: elas continuam a dançar, a manifestar sua densidade, sua energia, sua poesia, suas queixas e seus desejos. Como dizia Bertold Brecht, o *Potemkin* consegue — e continuará a fazê-lo, provavelmente — "rasgar" a consciência do espectador, mesmo que seja um espectador burguês, como se a magia desse filme quisesse que a "luta de classes se prolongasse em nós mesmos".[259] Assim, a mãe cigana continuará, sem descanso, subindo solenemente a escadaria de Odessa com o filho morto nos braços (*fig. 71*). Ela mesma, como personagem, logo irá morrer. Mas seu duplo gesto — de lamento e de revolta — sobreviverá indefinidamente. Para renascer aqui e ali: como na magnífica homenagem prestada por Chris Marker em *O fundo do ar é vermelho* (*fig. 72*). A história das revoluções está, portanto, muito longe de terminar: porque nunca impediremos ninguém de chorar um morto, nem de prestar queixa, nem de exigir justiça. Nem de subir uma escadaria contra a corrente. E porque as imagens saberão transmitir a sobrevivência de todos esses gestos.

257. Propriedade rural coletiva, típica da antiga União Soviética, na qual os camponeses formavam uma cooperativa de produção agrícola. [N.T.]

258. B. Choumiatski, "Les erreurs du *Pré de Béjine*" (1937), apud L. Moussinac, *Serge Eisenstein*, op. cit., p. 177.

259. B. Brecht, *L'Achat du cuivre* (1939–1955), trad. sous la direction de J.-M. Valentin, in *Écrits sur le théâtre*. Paris: Gallimard, 2000, p. 572.

DIALÉTICAS DO SENSÍVEL

Povos representáveis, povos imaginários?

A representação do povo esbarra numa dupla dificuldade, ou numa dupla aporia, vinda da nossa impossibilidade de subsumir cada um dos dois termos, *representação* e *povo*, na unidade de um conceito. Hannah Arendt dizia que nunca conseguiremos pensar a dimensão política enquanto nos obstinarmos a falar do *homem*, visto que a política se interessa justamente por outra coisa, que são *os homens*, cuja multiplicidade se modula a cada vez de maneira diferente, seja em conflito ou comunidade.[1] Da mesma forma, devemos dizer, e com força, que nunca conseguiremos pensar a dimensão estética — ou o mundo do "sensível" ao qual reagimos a cada instante — enquanto falarmos da *representação* ou da *imagem*: só há *imagens*, imagens cuja própria multiplicidade, seja ela conflito ou conivência, resiste a qualquer síntese.

É por isso que podemos dizer que *o povo* simplesmente, "o povo" como unidade, identidade, totalidade ou generalidade, isso simplesmente não existe. Supondo que ainda exista em algum lugar uma população integralmente autóctone — como vemos nas imagens documentais de *First Contact*, onde estão gravadas as primeiras interações, em 1930, entre um grupo de aventureiros e uma população da Nova-Guiné isolada do restante do mundo

1. H. Arendt, *Qu'est-ce que la politique ?* (1950–1959), trad. S. Courtine-Denamy. Paris: Seuil, 1995 (ed. 2001), p. 39–43.

desde a aurora dos tempos, mas esse é provavelmente um dos últimos exemplos conhecidos de um povo assim —,[2] "o povo" não existe, pois, mesmo nesse caso de isolamento, ele supõe um mínimo de complexidade, de impureza representada pela composição heterogênea desses povos múltiplos e diferentes que são os vivos e seus mortos, os corpos e seus espíritos, os que pertencem ao clã e os outros, os machos e as fêmeas, os humanos e seus deuses ou então seus animais... Não existe *um povo*: só existem *povos* coexistentes, não apenas de uma população a outra, mas também no interior — o interior social ou mental — de uma mesma população tão coerente quanto gostaríamos de imaginá-la, o que, aliás, nunca é o caso.[3] É sempre possível hipostasiar "o povo" em *identidade* ou em *generalidade*: mas a primeira é factícia, voltada para a exaltação dos populismos em todos os gêneros;[4] enquanto que a segunda é impossível de ser encontrada como uma aporia central para todas as "ciências políticas" ou históricas.

Não surpreende que Pierre Rosanvallon tenha dado à sua enquete histórica sobre a representação democrática na França o título *Le Peuple introuvable*.[5] Logo no começo desse livro surge o "mal-estar", como está escrito em todas as letras: mal-estar de uma democracia — ou seja, literalmente, o "poder do povo" — situada entre a evidência de seu horizonte como "bem político" e a falta de acabamento gritante, quase sempre escandalosa, da sua realidade como "decepção política".[6] Por outro lado, é muito interessante que esse mal-estar e essa parte de "obscuridade" inerentes à nossa história democrática sejam então remetidos à questão

2. B. Connolly; R. Anderson, *First Contact*, 1982. Cf. F. Niney, *L'Épreuve du réel à l'écran : essai sur le principe de réalité documentaire*. Bruxelas: De Boeck Université, 2000, p. 283.
3. Já tentei justificar esse plural em *Peuples exposés, peuples figurants. L'oeil de l'histoire*, 4. Paris: Minuit, 2012.
4. Cf. o número especial da revista *Critique*, LXVIII, 2012, n. 776-777 ("Populismes").
5. P. Rosanvallon, *Le Peuple introuvable : histoire de la représentation démocratique en France*. Paris: Gallimard, 1998 (ed. 2002).
6. Ibid., p. 11.

da *representação*, como ao paradigma mais necessário, mas também o mais difícil: "É em torno da questão da representação nas suas duas acepções, de *mandato* e de *figuração*, que se entrelaçam as dificuldades."[7] Mas, parece curioso — e até inquietante — que Pierre Rosanvallon, cujo tema é a democracia, evoque essa dialética da representação apenas por meio de uma referência imediata a Carl Schmitt para quem, de fato, deveriam ser distinguidas a representação política como *Repräsentation* ou "figuração simbólica", e a representação política como *Stellvertretung* ou "mandato".[8]

Sabemos que Carl Schmitt, na sua nostalgia do poder monárquico, só poderia usar a figuração simbólica contra o mandato democrático. Em *Verfassungslehre*, de 1928, uma das suas obras fundamentais, Carl Schmitt não deixou de precisar que

> [a representação] não é possível com qualquer gênero de ser, e isso pressupõe um gênero especial [excepcional] de ser (*eine besondere Art Sein*). Alguma coisa morta, de menor valor ou sem valor, vil (*etwas Totes, etwas minderwertiges oder Wertloses, etwas Niedriges*), não pode ser representada. Falta-lhe esse gênero superior de ser (*gesteigerte Art sein*) que é suscetível de ser elevado ao ser público, de ter uma existência (*Existenz*). Palavras como grandeza, eminência, majestade, glória, dignidade e honra procuram traduzir essa especialidade [ou excepcionalidade] (*Besonderheit*) de um ser elevado e suscetível de representação.[9]

Numa óptica como essa, não vemos como "o povo" ou "os povos" seriam de certa forma *representáveis*. Sabemos que Carl Schmitt quis unificar a noção de povo na sua própria negatividade e impotência: o povo, para ele, *não é*. Não é isso (uma

7. Ibid., p. 13.
8. Ibid., p. 13, com uma referência ao artigo de O. Beaud, "*Repräsentation et Stellvertretung* : sobre uma distinção de Carl Schmitt", in *Droits, revue française de théorie juridique*, n. 6, 1987, p. 11–20.
9. C. Schmitt, *Théorie de la constitution* (1928), trad. L. Deroche. Paris: PUF, 1993, p. 347 (trad. levemente modificada).

magistratura, uma administração, por exemplo), não é aquilo (um ator político no sentido pleno, por exemplo); tudo aquilo que ele sabe fazer, segundo ele, é aclamar a *representação do poder* que lhe é apresentada como *Führertum*, como "condução" suprema.[10] Pierre Rosanvallon está, evidentemente, nos antípodas da antipatia demonstrada por Carl Schmitt pela "evidência democrática".[11] Ele acaba, porém, prisioneiro do modelo disjuntivo estabelecido pelo autor da *Teologia política* entre *Stellvertretung* e *Repräsentation*: cuja hierarquia ele talvez inverta — o mandato passando a ter a partir daí primazia sobre o símbolo — mas será para mais uma vez usar a representação dos povos contra eles mesmos. Como se, *figurados*, os povos se tornassem necessariamente *imaginários*; como se, voltados para a imagem, eles se tornassem forçosamente ilusórios.

Três "povos imaginários" surgem desse modo aos olhos de Pierre Rosanvallon: o *povo-opinião*, quando a opinião pública é definida como essa "maneira inorgânica de um povo fazer saber o que ele quer e o que ele pensa" (segundo Hegel) ou como a "forma moderna da aclamação" (segundo Carl Schimitt, mais uma vez);[12] o *povo-nação*, obsessão da "celebração populista" que faz dele um operador de exclusão, do bárbaro ao imigrante;[13] e, por fim, o *povo-emoção* no qual se exprime, "em um modo patético", a busca de identidade das massas modernas. Pobres em conteúdo, essas comunidades de emoção não tecem nenhuma relação sólida. Elas realizam apenas uma fusão passageira e não implicam obrigações

10. Ibid., p. 218, 381, 419–420, etc. Id., *État, mouvement, peuple : l'organisation triadique de l'unité politique* (1933), trad. A. Pilleul. Paris: Kimé, 1997, p. 48–63. Discuti o uso desses textos de Carl Schmitt por Giorgio Agamben (*Le Règne et la gloir : pour une généalogie théologique de l'économie et du gouvernement. Homo sacer*, II–2 [2007], trad. J. Gayraud; M. Rueff. Paris: Seuil, 2008) em *Survivance des lucioles*. Paris: Minuit, 2009, p. 77–97.

11. Cf. C. Schmitt, *Parlementarisme et démocratie* (1924–1931), trad. J.-L. Schlegel. Paris: Seuil, 1988.

12. P. Rosanvallon, *Le Peuple introuvable*, op. cit., p. 440–441.

13. Ibid., p. 445–446.

entre os homens. Elas também não se comprometem com nenhum futuro. Longe de encarnar uma promessa de mudança ou uma potência de ação, como antigamente o povo-acontecimento da Revolução, o povo-emoção não se inscreve numa história. Ele é apenas a sombra fugaz de algo que falta e de uma dificuldade.[14]

É provável que Pierre Rosanvallon esteja visando aqui, antes de tudo, os "estádios", as "telas de televisão" e as "colunas das revistas".[15] Mas sua expressão *povo-emoção*, comprometida por um diagnóstico assim tão severo, não deixa de ter consequências sobre as duas noções apresentadas por ele, a de *povo* e a de *emoção*, através dessa terceira que é, justamente, a *representação*. Podemos compreender que a representação veicule as emoções factícias das telas de televisão e das colunas das revistas; ela pode até, sem dúvida alguma, veicular as grandes "lideranças" totalitárias, às quais Carl Schmitt aderiu em 1933. A representação, porém, é como o povo, justamente: algo múltiplo, heterogêneo e complexo. A representação — sabemos um pouco mais sobre isso desde Nietzsche e Warburg — carrega efeitos estruturais antagônicos ou paradoxais, o que poderíamos chamar de "síncopes", no nível de seu funcionamento semiótico, ou então de "rasgos" sintomais, em um nível mais metapsicológico ou antropológico.[16] Os *povos* e suas *emoções* nos pedem, portanto, bem mais do que essa crítica condescendente que precisa ser revogada: uma revogação filosoficamente conveniente — platônica, no fundo — do mundo sensível em geral, de suas *moções* próprias, portanto de seus eventuais *recursos*.

14. Ibid., p. 447-448.
15. Ibid., p. 447.
16. Para as "síncopes" cf. L. Marin, "Ruptures, interruptions, syncopes dans la représentation de peinture" (1992), *De la représentation*, ed. D. Arasse ; A. Cantillon ; G. Careri ; D. Cohn ; P.-A. Fabre; F. Marin. Paris: Seuil-Gallimard, 1994, p. 364-376. Para os "rasgos" cf. G. Didi-Huberman, *Devant l'image. Question posée aux fins d'une histoire de l'art*. Paris: Minuit, 1990, p. 169-269 ("L'image comme déchirure").

Esfregar os olhos diante das imagens dialéticas

Seria então necessário retomar com um pouco menos de altivez — e de desprezo — aquilo que Hegel chamava no povo de "maneira inorgânica de fazer saber o que ele quer e o que ele pensa", ou então aquilo que Carl Schmitt atribuía às massas sob a espécie da "aclamação" (evidentemente, Carl Schmitt falou muito menos do protesto dos povos, das suas dores, das suas imprecações, das suas "manifestações" ou de seus apelos pela emancipação). Se o *povo-emoção* é um *povo imaginário*, como afirma Pierre Rosanvallon, isso não quer dizer, entretanto, que ele seja "pobre de conteúdo", "sem nenhum vínculo sólido", voltado para a "fusão passageira" e "sem compromisso com nenhum futuro, nem nenhuma potência de ação". Isso não quer dizer que ele "não se inscreve na história" — e a razão mais simples é que *as próprias emoções, assim como as imagens, são inscrições da história*, seus cristais de legibilidade (*Lesbarkeit*), para retomar aqui uma noção comum a toda uma constelação de pensadores que reconsideraram nos anos 1920 e 1930, isto é, num contexto de lutas contra o fascismo, as relações fundamentais entre historicidade e visibilidade dos corpos (estou pensando, é claro, em Walter Benjamin, Aby Warburg, Carl Einstein, Ernst Bloch, Siegfried Kracauer e mesmo Theodor Adorno).[17]

Pois as próprias emoções — assim como as imagens, segundo o magistral conceito formulado por Benjamin — são *dialéticas*. Isso quer dizer, para começar, que elas mantêm uma relação muito particular com as representações: relação de inerência e de disjunção ao mesmo tempo, relação de expressão e de conflito ao mesmo tempo. No mesmo momento em que Aby Warburg

17. Cf. G. Didi-Huberman, *Devant le temps : histoire de l'art et anachronisme des images*. Paris: Minuit, 2000. E o número recente da revista digital *Trivium*, n. 10, 2012 ("Lisibilité/*Lesbarkeit*"), dirigida por M. Pic e E. Alloa.

começava a observar as representações de "polarizações" e "despolarizações" das "fórmulas do *pathos*" na longa duração das imagens,[18] Sigmund Freud, na *Traumdeutung*, insistia num ponto capital, já reconhecido por ele na observação dos sintomas histéricos: a existência do inconsciente implica a existência de uma consciência dialética complexa — aqui expressão e ali conflito, aqui congruência e ali discordância — entre os *afetos* e as *representações*.[19] Se é verdade que a história das sociedades também não existe sem inconsciente, então é preciso se render à evidência formulada por Walter Benjamin no seu *Livro das passagens*:

> Na imagem dialética, o Outrora [...] só pode se revelar como tal em uma época bem determinada: aquela em que a humanidade, esfregando os olhos, percebe exatamente como tal essa imagem de sonho (*Traumbild*). É nesse instante que o historiador assume, para essa imagem, a tarefa da interpretação dos sonhos (*die Aufgabe der Traumdeutung*).[20]

Quando a humanidade não esfrega os olhos — quando suas imagens, suas emoções e seus atos políticos não estão divididos por nada —, então as imagens não são dialéticas, as emoções são "pobres de conteúdo" e os próprios atos políticos "não se comprometem com nenhum futuro". O que faz com que os povos "não sejam encontráveis" deve, então, ser procurado na crise da sua figuração e na crise do seu mandato. É o que Walter Benjamin compreendeu com toda a clareza no seu ensaio de 1935 sobre "A obra de arte na era de sua reprodutibilidade técnica": "A crise das democracias pode ser compreendida como uma crise das condições

18. Cf. G. Didi-Huberman, *L'Image survivante : histoire de l'art et temps des fantômes selon Aby Warburg*. Paris: Minuit, 2002, p. 115–270.
19. S. Freud, *L'Interprétation du rêve* (1900), trad. J. Altounian; P. Cotet ; R. Lainé ; A. Rauzy; F. Robert. Paris: PUF, 2003 (ed. 2010), p. 509–511.
20. W. Benjamin, *Paris: capitale du XIXe siècle. Le Livre des passages* (1927- 1940), trad. J. Lacoste. Paris: Cerf, 1989, p. 481 (N 4,1).

de exposição do homem político."[21] Ali onde "o campeão, a celebridade e o ditador saem vencedores",[22] nos estádios ou nas telas do cinema comercial, será preciso *dialetizar o visível*: fabricar outras imagens, outras montagens, olhá-las de outra maneira, introduzir nelas a divisão e o movimento associados, a emoção e o pensamento conjugados. Esfregar os olhos, em suma: esfregar a representação com o afeto, o ideal com o recalcado, o sublimado com o sintomático.

Uma *representação dos povos* torna-se possível a partir do momento em que aceitamos introduzir a divisão dialética na *representação dos poderes*. Não basta, como faz Pierre Rosanvallon, retraçar a história do mandato político a partir das premissas democráticas de Tocqueville; não basta mais, como faz Giorgio Agamben, repensar a arqueologia do "reino" e da "glória" a partir das premissas teológicas dos Padres da Igreja e, depois, das premissas antidemocráticas de Carl Schmitt. Dialetizar, para Walter Benjamin, constituía, pelo contrário, expor, em cada fragmento da história, essa "imagem" que "passa como um raio", que "surge e desaparece no mesmo instante em que se oferece ao conhecimento",[23] mas que, na sua própria fragilidade, se compromete com a memória e o desejo dos povos, isto é, com a configuração de um futuro emancipado. É uma maneira de admitir que, nesse domínio, o historiador deve saber conceder seu olhar às menores "*passagereidades*" ou fragilidades, que, na contramão do "sentido da história" — no qual nossa "atualidade" tanto quer acreditar —, surgem como se viessem de muito longe e logo desaparecem, como sinais portadores de uma historicidade até então impensada.

21. Id., "L'oeuvre d'art à l'ère de sa reproductibilité technique [première version]" (1935), trad. R. Rochlitz, in *Œuvres, III*. Paris: Gallimard, 2000, p. 93.
22. Ibid., p. 94.
23. Id., "Sur le concept d'histoire" (1940), trad. M. de Gandillac, revista por P. Rusch, in *Œuvres, III*, op. cit., p. 430.

Esses sinais ou "imagens dialéticas" são frágeis, é claro. Essa é também a fragilidade das emoções coletivas, mas é, entretanto, sua grande virtude dialética: "Na noite do primeiro dia de combate [por ocasião da revolução de julho de 1830] vimos em vários lugares de Paris, ao mesmo tempo e sem combinação prévia, pessoas atirando nos relógios", lembra Benjamin.[24] Isso não seria uma maneira muito "afetiva" de explodir o "tempo homogêneo e vazio" substituindo-o, através desse sinal interposto, por um modelo de "historiografia materialista", caracterizado pela desmontagem e pela remontagem de toda temporalidade?[25] Em todo o caso, a fragilidade dos próprios povos é assim: a destruição de alguns relógios públicos e a morte de cerca de oitocentos insurrectos de julho não impediram a recuperação do movimento pela burguesia e pela monarquia. Mas Walter Benjamin — que escrevia essas linhas no momento mais perigoso para ele, ou seja, em 1940 — quis despertar essa espécie de "imagem de sonho" na qual todos os relógios seriam fuzilados, para esfregar seus olhos diante dela, e para reformular nesse mesmo gesto do *despertar* a tarefa de historiador que ainda hoje nos é destinada, em frases que, desde muito tempo, não me canso de copiar:

> Atuar como historiador não significa saber "como as coisas realmente se passaram". Significa apropriar-se de uma lembrança (*sich einer Erinnerung bemächitigen*), assim como ela surge no momento do perigo (*wie sie im Augenblick einer Gefahr sufblizt*). Trata-se, para o materialismo histórico, de guardar uma imagem do passado (*ein Bild der Vergangenheit*) que se oferece inesperadamente ao sujeito histórico no instante do perigo. Esse perigo ameaça tanto os conteúdos da tradição quanto seus destinatários. Ele é o mesmo para uns e para os outros, e consiste para eles em se tornar instrumento da classe dominante. Em cada época, é preciso tentar novamente arrancar a tradição do conformismo que a está quase subjugando.[26]

24. Ibid., p. 440.
25. Ibid., p. 441.
26. Ibid., p. 431.

Essa insistência na "tradição" — distinta de todo "conformismo" cultural — não deve nos surpreender num contexto dominado, entretanto, pelo perigo imediato e pela urgência de responder politicamente a ele. Benjamin compartilhava com Freud e Warburg a consciência aguda da *eficácia antropológica das sobrevivências*; ele compartilhava com Bataille e Eisenstein a entusiasmada percepção de uma *eficácia política das sobrevivências*, fosse esfregando os olhos diante das carcaças dos animais nos abatedouros de La Villette, ou diante dos esqueletos em movimento de uma procissão mexicana, e como, mais tarde, cineastas como Jean Rouch, Pier Paolo Pasolini ou Glauber Rocha iriam mostrar com clareza. Mas essa percepção histórica — e também trans-histórica, pois ela atribui um lugar decisivo às longas durações e aos *missing links*, às heterocronias e aos retornos do recalcado — não funcionaria sem a *divisão* na qual se sustenta toda representação dos povos. Onde Carl Schmitt havia se interessado apenas pela *tradição do poder*, Benjamin opõe firmemente a *tradição dos oprimidos*: "A tradição dos oprimidos nos ensina que o 'estado de exceção' em que vivemos é a regra. Devemos chegar a uma concepção da história que dê conta dessa situação".[27]

Compreendemos melhor que Walter Benjamin tenha, ao mesmo tempo, situado a tarefa do historiador — e sem dúvida também a do artista — através da sua vontade de *representar os povos*, isto é, dar uma representação digna aos "sem-nome" da história:

> É mais difícil honrar a memória dos sem-nome (*das Gedächtnis der Namenlosen*) do que aquela das pessoas reconhecidas [*passagem riscada*: festejadas, os poetas e os pensadores que não escapam à regra geral]. A construção histórica é dedicada à memória dos sem-nome.[28]

27. Ibid., p. 433.
28. Id., "Paralipomènes et variantes des 'Thèses sur le concept d'histoire' " (1940), trad. J.-M. Monnoyer, in *Écrits français*. Paris: Gallimard, 1991, p. 356.

Essa tarefa é ao mesmo tempo *filológica* — ou "micrológica", como Benjamin gostava de dizer — e *filosófica*: ela exige que se explorem os arquivos nos quais os "conformistas" da história nunca metem o nariz (ou os olhos); ela exige, ao mesmo tempo, uma "armadura teórica" (*theoretische Armatur*) e um "princípio construtivo" (*konstruktiv Prinzip*) cuja história positivista é completamente privada.[29]

Pois bem, essa "armadura teórica" supõe não submeter as imagens às ideias, nem as ideias aos fatos. Quando Benjamin fala, por exemplo, da "tradição dos oprimidos" (*Tradition der Unterdrückten*), ele provavelmente usa um vocabulário marxista em referência direta à luta de classes; mas ele também sabe muito bem que a palavra *Unterdrückung* faz parte do vocabulário conceitual da psicanálise freudiana. Traduzida por "repressão", ela designa um gênero de processos psíquicos entre os quais o recalque (*Verdrängung*) aparece como uma espécie particular: a repressão pode ser consciente, enquanto o recalque é sempre inconsciente; a repressão pode ser aplicada aos afetos, enquanto o recalque só opera sobre representações.[30] Caberia então ao historiador tornar os povos "representáveis" exprimindo aquilo mesmo que os está "reprimido" nas suas representações tradicionais ou, melhor dizendo, conformistas. Ora, aquilo que está "reprimido" nessas representações diz respeito não apenas a seu estatuto de invisibilidade social — aquilo que Hanna Arendt, por exemplo, quis estudar, em *La tradition cachée*, na figura do pária —,[31] mas também aquilo que Hegel tinha chamado de "a maneira inorgânica de um povo faz saber aquilo que ele quer e aquilo que ele pensa", exprimindo afetos por meio de gestos do corpo e de moções da alma interpostas.

29. Id., "Sur le concept d'histoire", art. cit., p. 441.
30. Cf. S. Freud, *Métapsychologie* (1915), trad. J. Laplanche; J.-B. Pontalis. Paris: Gallimard, 1968, p. 45-63.
31. Cf. H. Arendt, *La Tradition cachée : le Juif comme paria* (1944-1948), trad. S. Courtine-Denamy. Paris: Christian Bourgois, 1987 (ed. 1997).

Tirar a tampa, mostrar as heterotopias

Os melhores historiadores são aqueles que contribuem com mais eficácia para tirar a tampa — a tampa da repressão, da *Unterdrückung* dos povos. Não é meu propósito, é claro, constituir um rosário das obras-primas da disciplina histórica, desde Burckhardt e Michelet até a produção contemporânea. Mas eu gostaria de lembrar brevemente três obras graças às quais me parece não só que a tampa foi tirada de modo exemplar, mas se estilhaçou. A primeira é a de Michel de Certeau: partindo de uma *história das solidões* — as solidões místicas, principalmente —, Certeau tocou nesse "ausente da história" convencional e explorou os atos de *resistência social* inerentes a certas "artes de viver" nas pessoas mais "comuns".[32]

Já Michel Foucault, como sabemos, partiu de uma *história dos desvios* e seus tratamentos institucionais: psíquicos com o asilo, somáticos com a clínica, penais com a prisão, sexuais, enfim, e até mesmo literários[33] (na obra de Raymond Roussel, por exemplo). De acordo com seus questionamentos arquivistas (isto é, filológicos), armados de um "princípio construtivo" e crítico (isto é, filosófico), ele também acabou distinguindo certos lugares onde essa "tradição dos oprimidos" pôde se reconhecer, se reunir, se organizar, fazer frente. Ele chamou esses lugares de *heterotopias*. Não que lugares como esses possam existir como escrínios funcionais de uma liberdade totalmente garantida:

32. M. de Certeau, *La Solitude, une vérité oubliée de la communication* (com F. Roustang et al.). Paris: Desclée de Brouwer, 1967. Id., *L'Absent de l'histoire*. Tours : Mame, 1973. Id., L'Invention du quotidien. Paris: Union Générale d'Éditions, 1980 (nova ed. Paris: Gallimard, 1990–1994).

33. M. Foucault, *Folie et déraison : histoire de la folie à l'âge classique*. Paris: Plon, 1961 (reed. Paris, Gallimard, 1972). Id., *Naissance de la clinique : une archéologie du regard médical*. Paris: PUF, 1963. Id., *Raymond Roussel. Paris:* Gallimard, 1963. Id., *Surveiller et punir : naissance de la prison*. Paris: Gallimard, 1975. Id., *Histoire de la sexualité*. Paris: Gallimard, 1976–1984.

Não creio na existência de alguma coisa que seria funcionalmente — pela sua verdadeira natureza —, radicalmente libertadora. A liberdade é uma prática. Sempre pode existir, de fato, um certo número de projetos visando modificar certas restrições, torná-las mais flexíveis, ou até mesmo rompê-las, mas nenhum desses projetos, simplesmente por sua natureza, pode garantir que as pessoas serão automaticamente livres, a liberdade dos homens nunca está garantida pelas instituições e pelas leis cuja função é garanti-las. [...]. Se encontrássemos um lugar — talvez ele exista —, onde a liberdade efetivamente se exerce, descobriríamos que isso não acontece graças à natureza dos objetos, porém, mais uma vez, graças à prática da liberdade. O que não quer dizer, afinal, que possamos deixar as pessoas em casebres, pensando que basta que elas exerçam seus direitos. [...]. Por definição, não existem máquinas de liberdade. [...] Há apenas relações recíprocas e perpétuos desníveis entre elas.[34]

As heterotopias definem o próprio espaço desses possíveis desníveis — o espaço em que a tampa treme, se desloca um pouco e deixa passar um ardente vapor de liberdade. As utopias funcionam perfeitamente, mas de maneira irreal — e consoladora, acrescenta, aliás, Foucault —, enquanto as heterotopias funcionam de modo bem real, ainda que à custa de um funcionamento desiquilibrado, rudimentar, imperfeito, nunca completo. As heterotopias utilizam "uma espécie de contestação, ao mesmo tempo mítica e real do espaço em que vivemos", diz Foucault.[35] Elas "têm o poder de justapor num só lugar real vários espaços, várias localizações heterogêneas que são em si mesmas incompatíveis", e até mesmo várias temporalidades heterogêneas[36] (nesse sentido, diremos que, aos olhos de Michel Foucault, os arquivos, os museus ou as bibliotecas são heterotopias escondidas sob seu próprio revestimento institucional). Nesse aspecto, elas aparecem como uma "grande reserva de imaginação"[37] que cabe a nós usar livremente.

34. Id., "Espace, savoir et pouvoir" (1982), *Dits et écrits 1954–1988*, IV. 1980–1988, ed. D. Defert ; F. Ewald; J. Lagrange. Paris: Gallimard, 1994, p. 275- 277.
35. Id., "Des espaces autres" (1984), ibid., p. 756.
36. Ibid., p. 758–759.
37. Ibid., p. 762.

Foi nessa escola de liberdade que Arlette Farge também pesquisou de livro em livro, com elegância e obstinação. Os arquivos foram para ela a oportunidade quase inesperada — mas logo inesgotável — de tirar uma tampa que os próprios arquivistas acreditavam ser talvez irremovível.[38] Ela tomou para si uma sensação, que é também um princípio metodológico, bem descrita outrora por Aby Warburg no momento das suas incansáveis explorações das *ricordanze* do arquivo florentino do Renascimento:

> As vozes dos mortos ainda reverberam em centenas de documentos de arquivos decifrados, e em milhares de outros que ainda não o foram; a devoção do historiador pode restituir o timbre dessas vozes audíveis (*historische Pietät vermag der unhörbaren Stimmen wieder Klangfarbe zu verleiben*) se ele não recuar diante do esforço de reconstituir a ligação natural entre a fala e a imagem (*die natürlich Zusammengehörigkeit von Wort und Bild*).[39]

Armada com essa intuição metódica, uma história dos povos poderia começar ou recomeçar. Arlette Farge renovou um gesto de Karl Marx — o da sua defesa jurídica dos ladrões de madeira em 1842 — trabalhando primeiro sobre os roubos de comida em Paris no século XVIII;[40] ela renovou a injunção benjaminiana a respeito da "tradição dos oprimidos" dedicando uma grande parte da sua obra à população de rua parisiense, mas também às dimensões heterogêneas que são, por um lado, a "opinião pública" e, por outro, a "escritura de si" — ou "sobre si" —;[41] ela acompanhou e ampliou o trabalho de Michel Foucault questionando a "vida frágil"

38. A. Farge, *Le Goût de l'archive*. Paris: Seuil, 1989.
39. A. Warburg, "L'art du portrait et la bourgeoisie florentine. Domenico Ghirlandaio à Santa Trinita. Les portraits de Laurent de Médicis et de son entourage" (1902), trad. S. Muller, in *Essais florentins*. Paris: Klincksieck, 1990, p. 106.
40. A. Farge, *Le Vol d'aliments à Paris au XVIIIe siècle : délinquance et criminalité*. Paris: Plon, 1974.
41. Id., *Dire et mal dire : l'opinion publique au XVIIIe siècle*. Paris: Seuil, 1992. Id., *Le Bracelet et le parchemin : l'écrit sur soi au XVIIIe siècle*. Paris: Bayard, 2003. Id., "Walter Benjamin et le dérangement des habitudes historiennes", in *Cahiers d'anthropologie sociale*, n. 4, 2008 ("Walter Benjamin : la tradition des vaincus"), p. 27–32.

dos pobres, dos marginais, dos oprimidos.[42] Ao fazer isso, tirou a tampa dos discursos geralmente proferidos — isto é, ressaltados — sobre a vida social, e permitiu que surgissem, na representação dos povos, os sintomas e os afetos que ela descreveu tão bem em *Efusão e tormento*, cujo preâmbulo ousava este desafio:

> É a respiração dos corpos anônimos e pouco abastados do século XVIII que será transcrita aqui, corpos que pensam, se debatem, se encantam, se perturbam e se violentam. Nos corpos mais carentes (e também nos outros), existe a vontade e o sonho de múltiplos escapes, a invenção de gestos criados ou esboçados para consegui-lo e de palavras para nomeá-los, portanto, apropriar-se deles. A surda potência física e corporal do anônimo, afetada pela esperança do futuro e lembrando-se com facilidade daquilo que foi, encontra o poder, responde e fala com ele para se integrar a ele ou modificá-lo. [...]
>
> Alguma coisa estremece. Os corpos vibram e elaboram seus destinos. Homens e mulheres, seres de carne, estão "afetivamente no mundo". Eles lutam constantemente contra seu próprio corpo e estão em inevitável simbiose com ele, para afastar não apenas o frio, a fome e o cansaço, mas também a injustiça, o ódio e a violência. Afetados pela história e afetando-a, eles são seres comuns. [...] Estamos longe de querer definir (como foi feito tantas vezes) os mais fracos apenas pelas necessidades e desejos primários do seu corpo que, além disso, é chamado de inculto. Pelo contrário, tentar a abordagem histórica e política dessa "parte material dos seres animados" [definição usual do corpo] confirma a infinita nobreza do corpo, sua capacidade racional e passional de criar *com* a história e *apesar* dela, visto que ele é sede e parte ativa das sensações, sentimentos e percepções. Maleável, ele se inclui no mundo tanto quanto lhe for possível. Isso custa risos e gritos, gestos e amores, sangue e tristezas, cansaço também. O corpo, sua história e a história são uma coisa só.[43]

42. Id., *Vivre dans la rue à Paris au XVIIIe siècle*. Paris: Gallimard-Julliard, 1979 (reed. Paris : Gallimard, 1992). Id., *Le Désordre des familles : lettres de cachet des archives de la Bastille au XVIIIe siècle*. Paris: Gallimard/Julliard, 1982 (com M. Foucault). Id., *La Vie fragile : violence, pouvoirs et solidarités à Paris au XVIIIe siècle*. Paris: Hachette, 1986 (reed. Paris, Seuil, 1992).

43. Id., *Effusion et tourment, le récit des corps. Histoire du peuple au XVIIIe siècle*. Paris: Odile Jacob, 2007, p. 9–10. Cf., mais recentemente, id., *Essai pour une histoire des voix au dix-huitième siècle*. Paris: Bayard, 2009. Um prolongamento dessas problemáticas está na obra reunida pelo Collectif Maurice Florence, *Archives de l'infamie*. Paris: Les Prairies ordinaires, 2009.

Dizer, primeiramente, que os corpos — os corpos singulares, múltiplos, e não "o corpo", em geral — são "afetados pela história e a afetam", é adotar uma *posição histórica* inaugurada por Jacob Burkhardt, defendida por Nietzsche e verificada por Warburg, assim como também por Marc Bloch e alguns grandes etnólogos ou sociólogos: uma posição segundo a qual a história não é narrada apenas por meio de uma sequência de *ações* humanas, mas também por meio de toda a constelação das *paixões* e das emoções sentidas pelos povos. Dizer, em seguida, que os corpos estão "afetivamente no mundo" é assumir uma *posição filosófica* transmitida pela fenomenologia do sensível que encontramos exemplarmente em Erwin Strauss, Jean-Paul Sartre e Maurice Merleau-Ponty: é abrir a história para toda uma antropologia dos corpos afetados, dos corpos afetivos.[44] Dizer, finalmente, que "alguma coisa estremece ali" é se engajar numa *posição literária*, pois escrever bem a história também é, primeiramente, escrever: o que faz com que o historiador se comprometa com escolhas formais, estilísticas, narrativas e até mesmo poéticas, escolhas que determinam o conteúdo tanto quanto o estilo da sua produção de conhecimento.

Essas três tomadas de posição agem indissociavelmente em cada tentativa de dar aos povos uma representação histórica digna. Vamos reencontrá-las, por exemplo, nas obras de Jacques Rancière, nas quais a *posição histórica* se traduz por um trabalho sobre os arquivos dos povos — uma modéstia muito rara nos hábitos da comunidade filosófica à qual Rancière pertence, primeiramente —, testemunhado, por exemplo, pela coletânea feita em colaboração com Alain Faure sobre *A palavra operária* e também pelo grande livro de arquivos intitulado *A noite dos proletários*.[45] Ora, essa escolha metodológica obriga a uma *posição*

44. Arlette Farge remete aqui ao livro de D. Le Breton, *Les Passions ordinaires : anthropologie des émotions*. Paris: Armand Colin-Masson, 1998 (reed. Paris : Payot & Rivages, 2004).
45. A. Faure; J. Rancière, *La Parole ouvrière*. Paris: Union générale d'Éditions, 1976 (reed. Paris : La Fabrique, 2007). J. Rancière, *La Nuit des prolétaires : archives du rêve ouvrier*.

literária caracterizada pela preocupação com o detalhe material, o respeito pelos documentos e sua montagem concomitante: para fazer isso, Rancière pesquisou as fontes do realismo francês do século XIX, desde as "micrologias" de Gustave Flaubert (contemporâneo exato de Karl Marx) até os *Cadernos de pesquisa* de Émile Zola, ou desde os textos de Michelet até as narrativas parisienses de Rainer Maria Rilke.[46] A toda essa travessia na imanência histórica só terá faltado a audácia de uma operação suplementar, justamente, aquela que um Walter Benjamin ou um Georges Bataille souberam elaborar — com a ajuda da memória proustiana, do encontro surrealista e da metapsicologia freudiana — em cada documento histórico, distinguindo neles uma "*mise en acte*" (atualização) sintomática que exige do historiador essa "tarefa da interpretação dos sonhos" de que fala o *Livro das passagens*.[47]

Jacques Rancière também tirou algumas pesadas "tampas" do conformismo historicista, guiado por uma *posição filosófica* que sem dúvida alguma deve muito à leitura de Karl Marx, mas também, de maneira mais silenciosa — e talvez pela intervenção desse outro grande filósofo do político na França que é Claude Lefort —,[48] por tudo aquilo que na obra de Maurice Merleau-Ponty evidenciava os pontos de contato entre a *dialética*, de onde procederia uma filosofia da história, e o *sensível*, onde se funda toda fenomenologia dos corpos.[49] Pensar as relações entre política

Paris: Fayard, 1981 (reed. Paris : Hachette Littératures, 2009). Cf. igualmente id., *Les Scènes du peuple* (*Les Révoltes logiques*, 1975-1985). Lyon : Horlieu, 2003.

46. Cf. É. Zola, *Carnets d'enquêtes : une ethnographie inédite de la France* (1871-1890), ed. H. Mitterand. Paris: Plon, 1986. J. Rancière, *Courts voyages au pays du peuple*. Paris: Seuil, 1990, p. 89-135.

47. W. Benjamin. *Paris: capitale du XIXe siècle*, op. cit., p. 481 (N 4,1).

48. Cf. C. Lefort, "La politique et la pensée de la politique" (1963), in *Sur une colonne absente : écrits autour de Merleau-Ponty*. Paris: Gallimard, 1978, p. 45-104. Id., *Les Formes de l'histoire : essais d'anthropologie politique*. Paris: Gallimard, 1978 (ed. 2000). Id., *Essais sur le politique : XIXe -XXe siècles*. Paris: Seuil, 1986 (ed. 2001).

49. Cf. M. Merleau-Ponty, *Les Aventures de la dialectique*. Paris: Gallimard, 1955 (ed. 2000), p. 17-45 ("La crise de l'entendement"). Id., "Partout et nulle part" (1956), in *Signes*. Paris:

e estética sob o ponto de vista de uma "partilha do sensível",[50] como faz Jaques Rancière, não seria, de fato, encontrar os funcionamentos dialéticos atuantes no "domínio do sensível" que tantos estetas gostariam de ver livre de qualquer conflitualidade, de qualquer negatividade? Não será preciso, simetricamente, reconhecer em toda *manifestação* política — quer entendamos essa palavra mais concretamente ou mais filosoficamente, conforme a nossa vontade — o próprio encontro de uma relação dialética e de uma relação sensível, como bem lembram essas linhas de Rancière sobre a distinção entre a *política* e a *polícia*:

> "Circulando, circulando! Não há nada para ver." A polícia diz que não há nada para ver numa rua, nada para fazer, a não ser ir andando. Ela diz que o espaço da circulação é só o espaço da circulação. A política consiste em transformar esse espaço de circulação em espaço de manifestação de alguém: o povo, os trabalhadores, os cidadãos. Ela consiste em reconfigurar o espaço, o que há para fazer ali, para ver, para nomear. Ela é o litígio instituído sobre a partilha do sensível [...]. A essência da política é o descenso. O descenso não é o confronto dos interesses ou das opiniões. Ele é a manifestação de um intervalo do sensível em relação a ele mesmo. A manifestação política mostra aquilo que não tinha razão para ser visto, ela coloca um mundo num outro, por exemplo, o mundo onde a fábrica é um lugar público naquele onde ela é um lugar privado, o mundo onde os trabalhadores falam, e falam da comunidade, naquele onde eles gritam para exprimir sua própria dor.[51]

Manifestação, portanto: é o que acontece quando cidadãos se declaram oprimidos ousando declarar seu impoder, sua dor e suas emoções concomitantes. É o que se passa quando um acontecimento *sensível* toca a comunidade na sua história, isto é, na

Gallimard, 1960, p. 194–200 ("Existence et dialectique"). Id., *Le Visible et l'invisible* (1959–1961), ed. C. Lefort. Paris: Gallimard, 1964 (ed. 1983), p. 75–141 ("Interrogation et dialectique"). Para uma reabilitação filosófica recente do sensível cf. o belo livro de E. Coccia, *La Vie sensible*, trad. M. Rueff. Paris: Payot & Rivages, 2010.

50. J. Rancière, *Le Partage du sensible : esthétique et politique*. Paris: La Fabrique, 2000.

51. Id., *Aux bords du politique*. Paris: La Fabrique, 1998 (reed. Paris, Gallimard, 2004), p. 242 e 244.

dialética do seu devir. Então, *o afetivo* e *o efetivo* se desdobram ao mesmo tempo. Se Alain Badiou quis postular um sentido da história no qual essa concomitância seria "saturada, terminada" e deveria deixar lugar para uma "concepção não expressiva da dialética filosófica",[52] nós podemos, pelo contrário, observar em todo lugar a sobrevivência e a eficiência das "fórmulas de *pathos*" mais antigas: lamentações que crescem e se tornam imprecações, imprecações lançadas que se tornam ações. Não há "política da verdade", como diz Badiou — que a qualifica de "real e lógica" para melhor desqualificar, de maneira platônica, aquilo que seria da ordem do imaginário ou do emocional –[53] sem *verdade do sensível*. No momento em que estou escrevendo estas linhas (junho de 2012), tudo aquilo que Eisenstein colocou em imagens na cena das lamentações de *O encouraçado Potemkin* encontra um novo valor de urgência na concomitância das *lágrimas* derramadas em todos os funerais das vítimas do regime sírio de Bachar-el-Assad, *gritos* lançados na cara da polícia e *armas* que é preciso conseguir para dar um futuro — agora que é impossível dialogar — a um protesto como aquele.

Aproximar-se, documentar, tornar sensível

Aproximar a política por meio das múltiplas ocasiões de um "litígio instituído sobre a partilha do sensível", como quer Jacques Rancière, não seria acabar "estetizando a política" — a pior coisa aos olhos de Walter Benjamin (porque é o que faziam, com grande pompa, os regimes fascistas da sua época) —, em todo caso, uma coisa que pudemos criticar, aqui e ali, no autor de *A partilha do sensível*? A resposta para essa pergunta é muito simples: a própria

52. A. Badiou, "La politique : une dialectique non expressive" (2005), in *La Relation énigmatique entre philosophie et politique*. Meaux : Germina, 2011, p. 70–71.
53. Ibid., p. 71.

estética designa um campo de conflitos, uma divisão que atravessa diversas palavras, por exemplo, quando queremos compreender na palavra *people* (os famosos, os super-representados em valor fictício)[54] tudo aquilo de que os *povos*, justamente, estão excluídos; ou quando queremos compreender na palavra *imagem* (suporte da celebridade, da super-representação em falsos valores) tudo aquilo que as *imagens* sabem justamente contestar. Qual será, então, o sentido da palavra *estética*, quando Jacques Rancière não hesita em escrever que "a emancipação operária era, primeiramente, uma revolução estética: o intervalo tomado em relação ao universo sensível 'imposto' por uma condição"?[55]

Estamos aqui bem longe da estética quando ela tem como objeto os "critérios da arte" ou da beleza — o que Carl Einstein atacava taxando de ridículos "concursos de beleza" — caros às instituições acadêmicas. A estética de que falamos a partir de agora é um saber que tem como objeto os *acontecimentos do sensível*, pouco importa que eles sejam "artísticos" ou não. Ora, para descrevê-los melhor, precisamos não só dessa *crítica* filosófica desenvolvida, entre outros, por Jacques Rancière, mas também de uma verdadeira *antropologia* que ganharia ao ser transmitida pelas "técnicas do corpo" (segundo a lição de Marcel Mauss), pelas "fórmulas do *pathos*" (segundo a lição de Aby Warburg) ou pelos "momentos *tímicos*" (segundo a lição das descrições fenomenológicas como as de Ludwig Binswanger, por exemplo). Mas, para descrever, é preciso primeiro saber escrever, isto é, tomar posição — literária, estética e eticamente — na língua, esse vasto campo de conflitos onde se encontram os usos mais redutores e mais abertos, as piores palavras de ordem e os melhores questionamentos. Uma antropologia dos acontecimentos sensíveis

54. *People* é também o nome de uma publicação francesa no estilo da revista *Caras*. [N.T.]
55. J. Rancière, *Le Philosophe et ses pauvres*. Paris: Fayard, 1983 (reed. Paris, Flammarion, 2007), p. VI (prefácio de 2006).

começa a partir do momento em que aceitamos *nos aproximar* pelo olhar, pela escuta e pela escritura, mesmo tendo que renunciar às pretensões apodíticas da metafísica clássica:

> A metafísica clássica pôde passar por uma especialidade onde a literatura nada tinha a fazer, porque ela funcionou sobre um fundo de racionalismo incontestado e estava convencida a poder explicar o mundo e a vida humana através de um agenciamento de conceitos. [...] Tudo muda quando uma filosofia fenomenológica ou existencial se atribui a tarefa, não de explicar o mundo ou descobrir suas "condições de possibilidade", mas de formular uma experiência do mundo, um contato com o mundo que precede todo pensamento *sobre* o mundo. [...] A partir de então, as tarefas da literatura e da filosofia não podem mais ser separadas. Quando se trata de cominicar a experiência do mundo e mostrar como a consciência escapa no mundo, não podemos mais nos orgulhar de conseguir uma transparência perfeita da expressão. A expressão filosófica assume as mesmas ambiguidades da expressão literária se o mundo for feito de tal maneira que só possa ser expresso em "histórias" e como se o apontássemos com o dedo.[56]

Não sei se Jacques Rancière, para falar como eu falo dessa "dialética do sensível", aceitaria essa intervenção filosófica (intervenção de um ponto de vista fenomenológico, no sentido de Merleau-Ponty, e até mesmo antropológico, no sentido de Mauss revisitado por Georges Bataille). Fica claro, porém, que, até sua obra recente *Aisthesis*, Rancière procede quase sempre por "cenas" que correspondem a tantas "histórias" singulares ou objetos "apontados com o dedo", de acordo com o gesto, característico, de uma *abordagem* tão descritiva quanto problematizada.[57] Se o último capítulo desse livro é dedicado a James Agee e à sua extraordinária pesquisa no Alabama miserável dos anos 1930,[58] é

56. M. Merleau-Ponty, "Le roman de la métaphysique" (1945), in *Sens et nonsens*. Paris: Nagel, 1948 (reed. Paris : Gallimard, 1996), p. 35-37.
57. J. Rancière, *Aisthesis. Scènes du régime esthétique de l'art*. Paris: Galilée, 2011.
58. Ibid., p. 287-307. Cf. J. Agee; W. Evans, *Louons maintenant les grands hommes. Alabama : trois familles de métayers en 1936* (1941), trad. J. Queval. Paris: Plon, 1972 (ed. 2002).

evidentemente porque a posição filosófica reivindicada aqui é inseparável de uma posição literária destinada a se aproximar dos fenômenos sensíveis (como um filólogo ou um historiador poderiam fazer diante de um documento, como um etnólogo poderia fazer diante de um gesto ritual) tanto quanto a discernir neles as linhas de força ou as linhas de frente (como um filósofo da dialética poderia fazer diante de uma situação qualquer).

Essa posição literária tem, a partir de então, uma longa história, cujo alcance político e poético Walter Benjamin e Ernst Bloch, nos anos 1930, souberam compreender melhor do que ninguém: desde *O camponês de Paris* de Louis Aragon e *Nadja* de André Breton até *Berlin Alexanderplatz* de Alfred Döblin, desde as montagens brechtianas até a escritura roteirística de Moholy-Nagy, desde Blaise Cendras, Ilya Ehrenbourg e Vladimir Maiakovski — penso, por exemplo, nos extraordinários "poemas-reportagem de 1925–1929 —,[59] é toda uma constelação literária que, para além da escritura romanesca do século XIX, procurou adotar o princípio da *montagem documental* que iremos mais tarde encontrar nas obras de W. G. Sebald, Charles Reznikoff ou, mais próximo de nós, Jean-Christophe Bailly.[60]

Pois bem, esse princípio de montagem — ou de reconstituição — documental é inseparável de uma história cultural profundamente marcada, antes do cinema, por um certo uso da fotografia.[61] É assim que a *dialética* encontra o *sensível*, e que a política encarna nos novos recursos da poesia, inclusive os visuais.

59. Cf. V. Maïakovski, *L'Universel Reportage* (1913–1929), trad. H. Deluy. Tours : Farrago, 2001.
60. Cf. especialmente C. Reznikoff, *Témoignage : les États-Unis* (1885–1915), *récitatif* (1965), trad. M. Cholodenko. Paris: P.O.L, 2012. W. G. Sebald, *Austerlitz* (2001), trad. P. Charbonneau. Arles : Actes Sud, 2002. J.-C. Bailly, *Le Dépaysement. Voyages en France*. Paris: Seuil, 2011. Cf. os estudos de M. Pic, "Du montage de témoignages dans la littérature : *Holocauste* de Charles Reznikoff", *Critique*, n. 736, 2008, p. 878–888. Id., "Élégies documentaires", *Europe*, XCI, 2013, n. 1009, p. 104–116.
61. Cf. G. Didi-Huberman, *Atlas ou le gai savoir inquiet. L'oeil de l'histoire*, 3. Paris: Minuit, 2011.

Em 1924, por exemplo, Blaise Cendrars publicou um livro intitulado *Kodak*; como a firma norte-americana, nesse intervalo, exigiu seus direitos, em 1944 Cendrars teve que mudar o título da edição das suas poesias completas para *Documentários*.[62] Em 1928, ele entrava na própria poética do trajeto sonhador e apaixonado de *Nadja* quando o texto foi entrecortado pelas fotografias urbanas de Jacques-André Boiffard e de Man Ray.[63] Seria preciso também que o projeto teórico de desmontagem empreendido por Georges Bataille na revista *Documentos* em 1929–1930 não fosse ilustrado, mas usado e solicitado pela iconografia documentária do mesmo Boiffard, de Eli Lotar e muitos outros.[64] Durante esse mesmo tempo, as imagens *sensíveis* de Germaine Krull vinham ainda solicitar o pensamento *dialético* de Walter Benjamin sobre as passagens parisienses[65] (encontramos algumas dessas imagens nos arquivos de um outro grande dialético, Theodor Adorno). Quando, em 1933, Ilya Ehrenbourg publicou em Moscou seu livro *Meu Paris*, ele foi fotografado de perfil por El Lissitzky — que também era responsável pelo projeto do livro — com sua Leica na mão voltada para ele, como para dizer que a Leica, logo em seguida fotografada em plano fechado, talvez fosse a atriz principal desse livro composto por uma admirável sequência de imagens mostrando os diversos povos de Paris.[66] E, finalmente — para encerrar esta lista que poderia ser ainda mais longa —, como compreender o *Diário de trabalho* ou o ABC *da guerra* de Bertold

62. B. Cendrars, *Kodak (documentaire)*. Paris: Stock, 1924. Id., *Poésies complètes*. Paris: Denoël, 1944, p. 151–189 ("Documentaires"). Cf. D. Grojnowski, *Photographie et langage : fictions, illustrations, informations, visions, théories*. Paris: José Corti, 2002, p. 45–66.
63. A. Breton, *Nadja* (1928), in *Œuvres complètes, I*, ed. M. Bonnet. Paris: Gallimard, 1988, p. 643–753.
64. Cf. G. Didi-Huberman, *La Ressemblance informe, ou le gai savoir visuel selon Georges Bataille*. Paris: Macula, 1995.
65. Cf. U. Marx, G. Schwarz, M. Schwarz; E. Wizisla, *Walter Benjamin : archives. Images, textes et signes* (2006), trad. P. Ivernel, org. F. Perrier. Paris: Klincksieck, 2011, p. 272–293.
66. I. Ehrenbourg, [*Mon Paris*]. Moscou : Izogiz, 1933 (reed. anastática. Paris: Édition 7L, 2005).

Brecht sem suas montagens fotográficas, ou ainda a pesquisa de James Agee sem as imagens implacáveis de Walker Evans?[67]

Imagens implacáveis, de fato.[68] Mas nem por isso "insensíveis", longe disso, imagens que também não nos deixam insensíveis. É verdade que ninguém está chorando nessas imagens de miséria em que rondam por toda a parte o desemprego, a fome e também a morte. Uma esposa parece quase morder o lábio inferior, como para prender o choro, justamente; uma criança no chão, assustada, incapaz de brincar, olha o vazio; olhando bem, o outro bebê não estará chorando no colo da mãe (*fig. 73*)? Nessas imagens há então todo o desalento possível e, ao mesmo tempo, toda a dignidade presente na ligação estabelecida com o fotógrafo. Como em August Sander, nada foi feito às pressas, tudo é resultado de uma *consideração* partilhada, de um respeito mútuo que levou tempo para se instaurar. E foi assim que Walker Evans "tornou sensível" para nós algo crucial — e não apenas aparente — na condição dos povos norte-americanos da Grande Depressão, algo que permanece inseparável da narrativa feita por James Agee.

Nesse contexto, o que quer dizer o gesto de *tornar sensível*? Apesar das estreitas versões do platonismo e do racionalismo contemporâneo, tornar sensível não quer dizer tornar ininteligível. Se Walter Benjamin construiu toda a sua abordagem da "legibilidade da história" em torno da noção de *imagem dialética* — e não, por exemplo, sobre a noção de "ideia dialética" ou de "ideia da dialética" — é porque a ininteligibilidade histórica e antropológica não existe sem uma dialética das imagens, das aparências, das aparições, dos gestos, dos olhares... tudo aquilo que poderíamos chamar de *acontecimentos sensíveis*. Quanto à *potência de*

67. Cf. O. Lugon, *Le Style documentaire : d'August Sander à Walker Evans, 1920–1945*. Paris: Macula, 2001 (ed. 2011). G. Didi-Huberman, *Quand les images prennent position : l'oeil de l'histoire, 1*. Paris: Minuit, 2009.
68. J. Agee; W. Evans, *Louons maintenant les grands hommes*, op. cit. (caderno de fotografias sem número de página).

Figura 73. Walker Evans, *Alabama*, 1936. Fotografia publicada em J. Agee e W. Evans, *Let Us Now Praise Famous Men*, Boston, Houghton Mifflin Company, 1941. ©W. Evans Arch., The Metropolitan Museum of Art.

legibilidade que esses acontecimentos carregam consigo, ela só é eficaz porque entra na própria eficácia das imagens tornar acessíveis, revelar, não só os aspectos das coisas ou dos estados de fato, mas também seus "pontos sensíveis", como se diz para indicar onde isso funciona em excesso, onde eventualmente não funciona, onde tudo se divide no desdobramento dialético das memórias, dos desejos, dos conflitos.

Tornar sensível é também tornar acessível essa *dialética do sintoma* que atravessa toda a história, quase sempre à revelia dos observadores qualificados (quero dizer, por exemplo, que James Agee e Walker Evans nos mostraram certos aspectos da crise econômica que talvez não fossem vistos com tanta precisão pelos economistas ou pelos historiadores dessa época). Essa poderia ser uma maneira de compreender o que dizia Maurice Blanchot quando evocava a "presença do povo [...] não como o conjunto das forças sociais, prontas para tomar decisões políticas particulares, mas na sua [...] *declaração de impotência*":[69] de modo que "tornar sensível" quereria dizer, estritamente, tornar sensíveis as falhas, os lugares ou os momentos através dos quais, ao se declarar como "impotência", os povos afirmam ao mesmo tempo aquilo que lhes falta e aquilo que eles desejam. As imagens de Walker Evans (áridas e, no entanto, tão emocionantes) assim como as descrições de James Agee (literais e, no entanto, tão poéticas) aparecem assim como o *tornar-sensível* e a *declaração de impoder*[70] desses povos às voltas com uma situação histórica e política que facilita sua desaparição.

Tornar sensível seria, portanto, tornar acessível pelos sentidos, e tornar até mesmo acessível aquilo que nossos sentidos, assim como nossas inteligências, nem sempre percebem como

69. M. Blanchot, *La Communauté inavouable*. Paris: Minuit, 1983, p. 54.

70. Transformo aqui a expressão de Maurice Blanchot por causa da distinção, que me parece necessária (vamos encontrá-la, principalmente, nos comentários de Gilles Deleuze sobre Nietzsche), entre potência e poder. Diremos, portanto, que uma "declaração de impoder" não está, justamente, privada da sua *potência de declaração*.

"aquilo que faz sentido": alguma coisa que só aparece como falha no sentido, índice ou sintoma. Mas, num terceiro sentido, "tornar sensível" quer dizer também que nós mesmos, diante dessas falhas ou desses sintomas, nos tornamos de repente "sensíveis" a alguma coisa da vida dos povos — a alguma coisa da história — que nos escapava até então, mas que nos "olha" diretamente. Então, nos "tornamos sensíveis" ou sensitivos a alguma coisa nova na história dos povos que consequentemente desejamos conhecer, compreender e acompanhar. Esses são nossos sentidos, mas também nossas produções significantes sobre o mundo histórico, *emocionados* por esse "tornar sensível": emocionados no duplo sentido de um pensamento que começa a se emocionar e a se movimentar.

Diante da "declaração de impoder" dos povos — tal como ela pôde ser tornada sensível para nós, na montagem dos textos de James Agee e das imagens de Walker Evans —, aqui estamos nós às voltas com todo um mundo de *emoções dialéticas*, como se fosse preciso, para a legibilidade da história, essa particular disposição afetiva que toma conta de nós diante das imagens dialéticas: a *fórmula* com o *pathos* que, entretanto, a divide, o inteligível com o sensível que, entretanto, o transtorna.

Prestar queixa: apelos e conflitos

Os povos estão em lágrimas quando sua manifestação — sua "declaração de impoder", que também é uma declaração de suas recusas ou de seus desejos — torna-se gritante. Acontece então uma *declamação de impoder* diante de todos, que nos lembra sua *potência de exigência* inerente às grandes queixas, aos grandes protestos coletivos. A partir de então, não estamos mais na situação de observar alguma coisa como a infância das lágrimas (como em Darwin), mas, pelo contrário, de reconhecer sua velhice (como em Warburg). É a antiguidade, a sobrevivência das "fórmulas de *pathos*", nas quais os corpos em lágrimas exigem justiça como podem, isto é, usando as formas que lhes parecem mais imediatamente eficazes, reconhecíveis, partilhadas. Eles fazem, então, bem mais do que se queixar, eles se inscrevem, literalmente, num movimento para prestar queixa. O que acontece quando, a partir do coração do nosso presente, se manifestam as potências muito antigas da queixa, aquelas que Nicolas Loraux, por exemplo, analisava tão bem entre as linhas — ou nas interjeições *ié!*, *aeí!* e *aiaî!* — das antigas tragédias gregas?[71] Três tipos de acontecimentos parecem acontecer: vou chamá-los sucessivamente de apelos (com suas linhas de fuga), conflitos (com suas linhas de falhas) e comoções (com suas linhas de tato).

Os povos em lágrimas são, primeiramente, *povos que apelam*. Não existe na língua espanhola alguma coisa que é mais do que uma simples rima — talvez uma relação de inclusão recíproca — entre as duas palavras *llanto* ("pranto, lágrimas, queixa, lamento") e *llamamiento a la sublevatión* ("apelo à revolta")? Pois bem, essa coalescência ou essa conaturalidade da queixa e do apelo parece ser precisamente aquilo que quer ignorar a instituição ideológica do "*pathos* pós-moderno", aquele que Frederic Jameson observou que funcionava por "alívio" (um *pathos* para pacificar, para neutralizar a emoção) e por "coisificação" (um *pathos* para entrar de maneira correta no mercado espetacular).[72] Não por acaso, esse valor de uso do *pathos* combina com a "crise da historicidade", típica do pós-modernismo, no sentido em que os sujeitos, como escreve Jameson, "perderam a capacidade de desenvolver ativamente suas pro-tensões e suas retenções sobre a diversidade temporal, e de organizar seu passado e seu futuro numa experiência coerente"; melhor dizendo, a apreensão pós-moderna da história

71. N. Loraux, *Les Mères en deuil*. Paris: Seuil, 1990. Id., *La Voix endeuillée : essai sur la tragédie grecque*. Paris: Gallimard, 1999.

72. Cf. F. Jameson, *Le Postmodernisme, ou la logique culturelle du capitalisme tardif* (1991), trad. F. Nevoltry. Paris: École nationale supérieure des beaux-arts, 2007, p. 436–442.

"libera de repente esse presente do tempo de todas as atividades e de todas as intencionalidades que podiam visá-lo e fazer dele um espaço de *práxis*", de modo que a emoção torna-se uma pura "carga de afeto" — privada de suas "re-tenções" memoriais e de suas "pro-tensões" desejantes — análoga àquilo que pode se passar na esquizofrenia ou no vício dos alucinógenos.[73]

Sem dúvida, choramos em *Sex and the city* — ou nas comédias de costumes, nas séries televisivas, nos melodramas em geral — mas, certamente, não choramos da mesma maneira como choramos no *Potemkin* ou em *Accattone*:[74] as criaturas melodramáticas podem estar emocionadas ou serem emocionantes, apaixonadas ou passionais, mas nunca serão *pasionarias*. Stanley Cavell, desse ponto de vista, mostrou uma certa ingenuidade política intitulando seu livro sobre o melodrama *Constesting tears*, pois tudo aquilo que ele chama de "protesto das lágrimas" — sem nunca se arriscar a fazer uma análise consequente de uma única "cena de lágrimas" específica — limita-se, como ele mesmo diz, a "dar uma transcendência à nossa existência privada".[75] Não será isso justamente uma maneira de limitar essa transcendência — e mais ainda a imanência emocional — ao puro "jogo dos *eu*", entre o *eu* do marido, o da mulher e o do (da) amante? Aqui também, as análises de Jameson e, antes delas, as grandes indignações políticas de Theodor Adorno, de Günther Anders ou de Guy Debord, mostrariam utilmente como a reificação das emoções, produzidas e vendidas como mercadorias fetiche, destiladas como *spots* publicitários, significa exatamente desencarná-las, negá-las, destruir sua eficácia antropológica e social (aquela que pode, justamente, fazer da queixa um apelo).[76]

73. Ibid., p. 68–71.

74. Filme de Pasolini, 1961. [N.T.]

75. S. Cavell, *La Protestation des larmes : le mélodrame de la femme inconnue* (1996), trad. P. Soulat. Paris: Capricci, 2012, p. 72.

76. Cf. C. Schmitt, *Kinopathos: Große Gefühle im Gegenwartsfilm*. Berlim: Bertz + Fischer, 2009.

Essa é a razão pela qual não poderia haver melodrama burguês em Eisenstein. O caso de Pasolini é mais complexo, na medida em que, no seu projeto antropológico-político, tratava-se de observar os destinos fantasmáticos respectivos dos povos e da burguesia italiana, suas "máquinas desejantes": daí *Comícios de amor*, que, na crueza da sua fala documental, fica bem aquém dos silêncios e dos subentendidos aos quais os protagonistas dos melodramas costumam se entregar, daí *Teorema*, que ultrapassa qualquer situação estereotipada até tocar algo como uma esfera mítica, ou mística; daí *As mil e uma noites*, que cadencia os risos e as lágrimas do jovem Nur-Ed-Din de acordo com uma narrativa fabulosa que nada deve às regras realistas do melodrama burguês.

O primeiro mestre da dialética nesse campo teria sido Roberto Rossellini, visto que seu *Viagem à Itália* ao mesmo tempo se apresenta e se destrói como melodrama clássico: ele se apresenta, de fato, como a *história privada* de um casal burguês à beira da ruptura, num fundo que, de início, como nos melodramas norte-americanos, parece reduzir-se a uma pura e simples *cor local*. É a Itália popular, na região napolitana, percebida primeiramente através dos vidros de uma luxuosa limusine inglesa. Mas, por uma espécie de irreprimível aumento de potência, esse contexto torna-se alguma coisa bem mais profunda do que um simples "fundo" ou cenário: um verdadeiro *espírito do lugar*, onde as peripécias emocionais do casal vão por fim explodir e dar lugar, ali também, para algo mais profundo e fundamental, no plano subjetivo ou intersubjetivo. É que o "espírito do lugar" levanta um impensado do presente que também supõe algo além dos "eu" presentes. Seja no museu arqueológico de Nápoles (diante dos amores dos deuses esculpidos) ou nos escombros de Pompeia (diante dos amores dos mortos carbonizados), todas as mesquinharias do melodrama burguês, da história privada, vão logo dar lugar a uma *duração impessoal* que também solta fumaças da *Solfatara* de Pozzuoli ou dos crânios empilhados do *Cimitero delle Fontanelle*, em Nápoles.

Nesse momento, a emoção, de fato, não mais se contenta em dizer *eu*. Na admirável cena final da procissão popular — em que a ficção melodramática é literalmente absorvida numa visão documental da comunidade napolitana, um meticuloso plano-sequência que mostra que Rossellini não está blefando no momento da filmagem a respeito dessa inclusão —, a emoção amorosa renasce "milagrosamente", ela renasce, portanto, para além do círculo rígido do "eu" e do "você". Então, as lágrimas de Ingrid Bergman não estão mais recolhidas em si mesmas (ou nela mesma). Da mesma maneira que em *Stromboli*, onde o vulcão e o mar agitado de espuma *transindividualizam suas lágrimas*, a protagonista de *Viagem à Itália* torna-se essa parcela de humanidade afogada na fervente manifestação popular. É uma humanidade mais "humana" por isso, mais "verdadeira" aos olhos de Rossellini, mais intensa e mais sublime também: tendo renunciado a essa emoção que dizia apenas *eu* no âmbito estreito da peripécia melodramática, a "carpideira" Ingrid Bergman torna-se, no meio dos povos de Nápoles, uma figura do amor ainda mais forte porque ela, finalmente, renunciou a todo amor-próprio. É, portanto, um tema ao mesmo tempo ético (ou como "expandir" o amor), antropológico (ou como incluir a história privada na memória do humano) e político (ou como extrair a lição da sabedoria dos povos) que o cineasta constrói aqui. Pasolini vai retomar isso, à sua maneira, ao mostrar como nossas emoções aparecem no cruzamento dos nossos destinos particulares — nossos sofrimentos, nossas paixões, nossas histórias de amor ou de família, tudo aquilo que podemos ver em *Accattone* ou em *Mamma Roma* — com o destino de todos, isso mesmo que chamamos de história social e política.

O que falta, então, aos *corpos em lágrimas* para atingirem essa consistência mais "verdadeira" — no sentido ético, antropológico e político — da emoção? Faltam *os povos que apelam*, esse movimento no qual dores e desejos se conjugam não apenas segundo "uma história", mas *segundo a história*. É uma questão — por natureza transindividual — de *convocação*, termo sobre o qual certos filósofos refletiram recentemente para construir a ideia de que "o povo é a assombração do político",[77] inclusive nas situações em que ele parece estar fora do jogo, inclusive quando ele permanece como um fantasma, como um passa-paredes de todas as nossas emoções mais "pessoais" ou "privadas". Quando a literatura ou as imagens conseguem exprimir essa "convocação", esse gesto de apelo, elas estão talvez o mais perto possível do *olho da história* (no mesmo sentido em que falamos de olho do furacão), ali onde o mais singular toca a comunidade, onde o mais atual toca nossas durações mais profundas.

Gilles Deleuze, como sabemos, fez valer uma expressão presente na fala de certos artistas, como Franz Kafka, Paul Klee ou ainda Carmelo Bene: o "*povo que falta*" estaria no âmago daquilo que a literatura, a pintura, o teatro ou o cinema podem nos oferecer de mais crucial, ali onde a maior singularidade — ou a maior solidão, como em Kafka — pode realmente "atravessar a história"[78] de todos. No vocabulário de Deleuze e de Guattari, essa configuração, que despreza a oposição clássica entre o singular e o universal, está fundada na assunção filosófica — e antipsicanalítica — de que "não existe sujeito, existem apenas agenciamentos coletivos de enunciação".[79] O que não impediu Deleuze de prestar homenagem aos trabalhos de Pierre Fédida sobre a *queixa*, pensada para além das distinções lacanianas entre desejo e pedido, a

77. F. Ferrari : T. Maià; F. Nicolao, "La convocation" (2009), in G. Berkman; D. Cohen-Levinas (orgs.), *Figures du dehors : autour de Jean-Luc Nancy*. Nantes : Cécile Defaut, 2012, p. 70. Isso fazendo eco ao livro de J.-L. Nancy, Le Partage des voix. Paris: Galilée, 1982.
78. G. Deleuze; F. Guattari, *Kafka : pour une littérature mineure*. Paris: Minuit, 1975, p. 32–33.
79. Ibid., p. 33.

queixa como *expressão* da dor e *apelo* à intersubjetividade.[80] Mais tarde, em *Imagem-tempo*, Deleuze irá opor o "povo que existe" dos cinemas unanimistas — soviético de um lado, norte-americano do outro - ao "povo que falta", nas formas mais radicais do cinema político: o dos Straub, de um lado, o dos cinemas do terceiro mundo do outro, principalmente em Jean Rouch, Glauber Rocha, Ylmaz Güney, Ousmane Sembene ou Youssef Chahine.[81]

É surpreendente que, na sua entrevista de 1990 com Antonio Negri, Gilles Deleuze tenha podido reformular essa problemática dos "povos que apelam" — prefiro por enquanto essa formulação, pois me parece que a oposição entre "povos que existem" e "povos que faltam" não está fixada definitivamente: um "povo que existe", como as pessoas modestas de Odessa no filme de Eisenstein, pode muito bem manifestar tudo "aquilo que falta" à sua própria dignidade de cidadãos através das suas lamentações, suas queixas e seus apelos — em termos de *pietà*. A tarefa política crucial é primeiramente definida por Deleuze nas respostas que seria preciso saber dar, que é preciso, na verdade, inventar em todas as frentes possíveis diante da "fabricação da miséria humana": "A única chance dos homens está no devir revolucionário, o único que pode conjurar a vergonha, ou responder ao intolerável."[82] É então que Toni Negri propõe definir a "nova pragmática militante" em termos de "*pietàs* para o mundo" e de "construções muito radicais";[83] ao que Deleuze acaba respondendo que é, de fato, preciso

80. G. Deleuze, "La plainte et le corps" (1978), in *Deux régimes de fous : textes et entretiens, 1975–1995*, ed. D. Lapoujade. Paris: Minuit, 2003, p. 150–151. Cf. P. Fédida, *Corps du vide et espace de séance*. Paris: Éditions universitaires Jean-Pierre Delarge, 1977. Id., *L'Absence*. Paris: Gallimard, 1978.

81. G. Deleuze, *Cinéma 2 : l'image-temps*. Paris: Minuit, 1985, p. 281–291.

82. Id., "Contrôle et devenir" (1990), in *Pourparlers*. Paris: Minuit, 1990, p. 231 e 234.

83. Ibid., p. 238.

suscitar acontecimentos, mesmo pequenos, que escapem ao controle, ou engendrar novos espaços-tempo, mesmo que sejam de superfície ou de volume reduzidos. É o que você chama de *pietàs*. É ao nível de cada tentativa que se pode julgar a capacidade de resistência ou, ao contrário, a submissão a um controle. É preciso, ao mesmo tempo, criação *e* povo.[84]

Desse modo, a "capacidade de resistência" encontraria alguma coisa como sua condição nativa — mas também seu antigo horizonte de imemorabilidade — em um ato de *pietà*. De um lado, esse ato ratifica, clama ou deplora um certo *impoder diante da história* como estado de fato; essa é a posição fatal de todo aquele que deplora a morte injusta de um de seus semelhantes. Por outro lado, porém, ele designa, protesta ou convoca: ele exige justiça manifestando então, segundo os termos de Gilles Deleuze, a *própria potência do devir*. Isso que, no mesmo texto, o filósofo aplica ao conceito tão importante de "linhas de fuga", exatamente ali onde o estado de uma sociedade, ainda que o observemos sem atenção, deixa que surjam suas próprias "panes" ou "vazamentos (fugas)"[85] de poder, que constituem espaços ou intervalos para um ato de liberdade[86] (isso lembra as "heterotopias" de Michel Foucault). A *pietà*, portanto, não tem nada a ver com essa submissão unilateral à história cruel que submete com frequência nossos destinos: ela pode se constituir — através de certas condições dialéticas de conversões, por exemplo, as transformações de *queixar-se* em *prestar queixa* — em ato de insubordinação e de emancipação. É nesse momento que a *expressão* das lágrimas sobre os rostos dos "queixosos" faz da emoção um assunto coletivo que, eventualmente, modifica o devir de todos. E aqui se trata de um gesto político. As pequenas pérolas de água salgada que saem dos olhos sob o olhar dos outros também saem do próprio sujeito

84. Ibid., p. 239.
85. Evidente o jogo de palavras, pois, em francês, *fuite* também significa vazamento. [N.T.]
86. Ibid., p. 232.

para convocar os outros, nesse momento crucial no qual a emoção poderia finalmente dizer respeito ao domínio do *fora do eu*.

Essa dialética da queixa e do apelo — entre *queixar-se* e *prestar queixa*, um jogo de palavras evidentemente jurídico, brechtiano no fundo, e que não me surpreende que tenha sido usado por Heiner Müller — pode ser vista, exatamente, concretamente em ação, em um admirável documentário de Zhao Liang chamado *Petição, a corte dos queixosos*.[87] Esse cineasta — evidentemente próximo de Wang Bing — filmou durante cerca de doze anos os *queixosos* vindos de todas as províncias chinesas: tendo suas queixas juridicamente negadas em suas respectivas cidades, eles deixaram tudo, casa, trabalho, família, amigos, para vir à capital exigir justiça, diante da última instância nacional que poderia recebê-los, em Pequim, e que se chama "a corte dos queixosos". As autoridades, porém, fazem tudo para dissuadi-los de *prestar sua queixa*, essa queixa que é uma *apelação* de julgamentos já realizados: a espera, então, dura anos, as transformações urbanas — principalmente aquelas que foram impostas pelos Jogos Olímpicos de 2008 — levam-nos sempre para um pouco mais longe, um pouco mais à margem da sociedade chinesa. Desse modo, eles vivem como miseráveis, malditos, famintos perseguidos por bandos ou milícias informais que os agridem, levando-os ao desespero. Até o *direito ao luto* lhes é contestado, como se sua queixa (jurídica) tivesse como consequência a proibição de se queixar (de se lamentar ritualmente diante de seus mortos). É então que se lamentar equivale a protestar: em um momento do filme, por exemplo, não se sabe exatamente se a procissão dos "queixosos" com suas bandeirolas brancas é uma marcha fúnebre em homenagem a uma pobre mulher empurrada para debaixo de um trem, ou uma manifestação política para protestar contra sua eliminação.

87. Zhao Liang, *Pétition, la cour des plaignants*, 2009 (124 min).

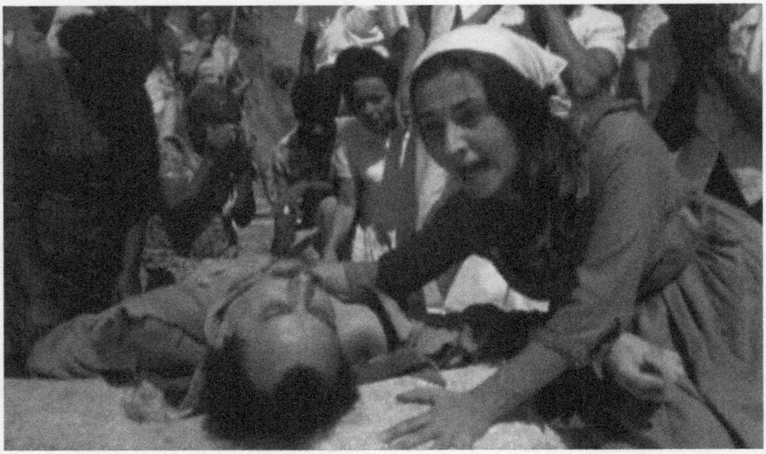

Figura 74. Glauber Rocha, *Terra em transe*, 1967. Fotograma (lamentação).

Com esse filme, é como se estivéssemos diante de uma versão concreta e atroz, tão violenta quanto cotidiana, da famosa parábola kafkiana *Diante da lei*.[88] Compreendemos rapidamente, na extrema tensão que opõe os queixosos à instituição que deveria registrar suas queixas, que esses "povos que apelam" também são *povos em conflito*, palavra que também deveríamos colocar no plural — nem que fosse por causa da complexidade inerente a cada situação histórica. Os conflitos são múltiplos, de fato, assim como são múltiplas as *linhas de falha* que eles causam em toda a parte. É isso que mostra Zhao Liang em todos os níveis, em todas as escalas da realidade histórica que ele documenta. É provável, aliás, que o filme dele, assim como os de Wang Bing, tenha um papel importante na historiografia futura da sociedade chinesa,

88. F. Kafka, *Le Procès* (1925), trad. A. Vialatte, in *Œuvres complètes, I*, ed. C. David. Paris: Gallimard, 1976, p. 453–455.

Figura 75. Glauber Rocha, *Terra em transe*, 1967. Fotograma (protesto).

se admitirmos que a luta dos “queixosos” de Pequim provavelmente não faz parte dos programas de pesquisas históricas nas universidades chinesas hoje em dia.

É uma maneira de dizer que a produção de imagens define um campo de conflitos cujas linhas de frente ou as linhas de falha devem ser desenhadas por alguns artistas corajosos. É também uma maneira de destacar, por contraste, uma ilusão bem pensante que reina com frequência no espaço cultural ocidental sobre as relações entre a *história* e a *emoção* dos povos. Não existe, de um lado, uma história “esclarecida” que teria como ponto de honra tirar a legitimidade das emoções considerando-as aparências enganadoras, excesso de pura irracionalidade, como Christophe Prochasson, entre outros, quis fazer.[89] Assim como as imagens, as emoções devem ser consideradas objetos inteiramente antropológicos e históricos, desde que aceitemos, é claro, que um objeto histórico seja eventualmente o cadinho de moções inconscientes,

89. C. Prochasson, *L'Empire des émotions : les historiens dans la mêlée*. Paris: Demopolis, 2008.

de recalques e de retornos do recalcado etc. Uma ilusão simétrica considera a atividade artística como o único receptáculo possível das emoções "válidas", ou seja, valorizáveis. Esse é, por exemplo, o partido tomado por Catherine Grenier cuja obra *A revanche das emoções* — título inusitado, pensando bem: como poderia uma emoção "ter uma revanche" sobre o que quer que seja? — faz a apologia de uma "abolição da distância crítica" e de uma renúncia, na arte contemporânea, de toda "consciência histórica".[90]

Numerosos são os artistas — Catherine Grenier inclusive menciona alguns deles como exemplo do puro *pathos* não dialético, como Christian Boltanski ou Robert Morris — que constroem justamente as *imagens dialéticas* de uma legibilidade da história da qual as emoções não seriam excluídas. Ou que, inversamente, tornam possível uma figuração dos afetos cuja lucidez crítica e histórica não seria excluída. Aliás, nem é necessário se colocar como artista para levar a cabo essa tarefa: nesse sentido, o extraordinário protesto da jovem mulher filmada em plano-sequência por alguns estudantes do IDHEC[91] em junho de 1968, no momento em que os operários da usina Wonder de Saint-Ouen retomavam o trabalho, não tem menos intensidade e coerência política do que uma carpideira desenhada por Goya ou Picasso.[92] Poderíamos dizer, em todo o caso, que a grande lição dialética inerente às cenas de lamentação de *O encouraçado Potemkin*, de Eisenstein, ou de *Terra*, de Djovenco, não foi esquecida pelos cineastas da urgência política, principalmente na época da descolonização: foi por isso que Glauber Rocha, em *Terra em transe*,

90. C. Grenier, *La Revanche des émotions : essai sur l'art contemporain*. Paris: Seuil, 2008, p. 12 e 28.

91. Institut des hautes études cinématographiques. Escola francesa de cinema (1943–1986), hoje integrada à FEMIS, Escola nacional superior das atividades ligadas à imagem e som. [N.T.]

92. *La Reprise du travail aux usines Wonder*, 1968 (9 min). Cf. também H. Le Roux, *Reprise*, 1997 (98 min).

pôde fazer da cena de deploração pelo assassinato de um homem uma ocasião imediata de manifestação política (*fig. 74-75*).[93]

Comover: linhas de tato, direito e dignidade

A expressão das emoções, na verdade, marca — antropologicamente, eticamente, politicamente — uma espécie de cruzamento de caminhos: as mesmas lágrimas podem significar o abatimento e, de repente, o sobressalto; o desencorajamento e logo a raiva (e depois a coragem); a desistência e, muito rapidamente, o começo de uma ação "na justiça"; a solidão dolorosa e, finalmente, o sobressalto coletivo. Elas ratificam talvez o *impoder* diante de um certo momento da história, mas também podem admitir a *potência* de uma memória ainda obscura (sobrevivências) ou de um desejo ainda não formulado (emancipação). Ora, essa potência só lhes é transmitida para que possam melhor se transformar: é o terceiro aspecto da sua fenomenologia, ali onde o *conflito* se torna *apelo*, e o apelo *comoção*. A comoção seria a emoção quando ela olha, não o *eu*, mas o *nós* da comunidade. Para isso, é preciso que cada um se sinta tocado, emocionado, acionado. Isso supõe a ação de "linhas de tato" pelas quais uma emoção — lágrimas sobre um único rosto — tornar-se-ia problema de todos, ou, na melhor das hipóteses, a causa política de todo um povo.

93. Glauber Rocha, *Terre en transe*, 1967 (106 min). No momento em que escrevo estas linhas (julho de 2012), leio no belo artigo de Bernhard Waldenfels ("Voir par les images. Merleau-Ponty sur le tracé de la peinture", in. E. Alloa; A. Jdey (orgs.), *Du sensible à l'œuvre : esthétiques de Merleau-Ponty*. Bruxelas: La Lettre volée, 2012, p. 66) uma crítica pertinente e amigável — naquilo que ela tem de encorajamento e de não invalidação — das minhas antigas análises sobre "aquilo que nos olha" "naquilo que vemos": Waldenfels pede para explicitar, para além daquilo que pude articular em 1992, "como um afeto se torna um apelo". O que é, de fato, o próprio objeto da minha presente tentativa. Sobre essa fenomenologia do apelo, cf. id., *Bruchlinien der Erfahrung*. Frankfurt: Suhrkamp Verlag, 2002, p. 98-164 ("Von der Affekten zum Appell").

A *comoção* seria para a emoção aquilo que um movimento compartilhado é para toda "moção" solitária. Por indicar uma tomada ou uma retomada do movimento na ordem afetiva, mas também ética, da comunidade, a comoção poderia oferecer uma maneira de ultrapassar ou pelo menos deslocar as aporias em que se enreda tantas vezes a ideia de *compaixão*. Parece, por exemplo, que uma certa confusão teórica imobilizou Susan Sontag na escrita de *Diante da dor dos outros*:[94] um dos motivos dessa imobilidade talvez seja a estreiteza do tipo de experiências considerada (nosso confronto cotidiano com as fotografias da imprensa e veiculação das nossas atualidades pela televisão), o outro é sua recusa em interrogar as diferentes tradições filosóficas que tentaram articular as esferas da ética, da política e da estética em volta do tema da dor.

É isso que ressaltaram com mais força obras recentes como a de Myriam Revault d'Allonnes sobre *O homem compassional* e a de Pierre Audi sobre *O império da compaixão*. A primeira distingue diferentes experiências, diferentes usos da compaixão: sua crítica do "contágio" passional leva, não a uma deslegitimação das emoções políticas, mas, pelo contrário, a uma reavaliação das possibilidades afetivas do reconhecimento do semelhante, através da faculdade de imaginação, tudo isso desenvolvido a partir de Hanna Arendt e de suas leituras de Rousseau e Kant.[95] O segundo gostaria, por um instante, de seguir os passos de Kierkegaard, quando este escrevia, em *O conceito de angústia*, que "derramar uma lágrima pode ser a melhor maneira de evitar agir pelo mais sutil obstáculo atrás do qual possamos proteger nosso egoísmo".[96] Em um dado momento, ele admite que não exista "política da compaixão" possível.[97] Mesmo assim, desenvolve as possibilidades de

94. S. Sontag, *Devant la douleur des autres* (2002), trad. F. Durand-Bogaert. Paris: Christian Bourgois, 2003.
95. M. Revault d'Allonnes, *L'Homme compassionnel*. Paris: Seuil, 2008, p. 45–73.
96. Apud P. Audi, *L'Empire de la compassion*. Paris: Les Belles Lettres, 2011, p. 78.
97. Ibid., p. 34.

apelo e de comoção contidas em toda dor exposta ao olhar do outro e, de certa forma, recolhida por esse mesmo olhar — e o *acordo* que o acompanha — para além de toda identificação imediata:

> Na relação de compaixão, não é verdade que me identifico com a dor do outro, na singularidade da sua tonalidade afetiva. Pois aquilo que me toca, quando me compadeço, é unicamente, a *vulnerabilidade* do outro, sua vulnerabilidade profunda, invencível, insuperável. [...] Na organização da compaixão, é a vulnerabilidade que se oferece como derradeiro objeto "daquilo que me diz respeito". De um lado ao outro da compaixão, revela-se o fato de que o outro e eu somos *semelhantes*, sob a relação dessa vulnerabilidade única à qual nosso corpo de carne nos expõe constantemente. Através dessa emoção, revela-se também o *impoder* que é irredutivelmente o nosso em relação a esse *pathos* — gozar, sofrer — que constitui o essencial do nosso comportamento e da nossa postura na vida. [...] Ouço um grito: "Ai!". Esse grito não significa: "Ajudem!". Mas a compaixão está ali para fazê-lo dizer isso. A compaixão começa quando ouvimos "Ajudem!", sob, em, ou atrás de "Ai!". [...] A compaixão é esse estranho *acordo* que suplanta a escuta, visto que ela transforma o dizer do sofrimento em apelo.[98]

No percurso que o leva de Aristóteles a Rousseau e de Nietzsche a Levinas, Paul Audi desenvolve a ideia de que a compaixão só tem valor se ela ligar o agir e o sofrer[99] e a consciência da distância à emoção como contato. Esta "consegue arrancar o sofrimento do outro da simples esfera da representação", enquanto aquela deve medir a "impenetrabilidade" do sofredor: "Não mais significa que aquele que se comove queira sofrer como o outro sofre, mas, sim, que ele considera o sofrimento do outro na distância que o espírito cava entre aquilo que ele próprio sente e aquilo que sofre o ser digno de pena."[100] E é nesse momento que a compaixão (afetiva, subjetiva) irá se tornar comoção (efetiva, ética), o que Paul Audi exprime primeiramente em termos da ética de Levinas

98. Ibid., p. 18–20.
99. Ibid., p. 38.
100. Ibid., p. 14–15.

— "a sociabilidade humana é uma relação estranha que começa na dor" —[101] para chegar aos temas da "consideração" e do *respeito* devido a todo semelhante como ser vulnerável[102] (ponto crucial, pois é muito frequente ver o compadecimento exercido no âmbito de uma espécie de desprezo fundamental, como podemos observar no tratamento "compassional" de certos conflitos, os africanos por exemplo).

É nessa fronteira que se equilibra, evidentemente, o ato de figurar os "povos em lágrimas". Se a *emoção* e a dor, antropologicamente falando, se situam no nível de uma "prerrogativa" natural — esse *Vorrecht* da dor de que falava Hegel —,[103] cabe à atividade produtora de imagens como *comoção* recolocar esse "privilégio" humano no plano ético, histórico e político do *Recht*, o direito como tal. A pergunta será então: como construir o *respeito* por essa *emoção* manifestada pelos "povos em lágrimas"? Como devolver ao seu *impoder* a *consideração* que lhe é devida? Como dar àqueles que se lamentam o direito de se expor, ou seja, o direito a um *pathos* que não abale — não abale mais ainda — a sua *dignidade*? A resposta para essa pergunta talvez deva ser menos procurada nas "normas éticas" que alguns filósofos ainda tentam postular no lugar das imagens ou das obras de arte em geral,[104] do que verificada nos valores de uso concreto que os artistas propõem aqui e ali, de acordo com cada situação e cada invenção singulares. Assim como não poderia haver ali ontologia da imagem, também não há criteriologia ética válida para as invenções da arte em geral.

Em seu filme *A oeste dos trilhos*, Wang Bing mostrou, com uma qualidade extrema de atenção e respeito, o deslocamento

101. Ibid., p. 11.

102. Ibid., p. 11–12, 22–23 e 29.

103. G. W. F. Hegel, *Encyclopédie des sciences philosophiques, I. La science de la logique* (1827–1830), trad. B. Bourgeois. Paris: Vrin, 1970, p. 321. Cf. *supra*, p. 18.

104. Cf. por exemplo C. Talon-Hugon (org.), *Art et éthique: perspectives anglosaxonnes*. Paris: PUF, 2011.

de toda uma sociedade operária confrontada com o fechamento em grande escala das indústrias siderúrgicas de Shenyang, onde nos anos 1980 trabalhavam mais de um milhão de pessoas do distrito de Tie Xi.[105] Mas Wang Bing, que durante dois anos filmou sozinho nesses lugares em declínio progressivo, escolheu filmar os povos "em detalhe" e não "em massa", preferindo uma modesta paciência micrológica à fácil altura do panorama. Ele os mostra de perto, à distância da fala, se bem que, segundo seu hábito, ele sempre filma sem intervir, nem uma só pergunta, nem um só comentário. Ele se coloca na mesma altura daqueles que estão sendo filmados, e essa altura — de profunda humildade — faz justiça a esses *povos oprimidos:* oprimidos pelo rigor do clima, pela pobreza material, pela doença que ameaça, pelo desmembramento das famílias, pelo desemprego que invade tudo, pela falta de ajuda social, pela onipresença da burocracia policial.

Durante as nove horas de duração do filme, entretanto, Wang Bing — e esse é seu estilo, quero dizer, sua força ou sua forma tão singulares — consegue não apresentar a gente de Tie Xi na complacência de uma proximidade empática, nem na distância de um ponto de vista superior. Ele estabelece uma relação fílmica de perfeita igualdade na presença: sempre silencioso, mas sempre o mais próximo possível, mesmo nas mais difíceis condições e nas durações mais árduas. O resultado é uma grande imagem dialética sempre *comovente*, sempre fundada no tato e na escrupulosa transmissão: *linhas de tato* (segundo a noção física) para saber até onde se aproximar, até onde manter um recuo necessário, embora estejamos totalmente incluídos no espaço e no tempo das pessoas filmadas; *linhas de tato* (de acordo com a noção moral) para nunca acrescentar o menor peso, a menor opressão suplementar que constituiriam um olhar mais indiscreto ou uma câmera que ocupasse muito espaço. No momento em que o jovem que aguarda a

105. Wang Bing, *À l'ouest des rails*, 2003 (556 min)

volta do pai — detido pela polícia por um pequeno delito — começa a chorar, compreendemos exatamente o que é devolver a alguém com tato, a *dignidade*, a *razão* e até mesmo o *direito* de chorar.

É assim, evitando a dupla armadilha da aderência miserabilista e da altivez paternalista, que Wang Bing consegue fazer das suas imagens não apenas um lugar para a "partilha do sensível", mas também um veículo para alguma coisa como a "partilha da própria dor".[106] Pois bem, não existe apenas uma forma possível para essa partilha: existem mil, e muito mais, visto que haverá sempre novas para serem inventadas, de acordo com as diferentes situações históricas em que essa dor é vivida. Foi com meios diferentes que Pier Paolo Pasolini soube manter a dignidade do menor personagem dos seus filmes às voltas com a dor. É ainda por outros meios que procede Mohsen Makhmalbaf em *Salve o cinema*, filme extraordinário que parece inaugurar nada menos do que uma nova era para a figuração dos povos, ultrapassando as soluções eisensteinianas, estética e politicamente falando.[107]

Salve o cinema é um grande filme dialético, no sentido mais clássico dessa palavra, pois ele é feito apenas de uma sucessão de diálogos — cujo teor é tão imediatamente concreto quanto profundamente filosófico — entre o próprio cineasta e as pessoas, essa "gente do povo" que vem se apresentar a ele. Eles se *apresentam*, de fato: ao responder a um anúncio publicado nos jornais para participar do elenco de um filme, eles vêm, alguns de bem longe, tentar sua sorte de figurar naquilo que eles imaginam ser o próximo filme do cineasta (enquanto que, na realidade, eles já estão fazendo parte dele, e como verdadeiros atores, plenamente). Toda a arte de Makhmalbaf — desde o cenário, sala vazia, retângulo traçado no chão, espelhos em certos ângulos, até a posição

106. Essa "partilha da dor" foi recentemente reconhecida no cinema de Yervant Gianikian e Angela Ricci-Lucchi por A. Campo, "La condivisione del dolore nella Trilogia di Gianikian e Ricci-Lucchi", *Fata Morgana*, IV, 2010, n. 12, p. 195–201.
107. Mohsen Makhmalbaf, *Salam Cinema*, 1995 (178 min).

das câmeras e seus movimentos, passando, certamente, pela estrutura da entrevista e a mesinha que focaliza o espaço — consiste em tornar possível que eles *se apresentem* de verdade: pelo que são (seus pensamentos, suas emoções), por aquilo de que procedem (suas memórias particulares) e pelo que querem se tornar (seus desejos de emancipação através do cinema). Trata-se de uma verdadeira maiêutica, não como a grega, da Academia, mas como a iraniana: como um Tribunal, portanto, com o diretor levando em conta uma estrutura jurídica, onipresente na sociedade iraniana (que já tínhamos visto em *Close-up* de Abbas Kiarostami, ao qual *Salve o cinema* parece dar aqui uma espécie de réplica).[108] Cada um aqui se apresenta diante do cineasta — que ocupa, atrás da sua mesa, a posição de um juiz supremo — como "diante da lei". O resultado também é angustiante, mas traz tanta verdade e humor quanto uma narrativa de Kafka.

Essa maiêutica vai se revelar profundamente ambígua. De um lado, o "senhor" exerce sobre seus "súditos" a crueldade e a perversidade inerentes a toda situação de poder absoluto — alguns deles imploram por isso, literalmente: Makhmalbaf, de fato, leva tão longe quanto possível o simulacro de violência que a vontade soberana do diretor supõe em relação a todos aqueles aspirantes a atores. É ele que pesa as almas. É ele que faz avançar os escolhidos e dispensa os reprovados. Tudo isso, porém, faz parte de uma alegoria, ou melhor, de uma ideia do próprio cinema como parte inseparável da vida ética e política: uma ideia da ficção, inseparável do real e da história. Desse modo, na escolha desse *elenco*, assim como no tribunal — onde o destino é decidido em alguns minutos —, é preciso saber se apresentar como convém, saber se defender como for possível, saber mentir e saber dizer a verdade, submeter-se aqui e ali, resistir ao discurso do senhor. Por

108. Em *Close-up* (1990), um admirador de Makhmalbaf se faz passar por ele, é preso e interrogado por um juiz. *Salve o cinema* é de 1995. [N.T.]

outro lado, porém, essa maiêutica visa a "partilha do sensível" no sentido de uma igualdade de condição de cada um com cada um no espaço das imagens. Esse é o desafio do filme que, como toda questão ética, beira o impossível. Daí o teor constantemente aporético das questões levantadas por Makhmalbaf sobre sua própria prática: como ser artista *e* generoso com o outro, qualquer outro? Formulando essa pergunta mais terra a terra: se eu escolho você, o que será do outro? Como juntar a amizade (o homem que estava na mesma prisão política que Makhmalbaf)[109] e a recusa de oferecer algum privilégio? Como pode então o cinema, que é quase sempre um "palácio" da fama fechado a quase todos (só para celebridades, como se costuma dizer), assumir sua tarefa política de representar quase todo mundo (questão dos *povos*)?

De maneira significativa — e perturbadora —, é a *emoção* que Makhmalbaf vai colocar exatamente no centro de todas essas questões de ética. Seu filme todo poderia se resumir na exploração sistemática de um *leitmotiv* que faz a última oscilação dialética de cada peripécia: *rir, chorar*. Choramos quando nascemos, choram por nós quando morremos: o que fazer enquanto isso? Como encontrar o ritmo perfeito entre lágrimas e alegrias, entre o peso e a leveza de ser? Todos os pintores e todos os fotógrafos, todos os homens de teatro e todos os cineastas sabem muito bem, por experiência própria, que o rosto humano — mas também o corpo inteiro nos seus gestos — se expõe como um campo de conflitos onde se desenrolam os destinos cruzados da alegria e das lágrimas, da energia vital e da morte (Antonin Artaud), da máscara e do caos (George Bataille), da anatomia e da tragédia (Jean Epstein), do impoder e da responsabilidade (Emmanuel Levinas)... Todas elas questões antropológicas diante das quais um artista tem que se posicionar, ao invés apenas de enquadrar um rosto qualquer.

109. Tema e personagem que voltarão em *Um instante de inocência*, Makhmalbaf, 1996. [N.T.]

E é aí que *Salve o cinema* age sobre nós como uma longa comoção, violência e tato misturados: passamos nesse filme por todas as ocasiões de chorar, seja por "razões do real" (o real do amor impossível, o real da política opressora, eventualmente os dois ao mesmo tempo) ou por "razões de ficção" (a ficção do cinema como arte). Cada pessoa filmada está ali, à beira da sua verdade mais pungente, assim como do seu maior desejo de escapar dessa verdade quase sempre cruel. E a grandeza do filme consiste em manter para cada um e a todo instante — mesmo o mais "patético" — sua *dignidade* intrínseca. Compreendemos então que o "juiz" não estava lá para julgar, condenar ou perdoar, mas simplesmente para *oferecer uma imagem*, para *fazer figurar*, mesmo que para isso fosse preciso *expor* à prova das lágrimas os "povos" quase sempre excluídos da representação política e da representação estética.

Uma *imagem* só vale para ser construída e apresentada como imagem *do outro* (mesmo num autorretrato). Ora, a relação com o outro é constantemente julgável por uma certa posição ética, posição que encontra sua primeira forma pública nos enunciados do direito, ou seja, uma imagem se constitui com muita frequência a partir de uma composição entre a experiência ética (sempre singular) de um *tato* e os princípios jurídicos (teoricamente universais) de um *direito*. Dessa dialética nascem as condições para que uma imagem possa preservar o outro na sua *dignidade*. É preciso lembrar uma vez mais o quanto a produção daquilo que chamávamos, entre os romanos do período republicano, de *imagines* tinha primeiramente uma existência jurídica fundada na própria noção de *dignitas*.[110]

A dignidade, nesse sentido da antiguidade, tira sua etimologia do verbo *decet*, "convém", o que resultou em duas noções cruciais: uma noção estético-ética, o *decus*, que significa a beleza como

110. Cf. Pline l'Ancien, *Histoire naturelle*, XXXV, II–IV, ed. e trad. J.-M. Croisille. Paris: Les Belles Lettres, 1985, p. 37–42. Cf. G. Didi-Huberman, "L'image-matrice : histoire de l'art et généalogie de la ressemblance" (1995), *Devant le temps*, op. cit., p. 59–83.

decência, e uma noção ético-politica, a *dignitas* que significa o mérito, a dignidade, o alto nível, o cargo honorífico.[111] Assim como em Plínio, o Velho, em Cícero a *dignitas* se opõe primeiro à *luxuria*[112] (que denota, ao mesmo tempo, o luxo e a luxúria). Mas ela também está ligada ao reconhecimento público, como se o fato de assumir uma função "re-publicana" — reconhecida de utilidade pública e implicando as honras do poder — estivesse ao lado de uma certa postura moral em relação à qual um homem de poder é requisitado para dar exemplo a todos e não se deixar subjugar pela dor e pelas lágrimas:

> A partir do momento em que de fato achares vergonhoso e indigno (*turpe nec dignum*) para um homem gemer, gritar, lamentar-se (*gemere, eiulare, lamentari*), deixar-se abater e paralisar pela dor (*frangi, debilitari dolore*), a partir do momento em que a beleza moral, a dignidade, a honra (*honestas, dignitas, decus*) te assistirão e que, de olhos fechados sobre elas, tu permanecerás mestre de ti mesmo, certamente a dor desaparecerá diante da virtude, e a firme resolução a reduzirá à impotência.[113]

Essa é, portanto, a maneira muito "prestigiosa" de compreender a dignidade das virtudes republicanas levadas à Roma pelos "grandes homens", *uomini famosi* ou homens de poder. É tudo? Certamente não. Alguma vez já se disse das mães trágicas que elas eram indignas? É verdade que, ao chorar, elas expunham primeiro seu impoder na ordem da decisão política. Foi necessário, portanto, esperar a época das revoluções sociais para que a *dignidade*

111. A. Ernout; A. Meillet, *Dictionnaire étymologique de la langue latine : histoire des mots*. Paris: Klincksieck, 1932 (ed. corrigida, 1994), p. 166–167. Sobre a noção de *dignitas* na época da República romana, cf. H. Wegenhaupt, *Die Bedeutung und Anwendung von dignitas in den Schriften der republikanischen Zeit*. Breslau/Ohlau : Eschenhagen, 1932. R. Rilinger, "*Ordo* und *dignitas* als soziale Kategorien der römischen Republik" (1991), in Ordo *und* dignitas : *Beiträge zur römischen Verfassungs- und Sozialgeschichte*, ed. T. Schmitt; A. Winterling. Stuttgart: Franz Steiner Verlag, 2007, p. 95–104.

112. Cicéron, *Des devoirs*, I, 106, trad. M. Testard. Paris: Les Belles Lettres, 1965 (ed. 1974), I, p. 159.

113. Id., *Tusculanes*, II, 31, trad. J. Humbert. Paris: Les Belles Lettres, 1931 (ed. 1970), I, p. 94.

do impoder não fosse relegada ao domínio de um sentimentalismo feminino qualquer, mas pudesse dizer respeito a todos aqueles que, para exigir justiça, não hesitariam em exprimir, em manifestar o sofrimento inerente à sua condição de oprimido. Como viu Ernst Bloch, a noção geral de *dignidade humana* formou-se de maneira coextensiva à história filosófica do *direito natural*, uma história na qual Kant teria figurado, depois de Jean-Jacques Rousseau, como pai fundador da época moderna.[114] E é fato que a noção de dignidade, inerente à natureza humana, está implicada no centro de cada momento da filosofia moral e política de Kant.

Em 1775-1780, as *Lições de ética* enunciam que "o primeiro dos deveres é o respeito do direito dos outros homens",[115] onde a palavra *respeito* (*Hochachtung*) denota bem a "alta estima", a "grande atenção" ou "consideração"- esse *tato* sugerido na polidez das fórmulas epistolares — que cada um deve com qualquer um dos seus semelhantes. Em 1785, nos seus *Fundamentos da metafísica dos costumes*, Kant define a dignidade (*Würdigkeit*) como "valor intrínseco" oposto a todo "valor relativo", como "fim em si" oposto a todo "meio" ou "preço": "O que constitui a única condição que pode fazer de alguma coisa um fim em si não é apenas um valor relativo, isto é, um preço, mas um valor intrínseco, isto é, uma *dignidade*".[116] Depois da Revolução Francesa, Kant terá ainda mais razões para afirmar, na sua *Doutrina do direito*, que "só existe um direito" para todos, grandes ou pequenos, direito esse fundado no "princípio de liberdade inata", e que se compreende como "um e intrínseco", isto é, constitutivo para a própria dignidade

114. Cf. E. Bloch, *Droit naturel et dignité humaine* (1961), trad. D. Authier; J. Lacoste. Paris: Payot, 1976 (ed. 2002), p. 84-96.

115. E. Kant, *Leçons d'éthique* (1775-1780), trad. L. Langlois. Paris: Librairie Générale Française, 1997, p. 331.

116. Id. *Fondements de la métaphysique des mœurs* (1785), trad. V. Delbos. Paris: Librairie Générale Française, 1993, p. 113. Cf. supra, p. 56-57.

da espécie humana.[117] Enfim, na sua *Doutrina da virtude*, Kant retomará a condição de toda dignidade humana, ou seja, que ninguém poderá tomar seu semelhante por um "meio" qualquer:

> Simplesmente, considerado como *pessoa*, isto é, como *sujeito* de uma razão moralmente prática, o homem está acima de qualquer preço; pois, como tal (*homo noumenon*), ele deve ser estimado, não apenas como meio usado para fins de outro, nem mesmo para os seus próprios, mas como fim em si, isto significa que ele possui uma *dignidade* (um valor intrínseco absoluto) através da qual ele força para si o *respeito* de todos os outros seres racionais desse mundo, e pode, com todos os outros membros dessa espécie, medir-se e estimar-se em pé de igualdade.[118]

Não nos surpreende que Kant se esforce para esclarecer a *lição ética* dessa decisão política maior que foi a *Declaração dos direitos do homem e do cidadão,* composta em 1789 e destacada na Constituição francesa de 1791.[119] Ora, assim como a história dessa Declaração ainda hoje está longe de acabar — foi preciso esperar por aquela chamada de "universal", de 10 de dezembro de 1948, assinada por cinquenta e oito Estados, para ver surgir a palavra *dignidade* no famoso preâmbulo —, assim também a *história da dignidade* está longe de terminar, pois, a cada dia que passa, os diversos regimes políticos ao redor do mundo não param de querer estendê-la ou, ao contrário, restringi-la. Ernst Bloch fez bem em lembrar que coube a Karl Marx estender essa noção a algo como uma *dignidade econômica*, já que é quase sempre possível observar que, de fato, não há dignidade humana possível sem "liberação econômica" — a partir do que Ernst Bloch irá desenvolver, sob seu próprio ponto de vista,

117. Id., *Métaphysique des moeurs, II. Doctrine du droit. Doctrine de la vertu* (1797), trad. A. Renaut. Paris: Flammarion, 1994, p. 26–27.
118. Ibid., p. 291.
119. *Les Déclarations des droits de l'homme (du Débat 1789–1793 au Préambule de 1946)*, ed. L. Jaume. Paris: Flammarion, 1989, p. 9–16.

a distinção filosófica entre "utopias sociais" e "direitos naturais", isto é, entre "projetos de felicidade" e "projetos de dignidade".[120]

Mas já antes de Karl Marx — apenas cinco anos depois da *Crítica da razão prática*, e três anos depois da *Crítica da faculdade de julgar* —, Friedrich Schiller, num admirável texto intitulado "Graça e dignidade", forneceu os meios de apreender aquilo que poderia ser uma verdadeira *dignidade estética*.[121] Suas conclusões tinham ao mesmo tempo uma base filosófica que lhe era oferecida pela teoria kantiana do sublime, e uma base histórica que lhe era sugerida diretamente pela Revolução Francesa. Tratava-se, em resumo, de articular a arte com a moral e esta, não a critérios simplesmente abstratos, mas à história política mais recente, mas veemente: "Onde o sentimento *moral* se satisfaz, o sentimento *estético* não deve ser diminuído."[122] Desse modo, aquilo que a graça encontra na intemporal natureza, a dignidade encontrará na história: o pé da ninfa que se ergue graciosamente — desde os baixos-relevos da antiguidade até os quadros de Botticelli e as esculturas de Canova — participa da beleza natural: enquanto o povo que se revolta em Paris participará desse "sublime histórico" do qual muitos escritores do século XIX terão explorado todas as fórmulas possíveis — Victor Hugo por exemplo, quando descreve o povo parisiense se revoltando, em *Os miseráveis*.

Eisenstein, nos seus grandes afrescos cinematográficos, certamente quis prolongar algo dessas imagens ao mesmo tempo sublimes e históricas que ele havia tirado das suas leituras precoces dos grandes romances franceses e ingleses do século XIX. Nesse sentido, ele nos parece um grande "romântico" — nada de pejorativo, nem de sentimental, nem de supervalorizado nessa qualificação — da emancipação política: como em Victor Hugo, seus

120. E. Bloch, *Droit naturel et dignité humaine*, op. cit., p. 7–11.

121. F. Schiller, "Grâce et dignité" (1793), trad. N. Briand, in *Textes esthétiques*. Paris: Vrin, 1998, p. 13–58.

122. Ibid., p. 33.

movimentos de multidão se parecem muito com tempestades das quais cada revoltoso seria a onda ou a explosão de espuma particular. Essa é a maneira como ele devolve aos povos a sua dignidade. Mas *a dignidade como objeto da imagem* — questão crucial, pois é uma questão no cruzamento da estética com a ética, a antropologia e a política — tem outros destinos possíveis. Hoje, as lágrimas derramadas nos filmes de Zhao Liang, de Wang Bing ou de Mohsen Makhmalbaf a constroem de modo diferente, através das formas que autorizam novas técnicas, novas abordagens documentais, novas maneiras de considerar a duração das imagens e suas montagens, na junção de um tato necessário com o mais elementar direito dos povos de se expor mesmo no seu impoder. Já não surpreende que Hannah Arendt tenha destacado em um dos capítulos de seu *Sobre a revolução* essa citação de Saint-Just: "Os infelizes são as potências da terra."[123]

123. H. Arendt, *De la révolution* (1963), trad. M. Berrane; J.-F. Hel-Guedj, *L'Humaine condition*, ed. P. Raynaud. Paris: Gallimard, 2012, p. 376. A frase completa é a seguinte: "Os infelizes são as potências da terra ; eles têm o direito de falar como senhores aos governos que os negligenciam" Saint-Just, "Rapport à la Convention sur les personnes incarcérées" (1794), in *Œuvres complètes*, ed. A. Kupiec; M. Abensour. Paris: Gallimard, 2004, p. 668.

APÊNDICE

Decupagem da cena da lamentação de *O encouraçado Potemkin*, de Eisentein[1]

III. O sangue grita por vingança
Luto
Corpo do marinheiro assassinado Vakulenchuk

1. Tenda, em PF.
2. PG. Quebra-mar vazio com tenda.
3. Fusão. Braços cruzados com vela.
4. Sob a bandeira. Noite.
5. Cabeça.
6. Vela, em PF.
7. Fitas luto.
8. O Potemkin.

1. Trata-se de uma "lista-montagem" produzida por Léon Moussinac, em *Serge Eisenstein*. Paris: Seghers, 1964 (ed. completada, 1968), p. 127–131, segundo as coleções da Cinemateca Real da Bélgica.
Adotaremos as iniciais PF para plano fechado (*close*), PM para plano médio e PG para plano geral. [N.T.]

9. Pescadores.

10. Boias na água.

11. Ancoradouro.

12. Gaivotas sobre a água.

13. PM. Quebra-mar com tenda.

14. Odessa vista da água.

15. PG. Quebra-mar com tenda. Alguns curiosos.

16. Fusão. Mais gente.

17. Fusão. Ainda mais gente.

18. Fusão. Ainda mais.

19-22. Desfile pela ladeira Levachevko.

23-24. Desfile pela rua do Comércio.

25-26. Através dos navios, desfile sobre o cais.

27. (Do Hotel de Londres) PG. Massas de pessoas saem.

28. Da tenda, multidão ao lado de Vakulenchuk.

29. Dois operários, cabeça descoberta.

30. Duas mulheres ajoelhadas.

31. TEXTO DA PROCLAMAÇÃO.

32. Eles beijam as mãos de Vakulenchuk.

33. Grupo de pessoas olhando em recolhimento.

34. Eles colocam moedas num chapéu.

35. Intelectual (Brodsky).

36. Duas mulheres de sombrinha.

37. Velho (Protopov).

38. Um adolescente lê a proclamação em voz alta.

39. Um velho operário toma nota num pedaço de papel.

40. Um jornalista toma nota num caderninho.

41. Duas mulheres cantam.

42. Três operários cantam.

43. Uma mulher canta.

44. Duas mulheres esfregam a testa.

45. Uma se lamenta.

46. Um operário canta.

47. Operários cantam.

48. Correntes escorregam.

49. Cabeça de Vakulenchuk.

50. Mãos.

51. Pés.

52. Fitas de luto.

53. Rostos de mulheres que cantam.

54. Pilar com cabo.

55. Proa do navio.

56. As correntes são puxadas.

57. Proa do navio.

58. Proa do navio, em PG.

59. Uma âncora com restos de lodo.

60. Idem, do outro lado.

61. Boia com corrente.

62. Rostos de homens que cantam.

63. Eles descem um bote até a água.

64. PF. Vakulenchuk.

65. Um lenço levado ao nariz.

66. Mão joga moedas.

67. Mãos seguram o chapéu.

68. Remos na água.

69. Movimento das mãos (remador).

70. Queda dos remos na água.

71. Uma cabeça se inclina.

72. [Nenhuma indicação.]

73. Movimento do remador.

74. A boca se abre.

75. [Nenhuma indicação.]

76. Guindastes.

77. Guindastes.

78. Um guincho trabalha lentamente.

79. Vela arriada.

80. Uma vela pontiaguda se ergue.

81. [Nenhuma indicação.]

82. Anéis e polias em movimento.

83. Imagem da vela se erguendo.

84. Guindaste descendo.

85. Guindaste descendo.

86. Bandeiras sinalizantes.

87. Mulheres se prosternam.

88. Uma mulher ergue a cabeça, PF.

89. Uma oradora fala com veemência (meio-corpo).

90. PM. Uma outra sobe num latão. Oradores ao longe.

91. [Nenhuma indicação.]

92. Punhos.

93. Rosto com dentes cerrados.

94. [Nenhuma indicação.]

95. Remador.

96. Remada.

97. [Nenhuma indicação.]

98. Movimento.

99. [Nenhuma indicação.]

100. O bote avança.

101. A oradora, PF.

102. PM. Multidão em efervescência. Ao longe, os oradores.

103. PF. Operário.

104. PF. Punhos.

105. Dentes cerrados.

106. O colarinho de uma camisa é rasgado.

107. PF. Uma velha enxuga as lágrimas (com ardor).

108. Floresta de punhos.

109. PF. O rosto da velha enrubesce.

110. Glotov a meio-corpo.

111. Uma militante fala.

112. O rosto de Glotov, que fala, PF.

113. FORA JIDOV.

114. O rosto de Glotov sorri provocante.

115-117. Cabeça se voltando.

118. Glotov.

119. Imagem de punhos cerrados.

120. Orador.

121. Glotov estica o pescoço.

122. Glotov de costas. Recebe vários socos.

123. Rosto de Glotov desfeito.

124. PF. Socos na cabeça de Glotov.

125-126. O bote entra no porto.

127. Cabeça do orador em movimento (Feldman).

128. PF. O bote chega com os marinheiros.

129. O orador é carregado nos ombros.

130. Com um gancho o bote é puxado para a margem.

131. O orador é levado no bote.

132-133. PF. Marinheiros fazem um comício no Potemkin.

134. PF. Comício no encouraçado.

135. REPRESENTANTE (letras grandes).

136. O orador (Feldman) avança. Ele fala, PF.

137. Aplausos gerais.

Nota bibliográfica

A parte deste texto dedicada a Roland Barthes foi pensada e redigida uma primeira vez em 2006, ao organizar uma pesquisa mais ampla sobre a história dos gestos de lamentação. Ela foi apresentada em duas conferências, na Universidade de Harvard e no Zentrum für Literatur- und Kulturforschung de Berlim em 2007 (esta última publicada sob o título de "Klagebilder, beklagenswerte Bilder?", trad. D. Naguschewski, *Trajekte. Zeitschrift des Zentrums für Literatur- und Kulturforschung Berlin*, VIII, n. 15, 2007, p. 29-35), e depois numa apresentação no colóquio *Roland Barthes, decididamente moderno* (Paris, École Normale Supérieure-Centre Roland Barthes), em novembro de 2008, da qual um extrato foi publicado na *Magazine Littéraire*, n. 482, 2009, p. 87-88. Ela foi inteiramente retomada e ampliada em 2012 para esta obra.

A pesquisa sobre Eisenstein foi feita em 2008 e 2009, no âmbito de uma pesquisa realizada no Internationales Kolleg für Kulturtechnikforschung und Mdedienphilosophie — a cujos diretores, Lorenz Engell e Bernhard Siegert, agradeço por sua calorosa acolhida —, e depois completada e redigida em 2013 e 2014. Assim como a parte sobre Roland Barthes, ela também foi objeto de um seminário na École des Hautes Études en Sciences Sociales, entre 2012 e 2015. Como não falo russo, agradeço a Alessia Cervini por ter me cedido a tradução italiana de *Método*, em vias de publicação, assim como a Antonio Somaini, Ada Ackerman e Elena Vogman por seus preciosos conselhos e comentários eisensteinianos. Tentei, na medida do possível, harmonizar as diferentes transcrições das palavras e nomes próprios russos. Todos os documentos — textos ou desenhos — relativos a Eisenstein são provenientes dos Arquivos Literários e Artísticos de Estado de Moscou (RGALI), a cuja diretora, Tatian Goriavéa, assim como a Naum Kleiman, agradeço a autorização para reproduzi-los.

O último capítulo foi redigido no verão de 2012, e um fragmento foi publicado sob o título "Rendre sensible", na coletânea *Qu'est-ce qu'un peuple?* (juntamente com A. Badiou., P. Bourdieu., J. Butler, S. Khiari e J. Rancière), Paris: La Fabrique, 2013, p. 77–114.

Dados Internacionais de Catalogação na Publicação (CIP) de acordo com ISBD

D556p Didi-Hubermann, Georges

Povo em lágrimas, povo em armas / Georges Didi-Hubermann ; traduzido por Hortência Lencastre. – São Paulo, SP : N-1 edições, 2021.
518 p. ; 14cm x 21cm.

Tradução de: *Peuples en larmes, peuples en armes.*
Inclui bibliografia e apêndice.
ISBN: 978-65-86941-18-0

1. Filosofia. 2. Georges Didi-Hubermann. I. Lencastre, Hortência. II. Título.

2020-2525 CDD 100
CDU 1

Elaborado por Vagner Rodolfo da Silva - CRB-8/9410

Índice para catálogo sistemático:

1. Filosofia 100
2. Filosofia 1

n-1

O livro como imagem do mundo é de toda maneira uma ideia insípida. Na verdade não basta dizer Viva o múltiplo, grito de resto difícil de emitir. Nenhuma habilidade tipográfica, lexical ou mesmo sintática será suficiente para fazê-lo ouvir. É preciso fazer o múltiplo, não acrescentando sempre uma dimensão superior, mas, ao contrário, da maneira mais simples, com força de sobriedade, no nível das dimensões de que se dispõe, sempre n-1 (é somente assim que o uno faz parte do múltiplo, estando sempre subtraído dele). Subtrair o único da multiplicidade a ser constituída; escrever a n-1.

Gilles Deleuze e Félix Guattari

n-1edicoes.org